Volte-face et malaises

De la même auteure

Deux folles et un fouet, en collaboration avec Jessica
   Barker, Trécarré, 2010
Gin tonic et concombre, Libre Expression, 2008
Soutien-gorge rose et veston noir, Libre Expression,
   2004

RAFAËLE GERMAIN

Volte-face et malaises

ROMAN

Libre Expression

Une société de Québecor Média

Catalogage avant publication de Bibliothèque et Archives nationales du Québec et Bibliothèque et Archives Canada

Germain, Rafaële, 1976-
    Volte-face et malaises
    ISBN 978-2-7648-0519-0
    I. Titre.

PS8589.R473V64 2012   C843'.6   C2012-940052-1
PS9589.R473V64 2012

Édition : André Bastien
Direction littéraire : Marie-Eve Gélinas
Révision linguistique : Caroline Hugny
Correction d'épreuves : Marie Pigeon Labrecque
Illustration de la couverture : Maud Gauthier
Mise en pages : Clémence Beaudoin
Photo de l'auteure : Sarah Scott

Cet ouvrage est une œuvre de fiction ; toute ressemblance avec des personnes ou des faits réels n'est que pure coïncidence.

Remerciements
Nous reconnaissons l'aide financière du gouvernement du Canada par l'entremise du Fonds du livre du Canada pour nos activités d'édition.
Nous remercions le Conseil des Arts du Canada et la Société de développement des entreprises culturelles du Québec (SODEC) du soutien accordé à notre programme de publication. Gouvernement du Québec – Programme de crédit d'impôt pour l'édition de livres – gestion SODEC.

Les Éditions Libre Expression
Groupe Librex inc.
Une société de Québecor Média
La Tourelle
1055, boul. René-Lévesque Est
Bureau 800
Montréal (Québec) H2L 4S5
Tél. : 514 849-5259
Téléc. : 514 849-1388
www.edlibreexpression.com

Dépôt légal – Bibliothèque et Archives nationales du Québec et Bibliothèque et Archives Canada, 2012

ISBN : 978-2-7648-0519-0

Distribution au Canada
Messageries ADP
2315, rue de la Province
Longueuil (Québec) J4G 1G4
Tél. : 450 640-1234
Sans frais : 1 800 771-3022
www.messageries-adp.com

Diffusion hors Canada
Interforum
Immeuble Paryseine
3, allée de la Seine
F-94854 Ivry-sur-Seine Cedex
Tél. : 33 (0)1 49 59 10 10
www.interforum.fr

Au papa de Zaza.

CHAPITRE 1

Ça n'allait pas bien. Il n'y avait plus de jus dans le frigo, toutes les oranges avaient été pressées, et par les grandes fenêtres de l'appartement, je pouvais voir de mauvaises giboulées de neige qui reflétaient parfaitement mon état intérieur. Pas question de sortir. Il n'avait d'ailleurs pas été question de sortir pendant presque dix jours, depuis que Florian m'avait annoncé qu'il me laissait pour une autre femme. Il avait quitté l'appartement, *son* appartement, où je vivais avec lui depuis quatre ans déjà, en me disant qu'il ne voulait surtout pas me bousculer et que je pouvais prendre le temps que je voulais pour partir. Brave type.

Mais il n'y avait plus de jus et il me fallait quelque chose pour allonger ce qui restait de la bouteille de vodka que Catherine m'avait charitablement apportée quatre jours plus tôt et qui avait été consommée dans un marathon d'apitoiement sur moi-même et de délectation morose. J'avais donc eu la brillante idée d'ajouter à la vodka un restant de sorbet à la mûre qui traînait dans le congélateur depuis des lustres. Le sorbet, c'est un peu comme du jus congelé, non ? m'étais-je dit dans un pathétique élan de justification. Sauf que la durée du séjour du sorbet en question dans le congélo et son contenant moyennement hermétique

lui avaient donné un solide arrière-goût qui venait dis-
tinctement du paquet de crevettes voisin. Ma vodka-
mûre-crevette me navrait jusqu'aux larmes, mais je la
buvais tout de même avec diligence, comme un enfant
malade avale son sirop Buckley's. Non, vraiment, ça
n'allait pas bien.

Florian était parti. C'était un fait accompli, qui
avait eu lieu à 20 h 17 précises le mardi de la semaine
précédente mais qui, me semblait-il, ne cessait d'arriver depuis.

À 4 h 42 du matin, alors que je me réveillais dans la
nuit et que pendant quelques secondes suspendues je
retrouvais la tendre innocence des semaines d'avant,
jusqu'à ce que celle-ci vienne se fracasser contre l'absence de Florian à mes côtés.

À 11 h 31, quand je me traînais péniblement hors
du lit et que j'éprouvais un véritable vertige en réalisant que l'homme qui partageait ma vie depuis bientôt
six ans était parti pour ne jamais revenir.

À 14 h 03, alors que j'appelais Catherine en larmes
pour lui répéter la dernière conversation que j'avais
eue avec Florian – conversation qu'elle connaissait
déjà par cœur puisque je la lui redisais dans son entiè-
reté au moins une fois par jour, dans l'espoir ridicule
qu'une de nous deux y découvre soudain l'antidote à
mon malheur («Quand il a dit "mais", il a vraiment dit
"mais", mais il avait l'air de dire "et"… qu'est-ce que
tu penses que ça veut dire?»).

Vers 16 heures, lorsque l'ivresse des premiers verres
de vodka-pamplemousse (il y avait encore du jus dans
le frigo à cette glorieuse époque) se faisait sentir et que
pendant un bref moment je parvenais à me convaincre
que c'était mieux ainsi, pour m'effondrer en larmes
quelques minutes plus tard.

À 19 h 24, alors que dans un cercle vicieux totalement absurde le simple son de mes sanglots suffisait
à me faire sangloter de plus belle.

Autour de 21 heures, heure à laquelle Catherine tentait de me faire avaler quelque chose avant de retourner chez elle, non sans avoir pris soin de nourrir mes deux chats qui étaient devenus de véritables petits mouchoirs ambulants tellement je pleurais sur eux.

À 23 h 58, alors que le générique d'un épisode de *Grey's Anatomy* me laissait dans un bain de larmes qui n'avait rien à voir avec la mort tragique d'un petit garçon qui avait courageusement combattu un cancer rarissime mais plutôt avec le fait que, pendant un instant, j'avais littéralement envié le petit garçon courageux, ajoutant à mon désespoir de femme délaissée un sincère dégoût de moi-même qui était aussi désolant que prévisible.

Le départ définitif et ponctuel de l'homme que j'aimais encore m'arrivait plusieurs fois par jour. S'il était accompli dans le temps, il ne l'était pas en moi, et j'avais la nette impression qu'il ne le serait jamais. Je ne cessais de redécouvrir mon malheur, de réaliser mon infortune. Ma peine ne s'émoussait pas, ma douleur et ma surprise restaient parfaitement cuisantes. Je ne voyais, évidemment, aucune lumière au fond de ma bouteille de vodka.

« Ça va passer », me répétait Catherine. Je me fâchais alors : je n'étais pas conne, je savais que ça allait passer, mais je ne le *savais* pas. Étrange sophisme qui me réconfortait un peu, parce que j'y voyais une sorte de lucidité qui, je l'espérais, finirait un jour par m'éclairer. Catherine avait la bonté de ne pas relever ma mauvaise foi – sans doute avait-elle aussi un peu peur de moi : j'avais tendance, lorsque contredite, à devenir tellement désagréable que même une amoureuse du drame comme Catherine finissait par se lasser de moi.

Elle avait pourtant multiplié les interventions depuis mon premier appel désespéré, passé à 20 h 18 le mardi précédent. Elle était accourue avec une première bouteille de vodka, des DVD de *Sex and the City* et un paquet de six boîtes de mouchoirs Puffs extra lotion acheté au Costco un mois auparavant dans un élan de domesticité absurde mais enfin justifié. Elle avait entendu mes sanglots, essuyé mes larmes, écouté mes doléances, mes excès de rage, mes remises en question et mes professions de désespoir éternel.

J'étais depuis passée par toutes les étapes de la perte de dignité qui suit inévitablement une rupture amoureuse qu'on n'a pas désirée. J'avais appelé mille fois mon ex – parce que c'était ce qu'il était maintenant, un « ex », petit mot triste et banal que je n'allais plus jamais pouvoir faire au Scrabble pour me sortir d'un mauvais pas sans ressentir un douloureux coup au cœur. J'avais laissé des messages lamentables et avinés dans sa boîte vocale. J'avais mis tous ses vêtements dans des sacs-poubelle que j'avais pris la peine de sortir dehors puis que j'étais retournée chercher dans un élan de culpabilité, d'amour et d'espoir (et s'il revenait ? Il serait certainement déçu de ne plus retrouver ses chaussettes et ses maillots de bain, ainsi que le ridicule chandail bavarois que sa tante lui a envoyé pour Noël). J'avais déclaré que des phrases comme « Les peines d'amour ne peuvent être guéries que par ceux qui les ont faites » étaient ce que l'humanité avait produit de plus profond.

J'avais obligé Catherine à me montrer le profil Facebook de l'autre femme que j'avais consulté durant des heures, en répétant dans un véritable crescendo de véhémence qu'elle n'était rien qu'une « ostie de tache qui sent le besoin d'étaler sa culture de hipster même pas originale parce que qui, à part une ostie de tache qui sent le besoin d'étaler sa culture de hipster même pas originale, cite, *excuse me*, du fucking David Foster Wallace sur sa page et écrit "pratiquer l'ironie" dans la liste d'affaires qu'elle aime ? ». (« C'est peut-être de l'ironie », avait fait valoir Catherine, ce qui lui avait valu un regard haineux.) J'étais hystérique. J'avais fini en hurlant quelque chose se résumant à « Puis à part de ça, quel genre de MORONNE a une page Facebook?». Catherine avait répliqué avec un timide «Ben... à peu près un demi-milliard de personnes? Dont moi?». Mais elle n'avait pas insisté: elle savait que j'aurais très bien pu reprocher à l'autre femme de porter des chaussures pour marcher, ou encore d'utiliser ses poumons pour respirer. Elle avait donc fait ce que toute bonne amie un peu résignée fait dans ce temps-là: elle avait fini par acquiescer. «T'as raison. Quelle MORONNE.» Et nous nous étions donné un ridicule high five. La solidarité de Catherine, pour laquelle j'étais encore incapable de la remercier, me touchait profondément.

Elle avait enduré et réussi à suivre l'insupportable balancier qu'était devenue ma conversation:

«C'est un ostie de chien sale.

— Mets-en.

— Mais je l'aiiiiiiime.

— Ben oui je sais.

— Même s'il mérite pas de vivre.

— Non, il mérite pas de vivre.

— Y est tellement merveilleux.

— C'est sûr.

— Quel ostie de chien sale.

— Mets-en!»

Elle avait écouté *ad nauseam* les chansons tristes qui me permettaient de me vautrer dans ma peine jusqu'à l'écœurement. Sa patience s'était tout de même arrêtée à Whitney Houston («Non. Pas la toune de *Bodyguard*. Y a des osties de limites, Geneviève.») mais elle avait, pour le reste, fait preuve d'une solidarité presque héroïque, endurant Céline, Jean-Jacques Goldman et – mon Dieu – James Blunt.

C'était Nicolas, son cousin/coloc/meilleur ami, qui avait hérité du sale boulot de confisquer mes CD de Damien Rice et d'effacer toutes ses chansons de mon ordinateur et de mon iPod. Je lui avais crié des bêtises d'une rare malhonnêteté, l'accusant de ne rien comprendre à ma détresse, alors qu'il avait essuyé lui-même une peine d'amour dévastatrice quelques années auparavant. Le fait que j'aimais Nicolas comme un frère avait simplement ajouté à ma joie mauvaise : je pouvais en lui faisant de la peine m'en faire en même temps. Une femme en chagrin d'amour est pleine de ressources quand vient le temps de s'autodétruire.

« Voudrais-tu aller marcher ? Viens, on va aller marcher », m'avait dit Nicolas quelques jours plus tôt, avec une autorité si douce et si ferme que je m'étais liquéfiée. Catherine était rentrée à leur appartement pour s'occuper de Noé, le fils de Nicolas qui vivait avec eux à temps plein depuis que sa mère était partie sans demander son reste – d'où la peine d'amour dévasta-trice, aux conséquences indéniablement plus graves que la mienne, qui n'affectait après tout que moi et deux chats qui de toute manière n'avaient jamais apprivoisé Florian.

Il m'avait mis ma vieille doudoune et mes bottes, m'avait enfoncé une tuque sur la tête et m'avait traînée dans l'hiver qui se déchaînait. J'avais, pendant quelques minutes, apprécié la vivifiante morsure du vent sur mes joues. Il neigeait à plein ciel et les flocons nous piquaient le visage et s'aggloméraient dans nos cheveux. Le parc près de chez moi était désert, à part pour une jeune fille beaucoup trop motivée qui fai-sait son jogging dans la neige folle. Je m'étais alors souvenue que c'était là que Florian faisait son jog-ging et je m'étais effondrée dans un banc de neige où je serais restée jusqu'au dégel si Nicolas ne m'avait pas prise à bras-le-corps pour me porter jusqu'au trottoir. Ma doudoune offrant très peu de pogne, il m'avait échappée dans un autre banc de neige qui longeait la rue, ce qui l'avait plongé dans une grande hilarité qu'il m'était impossible de partager. « Tu vas rire de ça un jour », m'avait-il promis et je savais qu'il avait raison, mais je lui en voulais un peu quand même.

C'était lui aussi qui avait appelé mon employeur, un éditeur qui publiait des « autobiographies » de vedettes qui ne savaient pas écrire et dont je devenais la plume le temps que leur histoire sans véritable intérêt soit racontée. Peines d'amour, échecs professionnels, consommation excessive d'alcool et/ou de drogue, remontée fulgurante, découverte de leur spiritualité – leurs parcours semblaient tous calqués sur le même film fait pour la télévision. Ils étaient tous candides et terriblement vaniteux et, pour la plupart, persuadés que ce qu'ils avaient vécu était unique et offrirait une sacrée belle leçon de vie aux lecteurs éventuels.

« Elle peut pas écrire », avait expliqué Nicolas à l'éditeur qui s'occupait de « mes » livres. J'étais en train de rédiger la vie de la gagnante d'une émission de télé-réalité qui, à vingt-huit ans, désirait faire bénéficier le monde de son expérience, et mon cynisme habituel et déjà un peu toxique à l'égard de ce genre d'histoire s'était transformé, avec la peine d'amour, en un mépris de mauvais aloi que la jeune femme, après tout, ne méritait pas et qui était surtout très peu propice à la productivité.

L'éditeur, qui avait appris de belles leçons de vie grâce à sa fréquentation de vedettes au parcours exemplaire, avait fait preuve d'une grande magnanimité en disant à Nicolas que je pouvais prendre quelques semaines de congé. J'avais été à la fois extrêmement soulagée et un peu vexée : j'aurais voulu pouvoir me fâcher contre quelqu'un, pouvoir blâmer un éditeur ingrat pour tout ce qui m'arrivait. Nicolas, Catherine et moi avions passé la soirée suivante à rédiger les grandes lignes de mon autobiographie : elle avait travaillé dans l'ombre toute sa vie, connu une grande peine d'amour, éclusé des litres de vodka et découvert Bouddha. La découverte de Bouddha restait encore à faire et me semblait fort peu probable à moi qui avais la spiritualité d'une mouche, mais nous étions tous d'accord pour dire qu'il y avait là tous les ingrédients d'un best-seller. J'avais même ri un peu, ce qui avait fait tellement plaisir à mes amis que j'avais refondu en larmes devant cette touchante preuve d'amour.

Je leur répétais, plusieurs fois par jour, soit au téléphone soit en personne quand ils se risquaient jusque dans mon antre, que je ne comprenais pas. « C'est sûr que tu comprends pas », me disait Catherine avec une sollicitude qui m'exaspérait – depuis quand était-elle devenue, elle, aussi compréhensive ? Moi je ne comprenais pas, je ne voulais pas comprendre et je m'insurgeais à l'idée que quiconque comprenne. Comment Florian avait-il pu partir ? Comment cette histoire avait-elle pu se terminer de manière aussi banale ?

Nous nous étions rencontrés à Paris, dans un petit bar un peu touristique près de Saint-André-des-Arts. Une telle rencontre ne devait-elle pas obligatoirement augurer un amour à nul autre pareil ? C'est ce que j'avais cru longtemps – jusqu'à dix jours plus tôt, pour être exacte. J'étais avec Catherine et une autre amie, Marie-Ève, nous buvions du vin rouge qui tache et nous hurlions notre joie de nous être retrouvées là. Nous ne voyagions pas ensemble, et j'étais d'abord tombée sur Catherine, une jeune aspirante comédienne que j'avais un peu connue à Montréal et qui devait devenir ma grande amie. Marie-Ève était une ancienne camarade de classe qui vivait maintenant à Édimbourg et que Catherine et moi avions croisée alors que nous sifflions une première bouteille de rouge sur le pont des Arts. Une telle double coïncidence ne pouvait pas ne pas se fêter bruyamment.

Florian était là avec quelques amis et il était venu nous parler en entendant notre accent. D'origine allemande, il vivait à Paris depuis trois ans et devait déménager à Montréal le mois suivant. Il terminait des études en architecture et s'était trouvé un poste dans une compagnie française qui avait un bureau chez nous. Trois jeunes Québécoises plutôt ivres avaient eu sur lui l'effet d'un aimant, et il avait passé le reste de la soirée à notre table et le reste de la semaine dans mon petit lit d'hôtel. J'avais vingt-six ans, lui trente et un. Catherine ne l'aimait pas trop mais je la soupçonnais d'être jalouse de l'attention que je portais à cet Allemand au physique presque trop parfait, qui parlait français avec un accent irrésistible et semblait n'avoir jamais douté de quoi que ce soit dans la vie.

Je doutais, moi, beaucoup. J'avais déjà commencé à cette époque à travailler pour la maison d'édition pour laquelle j'écrivais encore six ans plus tard. Je corrigeais des manuscrits tout en caressant le rêve d'écrire un jour ma propre histoire – enfin, pas mon autobiographie, mais une histoire qui serait venue de moi. Quelques mois auparavant, un des éditeurs m'avait demandé si cela m'intéresserait de rédiger la biographie d'une chanteuse populaire de vingt-quatre ans qui faisait fureur auprès des préadolescentes. J'avais acquiescé, en me disant que cela « aiguiserait ma plume », une phrase qui avait fait hurler de rire Catherine, qui hurlait facilement de rire et avait beaucoup d'opinions sur tout ce qui ne la concernait pas. Florian avait trouvé cette nouvelle profession fort amusante. « Tu es nègre ? » m'avait-il dit. « J'aime mieux *ghost writer* », avais-je répliqué, tout en précisant que je ne comptais pas faire cela longtemps. Il m'avait rebaptisée Fantômette, ce qui faisait beaucoup rire Catherine mais me rendait, sans que je sache pourquoi, inexplicablement triste.

Nous étions revenus à Montréal à des dates différentes – Catherine d'abord, puis moi, puis Florian. Mon amitié avec Catherine s'était scellée quelque part sur le pavé inégal de Paris, et Florian, à son arrivée chez nous, m'avait tout de suite appelée. Un an plus tard, il emménageait dans mon appartement, deux ans plus tard j'emménageais dans le magnifique condo qu'il venait de s'acheter et six ans plus tard, il m'annonçait qu'il me laissait pour une autre femme.

Il m'avait expliqué avec véhémence qu'il m'aimait et qu'il m'aimerait toujours, mais que quelque chose s'était enfui, quelque chose de tellement important qu'il avait, pour la première fois depuis notre rencontre, eu envie de regarder ailleurs. Et c'est en regardant ailleurs que ses yeux s'étaient posés sur l'autre.

L'autre, c'était une comédienne que Catherine connaissait un peu et dont je souhaitais ardemment la mort, et qui avait été rebaptisée depuis que son existence m'était connue « la bitch », « la slut » ou « la crisse de hipster à marde avec ses osties de lunettes du Mile-End ». « Une comédienne, ne cessais-je de répéter. Peux-tu croire qu'il m'a dompée pour une crisse de comédienne ?

— Ben là, on est pas des pestiférées, quand même… disait Catherine.

— Florian passe sa vie à dire qu'il haït les filles trop intenses ! »

Et Catherine, qui savait qu'on ne peut reprocher à une femme en peine d'amour sa mauvaise foi ET qui tirait une vanité un peu étrange du fait qu'elle était, elle-même, d'une intensité à fendre le roc, se taisait. Elle savait aussi que la crisse de hipster à marde avec ses osties de lunettes du Mile-End aurait pu être coiffeuse ou comptable ou fleuriste que j'aurais jugé sa profession tout entière.

« Je veux qu'a meure », répétais-je dans le gros coussin rouge du divan. Ma voix assourdie par la rembourrure me résonnait dans la tête. « Je sais… » disait Catherine.

« Je veux que lui aussi il meure, ajoutais-je. Encore plus.

— OK », disait Catherine en me tendant un autre drink, que je buvais sans même prendre la peine de m'asseoir.

J'en voulais à Florian. Bien plus encore qu'à la crisse de hipster, qui restait après tout une entité plutôt vague que j'avais transformée en caricature sans me soucier de sa vraie nature. Florian était parti avec elle mais c'est Florian qui était parti, Florian qui m'avait brisé le cœur, Florian que j'aimais. C'était Florian qui m'avait répété qu'il m'aimait et me respectait trop pour avoir une aventure derrière mon dos.

C'était horrible, enrageant et, me disais-je, d'une rare cruauté. Une partie de moi était vaguement consciente qu'on ne peut sans doute pas faire comprendre à une personne qui nous aime qu'on ne l'aime plus sans paraître cruel mais je restais furieuse, et persuadée d'être victime de la plus grande injustice jamais perpétrée.

J'aurais voulu de l'effarement, des larmes, de l'autoflagellation, une explosion de mélodrame latin plutôt que cet étalement de logique teutonne, tout en rationalisme et en retenue.

« Un gars ça braille pas quand ça dompe une fille », avait dit Nicolas. Nous rentrions de notre semi-promenade dans le parc et je me séchais les cheveux. Catherine avait apporté quelque chose comme quarante gallons de sa « soupe miracle » qui, je le savais, était de la soupe Habitant « Mariage italien » à laquelle elle ajoutait du tabasco. Elle m'en avait servi un gros bol tout en donnant une puissante claque derrière la tête de Nicolas, qui avait eu le nez projeté dans son verre de vin.

« Ben là ! avait-il crié. C'est vrai !

— T'es vraiment cave. T'es macho puis t'es cave.

— Fais un sondage si tu me crois pas.

— *Tous* les gars que je connais brailleraient copieusement s'ils avaient à faire ce que Florian a fait. » Elle avait levé une main vers moi, sentant venir mes stridentes objections. « PAS que ce que Florian a fait est héroïque. Juste que domper une fille merveilleuse, ça fait mal au cœur. » Je n'étais pas convaincue, mais je m'étais tue. Fallait choisir ses combats, quand même.

« Tous les gars que tu connais ont fait l'École nationale de théâtre… » avait maugréé Nicolas en attrapant un bol de soupe. Pour un gars qui avait pendant cinq ans été propriétaire d'un bar à deux coins de rue de ladite école, ça voulait tout dire. Nicolas avait beaucoup d'opinions sur les étudiants en théâtre.

«Est bonne, ta soupe, avais-je dit à Catherine.

— Merci… C'est ma recette secrète.»

Nicolas et moi avions échangé un regard et, miracle dans mon cas, un petit sourire.

«Moi je pense que t'étais en droit de réclamer une couple de larmes, avait poursuivi Catherine. Mais c'est sûr qu'on pouvait pas ben ben s'attendre à ça de Florian…»

Nous avions hoché la tête tous les trois. Non, on ne pouvait pas ben ben s'attendre à ça de Florian. Mais je ne m'étais pas attendue à bien des choses, et je commençais à me demander si mon innocence béate ne relevait pas carrément de la stupidité.

Je n'avais, bien entendu, rien vu venir. Nous formions un couple solide, mes amis le savaient, mes parents le savaient, *je* le savais. Le savais-je? Rétrospectivement, tout se remettait en question. Chaque regard, chaque retard, chaque baise un peu ordinaire, chaque silence. Aurais-je dû décoder de subtils signaux? Avais-je trop voulu ignorer l'évidence? Florian avait, depuis quelque temps, cessé de m'encourager à écrire mes propres histoires – il avait été pendant des années un motivateur d'autant plus louable qu'il n'obtenait aucun résultat. Il se souvenait de ce que je lui avais dit dans ce petit bar parisien et me répétait régulièrement d'écrire pour moi. Ce que je faisais, sans assez de conviction pour aboutir à quoi que ce soit. Depuis un an ou deux, il avait cessé de regarder par-dessus mon épaule lorsque j'écrivais pour me taquiner et savoir si je volais enfin de mes propres ailes.

J'avais vu là une certaine résignation, mais aussi une acceptation de ce que j'étais vraiment. Florian, dont la carrière connaissait une ascension fulgurante tout à fait proportionnelle à l'immense quantité d'énergie qu'il y investissait, avait longtemps eu de la difficulté à accepter ce qu'il voyait comme un manque d'ambition de ma part. J'avais beau lui expliquer que je valorisais simplement peu la carrière, je voyais dans son œil bleu et limpide une incompréhension totale. Mais depuis quelque temps, plus rien. Avait-il abandonné? Cessé de s'intéresser? Je me réjouissais d'avoir enfin la paix – aurais-je dû m'inquiéter? J'avais posé cette question à Catherine et Nicolas, qui avaient fait d'insupportables faces voulant clairement dire: «On veut pas trop te le dire maintenant parce que tu es fragile et qu'on a peur de toi mais… oui?» Je leur avais lancé chacun un gros coussin rouge et j'étais partie bouder contre un des chats.

J'avais pourtant accumulé au cours des années tant de preuves de notre amour! Souvenirs de voyages et de fous rires, séjours dans sa famille et dans la mienne, partys s'étirant jusqu'aux petites heures du matin et soirées en amoureux, confessions intimes et conversations stimulantes… nous nous étions bâti un quotidien aux strates innombrables, aussi précieuses que banales. Nous avions un *vécu*, pour reprendre ce mot qu'affectionnaient apparemment tous les gens dont j'avais écrit l'histoire.

«Oui ben ça te tente pas de t'éloigner un peu de ce vécu-là? me demandait Catherine en regardant d'un œil suspicieux la penderie depuis laquelle des chemises et des pantalons de Florian semblaient me narguer. Me semble que c'est pas super sain de rester ici… » Ce n'était, effectivement, pas super sain. Boire des litres de vodka et recommencer à fumer non plus, cela dit. Le super sain pouvait attendre. Je prenais un vilain plaisir, le seul qui m'était encore accessible depuis le fond de ma déchéance, à me vautrer dans tout ce que mon petit monde avait de malsain à m'offrir. Chansons tristes, photos de nous nous regardant amoureusement, sniffage compulsif d'un col de chemise que

Florian avait portée un peu avant «les événements», bloody ceasar à 10 heures du matin – mon attitude à l'égard de toutes ces choses que j'aurais dû éviter se résumait à «Bring it on». Mes amis m'avaient d'abord encouragée – un peu d'autodestruction est pratiquement de rigueur pour démarrer une peine d'amour – puis, au bout de quelques jours, ils avaient commencé à tenter de me ramener dans le droit chemin.

Leurs nobles efforts n'étaient pas toujours bien dirigés : ils avaient, au bout d'une semaine de patience et de soupe Habitant «Mariage italien», pris la décision inexplicable d'appeler ma mère à la rescousse. Ma mère, une créature étrange que la nature avait dotée d'un sens aigu du devoir qui palliait tant bien que mal l'absence quasi totale, chez elle, d'instinct maternel, avait débarqué chez moi, hirsute et désemparée, avec l'air d'un Bédouin qu'on viendrait de catapulter dans le Grand-Nord et à qui on aurait dit : «Débrouille-toi.» J'avais eu le temps de me demander, en la voyant debout dans le cadre de porte avec son Kanuk, si je ne risquais pas de la faire fuir en me jetant dans ses bras, mais c'est elle qui s'était avancée, maladroite et un peu timide, pour me serrer contre elle.

«Mamaaaaaaaan», avais-je braillé en appuyant ma joue sur sa tête encore froide. Elle m'avait tenue un bon moment, et je savais qu'elle devait se demander : «Et maintenant, je fais quoi?» mais la sincérité de son effort me touchait tellement que je refusais de lâcher prise.

«Nicolas m'a téléphoné», m'avait-elle dit sur le ton qu'elle aurait pris pour s'excuser de déranger. Elle avait l'air aussi étonnée que moi de se voir là.

«Tu veux enlever ton manteau? avais-je proposé à travers une des nombreuses bulles de morve dont ma tête semblait entièrement constituée depuis une semaine.

— Oui… puis je prendrais bien un bon thé.» Ma mère prenait au moins quinze «bons thés» par jour.

Jamais de thé tout court, ou de petit thé ou de tasse de thé. Un «bon thé». Et elle le buvait avec l'air infiniment satisfait qu'ont les gens dans les publicités de thé ou de café, les deux mains autour de sa tasse, les yeux fermés, la tête un peu rentrée dans les épaules. C'était un de ses nombreux petits rituels. Ma mère était une femme de rituels que la venue inopinée d'une enfant, trente-deux ans plus tôt, avait grandement bouleversés.

Je m'étais occupée de lui préparer un thé et m'étais versé un verre de vin sans me soucier de ses sourcils froncés. Elle ne buvait du vin qu'au souper et se limitait, tous les soirs, à un verre et demi. Pas un, pas deux, un et demi. «Juste un demi-verre», disait-elle toujours au restaurant, ce qui me faisait immanquablement lever les yeux au ciel. J'étais en train de me demander si j'étais mieux de la devancer et de dire ce que je savais qu'elle allait dire quand elle a déclaré, en s'assoyant : «Tu sais, Geneviève, je sais que pour le moment c'est dur à imaginer mais crois-en mon expérience : on est beaucoup mieux toutes seules.» Bingo.

Mon père avait laissé ma mère lorsque j'avais seize ans pour une femme beaucoup plus jeune, beaucoup plus énergique et, avions-nous découvert lorsque ma demi-sœur était née deux ans plus tard, beaucoup plus maternelle. C'est à peine si ma mère avait bronché lorsque mon père nous avait fait l'annonce de la nouvelle. Elle était, aurait-on dit, soulagée. Cette femme solitaire, qui avait toujours préféré lire ou aller au théâtre que d'échanger avec qui que ce soit, qui faisait de grandes promenades chaque soir et rechignait lorsqu'on voulait l'accompagner, s'était sentie, je crois, libérée par le départ de l'être de bruit et d'exubérance qu'était mon père.

Elle s'était pris un petit appartement dans cet Outremont qu'elle adorait et qu'elle ne quittait que pour aller faire du bénévolat au Musée des beaux-arts, avait continué à vendre ses antiquités de bon goût sur la rue Bernard, à faire du tai-chi dans le parc, à prendre de « bons thés » avec ses deux seules amies, à bruncher avec moi une fois par mois, à suivre des cours de peinture, à se promener seule et à assister religieusement aux pièces de tous les théâtres auxquels elle était abonnée. Et elle me tenait maintenant la main en me regardant d'un air encourageant et soulagé qui m'avait donné envie de me coucher en position fœtale sur le divan en geignant de désespoir. Ce que je fis.

Ma mère s'était approchée, déconcertée et sans doute un peu agacée, et s'était assise à côté de moi. « C'est sûr qu'il faut que tu te donnes le temps… » avait-elle dit sans rien ajouter. Elle regardait par la fenêtre et devait se demander quand elle allait pouvoir poursuivre sa promenade. J'avais failli lui dire que l'idée de finir comme elle un jour me désespérait encore plus que le départ de Florian. Je ne voulais pas me coucher seule, tous les soirs, en posant avec un sourire satisfait *Le Prophète,* de Khalil Gibran, sur ma table de chevet. Je voulais m'endormir dans les bras tièdes d'un homme repu. Et je ne voulais surtout pas occuper mes dimanches après-midi à des conférences sur la calligraphie chinoise ou la dramaturgie de Michel-Marc Bouchard aux auditoires composés presque exclusivement de femmes seules.

L'autarcie absolue de ma mère me faisait l'effet d'un destin de seconde zone, choisi à défaut d'un meilleur et peuplé d'autres femmes qui, comme elle, avaient fini par se convaincre qu'elles étaient mieux comme ça et clamaient leur certitude en affichant un air perpétuel d'infinie satisfaction. On ne pouvait pas avoir l'air *si* satisfaite tout le temps et l'être vraiment. C'était suspect. J'aimais mieux l'angoisse trop assumée de Catherine, qui dévoilait ses inquiétudes, ses questionnements et son insécurité au monde entier. Ça frisait souvent l'insupportable, mais c'était beaucoup moins déstabilisant.

« T'es parfaitement autosuffisante, Geneviève. Tu le réalises pas encore, mais t'es parfaitement autosuffisante. T'as tout ce qu'il faut juste ici. » Elle avait mis une main sur ma poitrine, provoquant une nouvelle série de geignements qui se voulaient déchirants mais qui étaient, j'en étais malheureusement consciente, plutôt ridicules.

« Bon ben là je sais plus quoi te dire », avait fini par déclarer ma mère sur un ton un peu offensé. J'avais atteint le bout de sa très courte patience. Ma mère n'aimait pas être confrontée à quoi que ce soit – ce n'était pas le moment de lui dire que je n'avais pour l'instant surtout pas besoin de son pep-talk à la sauce « Les vieilles filles sont plus épanouies », paroles mesquines qui me brûlaient les lèvres et que j'étouffais dans mes geignements de dame aux camélias.

« Je veux juste qu'il revienne », avais-je dit, dans un élan de faiblesse tellement sincère et pathétique que même ma mère n'avait pu retenir un « Aw » de pitié et de désarroi. Elle m'avait passé une main dans les cheveux.

« Je sais…

— T'as voulu, toi, que papa revienne ? » Je n'avais *aucun* souvenir de ma mère pleurant en position fœtale sur un divan, ou noyant sa peine dans la vodka et la soupe Habitant. Elle m'avait répondu d'un « Ooooff » des plus évasifs. Il faut dire que le départ de mon père en aurait soulagé plus d'une. Homme exubérant, bruyant, fêtard, candide et d'un jovialisme à toute épreuve, il était aussi épuisant qu'attachant. Son union avec une femme comme ma mère relevait, à mes yeux, de l'insensé. Il affichait une vulgarité joyeuse et souveraine qui n'avait pu que traumatiser cette femme délicate et résolument coincée qu'était ma mère. Qu'est-ce qui les avait unis ? « Un méchant beau trip de cul », m'avait déjà confié mon père, ce qui m'avait donné envie de me crever les tympans sur-le-champ avec un crayon.

« J'ai toujours eu tendance à accepter ce que la vie m'offrait », avait dit ma mère, me faisant lever les yeux au ciel. À trente-deux ans, je voyais encore cela comme une attitude de loser.

« C'est pas "loser", tu sauras, avait-elle continué en faisant des guillemets avec les doigts, comme chaque fois qu'elle devait s'abaisser à utiliser un mot en anglais, idiome qui semblait lui brûler la langue.

— J'ai pas dit que c'était loser ! » La rapidité avec laquelle je retrouvais mon ton d'ado offensée lorsque je parlais à ma mère m'épatait chaque fois.

« Oui, tu m'as déjà dit que tu trouvais ça "loser". » Encore les guillemets. « Et puis je pense pas que j'étais faite pour être avec ton père. » Je n'aurais su si bien dire.

« T'as jamais pensé que t'étais peut-être faite pour quelqu'un ? N'importe qui ? »

Elle avait haussé les épaules et s'était levée sans répondre. Catherine et moi nous posions souvent la question, lorsque nous avions pris un ou douze verres de trop : et si c'était correct de n'être fait pour personne ? D'accepter sereinement son destin comme ma mère ? Catherine finissait toujours par donner de grandes claques sur la table en criant : « Oui madame ! Pas besoin de ça, le couple ! Fuck le couple ! » avec une fébrilité dans la voix qui faisait sourire Nicolas et me fendait un petit peu le cœur. Je renchérissais alors en me sentant à la fois malhonnête et magnanime : je n'avais pas, moi, à me poser cette triste question, puisque j'avais Florian ! Et je pouvais, bien à l'abri dans la forteresse de mon couple, faire à Catherine l'aumône de ma solidarité. « Ben non on n'a pas besoin des boys ! Fuck les boys ! On ira prendre des bons thés puis on assistera à des conférences ! » mentais-je, confiante de n'avoir jamais à croire vraiment en cela.

Ma mère était finalement partie en me donnant un bisou sur le front et en me citant un extrait du

Prophète. « Ça va aller mieux », avait-elle dit avant de refermer la porte. Ben oui ça va aller mieux. Mais je ne voulais pas le croire, parce que accepter que ça aille mieux signifiait cesser d'aimer Florian et donc renoncer à son retour, ce à quoi je me refusais. Non, Florian allait revenir, éploré et désolé – j'avais esquissé mille scénarios qui mettaient tous en valeur ma grandeur d'âme, le faisaient correctement souffrir et se terminaient sur une étreinte passionnée et mille excuses sincères. La crisse de hipster à marde mourait aussi en cours de route, frappée par un Bixi devant le café Olympico. Vengeance et jubilation.

Les deux jours qui avaient suivi s'étaient écoulés dans un abîme de déni dont je ne sortais plus que pour me faire une autre vodka-pamplemousse ou changer de DVD dans le lecteur. Assommée par l'alcool et les péripéties des personnages de *Heroes* auxquelles je ne comprenais plus grand-chose, j'avais cessé de répondre à mes courriels et au téléphone. Je voulais la paix, la sainte paix et l'oubli. J'étais presque bien. Je me traînais, dans un vieux bas de pyjama de Florian, de la cuisine au salon et j'écoutais les messages que mon père avait laissés dans ma boîte vocale. Ma mère avait apparemment été si désemparée par mon manque d'enthousiasme devant la perspective d'une vie de solitude qu'elle avait appelé mon père *of all people* pour me remonter le moral.

« Geneviève, c'est Bill. » Mon père ne disait jamais « C'est ton père », mais toujours « C'est Bill ». « Allô Bill », avais-je dit à la boîte vocale. J'aimais beaucoup mon père. Il était… le mot exact était « colon ». Mon père était un colon, grossier, quétaine et assumé, un parvenu affichant sa richesse dans des voitures ridicules pour un homme de son âge, un Irlandais d'origine qui était fier de n'avoir aucune curiosité pour le pays où était né son père et un amateur invétéré de jokes de cul même pas drôles. C'était aussi un des hommes les plus chaleureux qui soient, une personne

27

dont la simple présence rendait tout plus léger, plus facile. C'était le pire conseiller au monde pour qui vit une peine d'amour.

« Ta mère m'a dit que tu filais pas… c'est ben correct qu'il soit parti, ton schleu… Ça pétait plus haut que le trou, ce gars-là. Puis toi tu mérites mieux que ça, tu m'entends-tu ? Faque fais-toi z'en pas avec ça, ma fille, prends un bon coup puis enweye dehors, tu vas en trouver un meilleur dans le temps de le dire ! »

J'avais raccroché, ébahie par tant de niaiserie. Deux heures plus tard, il en laissait un autre : « Josiane fait dire que la meilleure façon de reconquérir un homme, c'est en l'ignorant. Moi j'ai une couple d'idées sur ce qui conquiert son homme mais… » Un accès de rire l'interrompait. « … Mais je pense qu'on va laisser faire pour à soir. Anyway, c'était le input de Josie. Moi tu sais ce que je pense, t'es mieux sans ! On va te trouver un vrai gars, ma pitoune. » Josiane était la deuxième femme de mon père, une trophy wife professionnelle qui partageait son temps entre le coiffeur, la manucure et le court de tennis. Elle était très gentille et ses conseils étaient toujours spectaculairement mauvais (« Tu devrais essayer une belle manucure française » était son favori).

Pour ce qui était de me trouver un « vrai gars », je n'y croyais guère. Florian était tout ce qu'il me fallait, j'en étais certaine. Il était *mon* vrai gars. Solide, ambitieux, talentueux et décidé, il savait ce qu'il voulait et s'arrangeait pour l'obtenir. J'aimais chez lui cette absence de doute, cette séduisante confiance en lui et cette conviction pourtant très américaine que tout est possible pour qui rêve assez fort.

Mon père aussi appréciait ces qualités – il était lui-même un digne représentant de cette théorie s'apparentant à l'American dream, s'étant sorti d'une enfance pauvre à Pointe-Saint-Charles pour fonder une compagnie de production de télévision populaire et déménager ses pénates dans une énorme

« McMansion » à Lorraine. Il respectait les « winners » et avait la grâce de reconnaître cette qualité en Florian. Mais il le trouvait pour le reste beaucoup trop snob à son goût : un abonnement à un magazine comme *Dwell* constituait quelque chose de hautement suspect aux yeux de mon père. Une carrière en design et aménagement écoresponsable le sidérait. (« Moi je comprends pas pourquoi la ville paye des millions pour faire des parcs fancy. Que le monde aille à campagne, s'ils veulent voir du vert ! Ce qu'on a besoin c'est des parkings. ») Et puis le fait que Florian soit physiologiquement incapable de rire à une de ses blagues représentait un insurmontable obstacle à l'affection de Bill. (« Je voudrais pas parler en mal de ton chum, Geneviève, mais y est stuck-up en tabarnak. ») Florian, de toute manière, n'avait jamais apprécié mon père. Mais il était beaucoup trop poli pour le montrer. L'effusion, positive comme négative, n'était pas inscrite dans son code génétique.

J'écoutais donc les messages de mon père, qui m'auraient sans doute amusée si je n'avais pas été aussi profondément triste. Je savais bien que, selon lui, diminuer l'autre était une tactique de réconfort des plus valables. Mes amis, un peu plus délicats, hésitaient à l'emprunter. Ils se contentaient d'acquiescer quand je pestais, moi, contre divers aspects de Florian et l'accusais de tous les maux, puis changeaient d'idée aussi rapidement que moi. Je leur criais alors : « Vous faites juste dire tout ce que je dis ! » comme s'ils avaient eu un autre choix. Là encore, ils faisaient preuve de patience. Ils avaient tous lu, me disais-je, le petit manuel de gestion de l'amie en peine d'amour.

Mais depuis deux jours, je sentais moins de patience, moins de compréhension aveugle dans leurs douces remontrances. Tu devrais sortir, tu devrais arrêter de l'appeler, tu devrais prendre ta douche, tu devrais te nourrir... aussi je ne répondais plus au téléphone, je pestais contre eux en prenant les chats à témoin et je sirotais en pleurant mes vodkas-mûre-crevette. Ça n'allait vraiment, mais vraiment pas bien.

Et comme toujours, lorsque ça ne va vraiment mais vraiment pas bien et qu'on a de vrais bons amis, ce qui devait arriver arriva : ils ont débarqué. À deux. J'étais couchée sur le divan, un verre de mon infect cocktail dans une main et la télécommande dans l'autre. La télévision était éteinte et les chats, épuisés d'avoir à me servir de mouchoirs et de confidents, étaient bien cachés au fond du garde-robe. Catherine et Nicolas ont sonné une fois, deux fois, puis j'ai entendu la clef dans la porte. Maudits chats. C'était pour venir les nourrir lorsque nous étions partis en voyage que Catherine avait une clef. Ils sont entrés et sont venus se planter devant moi. Ils avaient l'air immenses, et remplis d'une vigueur surnaturelle qui contrastait avec mon énergie de mollusque. Leurs joues rougies par le froid et leurs yeux brillants me semblaient appartenir à un autre monde, celui de la santé, de la productivité et des amours heureuses.

Catherine a parlé la première. « C'est une intervention, Gen.

— Mnaon… pas d'intervention… » J'ai eu le temps de me dire : Wow. Je sonne *vraiment* soûle. Nicolas s'est approché et m'a redressée, m'installant en position semi-assise dans le divan. Je portais encore le bas de pyjama de Florian et une vieille chemise à carreaux que je traînais depuis l'université. « Pas d'intervention… J'veux la paix…

— Même Florian s'inquiète, a dit Nicolas.

— Quoi ?

— Florian nous a appelés, a expliqué Catherine. Ç'a l'air que t'appelles son cell à n'importe quelle heure et que t'es pas mal incohérente.

— Ben y pourrait venir voir si chus correcte, d'abord ! Je suis pas correcte ! » J'ai cherché autour de moi, mais en vain. Nicolas, qui m'a tout de suite comprise, est allé ramasser un des chats dans le garde-robe et me l'a remis. « Merci », ai-je dit en reniflant dans la petite fourrure noire. Le chat, déçu mais résigné, s'est diligemment mis à ronronner.

« Pour qui qui se prend cet ostie-là ? Y a pas d'affaire à vous appeler ! Qu'il mange d'la marde ! Y est pas occupé avec son ostie de hip…

— On est venus te sortir d'ici, a déclaré Catherine.

— Quoi ?

— Tu peux pas rester ici. Ç'a pus de bon sens. C'est malsain, t'es dans les affaires de ton ex, t'es entourée de souvenirs, puis tu passes tes journées à boire des… » Elle a jeté un coup d'œil vers le liquide trouble et déprimant dans mon verre. « Qu'est-ce que tu bois ?

— Crevette. »

Elle n'a pas essayé de comprendre. « Prends la valise, a-t-elle dit à Nicolas. Je m'occupe d'elle. » Nicolas est parti vers la chambre avec une valise qu'ils avaient apportée et qui était restée derrière eux. Je l'entendais poser des questions sans attendre de réponses : « Je prends tout ? Juste les produits de toilette ? Calvaire y a donc ben du linge, ce gars-là… »

Puis j'ai eu une épiphanie. « C'est Florian ! C'est Florian qui vous a envoyés pour me sortir d'ici ! Il veut revenir avec son ostie de hipster à marde ! Il veut que je décâlisse, c'est ça ! Ben je reste, c'est-tu clair ? C'est son condo mais c'est lui qui m'a dompée puis c'est chez nous, ici !

Non, m'a doucement dit Catherine. C'est plus chez vous. Puis…

— C'est Florian qui t'a dit de dire ça !

— EILLE ! » Elle avait parlé fort. « Arrête. Arrête, Geneviève. Tu sais très bien que c'est pas Florian qui m'a dit ça. Il m'a dit que tu pouvais rester aussi longtemps que tu voulais…

— Parce que monsieur est en train de fourrer au motel avec son ostie de… »

Nicolas est sorti de la chambre à coucher. « Les cages des chats sont où ?

31

« — Quoi?

— Tu t'en viens chez nous, Gen. Tu t'en viens rester chez nous, avec ta brosse à dents puis tes minous, c'est-tu clair?

— Mais vous avez pas de chambre de spare puis…

— On t'a installée dans mon bureau, a dit Nicolas. Enweye. Catherine, mets-y son manteau.»

Il est retourné dans la chambre. J'ai levé la tête vers Catherine. «Cath… je peux pas…

— T'as pas le choix, ma pitoune. Enweye. On te déménage.

— Non! Je… puis après quoi? Je vais faire quoi? Catherine, qu'est-ce que je vais faire?

— Après on va voir. On va commencer par déménager, OK?»

J'ai hoché piteusement la tête, et j'ai suivi Catherine vers la salle de bains, où l'eau coulait déjà. On allait voir.

CHAPITRE 2

Nous sommes arrivés chez Nicolas et Catherine à la tombée du jour, alors qu'un pâle soleil rose tentait de réchauffer leur grand salon toujours un peu bordélique. Il y avait des piles de textes que Catherine étudiait, des montagnes de disques compacts encore emballés que Nicolas, critique de musique pour un magazine branché, n'avait pas encore eu le temps d'écouter, des dizaines – non, des centaines – de pièces de Lego éparpillées un peu partout et quelques bouteilles de bière vides et à moitié vides.

Le bureau de Nicolas, petite pièce adjacente au salon, avait été nettoyé, vidé de son contenu (d'où les montagnes de disques compacts dans le salon) et réaménagé en chambre à coucher. Nous devions plus tard faire référence à cette pièce comme ma « chambre dans un établissement de soins de longue durée ». Mais les blagues étaient encore inconcevables à ce moment-là, aussi improbables qu'un printemps soudain en plein mois de janvier. Il y avait un divan-lit sur lequel on avait étendu une couette épaisse et colorée qui évoquait immédiatement le confort et les longues siestes, une petite commode, un bureau étroit d'où l'ordinateur et l'équipement de musique de Nicolas avaient été enlevés et, sur la chaise de bois qui allait me servir de table de chevet, un bouquet de fleurs aux couleurs artificielles et criardes comme on en trouve dans les supermarchés.

« C'est tout ce que j'ai trouvé, a expliqué Catherine. J'aurais peut-être dû aller chez le fleuriste mais… » Elle n'a pas eu le temps de terminer sa phrase que je m'effondrais en larmes devant tant de gentillesse et de bonté.

« C'est les plus belles fleurs que j'ai vues de ma vie, ai-je braillé, dans un élan de tendresse aussi sincère que ridicule.

— Je suis pas mal sûre que non, a dit Catherine en souriant. Mais je suis contente que tu les aimes. » Elle m'a prise dans ses bras et m'a embrassée sur la tête. Derrière nous, j'ai entendu Nicolas poser les cages des chats qui miaulaient comme deux perdus et en ouvrir les petites portes. Ti-Gus et Ti-Mousse en sont sortis prudemment, en lorgnant les alentours d'un air effaré. Ils se sont finalement vus et se sont rapprochés l'un de l'autre pour se sentir le bout du museau avant de filer d'un commun accord sous le lit.

« J'ai installé une litière dans la cuisine, a dit Nicolas, me faisant pleurer de plus belle.

— Vas-tu te mettre à pleurer à chaque fois que quelqu'un est fin avec toi ?

— Mmmmmmoouiiiiiiii… »

Catherine et Nicolas ont échangé un regard un peu effrayé auquel je m'apprêtais à répondre par des protestations indignées quand deux voix se sont fait entendre dans l'entrée.

« P'pa ! Cath !

— *Hola…* »

Noé, une petite tornade blonde de huit ans et demi qui ressemblait comme deux gouttes d'eau à son père, est entré dans le salon, suivi d'Emilio, le voisin de Catherine et Nicolas, personnage hautement absurde et gardien non officiel de Noé.

«Hey mon loup…» Nicolas a ouvert les bras et Noé l'a escaladé comme un petit singe, venant s'agripper à lui, les bras autour de son cou et les jambes autour de sa taille. «Allô Gen! Moi puis Emilio on est allés au bureau de chômage aujourd'hui!»

Nicolas a levé un sourcil et s'est tourné vers Emilio, qui portait son éternel t-shirt à l'effigie de Che Guevara et un bonnet péruvien. «Tu peux pas demander du chômage, Emilio, t'es pas résident canadien.

— Tous les hommes ont les mêmes droits! a répliqué Emilio avec son accent cubain à couper au couteau.

— Faut que tu sois résident pour avoir droit au chômage, dude.» Il a posé Noé par terre. «Ça aide aussi si t'as déjà travaillé légalement au pays.

— J'ai travaillé!

— Légalement.

— Les lois, c'est des barreaux de prison!» a crié Noé en allant retrouver ses Lego. Emilio était un inlassable propagandiste. Il faisait l'apologie d'un communisme naïf et utopique qui n'avait jamais existé ailleurs que dans sa tête. C'était un charmant ramassis de clichés, d'idéaux et d'espoirs qu'il avait collés ensemble et auquel il tentait de donner de la crédibilité en se fondant sur ses origines et en citant (jamais correctement) Che Guevara. Il pouvait être convaincant… auprès des enfants, ou encore d'un certain type de femmes d'âge mûr, dont on voyait régulièrement des spécimens sortir de son appartement et qui semblaient toutes fondre de désir devant l'accent espagnol et les grands yeux noirs de ce Cubain qui aurait pu être leur fils.

«Dans mon pays, on laisse personne sans argent.»

Catherine et moi regardions Nicolas. Allait-il embarquer? Il avait la fâcheuse habitude de se lancer avec Emilio dans de grands débats passionnés dont il sortait immanquablement vaincu, ce dernier évoluant dans un monde d'idées où la logique n'avait aucun poids.

« T'es pas ici légalement, a dit Nicolas.

— Le monde est ma patrie.»

Catherine, à côté de moi, n'a pu s'empêcher de rire. Nicolas allait se faire manger tout rond, une fois de plus.

« Si tu fais une demande pour le chômage… » Il cherchait ses mots. « Ce que je veux dire, c'est que c'est pas vraiment dans ton intérêt d'attirer l'attention du gouvernement sur toi, tu comprends ?

— J'ai pas peur du gouvernement, moi ! »

Cette fois, j'ai moi-même ri.

« Veux-tu une bière, Émile ? a demandé Catherine, qui de toute évidence voulait que le spectacle se prolonge.

— Yé peux pas *querida*, il faut que j'y aille. Yé suis attendu sur un plateau de tournage.

— Quoi ?

— J'ai rencontré une productrice de films hier dans un bar, elle m'a dit que yé serais parfait pour un petit rôle dans la *película* qu'elle est en train de faire. Elle va me payer, alors moi j'y vais ! »

Catherine, qui passait sa vie à espérer qu'on l'attende sur un plateau de tournage, est restée bouche bée. Cette fois, c'était Nicolas qui riait en donnant de grandes claques dans le dos d'Emilio. « Bien joué, mon homme. Mais signe pas de contrat, OK ? Prends juste du cash !

— Yé suis communiste, pas stupide, *hombre*. » Il a fait un grand sourire à Nicolas et lui a donné une tape sur l'épaule. « ¡*Adiós* Noé! *Señoras*… »

Il est sorti après avoir échangé un high five extrêmement complexe avec Noé.

« Il a dit ça juste pour me niaiser, hein ? a demandé Catherine dès que la porte a été fermée. C'est vous qui lui avez dit de dire ça ?

— Non… » Nicolas riait encore.

« Crisse c'est pas vrai ! Y est même pas acteur !

— Ben… d'une certaine manière…

— C'est qui la productrice ? C'est qui qui… » N'y tenant plus, elle est sortie en trombe pour rattraper Emilio. Nicolas s'est tourné vers moi.

« Wow.

— Toi, tu viens de l'échapper belle en sacrament.

— Non mais peux-tu croire sa logique ?

— "Lé monde est ma patrie", ai-je répété en imitant l'accent d'Emilio. Tu peux pas te battre contre ça, Nico. »

Nicolas a ri doucement en me tapotant la main et en me regardant d'un air à la fois touché (j'avais imité Emilio, *presque* fait une blague, c'était un progrès digne du patient comateux qui bouge enfin le petit doigt quand on dit son prénom) et rempli de compassion. Immédiatement, mon menton s'est mis à trembler et les larmes me sont montées aux yeux. C'était pavlovien. Gentillesse égalait larmes. Nicolas a retiré sa main comme si j'avais été un élément de poêle.

« Bon bon, scuse-moi…

— Naon ! Scuse-moi ! C'est moi qui est insupportable ! C'est moi qui m'impose chez vous avec mes chats puis ma morve puis… Y A UNE LITIÈRE DANS VOTRE CUISINE ! » Ça y était. J'étais entrée dans la phase « Je me dénigre systématiquement » de la peine amoureuse. Pas exactement la plus attachante pour ceux qui nous entourent.

« Oh boy. Veux-tu un verre de vin ? On va souper quand Cath va revenir mais peut être un verre de vin ?

— Mouiiiiiiiirahh… comment tu peux être fin avec une fille comme moaaaaa… »

Nicolas a fui vers la cuisine. Je suis restée sur le divan, pleurnichant sans conviction et cherchant l'énergie pour aller attraper un des chats sous le lit.

« T'as de la peine parce que Florian est parti ? » Noé me regardait avec ses grands yeux bleus.

« Oui, ai-je reniflé.

— Papa y a eu *vraiment* de la peine quand Julie est partie. » Il ne disait déjà plus « maman » ou même

« ma mère » quand il parlait de celle qui l'était pourtant. Elle les avait quittés cinq ans plus tôt, quand Noé avait trois ans à peine, pour aller faire, disait-elle, de la coopération en Amérique du Sud. Je l'avais revue quelques mois plus tard à Montréal et n'en avais jamais parlé à Nicolas, qui avait été dévasté par le départ de cette femme aussi égocentrique qu'excentrique. Il avait vendu son bar qu'il aimait tant et était devenu critique de musique pour pouvoir travailler de chez lui et avoir un horaire qui convenait mieux à ce petit garçon qu'il adorait et qu'il allait élever seul.

« Tu te souviens de ça ? ai-je demandé à Noé.

— Ben non, je m'en souviens pas, j'avais trois ans ! » Le sous-entendu était : grosse épaisse. « C'est Catherine qui me l'a dit. » Ah, Catherine. Aucun filtre, mais toute la bonne volonté du monde.

« Les gens ont toujours de la peine quand quelqu'un part ? » Il posait la question sans me regarder, trop concentré sur le bateau de pirates en Lego qu'il était en train de construire.

« Souvent, ai-je dit. Surtout si c'est quelqu'un qu'on aime.

— T'as *vraiment* l'air d'avoir de la peine, en tout cas.

— Oui ben ça va, je le sais. Je suis désolée. C'est pas cool pour toi d'avoir une grande niaiseuse qui braille dans ta maison.

— Ça me dérange pas. »

Il y avait tellement de sincérité dans son ton que je me suis mise à pleurer de plus belle. Nicolas est arrivé sur ces entrefaites avec deux verres de vin. Il a mis beaucoup de temps pour les servir, ai-je trouvé le moyen de me dire. Il m'évite ? Il me fuit ? Ma nouvelle paranoïa était un immense océan que je n'avais pas fini d'explorer.

« Qu'est-ce qui se passe ? a-t-il dit en me voyant sangloter. Noé ! T'as-tu été fin avec Geneviève ? » Il y avait dans son ton un reproche évident, comme s'il avait dit : « T'as-tu été méchant en mon absence ? » C'était absurde et, devais-je reconnaître, plutôt drôle.

« Mais quoi ? » a demandé Noé, qui ne comprenait plus rien. Je me suis demandé si Nicolas allait lui expliquer que, contrairement à tout ce qui lui avait été enseigné jusque-là, il s'agissait de ne pas être *trop* fin avec la grande niaiseuse qui braillait dans sa maison. Il allait parler quand Catherine est entrée.

« Vous me croirez pas. » Elle avait de la neige dans les cheveux et ses pantoufles étaient toutes trempées.

« Es-tu sortie en pantoufles ? a demandé Nicolas.

— Ben là, fallait ben que je le rattrape ! J'avais pas le temps de mettre mes bottes, y roule en bicycle en plein hiver, c't'ostie-là ! Faque savez-vous quoi ? »

Aucune réaction. Même Noé savait que les « Savez-vous quoi » de Catherine se passaient de réponse.

« La fille qu'il a rencontrée, c'est la fille des Films Soleil Noir ! »

Toujours pas de réaction. Quelqu'un savait-il ce qu'étaient les Films Soleil Noir ? Pas moi.

« Les Films Soleil Noir ! C'est eux qui ont produit *Le Grand Dégel* ! »

Silence radio. *Le Grand Dégel* sonnait-il une cloche à qui que ce soit ? Visiblement pas.

« Personne sait de quoi tu parles, Catherine, a lancé Noé, provoquant chez son père un grand éclat de rire et chez moi un petit pouffement.

— J'ai auditionné pour le rôle principal ! » a crié Catherine sur un ton tellement offensé que j'ai repouffé. Elle a donné une petite claque sur la tête de Nicolas. « Tu m'as aidée à répéter !

— C'était-tu le rôle de la promeneuse de chiens qui s'ennuie ?

— Non !

— La fille qui déambule sur le Plateau à la recherche de son identité ?

— Coudonc, tu fais-tu exprès ? »

Catherine auditionnait pour tellement de rôles chaque année qu'il pouvait être difficile de garder le fil. Elle n'en obtenait que rarement, et pas souvent les meilleurs. C'était une bonne actrice, pourtant. Je l'avais vue dans trois pièces de théâtre où elle avait excellé et avait même été remarquée. Puis plus rien. Les offres qui, nous en étions tous certains, allaient pleuvoir à la suite de ces performances ne sont jamais venues. Un petit rôle dans un téléroman par-ci, une ridicule publicité de céréales par-là, mais rien de consistant.

Catherine le disait elle-même lorsqu'elle avait un peu bu : « Rien à ma hauteur. » C'était un peu prétentieux, mais elle avait raison. Les jolis visages de filles beaucoup moins talentueuses revenaient sans cesse sur nos écrans alors que celui de Catherine restait anonyme. Son agente la rappelait toujours avec les mêmes excuses de la part des réalisateurs et des producteurs : trop ronde, trop brune, trop *typée*.

« Je sais pas ce que je donnerais pour te ressembler », disait-elle parfois. C'était flatteur, mais surtout terriblement triste. Catherine aurait troqué ses yeux immenses et presque noirs, sa bouche sensuelle, son impressionnante crinière de jais et ce nez que lui avait laissé en héritage un père arménien contre mes traits réguliers et ma pâleur normande qui me permettaient de me fondre dans la foule des jeunes Montréalaises de notre âge sans que rien ne ressorte. La télévision québécoise, apparemment, voulait montrer des filles ordinaires.

« Est-ce qu'un producteur a le *droit* de dire ça ? » lui avais-je déjà demandé. « Dude, m'avait-elle répondu, dis-toi que ce qu'il veut *vraiment* dire c'est "Elle a un gros cul puis son nez fait trop jewish". Faque "trop ronde et trop typée", c'est pratiquement de la dentelle. » Je regardais dans le vide, outrée et scandalisée, pendant que Catherine ressortait pour la millième fois un dépliant décrivant les divers avantages de la rhinoplastie. « Un jour, je vais écrire ton autobiographie », lui disais-je en riant pour la consoler. Elle souriait, bonne joueuse et éternelle optimiste : « On va appeler ça *Devenir drabe : mon parcours de l'anonymat à la célébrité*, par Catherine Saroyan. » Et nous riions, parce que c'était ce qu'il y avait de mieux à faire.

L'obtention inopinée d'un rôle non sollicité et même non désiré par Emilio ne pouvait qu'être frustrant pour elle. Et oui, Nicolas faisait exprès. Parce qu'elle était drôle lorsqu'elle se fâchait et que ces deux-là ne pouvaient laisser passer une occasion de se taquiner l'un l'autre, et ce, depuis qu'ils étaient en âge de parler. Ils avaient été élevés comme frère et sœur – leurs deux mères étaient des jumelles identiques qui avaient accouché à dix-huit mois d'intervalle. Nicolas était né d'abord, petit enfant blond et bleu qui ressemblait à sa maman, puis Catherine, petite fille brune et basanée qui avait tout de son papa. Les deux sœurs avaient été voisines toute leur vie et, quand le père de Catherine était retourné vivre dans les vieux pays, ne laissant à sa femme que des dettes et à sa fille un nez et un nom de famille exotiques, elles avaient emménagé ensemble.

« T'es con, a dit Catherine en allant se servir un verre de vin.

— Dit la fille en pantoufles mouillées. »

Catherine est revenue dans le salon pieds nus, avec un verre rempli à ras bord dans une main. « J'en reviens juste pas, a-t-elle dit. Crisse ce clown-là cruise une madame dans un bar et bang, y a un rôle !

— Peut-être que tu devrais cruiser des monsieurs dans des bars ? a suggéré Noé, ce qui nous a tous fait rire. Pourquoi vous riez ?

— Parce que t'es beau ! » a dit Catherine en l'attrapant à bras-le-corps et en lui donnant de gros baisers sonores dans le cou qui l'ont fait hurler de rire. Je le regardais et je me disais que je voulais qu'il ne soit jamais triste, qu'il n'ait jamais de peine, qu'il ne connaisse aucune blessure. Naïf espoir, qui me donna bien évidemment envie de pleurer. J'ai laissé couler quelques larmes, en songeant que de toute manière on ne les remarquerait bientôt plus. Avec raison d'ailleurs. Au moment même où je me penchais pour attraper un énième mouchoir, Nicolas me donnait une douce tape sur la cuisse. « On a un beau menu pour toi ce soir, Gen. Verres de vino et Scrabble, après ça sushis et saké chaud et on regarde *Bridesmaids*.

— Ah non… pas une comédie… je suis pas capable de rire, faque c'est comme pire quand je regarde des comédies.

— Gen! Y a une grosse qui chie dans un lavabo! » De toute évidence, RIEN n'était plus convaincant aux yeux de Nicolas qu'une grosse qui chiait dans un lavabo.

Noé s'est raidi dans les bras de Catherine. « Quoi? Je peux-tu voir? Je peux-tu voir? »

Catherine et moi avons échangé un regard complice. C'est immanquable. À trente-six ans comme à huit ans et demi, un homme ne peut résister à une bonne joke de marde. Force m'était d'avouer que moi non plus d'ailleurs. J'avais vu le film au cinéma avec Florian et j'avais éclaté de rire, la bouche pleine de popcorn, pendant que la grosse en question s'exécutait en hurlant: « DON'T LOOK AT ME! » Florian, exception qui confirmait la règle, m'avait regardée comme si j'avais été une dégénérée. J'ai fait une petite moue à ce souvenir. Il y avait des côtés de Florian, bien évidemment, que je n'aimais pas. Mais en parfaite masochiste en peine d'amour, je voulais, pour le moment du moins, les ignorer encore.

« OK, ai-je dit. On va regarder *Bridesmaids*. Mais jugez-moi pas si je braille à fin!

— Oh, je pense que ça fait longtemps qu'on est rendus au-delà du jugement, a dit Nicolas pendant que Catherine installait le jeu de Scrabble.

— Je peux jouer? » a demandé Noé. Catherine a fait une grimace. La dernière fois que Noé avait joué avec eux, il l'avait battue.

« Enweye pige d'abord », lui a-t-elle dit en lui tendant le petit sac de lettres. Il a tiré un A, qu'il nous a présenté fièrement. « Fais pas ton baveux, a ajouté Catherine sur un ton faussement sévère.

— Je fais pas mon baveux, c'est mon air coquin habituel !

— "Mon air coqu…" Veux-tu ben me dire où est-ce qu'il prend ça ? »

Nicolas m'a regardée d'un air impuissant. « Aucune idée. Aucune ostie d'idée… » Il souriait tout de même, fier de son fils à l'air coquin.

J'ai tendu la main vers le petit sac à mon tour : « Je veux pas piger le X. Ça va me faire penser à "ex".

— On a enlevé le X, a dit Catherine.

— Je peux pas croire que j'ai un "ex". Florian est mon "ex"… » Catherine et Nicolas me regardaient anxieusement, prêts à bondir vers la boîte de mouchoir et/ou le chat le plus proche pour éponger les larmes qui s'en venaient. « Ça va prendre combien de temps avant que j'assimile la notion que c'est mon "ex" ?

— Deux ans », a dit Nicolas sans lever les yeux de son chevalet, sur lequel il déplaçait des lettres. Catherine et moi avons échangé un regard. La douleur de Nicolas lorsque Julie était partie avait été sourde, profonde et terrifiante. Je connaissais alors Nicolas depuis un an seulement, mais j'avais été bouleversée par l'intensité de sa peine. Il ne parlait plus et semblait devoir fournir un effort physique pour ne pas éclater, ce qui était probablement le cas. Catherine s'était occupée de lui et de Noé durant ces longs mois avec la même tendresse qu'elle démontrait aujourd'hui à mon égard.

« Un an pour te faire à l'idée qu'il reviendra pas, puis un an pour l'accepter, a précisé Nicolas. Ç'a l'air de la même chose mais c'est ben différent. »

Je comprenais. Je savais très bien, malgré l'épaisse ouate qui semblait entourer chacun de mes neurones, que si j'étais incapable de croire que Florian était mon

« ex », c'était qu'une partie de moi était encore persuadée qu'il allait revenir.

« C'est normal, a dit Nicolas, comme s'il avait lu dans mes pensées. Je suppose que c'est une question de survie. Genre que dans les premiers temps ton cerveau reptilien ou whatever sait que tu seras pas capable de dealer avec la conviction d'un départ irrémédiable, faque il te convainc que ça durera pas.

— Le déni comme instrument de survie ? a demandé Catherine, dubitative.

— C'est pas con », ai-je dit. J'étais, depuis le départ de Florian, une grande fan du déni. Florian n'était pas parti pour toujours, mes éditeurs ne réaliseraient pas que je ne travaillais plus ET continueraient à m'envoyer des chèques, boire une bouteille de vodka en trois jours ne constituait pas un danger pour la santé… la liste était longue.

« J'ai un mot ! a crié Noé en s'avançant sur le jeu et en plaçant minutieusement ses lettres. S… A… Q.

— Sac ça prend un C, mon bébé.

— Pas "sac", "S, A, Q" ! »

J'ai pouffé doucement, mon équivalent depuis quelque temps d'un éclat de rire. « OK, vous consommez beaucoup trop d'alcool si votre fils pense que "SAQ" est un nom commun. » Je disais souvent « votre fils » en parlant de Noé, et plus personne ne me corrigeait depuis longtemps. Catherine a ri. « C'est pas un mot, mon bébé. C'est les lettres pour Société des Alcools du Québec. Mais c'est un bel effort. »

Noé a remis les lettres dans son jeu et s'est penché de nouveau sur son chevalet avec un air tellement concentré que je n'ai pu retenir un sourire. J'avais joué si souvent au Scrabble avec Florian ! C'était notre passe-temps de « petits vieux », comme nous nous appelions affectueusement dans ces moments-là. Nous nous installions sur le balcon en été ou devant le petit foyer à l'éthanol en hiver, nous ouvrions une bouteille de vin ou je préparais des cocktails et nous jouions, tranquilles et sereins, du moins le croyais-je – que les souvenirs de ces moments que j'avais crus sereins me faisaient mal! Ils étaient rétrospectivement pollués par leur proximité avec une fin qui n'avait rien, elle, de sereine. Je jouais au Scrabble en buvant des cocktails et en tenant pour acquis un bonheur qui ne l'était pas. Combien de temps encore allais-je être incapable de me souvenir sans me sentir naïve et stupide?

«On va être bien à l'hospice, hein? me disait Florian. Deux vieux et leur jeu de Scrabble.» Quand avait-il cessé de me parler de l'hospice? Je ne m'en étais pas rendu compte. Mais les images de nous vieillissant ensemble avaient dû s'effacer bien avant la fin de notre couple.

Je me suis passé une main sur le visage, comme si ce simple geste pouvait suffire à faire fuir certaines pensées qui, je m'en doutais bien, allaient rester incrustées là encore longtemps.

La fois où nous avions fait l'amour devant le foyer chez mon père alors que celui-ci était parti skier avec sa femme et ma sœur. J'avais eu un orgasme tellement violent que je m'étais carrément barré le haut du dos, accident que nous avions mis sur le compte d'un éternuement mal contrôlé. Nous avions passé le reste des vacances de Noël à sourire comme deux imbéciles chaque fois que j'éternuais («Attention à ton dos! — Oh, ça va aller…») et à faire des blagues idiotes sur le thème de «Me semble que j'ai comme une envie d'éternuer qui part pas…».

La fois où nous nous étions perdus en allant retrouver un de ses frères qui venait d'emménager dans un petit village de la campagne bavaroise et où nous avions atterri, bougons et contrariés, dans une petite auberge qui semblait tout droit sortie d'un conte ou d'un roman de cape et d'épée. Nous nous étions assis sur une table de bois à l'extérieur et avions éclusé des pichets de bière fraîche en regardant le soir descendre sur les montagnes et la vallée. Nous étions ensemble depuis déjà plus de trois ans, mais nous nous étions parlé ce jour-là comme si nous venions de nous découvrir. Nous nous étions surpris et fait rire aux éclats – nous nous étions séduits, encore une fois.

La fois où nous lisions les journaux, un dimanche matin de février et où en levant la tête je l'avais vu qui m'observait. Il souriait et ses yeux bleus brillaient d'une lueur chaude et enveloppante. « T'es la plus belle fille que j'ai vue de ma vie », m'avait-il dit avant de retourner tranquillement à sa lecture. Le fait que nous ayons été ensemble depuis quatre ans déjà et que je ne fusse pas, objectivement, la plus belle fille qu'il avait vue de sa vie m'avait comme agrandi le cœur.

« T'es-tu en train de jouer à "la fois où" ? m'a demandé Nicolas.

— Quoi ?

— T'es dans lune puis t'as un demi-sourire nostalgique dans la face.

— Je…

— Joue pas à "la fois où". Very bad.

— Toxique, a renchéri Catherine.

— C'est quoi jouer à "la fois où" ? » a demandé Noé.

J'ai calé mon verre de vin. « My God… je suis vraiment prévisible, hein ?

— On te connaît, c'est tout. »

J'ai recommencé à chigner. « Mais oui mais ça me fait chier d'être… J'ai l'impression de jouer dans un mauvais film depuis dix jours…

— Ben plains-toi pas, a dit Catherine. Moi j'aimerais ça jouer dans un film, même mauvais. »

J'ai fait un petit sourire, reconnaissante pour cette blague qui détendait gentiment l'atmosphère.

« C'est juste… je me trouve tellement… dull. Tellement *banale*. Toute cette marde-là est tellement… banale. C'est *ma* peine d'amour mais c'est… c'est petit, c'est prévisible. Puis moi je fais juste être vedge puis triste, puis loser, puis soûle comme toutes les innocentes qui se font domper.

— Personne te demande d'être originale, Gen.

— Non, je sais. » Je ne me suis pas obstinée. Même le fait de souffrir du manque d'originalité de ma peine relevait du manque d'originalité.

« Joue donc », a dit Nicolas. J'ai fait « visières », en m'accrochant au S de Noé, qui avait finalement épelé « saga » (comment connaissait-il des mots comme « saga » ?).

« Quinze plus 50, 65, ai-je dit en pigeant. Bof.

— Oh, ça va ! a crié Catherine. Tu vas quand même pas commencer à faire de la fausse modestie !

— J'ai le droit, je suis en peine d'amour. »

Catherine a ouvert la bouche puis a semblé changer d'idée. « T'as jusqu'à la fin du week-end, a-t-elle dit. Après ça *finish*, c'est-tu clair ?

— Oki... »

Elle m'a prise par le cou et m'a donné un gros baiser sonore sur la tête. Je ne savais pas encore comment le leur dire, car je me sentais incapable de prononcer le moindre vocable à connotation positive, mais ma reconnaissance n'avait déjà pas de limites. Je savais qu'ils le savaient, aussi, et que ni Catherine ni Nicolas ne s'attendaient à ce que je me fende en remerciements d'une journée à l'autre. Je me suis sentie submergée d'amour pour eux et pour Noé, qui m'assurait ne pas être dérangé par ma présence et faisait des mots comme « saga ». C'était la première émotion positive que j'avais depuis dix jours.

Le reste de la fin de semaine s'est écoulé pour moi dans cette ambiance douce et comme suspendue. J'avais l'impression d'être sous morphine, de vivre à moitié – et c'était très bien ainsi. Je ne suis pas sortie jusqu'au lundi, regardant des films de Pixar avec Noé, jouant au Scrabble avec Nicolas, faisant répéter à Catherine les textes débiles d'une télésérie dans laquelle elle avait obtenu un petit rôle de prostituée. (« Je vends mon cul, c'est-tu clair ? Le reste est off the market. » « Une invitation à la sodomie », avait déclaré

Nicolas. « C'est quoi la sodomie ? » avait demandé Noé. « Une province d'un pays. » « Ça veut dire quoi offde-marquette ? » « C'est la capitale. » « Wow, avais-je dit. Tu vas vivre un ostie de beau moment quand ton fils va déclarer en pleine classe que son père veut l'emmener visiter la capitale de la Sodomie. Suuuuuper smooth parenting, Nico. » Catherine nous avait ramenés à l'ordre en claquant des doigts d'un air vulgaire – elle n'aimait pas sortir de son personnage.)

J'avais même réussi à travailler une couple d'heures – la jeune starlette révélée par la téléréalité voulait que son autobiographie souligne les terribles difficultés qu'elle avait connues quand était venu le temps d'accepter sa célébrité. C'était tellement absurde que ça me changeait les idées, et j'avais pondu des pages d'un pathétisme exacerbé qui, j'en étais certaine, raviraient la jeune femme.

Je me réveillais la nuit sous la couette colorée de mon nouveau lit et je regardais le plafond en me répétant, sans trop y croire, qu'une vie nouvelle commençait. Avais-je pensé que ma vie était faite, enlignée, toute tracée ? Probablement. Comme c'était étrange – je n'avais pourtant que trente-deux ans. Je ne me posais plus de questions. Je devais me retenir pour ne pas appeler Florian et lui demander si c'était ce qui l'avait fait fuir, cette assurance épaisse qui avait caractérisé nos dernières années. « Maman aurait-tu dû se poser des questions ? » lançais-je à Ti-Gus, qui dormait en boule contre mon flanc. Il se contentait de ronronner. Ti-Mousse, à mes pieds, faisait un « Mrou ? » interrogatif et se rendormait sans attendre de réponse. Je m'imaginais dans une capsule spatiale, seule sous ma couette avec mes deux chats comme compagnons, dérivant pour toujours dans le velours de la nuit. Dans l'état où je me trouvais, c'était une idée si agréable que je me rendormais presque paisiblement.

J'étais réveillée le lundi matin par un grand brouhaha qui provenait du salon et de la cuisine. Je suis sortie en t-shirt pour constater qu'il s'agissait simplement de Noé, Nicolas et Catherine se préparant pour leur journée. Noé engloutissait des céréales tout en tendant à Nicolas des papiers qu'il avait oublié de lui faire signer durant la fin de semaine, des « Est où ma tuque ? », « Où t'as mis ton foulard ? » et « Faut être partis dans cinq minutes » fusaient, Nicolas courait en boxers en enfilant des vêtements à l'envers et Catherine, incapable de trouver un élastique, attachait sa longue crinière avec une attache pour sac-poubelle.

« Ça va ? ai-je demandé en clignant des yeux.

— Petit matin de semaine quand on a des enfants, a dit Nicolas en me donnant un bisou au passage. Veux-tu des croissants ? Des beignes ? Je droppe le flo à l'école puis je reviens… NOÉ ! Tes bottes sont à l'envers ! » Noé traversait le salon avec sa botte gauche à son pied droit, et vice versa. « Tabarnak, je suis en retard… » a maugréé Catherine en l'évitant. Elle travaillait trois jours par semaine dans un petit café du Plateau Mont-Royal où elle servait des allongés et des pâtisseries un peu sèches à des jeunes qui mangeaient tous en tête à tête avec leurs ordinateurs portables. Le Plateau Mont-Royal tout entier devait fonctionner grâce au labeur d'étudiants en théâtre aux rêves déçus.

« Bye ! a crié Catherine en partant, alors que l'attache à sac-poubelle se défaisait et que ses cheveux retombaient en cascade autour de son visage.

— Bye ! a lancé Nicolas avant de hurler "NOÉ !".

— Bye Gen, a dit Noé en sortant avec ses bottes toujours à l'envers qui lui donnaient la démarche d'un pingouin.

— Bye ? » ai-je dit à la porte fermée. Ti-Mousse est apparu entre mes jambes et a scruté l'appartement un moment pour s'assurer que tous les ennemis potentiels étaient bien partis, puis il a fait un petit « Mi ? » en me regardant.

«Vas-y!» ai-je dit en désignant son écuelle, qui était dans la cuisine. Il est parti en trottinant dans l'appartement enfin tranquille. Je l'ai suivi pour aller me faire un café.

Quinze minutes plus tard, mon téléphone sonnait. J'ai sursauté et me suis précipitée sur l'appareil : pendant combien de temps allais-je espérer un appel de Florian? C'était mon père. J'ai reposé le téléphone sur la table du salon en faisant excessivement attention, comme si mon père avait pu entendre le bruit de ma respiration ou d'un choc à l'appareil. Deux minutes et demie plus tard, j'avais un message – mon père laissait des messages interminables. Alors que ma mère se contentait de dire : «Rappelez Madeleine Beauregard, s'il vous plaît», il digressait, oubliait le but premier de ses appels, prenait d'*autres* appels sur son cellulaire avant de revenir à son message… ça rendait ma mère folle et, en général, me faisait beaucoup rire. Je me suis donc installée avec mon café pour écouter le dernier poème de Bill.

«Oui Geneviève, c'est Bill. Bon… Comment tu vas ma pitoune? Je sais ben que tu dois pas ben ben aller mais je me dis que quand ça va mal ça peut juste aller mieux, hein? Écoute je t'appelle parce que Josie est en train d'organiser un party pour les quatorze ans d'Audréanne dans deux semaines, puis ça serait comme assez bien vu que tu sois là… c'est ben important pour Josie puis…» J'ai cessé d'écouter. Les quatorze ans de ma demi-sœur impliquaient une journée dans la McMansion de Lorraine, entourée de mes oncles, mes tantes et mes innombrables cousins et cousines, qui allaient *tous* me demander des nouvelles de Florian, ET d'un troupeau d'ados. J'allais rappeler mon père pour lui expliquer que j'avais la ferme intention de subir une fracture accidentelle mais ô combien providentielle des deux jambes la veille du party lorsque Nicolas est rentré.

Quand Catherine est revenue du café, près de huit heures plus tard, je répétais encore : «Je peux pas y aller.» Nicolas était assis à son bureau de fortune, qui avait été déplacé, pour m'accommoder, dans un petit coin entre la cuisine, le placard à manteaux et une des salles de bains. Il avait d'énormes écouteurs sur la tête.

« À qui tu parles ? m'a demandé Catherine.

— À Nico. Mais ça doit faire au moins… » J'ai regardé l'heure. « Oh boy. Ça fait quatre heures qu'il m'écoute plus.

— Et c'est où que tu peux pas aller ? »

Nicolas, qui avait été alerté du retour de Catherine dans l'appartement par la vibration de ses pas, s'est retourné, a enlevé ses écouteurs et a dit à sa cousine : « Don't go there. Encourage-la pas ! C'est comme un monstre. Une fois qu'elle est partie elle s'arrête plus.

— Je veux pas aller au party de fête de ma sœur de marde ! » ai-je crié. Nicolas a remis ses écouteurs et Catherine est allée chercher une bouteille de vin dans la cuisine, qu'elle a calmement posée sur la table du salon après en avoir versé deux grands verres pour elle et moi.

« Ben là merci », a dit Nicolas en attrapant la bouteille et en remplissant son verre à eau. Il s'est assis à côté de nous.

« Je peux pas y aller, ai-je répété.

— Ben vas-y pas ? a suggéré Catherine.

— C'est ce que je lui ai dit tout l'avant-midi, a dit Nicolas. Mais ç'a l'air que… »

J'ai pris le relais : « … Si j'y vais pas, mon père ET Josiane vont jamais s'en remettre. Ça va être des *années* de guilt trip. J'ai pas envie de gérer un guilt trip. Mais j'ai pas envie de gérer la famille non plus… Pourquoi faut que j'aille à la fête de mon ostie de p'tite sœur ? Elle s'en câlisse en plus !

— Ben voyons, a dit Catherine. Je suis sûre que t'es son idole. »

Je me suis contentée pour toute réponse de désigner à Catherine l'idole en question : cheveux emmêlés, vieux sweat-shirt troué nous annonçant, sous la silhouette d'un orignal, que «Whatever happens in Jackman, Maine, stays in Jackman (but nothing really happens in Jackman)», pantalon mou et grosses pantoufles. Pas vraiment de quoi faire rêver une ado qui s'accoutre comme Gwen Stefani pour aller au dépanneur. Catherine a hoché la tête, un peu résignée.

«Je peux peut-être expliquer à Bill puis Josiane que je suis en peine d'amour et donc que j'ai pas vraiment le stamina pour aller affronter les Real Housewives de Lorraine…»

Catherine a fait un petit sourire. «Tu peux aussi… y aller, une heure ou deux, donner un p'tit bec à ta sœur, faire acte de présence, puis hop hop hop tu reviens ici.

— Ça c'est ce que je lui ai suggéré de midi à deux, a dit Nicolas. Va falloir que tu te décides, Gen. C'est pas grave si tu y vas pas. Pense à toi, c'est tout.

— Mais JE pense à moi! Je pense à moi qui subis les conséquences de pas y aller et je freake.

— T'as le freakage assez facile ces temps-ci…

— J'ai le droit, je suis en peine d'amour!»

Catherine a pris un petit air désolé. «On est rendu lundi, minoune. Techniquement, t'as plus le droit.

— Comment ça je…?» Je me suis croisé les bras et me suis calée dans le divan, véritable caricature d'une enfant boudeuse.

«Sais-tu quoi? a dit Catherine. Moi je pense que tu devrais y aller. Ça va faire deux semaines que "les événements" sont arrivés puis… ça va te faire du bien. Une heure. Max. Puis après on te ramène ici.

— "On" te ramène? Vous viendriez?

— No way», a scandé Nicolas, au moment même où Catherine disait: «Ben oui, on va être là.»

Je me suis imaginée mettant pour la première fois depuis «les événements» de vrais vêtements (je n'avais pas porté de pantalons «rigides» depuis le départ de Florian), sortant dans l'air frais épaulée de mes deux amis, prenant un verre de vin en ayant l'air forte et résignée, m'attirant l'admiration de ma famille et le respect d'une bande d'ados qui verraient dans mon stoïcisme face au malheur un signe d'infinie coolitude.

« Peut-être ? ai-je suggéré.

— Parfait. Faque commence à t'habiller tout de suite.

— C'est dans deux semaines, Cath.

— On va faire une première sortie. Quelque chose de super simple, juste pour te pratiquer.

— Mnoooon…

— Moui. On va juste aller prendre un verre au bar à Nico. » Le bar à Nico n'était plus le bar à Nico depuis près de cinq ans mais nous continuions à l'appeler ainsi, comme plusieurs vieux clients qui venaient encore là retrouver l'ambiance chaleureuse que Nicolas avait su créer et que les nouveaux propriétaires avaient eu l'intelligence de cultiver.

« Mmmmmmnnnnnnnooooooonnnnn… » Je me suis renfoncée dans le divan encore plus. Si j'avais pu, je me serais fondue dans les coussins mous et confortables du vieil Ektorp. Plaisante idée. Je tenais mon verre de vin tout contre moi – avoir eu un biberon à portée de main, je l'aurais rempli de vin pour le téter. Tant qu'à être pathétique.

« Absolument, a dit Catherine. Tu t'habilles, on descend au bar, on prend juste un drink puis on revient. Hein, Nico ?

— Pourquoi je suis toujours impliqué ? a demandé piteusement Nicolas.

— Parce que ça te fait plaisir.

— Faut que j'aille chercher Noé…

— Le service de garde est ouvert jusqu'à six heures. On a le temps de prendre un verre, on passe devant l'école en revenant, c'est réglé. Go ! Go ! Go ! »

Elle était insupportable, et irrésistible. Nicolas et moi avons poussé chacun un petit geignement. Je me suis levée péniblement, m'attendant presque à entendre un « Pop ! » alors que je me décollais du divan, et je me suis dirigée vers ma chambre. Mes vêtements étaient encore tous entassés dans deux valises. Florian était-il revenu chez nous? Avait-il ressenti un petit pincement au cœur en voyant mon garde-robe vide? La crisse de hipster avait-elle déjà accroché un pantalon à taille haute dans la penderie? J'ai soupiré en farfouillant dans une des valises pour trouver un pull non froissé que j'ai enfilé avec mon jeans favori.

Pour la première fois depuis bientôt deux semaines, je me suis regardée dans le miroir. Dieu que j'étais pâle! J'ai sorti ma trousse à maquillage et ai entamé ce que j'appelais mon «ravalage de façade»: anticernes, fard à joue, mascara… J'avais l'impression qu'il y avait des années que je ne m'étais pas maquillée. C'était un geste futile, mais qui me faisait du bien. Je vais ranger mes vêtements dans la commode en revenant, me suis-je dit. Baby steps.

Je suis sortie dans le salon sous les touchants applaudissements de Catherine. «T'es belle comme un cœur, ma chouette.» Elle a enroulé mon grand foulard autour de mon cou, a enfilé ses bottes et a attrapé Nicolas par la manche. «Mais pourquoi…» geignait-il encore quand nous sommes arrivés dehors, dans le vent froid et l'air sec.

Un coin de rue plus tard, nous étions assis à une petite table de bois dans la lumière dorée du jour qui descendait. Il faisait bon dans le bar à Nico et les quelques enthousiastes qui étaient arrivés un peu à l'avance pour ce cinq à sept de début de semaine étaient des jeunes trentenaires débonnaires et relax. Du vieux Bob Dylan jouait en sourdine, une serveuse apportait des plateaux de charcuterie et des bouteilles de vin péruvien aux tables. Lorsque Nicolas avait ouvert le bar, dix ans plus tôt, il s'était appliqué à créer une ambiance tranquille et chaleureuse qu'apprécieraient, il en était certain, les nombreuses personnes qui voulaient simplement prendre un verre, manger un peu et discuter sans avoir à crier par-dessus la musique. « Les déjà-vieux », disions-nous, en nous incluant dans cette catégorie. Des dizaines d'autres bars avaient déjà cette vocation à Montréal mais le sien avait trouvé sa niche, et sa clientèle. Il avait fait, en vendant son fonds de commerce, une petite fortune.

« Salut Nic ! » a dit la serveuse en lui faisant un petit clin d'œil. Depuis le départ de Julie, Nicolas n'avait pas eu de blonde à proprement parler, mais il collectionnait les aventures. Ses beaux yeux bleus et son aisance naturelle lui rendaient la vie particulièrement facile dans ce département. « Salut, Marie, a répondu Nicolas en faisant la bise à la jolie serveuse. Tu nous apportes une bouteille de rouge ? Celle que tu choisis. Puis peut-être une couple de tranches de saucisson.

— Coming up ! » a dit Marie en se dirigeant vers le bar.

« Salut Nic ! » a fait un homme d'une quarantaine d'années assis à la table d'à côté. Les « Salut Nic » fusaient toujours lorsque nous venions ici. Et Nic saluait, chaleureux et tranquille, comme ce bar qui avait été le sien.

« Salut Nic ! » a dit une voix derrière moi. Nicolas a levé la tête. « Max ? Max Blackburn ? Ah ben tabarnak ! » Il s'est levé pour donner un grand hug viril à un beau garçon brun qui semblait enchanté de le trouver là. S'est ensuivie une série de « Max ! » « Nic ! » « Tu deviens quoi ? » « Non ! » « C'est pas vrai ! » avec force claques dans le dos et moult éclats de rire. Le Max en question avait un sourire magnifique et apparemment contagieux – Catherine et moi souriions toutes les deux en les regardant.

« Tu t'assois ? a demandé Nicolas en y allant d'une autre claque dans le dos.

— Non, faut que j'y aille… mais faut qu'on s'appelle, man… Tiens je te laisse mon numéro. » Échange de numéros, tapotage sur des iPhone. « Sérieux on se booke quelque chose, OK ?

— Sans faute, a dit Nicolas avant de se tourner vers nous. Tu te rappelles de ma cousine Catherine ? Et notre amie Geneviève. »

Max n'avait visiblement aucun souvenir de Catherine, mais il lui a serré la main et lui a servi un immense sourire qui lui a fait faire un petit « Hi hi » un peu ridicule. « Enchanté », m'a-t-il dit en plantant ses yeux noisette dans les miens. Il avait un regard franc et brillant. « Enchantée », ai-je dit tout en pensant : Mon Dieu il regarde le monde donc ben intensément, lui.

Re-claques dans le dos, re-hug viril, et Max était parti, s'arrêtant au passage pour saluer la serveuse.

« C'était un de mes meilleurs clients, a expliqué Nicolas en se rasseyant. Maxime Blackburn. Méchant bon Jack. »

Sur le pas de la porte, Maxime m'a jeté un dernier regard et fait un signe de la main.

« Il fait quoi ? ai-je demandé.

— Il écrit je pense… Y était parti vivre en France ou quelque chose…

— Pourquoi ? m'a demandé Catherine. Tu le trouves cute ?

— Quoi ? Non… Je veux dire, oui y est cute, mais… non, juste curieuse. » Je l'ai regardé traverser la rue par les grandes fenêtres. Il portait un vieux manteau et un long foulard tellement démodés qu'ils devaient en fait être très branchés.

« Mon best vin rouge, a dit la serveuse en posant devant nous une bouteille. Essayez ça. » Elle nous a servi trois verres. Le vin était effectivement exquis. J'ai poussé un soupir satisfait en buvant une deuxième gorgée.

« Merci, ai-je dit à Catherine. C'était une bonne idée de venir ici.

— Attends de goûter le saucisson. »

J'allais m'exécuter quand j'ai vu entrer dans le bar une jeune femme qui m'était familière et qui riait aux éclats. Elle a enlevé son bonnet et s'est retournée pour mettre sa main autour de la taille d'un homme. Non, me suis-je dit, non. Ce n'est pas possible. J'ai voulu que tout s'arrête, j'ai même eu le temps de me dire que si je croyais de toutes mes forces que ça ne pouvait pas arriver, ça n'arriverait pas. C'était Florian.

CHAPITRE 3

Nous sommes sortis du bar dans le plus grand désordre. Catherine était hystérique, Nicolas était hystérique, la serveuse était hystérique devant tous ces hystériques, la crisse de hipster était hystérique parce qu'une autre hystérique qu'elle ne connaissait pas (Catherine) hurlait des insanités en direction de son nouvel amoureux et j'étais… où étais je?

J'étais dans un état second. J'étais, en fait, passée de l'autre côté du miroir. Je les regardais hurler et s'invectiver sans s'écouter, j'entendais mon prénom rebondir contre les murs de bois blond du bar, je sentais les mains de Catherine et de Nicolas sur mes bras, mes épaules et ma taille, je me laissais tirer par l'un puis par l'autre, étrangement consciente que tout ce manège était un peu ridicule et que nous allions bien finir par devoir quitter les lieux.

Et je regardais Florian. Comme je le regardais! Je le dévorais des yeux. Je fixais son visage si familier, sa bouche rose, son nez droit, ses cheveux qui retombaient en mèches blondes sur son grand front et le bleu clair et froid de ses yeux qui me fixaient en retour.

Il va me parler, me disais-je. Il va dire quelque chose. Je voulais qu'il parle, en partie pour me convaincre de la réalité de sa présence, mais il restait muet, se contentant de me fixer comme s'il ne remarquait même pas toute l'agitation autour de lui, à commencer par Catherine qui lui donnait des coups d'index à la hauteur du cœur en lui criant des insultes à deux pouces du visage.

« Parle-moi, lui disais-je avec mes yeux, mon esprit, ma volonté – j'avais l'impression de le crier tellement fort que je m'attendais à voir les vitres du bar éclater d'une minute à l'autre. Parle-moi. »

Mais il ne disait rien. Il restait immobile, comme une statue, et moi je savais qu'il était bouleversé, je savais que derrière l'impeccable façade une tempête se déchaînait. Parce que je le connaissais – je le connaissais par cœur. Il était comme les glaciers de ces montagnes en contrefort desquelles il avait grandi : son immuabilité apparente et son impressionnante froideur cachaient une vie intense qui, une fois réveillée, pouvait se déverser en de torrentiels débordements.

Aussi ne bougeait-il pas, et moi seule, j'en étais certaine (j'avais même eu le temps, piètre vanité au milieu de l'hystérie ambiante, d'en tirer une petite fierté), pouvais voir les flammes bleues qui s'agitaient dans ses grands yeux pendant qu'un pied plus bas Catherine hurlait toujours.

« T'es vraiment un beau trou de cul, hein ? T'es vraiment un ostie de chien sale de calibre olympique, hein ? T'es un crisse de beau sans-cœur de plein de marde, hein ? Gen ! GEN ! Comment on dit t'es un mangeux de marde en allemand ? »

Une peine d'amour est un formidable creuset pour qui voudrait expérimenter sur les rapports qu'entretient la nature humaine avec la logique. Je m'étais sérieusement arrêtée à la question de Catherine, traduisant mentalement « mangeux de marde »… « merde » se disait *Scheiße*, « mangeux »… *Esse*? *Esser*? Je n'avais jamais réussi à maîtriser cette langue complexe. J'en étais à essayer d'accorder *Scheiße* quand j'ai été frappée par la stridente absurdité de ma situation. Catherine, de toute manière, n'avait pas attendu ma réponse.

« J'ai jamais aimé ton ostie de face de jeunesse hitlérienne anyway mais là de la voir ici, dans MON bar… » Quand est-ce que le bar à Nico était devenu SON bar ? Question totalement futile, que seule une femme en état de choc pouvait se poser. Nicolas a fini par intervenir, se plaçant entre Catherine et Florian. Il était plus petit que ce dernier et devait lever la tête pour lui parler.

« Sérieux, dude, what the fuck ? What the fucking fuck ? De tous les bars à Montréal ? De tous les fuckings de bars à Montréal ? »

Florian ne le regardait pas lui non plus – il n'avait pas détaché ses yeux des miens depuis qu'il était entré.

« Florian… qu'est-ce qui se passe ? » a finalement demandé la crisse de hipster. Je me suis tournée vers elle. Elle avait les cheveux très courts et très blonds, de grosses lunettes de soleil à montures rouge pompier et une jolie bouche peinte de la même couleur mate. Elle ne comprenait rien et semblait se chercher frénétiquement une contenance. Florian aussi s'était tourné vers elle et avait l'air presque surpris de la voir là.

« We should go, lui a-t-il dit en anglais.

— Quoi ? Mais je voulais venir ici puis… who the fuck are these people ?

— We should go », a répété Florian sur un ton tellement autoritaire que la crisse de hipster a pratiquement sursauté avant de tourner les talons. Cinq secondes plus tard, ils étaient sortis, et ils auraient été poursuivis par Catherine si Nicolas ne l'avait pas retenue.

« OK, qu'est-ce qui se passe ? a demandé la serveuse, qui avait tenté tout ce temps de calmer les esprits.

— Rien. Rien, a dit Nicolas. Faut qu'on y aille.

— C'est son ex ! criait Catherine en me désignant. C'est son ostie de plein de marde d'ex ! »

À la mention du mot « ex » la serveuse a fait une grimace outrée, remplie de solidarité féminine et d'indignation partagée. De toute évidence, elle était passée par là.

« Je vais aller lui casser la yeule », a dit Catherine. Elle était prête à le faire, vraiment, ce qui était à la fois complètement grotesque et terriblement touchant.

« Non, a dit Nicolas. Tu vas rentrer à l'appart avec Gen pendant que je vais chercher Noé à l'école. Je vais acheter une bouteille de vodka en passant. » Ils avaient déclaré, lorsqu'ils m'avaient ramenée chez eux, que la vodka était désormais interdite. Mais c'était un cas de force majeure. On aura tenu trois jours, ai-je pensé.

Nous avons tous remis nos manteaux, non sans prendre le temps de caler les verres de vin qui étaient encore sur la table. Nicolas est parti le premier, en lançant un « Marie, tu mets ça sur mon bill ? » à la serveuse.

« C'est moi qui vous l'offre ! » a crié Marie avant de venir vers Catherine et moi avec trois shooters, encore toute vibrante d'indignation et de solidarité. « Tiens les girls… » Elle nous a tendu à chacune un petit verre, que nous avons calé avec des « Ahhhh ! » virils et satisfaits, comme trois guerrières qui reviennent du combat. J'ai soudain eu une vision d'une nation de femmes blessées par l'amour, portant toutes en elles leurs histoires à la fois différentes et tragiquement semblables, s'épaulant et s'entraidant. Une nation dont je faisais maintenant partie. Y avait-il des hommes parmi nous ? Sûrement. Mais je doutais que leur solidarité fût aussi éperdue que la nôtre.

« Merci », lui a dit Catherine. J'ai fait un petit sourire et baragouiné quelque chose – je n'avais pas prononcé un mot depuis l'arrivée de Florian. « Enweye, a poursuivi Catherine à mon intention. On s'en va à maison. » Elle était démesurément autoritaire, comme un petit général qui a le devoir de rameuter ses troupes après la bataille. J'ai obtempéré.

Catherine a hurlé tout le long des deux pâtés de maisons qui nous séparaient de chez eux. Elle insultait Florian, criait « J'en reviens pas. J'en reviens FUCKING pas », planifiait la mort de mon ex et ponctuait ses envolées de « Tu vas pas te laisser faire Geneviève, c'est-tu clair ? Tu vas pas laisser une affaire de même te remettre à terre ! ». Je n'ai pas eu le courage de lui dire qu'il aurait fallu que je me sois d'abord relevée pour pouvoir être remise à terre. Son ton, même lorsqu'elle s'adressait à moi, était toujours aussi colérique, ce qui devait donner l'impression aux gens qui se retournaient sur notre passage qu'elle était en train de m'engueuler comme du poisson pourri.

Mais sa véhémence était contagieuse, et la douce chaleur du shooter se répandait tranquillement de mon ventre à ma tête, me donnant envie, à moi aussi, de crier. Non, me disais-je. Je n'allais pas m'effondrer. J'avais assez pleuré. Finie, la petite boule sur le divan. J'étais forte, et fière, et en tabarnak.

« Non mais qu'il mange d'la marde ! ai-je crié alors que Catherine débarrait la porte d'en bas. Qu'il. Mange. De. La. Marde ! » Catherine m'a regardée comme on regarde un enfant faisant ses premiers pas – j'ai cru qu'elle allait pleurer tellement elle semblait fière. « Mets-en, ma pitoune. Mets-fucking-z'en. »

Nous avons monté les marches quatre à quatre, en hurlant et en vociférant. Emilio est sorti alors que nous étions devant la porte de l'appartement.

« *¿Señoras, qué pasa?* » Il portait un impossible pantalon de jogging tout droit sorti des années 1980, son éternel t-shirt, et avait l'air de venir de se réveiller. Catherine ne s'est même pas retournée et est entrée.

« J'ai croisé mon ex, ai-je dit. Le gars qui m'a laissée. Il est entré dans le bar à Nico pendant qu'on était là.

— Ayayay…

— Ben oui, ayayay ! a lancé Catherine. Va donc répéter tes textes, toi, Gen puis moi faut qu'on se parle. » Elle n'avait toujours pas digéré la pilule du petit rôle dans un film. Emilio a haussé les épaules et m'a serré amicalement l'épaule avant de rentrer chez lui. J'ai suivi Catherine et n'avais pas fini d'enlever mes bottes qu'on cognait à la porte.

« Qu'est-ce qu'il veut encore ? » a dit Catherine, exaspérée, en ouvrant à peine. Le bras d'Emilio est passé dans l'entrebâillement, tendant vers nous une bouteille presque pleine de tequila dorée. « Pour guérir le cœur et donner la force dans le ventre », a dit Emilio.

J'ai poussé la porte et je lui ai fait un sourire, un vrai, alors que Catherine prenait la bouteille. « Merci Emilio… C'est chic.

— Hé, t'en as besoin plus que moi. » Il m'a fait un clin d'œil et est reparti chez lui.

Quinze secondes plus tard, Catherine et moi avions chacune pris une grande lampée à même la bouteille. Je portais encore une de mes bottes. La tequila était brûlante et nous avons toutes les deux fait la même grimace, suivie de ce ridicule « Ahhhhh ! » d'amazones tout juste revenues du champ de bataille. « Tabarnak, a dit Catherine en toussotant. Ça décape !

— Ça fait la job. »

J'ai enlevé ma deuxième botte et je suis allée me planter au beau milieu du salon. Pas de divan ce soir, pas de position fœtale. J'étais une guerrière, une rebelle, une farouche résistante. J'avais même envie d'appeler Marie, la serveuse du bar à Nico, pour l'inviter à venir nous rejoindre après son shift afin de brûler des photographies de Florian, organiser une cérémonie païenne, boire beaucoup trop de fort et, de manière générale, hurler avec véhémence.

J'étais, comme on dit, pompée. Et ça me faisait un bien fou. Après m'être sentie littéralement dégonflée durant deux semaines, ce trop-plein de colère me donnait l'impression d'être debout. La vue de Florian et de sa crisse de hipster à marde avait été l'équivalent d'un vif coup de fouet que j'appréciais grandement. J'étais, enfin, remplie de quelque chose. Ce n'était pas sain (une toute petite voix me le chuchotait à l'oreille, mais je l'ignorais royalement) mais c'était mieux que d'être toute vide. Je me sentais, aussi, parfaitement lucide, comme seule une fille pompée et ayant consommé quelques lampées de tequila peut l'être. (La petite voix m'a aussi fait remarquer qu'il est toujours de bon aloi de se méfier de ce genre de lucidité illusoire. Encore une fois, je l'ai fait taire.)

« OK qu'est-ce qu'on fait ? » ai-je demandé à Catherine. Elle était debout au milieu du salon, hirsute et furieuse – ses grands yeux fardés de khôl et ses cheveux en bataille lui donnaient un air sauvage et indompté que j'enviais : ce n'était pas le moment d'avoir l'air d'une bonne petite fille sage.

« Je sais pas ! a crié Catherine. Je… On va d'abord débriefer : what the FUCK ? » Rien comme un bon « What the fuck ? » pour lancer une séance de débriefing constructive.

« Le tabarnak… ai-je commencé.

— Je vais aller faire des margaritas, a interrompu Catherine.

— Bon plan, dude. » Bon plan, dude ? Venais-je vraiment de dire « Bon plan, dude » à la mention de margaritas ? Qu'importait. C'était un bon plan, et il y avait quelque chose de délicieux, de presque libérateur, dans le fait de dire « Bon plan, dude » avec aplomb. Ti-Gus est sorti de ma chambre et m'a regardée, s'attendant sans doute à ce que je me précipite sur lui pour m'en servir comme mouchoir. « Pas tout de suite, Ti-Gus. Mais va-t'en pas loin, maman va avoir besoin de zoothérapie plus tard.

— Non madame ! a crié Catherine depuis la cuisine. Tu vas avoir besoin d'un douze coupé c'est-tu clair ? Pas de zoothérapie ! » Le meurtre était une option que je n'avais pas encore considérée, mais qui avait pour le moment un charme indéniable. Catherine revenait avec deux énormes margaritas quand j'ai senti mon cellulaire vibrer contre ma fesse.

« Oh my God, ai-je dit. Je vibre.

— Oh my GOD ! » a répété Catherine. Puis, voyant que je portais une main vers ma fesse gauche, elle s'est précipitée sur moi. S'est ensuivie une ridicule séance de lutte gréco-romaine centrée autour de mon derrière, alors que Catherine essayait de m'empêcher de répondre et que je tentais de sortir mon téléphone de ma poche tout en la repoussant. « Touche pas à ça ! » criait-elle. « Je veux y parler ! » hurlais-je.

Six interminables vibrations plus tard, elle tenait le téléphone muet et me regardait avec de grands yeux de furie. « OK », a-t-elle dit avec un calme tellement intense que j'ai tout de suite su que l'appel venait de Florian. Je suis restée immobile quelques secondes puis j'ai bondi vers elle.

« Non ! NON ! a crié Catherine. Je vais me le mettre dans les bobettes, je te le jure !

— M'en câlisse, m'a aller te le chercher dans le cul, s'il faut ! »

Nous hurlions toutes les deux. « OK ! OK WHOA ! » a finalement crié Catherine. Nous nous sommes arrêtées et, pour la première fois depuis deux semaines, j'ai éclaté de rire. « WHOA ! » a répété Catherine en pouffant à son tour. Elle est tout de même venue se placer entre le téléphone de la maison et moi, et tenait toujours le mien bien au-dessus de sa tête comme si cela pouvait constituer un obstacle quelconque, alors qu'elle était beaucoup plus petite que moi.

« Gen, a-t-elle dit. Sérieux. Je veux dire : on peut-tu en parler un peu avant que tu l'appelles ? Tu sais ce qu'il va faire si tu lui parles. » Oui. Je savais ce qu'il allait faire si je lui parlais. Il allait calmement m'expliquer que je n'avais aucune raison de m'énerver, qu'il avait fait une petite erreur, qu'il s'en excusait, mais que je devais comprendre. Il allait, ce qui était pire, m'en convaincre juste assez pour que je me sente un peu stupide de m'être tout emballée. C'était insupportable. « Crisse qu'il me fait chier, ai-je dit, poursuivant ma réflexion à voix haute.

— Tiens », m'a dit Catherine en me tendant une margarita. Elle a levé la sienne vers moi et nous avons trinqué. « Oh, c'est bon », ai-je dit. J'en aurais calé douze sur place.

« Bon. Est-ce qu'on peut au moins écouter le message ?

— On peut écouter le message », a approuvé Catherine.

Nous nous sommes assises sur le divan et j'ai fait jouer le message sur le haut-parleur. « Geneviève… c'est moi… c'est Florian…

— On le sait que c'est Florian, gros cave ! » a hurlé Catherine, pendant que je lui faisais des « Chhhhhuuuut » agressifs.

« Écoute, a poursuivi la voix familière de mon ex. Je te dois des excuses…

— Eille si y pense que des excuses ça va être ass…

— CHHHHHUUUUUUT !

— … j'aurais pas dû venir au bar… c'est mon erreur, c'est… J'ai très stupidement présumé… à cause de ce que m'avait dit ta mère… » À la mention de ma mère, Catherine et moi nous sommes regardées avec le même air perplexe et ahuri. Ma mère ? Qu'est-ce que ma mère avait à voir là-dedans ? « … Donc j'ai stupidement présumé que tu… que tu aurais pas envie de sortir… je… c'était parfaitement stupide de ma part… tu… tu es plus forte que ça et… bon… et… anyway… c'est… voilà … j'ai fait une impardonnable erreur de jugement. J'espère que tu sauras… non… *Vergiß das*… je… je suis désolé. Voilà. Hum… Bye. »

C'était tout. Catherine et moi regardions le petit appareil comme deux abruties, attendant je ne sais quoi de plus.

« Ça veut dire quoi *Vergiß das*, ça veut dire quoi ?

— Ça veut dire "Oublie ça" !

— Qu'est-ce qu'il veut que t'oublies ?

— Mais je sais pas !

— Faut le réécouter !

— OK !

— Oh my God y avait vraiment l'air comme… il parle pas de même d'habitude !

— Non je sais ! »

Toutes nos phrases étaient exagérément exclamatives, à tel point que je me suis mise à rire. C'était nerveux, mais que ça faisait du bien !

« OK… OK OK OK… On va le réécouter. » J'ai pris une gorgée de margarita d'une telle grosseur que j'ai dû l'avaler en deux temps. « C'est-tu moi ou y avait l'air comme… semi à l'envers ? Parce que ça pour Florian c'est comme… turbo-méga-archi à l'envers.

— Y avait l'air à l'envers.

— Y a *jamais* l'air à l'envers. C'est-tu weird, c'est-tu bon signe ?

— Va falloir qu'on parle de ce que t'entends par "bon signe". » Elle me regardait avec un petit air désolé. Je comprenais ce qu'elle voulait dire. Qu'entendais-je au juste par « bon signe » ? Qu'une certaine nervosité dans la voix normalement si posée de Florian impliquait qu'il allait peut-être me revenir ? Un angle de réflexion qui ne pouvait qu'être hautement toxique, force m'était de me l'avouer, même là, alors que je tentais encore d'avaler un décilitre de margarita d'un seul coup.

« Ouais, OK, ai-je dit. On va réécouter. » J'allais appuyer sur la touche du téléphone quand Nicolas est entré en déclarant triomphalement : « J'ai de la vodka ! » Il s'est arrêté, déçu, en voyant que nous avions déjà réglé le dossier de l'alcool fort. Nos deux verres étaient à moitié vides.

« Où est Noé ? a demandé Catherine.

— Chez Emilio. Y est sorti dans le portique dès qu'il nous a entendus en disant que c'était sûrement mieux si Noé venait chez lui ce soir. » Catherine et moi nous sommes regardées avec une moue appréciative. Acteur en herbe ou pas, Emilio avait drôlement bien assuré.

«On en est où? a demandé Nicolas.

— Florian vient d'appeler. On allait réécouter son message.

— Attendez-moi! Je vais me faire un drink. Vous buvez quoi?

— Des margaritas mais c'est trop long, t'as pas le temps de t'en faire! Tu boiras dans mon drink, on shakera après.» Catherine était d'une redoutable efficacité quand venait le temps de superviser la consommation d'alcool nécessaire à une gestion de crise.

«Parfait», a dit Nicolas en venant s'asseoir devant nous et en se frottant les mains. Il a pris une grande gorgée dans le verre de Catherine et nous a regardées, voulant visiblement savoir ce que nous attendions. «Ben on l'écoute, ou quoi?

— T'aimes un peu ça, hein? lui ai-je demandé avec un petit sourire. T'as beau être un gars t'es comme un peu excité, hein?

— Je suis pas excité, je suis juste curieux de savoir ce qu'il t'a laissé comme message…» Il s'est arrêté en voyant que je le regardais encore avec un petit sourire. «Eille je vais commencer à trouver que t'étais pas mal plus agréable quand tu chignais dans ton linge mou, toi!» Il m'a tout de même pris une main sur laquelle il a donné un gros bisou sonore. «Mais go! GO!» a-t-il ajouté en désignant le téléphone.

Nous avons réécouté le message. La voix de Florian n'avait pas dit «Bye» que Catherine et moi hurlions déjà nos remarques: «Y est *vraiment* pas comme d'habitude», «Il se sent mal, c'est clair qu'il se sent mal. Il se sent mal, hein?», «Qu'est-ce que vous pensez qu'il veut dire par "Oublie ça"?» et surtout: «Veux-tu ben me dire comment ça y a parlé à ma mère?»

«OK, time out! a finalement crié Nicolas. On va y aller étape par étape. On a beaucoup de dossiers, ici.» Comme je les aimais! Leur implication, leur intensité, le fait qu'ils soient aussi énervés que moi par ce message me touchaient profondément et, je le savais, m'empêchaient de m'enfermer toute seule dans ma chambre pour écouter le message en boucle, des centaines de fois, et faire un ou plusieurs appels catastrophiques à Florian.

« Une chance que je vous ai, ai-je dit.

— Mets-en ! » a lancé Catherine, en levant la main vers Nicolas. Ils ont échangé un high five. Je les aurais serrés tous les deux jusqu'à les étouffer tellement je les aimais.

« Bon. » Nicolas allait commencer à parler mais il s'est arrêté. « D'abord, faut des drinks.

— Non, Nico !

— Drinks ! Je reviens. » Il est parti dans la cuisine avec nos verres. Catherine et moi n'avions pas eu le temps de réécouter le message au complet qu'il était déjà de retour.

« Wow.

— J'ai eu un bar pendant cinq ans, remember ? » Il a posé trois verres pleins devant nous. « Alors. On a trois gros dossiers ici : un, le ton. Ensuite, la sincérité de ses excuses et, par extension, ce qu'il a voulu dire exactement par "Oublie ça". Et finalement : Gen, comment tu te sens. C'est bon pour vous, ce pacing-là ?

— Wow, ai-je répété devant tant d'organisation. J'ai un peu envie de te demander en mariage, présentement. »

Nicolas s'est tourné vers Catherine. « Elle est-tu comme ça depuis que vous êtes revenues du bar ? » Catherine a fait oui de la tête. « Ben tant mieux ! a dit Nicolas. Je sais pas ce que ça veut dire mais je t'aime mieux de même que toute chmu chmu sur le divan. Ça te ressemble plus. »

Je lui ai donné un bisou sur la tête. « Est-ce que je commence ? Voulez-vous mon opinion sur le ton ?

— Go », m'a dit Nicolas.

Nous avons passé les deux heures suivantes à écluser des cocktails, à manger à même le plat de service un gros restant de pâtes et à analyser le message de Florian. Était-ce le coup de fouet dû à la rencontre au bar? L'effet euphorisant de la tequila d'Emilio? La neige qui tombait dehors et me donnait l'impression que nous habitions un cocon à l'abri du monde? J'avais, étrangement, beaucoup de plaisir. Nous riions, nous élaborions d'absurdes théories et, dans la chaleur rassurante de l'affection de mes amis, je me sentais forte et en contrôle.

Nous en étions arrivés à la conclusion suivante: Florian était sincèrement désolé. C'était indéniable, et la raison derrière ce ton contrit et mal à l'aise qui ne lui ressemblait pas. Son «Oublie ça» corroborait aussi notre théorie: il disait, dans ce message que nous écoutions *ad nauseam*, «J'espère que tu sauras… *Vergiß das…*». Il n'était pas assez con, tout de même, pour croire que j'allais lui pardonner.

Son geste était d'ailleurs – nous étions tous d'accord là-dessus – impardonnable. *Même* s'il était sincèrement désolé, répétions-nous sans cesse. Je me demandais, sans oser le dire à mes amis, combien de temps j'allais garder cette position ferme et revancharde. Mon expérience personnelle me laissait bien deviner qu'une fois mes amis couchés et l'effet de la tequila estompé, mon indignation risquait de fondre comme neige au soleil. Mais qu'importait. J'étais pour le moment toute remplie d'une colère aiguë et réjouissante, que je dirigeais à grands coups de «LE TABARNAK» sur Florian. Sa rationalité et le simple fait qu'il soit désolé m'insultaient.

Nous avions évoqué l'idée qu'il ne pouvait pas ne pas se douter qu'il risquait de me croiser en se pointant au bar à Nico. Mais cela impliquait une cruauté réelle de sa part et je le connaissais assez bien pour exclure cette possibilité. Il pouvait être d'une froideur cassante, d'une rigidité douloureuse, mais il n'était pas cruel. Et il était bien élevé – ridiculement bien élevé même: sa politesse et son souci maniaque de ne pas agir de manière déplacée ou incorrecte avaient été pour moi une source infinie de blagues durant notre vie de couple. Il ne se serait pas pointé au bar s'il avait cru qu'il risquait de m'y croiser pour la très bonne raison que ça ne se faisait pas, tout simplement.

«Donc y est juste cave», avait conclu Catherine après que nous ayons exclu la cruauté comme moteur de son action. Y avait-il en effet une autre explication qu'une profonde cavitude pour justifier un tel geste? J'avais eu tellement peur qu'un de mes amis le dise avant moi que c'était moi qui m'étais écriée: «L'amour! L'amour rend cave!» Catherine et Nicolas étaient restés muets mais avaient échangé un regard qui ne m'avait pas échappé. Si la crisse de hipster avait manifesté le désir d'aller au bar à Nico, peut-être que Florian, d'ordinaire si réfléchi, n'avait fait ni une ni deux et avait mis son manteau en se disant: «Elle ne sortira pas.»

Quant à savoir comment je me sentais… nous n'y étions pas encore. Mon humeur, je n'en étais que trop consciente, risquait de changer d'une minute à l'autre. Je me doutais bien que Nicolas voulait surtout savoir par là si j'avais une envie folle d'appeler Florian – ou si je prévoyais avoir une envie folle de l'appeler, ce qui revenait au même. J'étais allée moi-même au-devant de cette inquiétude, en leur assurant que je n'avais, pour le moment, aucune envie de téléphoner à mon ex. J'étais trop fâchée. Et je ne risquais pas de l'appeler de sitôt non plus: j'étais trop orgueilleuse. «Je vous fais la promesse solennelle que je ferai pas de téléphone en cachette cette nuit», leur avais-je dit. Et je me la faisais en même temps à moi aussi, parce que ce qui me restait de lucidité suffisait à me convaincre que c'était la dernière chose à faire. Qu'il marine, le tabarnak. «Qu'il se sente coupable, avais-je dit à Catherine et Nicolas. Anyway, c'est le passe-temps national, en Allemagne.»

J'espérais, bien sûr, j'espérais ardemment qu'il rappelle. Qu'il laisse d'autres messages, tous plus contrits les uns que les autres. Mais je n'en parlais pas. Je savais très bien, de toute manière, que mes amis le savaient aussi bien que moi.

Vers 20 h 30, Nicolas est allé chercher Noé de l'autre côté du palier. Il était allé manger des gorditas et du pollo asado dans un petit restaurant de Rosemont et il portait fièrement un macaron du Che. « Nous on vote à gauche, han ? » avait-il demandé en entrant, alors que nous entendions Emilio rire en refermant sa porte.

Nicolas avait déjà commencé à répondre. « On vote… oui, on vote à gauche mais…

— On vote à gauche parce que c'est les bons qui sont à gauche ! l'a joyeusement interrompu Noé.

— C'est plus compliqué que ça, a dit Nicolas.

— Non, c'est pas compliqué : les bons sont à gauche puis les méchants sont à droite.

— Pas nécessairement…

— Ben… techniquement il a pas tort, a dit Catherine.

— Non, techniquement y a parfaitement tort ! a repris Nicolas. Noé… c'est juste que… c'est sûr que moi par exemple j'ai des valeurs plus proches de la gauche mais… ça veut pas dire que… c'est juste que c'est très important de… faut que tu développes ton jugement critique, tu comprends ? » À la mention de « jugement critique », Catherine et moi nous sommes effondrées de rire sur le divan. « EILLE ! J'essaye d'enseigner quelque chose d'important à mon fils ! » a crié Nicolas le plus sérieusement du monde en suivant Noé dans sa chambre.

« En fait y a raison, ai-je dit.

— Mets-en ! Vive la gauche !

— Non, je veux dire que Nicolas a raison.

— Whatever, a dit Catherine, qui commençait à parler mou. T'aurais-tu aimé ça, toi, à huit ans, te faire servir un cours de théorie politique pour t'endormir ? »

J'ai souri. Lorsque j'avais huit ans, mon père m'endormait en me racontant des blagues scatologiques qui me faisaient crouler de rire pendant que ma mère lisait dans le salon.

« Ma mère ! ai-je crié à l'évocation de ce souvenir.

— Quoi ta mère ?

— Ben ma mère a parlé à Florian ! J'appelle ma mère. » Mais elle ne répondait pas. J'ai regardé l'heure. Près de 21 heures – elle devait être au théâtre. Et elle ne possédait pas, bien sûr, de répondeur. « Un autre drink ? a proposé Catherine.

— Non, je pense pas… En fait je pense que je vais aller me coucher. » Les émotions de la journée venaient de me tomber dessus, comme une tonne – comme mille tonnes – de briques. Noé est sorti de sa chambre, adorable dans un bas de pyjama du Canadien de Montréal, a couru vers la salle de bains pour se brosser les dents et est venu vers nous environ huit secondes plus tard.

« Hum… a dit Catherine. Ça m'a pas semblé très long, ça, comme brossage de dents.

— Tu parles mou ! » s'est contenté de lui répondre Noé en riant, ce qui m'a fait rire à mon tour. Il nous a embrassées toutes les deux et a couru vers sa chambre.

« Sérieux, ai-je dit à Catherine, je vais crasher moi aussi… » Je ne me souvenais pas d'avoir été aussi épuisée de ma vie.

« Ça va ? m'a demandé Nicolas en refermant la porte de la chambre de Noé.

— Ça vient de me tomber dessus, ai-je dit. M'en vais faire comme Noé. Tu viens me chanter la berceuse du jugement critique à moi aussi ? »

Nicolas m'a fait un doigt d'honneur pendant que Catherine riait sur le divan. Quinze minutes plus tard, j'étais sous ma couette colorée, entre Ti-Gus et Ti-Mousse qui ronronnaient de bonheur. Je n'avais pas dit à Catherine et à Nicolas que la profondeur et l'intensité de l'interminable regard que j'avais échangé avec Florian m'avaient convaincue qu'il y avait encore quelque chose entre nous – et que cette idée, alors même que je vibrais de colère et d'indignation, m'avait empli le cœur.

« Faut pas que je pense comme ça », ai-je murmuré à la nuit et aux chats qui dormaient. Mais je savais déjà qu'une fois la colère épuisée, une fois l'indignation résorbée, cette idée resterait. Maudit p'tit cœur, ai-je pensé. Par la porte entrouverte, j'entendais Nicolas et Catherine rire et parler doucement. Ils veillent sur deux enfants, me suis-je dit, juste avant de m'endormir.

Catherine et Noé étaient partis lorsque je me suis levée le lendemain matin. Nicolas était assis à son bureau de fortune, face au mur, avec ses énormes écouteurs sur la tête. Il les a enlevés et s'est tourné vers moi.

« Ça va, la belle au bois dormant ?
— Y est quelle heure ?
— Dix heures. »

J'avais dormi treize heures. Je me suis frotté le visage – j'avais l'impression de sortir d'un coma.

« Comment tu te sens ? m'a demandé Nicolas.
— Je… je sais pas trop. » Je n'avais plus la pêche de la veille, ça c'était certain. Je me sentais fragile, en fait, comme une personne en convalescence.

« Tu veux un croissant ?
— En fait… en fait je pense que je sortirais, ai-je dit. Veux-tu venir avec moi ?
— Avec plaisir, ma chérie. »

Nous nous sommes rapidement habillés – je n'ai même pas pris la peine de me changer, me contentant d'enfiler ma doudoune par-dessus le vieux t-shirt et le pantalon mou qui me servaient de pyjama.

Il faisait doux et, en sortant du café où j'avais englouti mes œufs bacon en un temps record, nous sommes allés marcher dans l'air frais de l'avant-midi. C'était une petite journée grise d'hiver, les trottoirs étaient mouillés et des crottes de chien fondaient le long des bancs de neige.

« Je savais ben que ça durerait pas », ai-je dit à Nicolas. Il me tenait par le bras et nous marchions lentement, sans but précis.

« Quoi ?

— Ben l'espèce de super forme que j'avais hier soir.

— C'est normal, ça. J'ai vécu exactement la même affaire quand j'ai vu Julie après qu'elle m'a dompée. Elle m'avait dit qu'elle était partie en Amérique du Sud puis je l'avais vue à Montréal.

— Tu savais ? »

Nicolas m'a regardée avec surprise. « Quoi tu savais, toi ?

— Oui… je l'avais vue moi aussi… Man, tu savais ? Je t'en avais pas parlé, pour pas…

— Avoir su… » Il a ri en secouant la tête. Je me suis demandé dans combien de temps j'allais pouvoir, moi aussi, parler sans colère et sans douleur des jours suivant ma rupture. « Anyway… ça m'avait tellement pompé que j'ai été sur une espèce de high pendant quasiment une semaine. Mais après… » Il m'a regardée d'un air inquiet.

« C'est correct. Je veux dire : c'est pas si pire. Ç'a rien à voir avec ton histoire, en tout cas. C'est pas comme si on avait un flo ou qu'il m'avait fait accroire qu'il était parti à l'autre bout du monde…

— Compare pas, Gen. C'est aussi pire. Je veux pas tourner le fer dans la plaie mais c'est pas comme si y avait des degrés de cœur brisé…

— Tu penses ?

— Une fois qu'il est brisé, y est brisé. Moi y était en mille morceaux. Mais ça se recolle. Toute se recolle.

— Moi j'ai l'impression qu'il est fendu en deux. »

Il m'a fait un petit sourire. J'aimais parler avec lui de mon cœur brisé. En l'espace d'une rupture, il était devenu un complice, un camarade, un frère d'armes. Catherine n'avait jamais connu de terrible peine d'amour – elle disait souvent que sa vraie peine était de ne pas avoir encore connu de grand amour…

c'était valable, et tout aussi triste que nos chagrins à nous. Mais Nicolas et moi partagions quelque chose de précis : le départ de la seule personne que nous ne voulions pas voir partir.

« C'est pas ta mère, ça ?

— Quoi ? »

Nicolas désignait un parc où un groupe de personnes exécutait de curieux mouvements synchronisés avec une lenteur excessive. « Ça doit être son tai-chi », ai-je dit. Nous nous sommes approchés alors que la petite formation se défaisait. Ma mère devait être la plus jeune du groupe.

« Ça va, les sports extrêmes ? » ai-je dit en m'approchant d'elle. Elle s'est retournée et a eu l'air littéralement flabbergastée de me voir. « On habite dans la même ville, maman, tu te souviens ?

— Oui ! Oui bien sûr… c'est juste que… » Elle a fait un grand sourire. « Mais je suis très contente que tu sortes, Geneviève ! C'est très bon pour toi, le grand air !

— Tu pensais que je sortais pas, hein ?

— Quoi ? Mais je pensais rien du tout, seulement quand je t'ai vue la semaine dernière… Oh bonjour Nicolas ! »

Elle est allée faire la bise à Nicolas. Elle était mignonne, avec ses vêtements de sport qui auraient été plus appropriés à une furieuse randonnée de ski de fond qu'à une séance de mime en slow motion dans le parc.

« Florian t'a appelée, hein ?

— Oui… Il y a une semaine environ… Un peu après que je suis passée chez toi. Pauvre garçon, y était tout à l'envers !

— Oh, ça va ! On va laisser faire la sympathie pour le gars qui m'a dompée, peut-être ?

— Comme tu veux, comme tu veux… Mais il s'inquiétait pour toi puis honnêtement je lui ai dit qu'il avait raison ! »

Pourquoi ne pouvais-je pas avoir une mère normale? Une mère qui aurait dit à l'homme qui venait de briser le cœur de sa fille d'aller se faire voir ailleurs? Qui l'aurait menacé et traité de tous les noms? Lui aurait expliqué en hurlant qu'il venait de perdre la fille la plus extraordinaire du monde? Je savais très bien que si je posais la question telle quelle à ma mère elle me répondrait qu'en toute objectivité je n'étais pas la fille la plus extraordinaire du monde et que si Florian était tombé amoureux d'une autre, on ne pouvait pas grand-chose contre ça.

« Tu pensais vraiment que je sortirais jamais de chez nous, hein?

— Ben... t'avais l'air...

— C'était quand même pas si pire que ça!

— Heu... » Nicolas a levé un doigt pour intervenir, insinuant d'un hochement de tête que oui, c'était si pire que ça.

« Mais là regarde-toi... je suis sûre que ça te fait du bien de marcher comme ça, non? »

Elle avait raison, il fallait bien lui donner ça.

« Oui oui, mais...

— Tu vas voir, a-t-elle ajouté avec une lueur tellement optimiste dans l'œil que je n'ai rien osé dire. Bientôt tu vas retrouver toute ton énergie. Puis tu vas avoir du temps pour toi, enfin. » Avoir du temps pour soi était le plus gros dada de ma mère. Rien au monde n'équivalait à ses yeux à la joie infinie d'avoir du temps pour soi. « Tu pourrais venir faire du tai-chi avec nous! »

J'ai regardé ses compagnons de tai-chi. Des vieux, des divorcés, des gens qui avaient tous beaucoup de temps pour eux.

« Peut-être maman. Tu veux marcher avec nous?

— Non... Je vais aller prendre un bon thé avec une amie.

— OK... »

Nous l'avons embrassée tous les deux et elle m'a regardée partir en me montrant deux petits poings victorieux. La pratique du tai-chi et, je le craignais, le fait de voir sa fille unique célibataire la rendaient décidément joyeuse.

« Tu vas aller faire du tai-chi dans le parc ? m'a demandé Nicolas un coin de rue plus loin.

— Nooooooon… non, Nico s'il faut que je devienne une petite madame qui fait du tai-chi dans le parc…

— Calme-toi, calme-toi… On est loin d'être rendus là. Mais cela dit, ta mère, à sa manière, a l'air parfaitement heureuse. »

Je n'ai rien dit. Il avait raison, cependant. Ma mère était heureuse.

C'est ce bonheur étrange, fait de tranquillité, de temps pour soi et du refus presque catégorique de tout stimulant extérieur en dehors du théâtre, que Catherine et moi avons essayé d'analyser quelques jours plus tard.

Nous étions assises dans un restaurant près du café où travaillait Catherine et qui servait d'impeccables classiques de la cuisine bourgeoise française. « Pus capable l'ostie de bouffe réinventée, avait dit Catherine alors que nous cherchions où aller manger. Le pâté chinois réinventé, le bœuf bourguignon réinventé, le canard confit réinventé, le clafoutis réinventé… Je peux-tu juste manger mon ostie de bavette maître d'hôtel sans avoir besoin de la reconstruire mentalement ? » Je ne pouvais qu'abonder dans son sens, aussi nous étions retournées dans cet endroit sans prétention que j'affectionnais beaucoup et où j'étais certaine, cette fois, de ne pas voir Florian.

Il avait laissé un message sur le répondeur de Nicolas pour lui dire de prendre soin de moi, provoquant moult hurlements de la part de Catherine, qui considérait qu'il fallait vraiment être un macho fini pour appeler un homme et lui dire ça, comme si mes amies de filles en étaient incapables. Florian promettait aussi d'éviter dorénavant les lieux que je fréquentais. « Une bonne nouvelle », m'avait dit Nicolas, alors que j'avais le cœur qui s'effondrait à cette idée : c'était une étape de plus, une autre étape sur le chemin de la concrétisation de notre rupture.

« On se prend une bouteille ? a dit Catherine avant même d'être assise. Des martinis ?

— Deux dry martinis, ai-je dit au serveur. Vodka. Sans glace. Très secs.

— On est ben ici, hein ? Je vais manger une bavette… ou un tartare ! »

Je cherchais vainement Florian du regard. J'avais accepté de sortir comme on accepte de recevoir un vaccin, ou d'aller voir le docteur. Le fait de savoir qu'il évitait l'endroit me le rendait encore plus présent – son absence calculée était partout, dans les grands miroirs, dans le bar qui longeait un des murs du restaurant, dans les lampes qui nous éclairaient.

« Moi je suis juste contente que tu manges de la viande. » Catherine avait été végétarienne pendant un peu plus d'un an. Une autre de ses multiples tentatives pour « s'améliorer » – mon amie était en perpétuelle quête d'amélioration personnelle. Thérapies diverses, religions orientales, fréquentation d'ashrams, lecture compulsive de psycho-pop : si quelqu'un, quelque part, faisait miroiter la promesse d'un meilleur soi-même, Catherine était preneuse.

« Tu sauras que le végétarisme est très sain, m'a-t-elle répondu.

— Whatever, c'est dull. Puis t'avais pas développé une carence en je sais pas quoi ?

— Peut-être…

— Tu vas me dire que t'appréciais autant ta bonne bouteille de rouge avec une purée de pois chiches qu'avec un onglet ?

— Je buvais pas dans ce temps-là. Plus sain. »

Nous avons ri et trinqué. Deux martinis, une bouteille de vin et quatre verres plus tard, nous partagions une île flottante en essayant de remonter aux sources élusives du bonheur de ma mère.

« Ça revient toujours à la même affaire, disait Catherine. No men.

— Ça revient à... » J'ai mimé l'érection de quatre murs autour de moi.

« Une boîte ?

— Non, niaiseuse, une carapace.

— Oh boy, faudrait vraiment que tu suives des cours de mime. » Elle avait, évidemment, déjà suivi un atelier de mime. Nicolas et moi avions tellement ri d'elle qu'elle avait songé à déménager.

« Anyway, tu comprends. C'est... c'est le refus du monde extérieur. Je veux pas ça.

— Non, mais... peut-être que de pas toute vouloir comme on veut, ça aide ? On veut tellement toute, Gen...

— Alors on devrait renoncer ?

— Non, c'est sûr. Je veux *encore* toute. Mais on pourrait, des fois, se contenter ?

— Je veux ben me contenter de ma job ou... ou même du fait que j'ai littéralement pas de maison ces temps-ci mais... pas d'amour ?

— Ça fait quinze ans que je vis des amourettes et pas d'amour.

— Puis que tu rêves au grand amour. »

Catherine a fait une petite grimace.

« Je l'avais, moi, le grand amour... » Ma lèvre du bas s'est mise à trembler.

« Non non non, a crié Catherine. Monsieur ! Monsieur ! On va prendre deux autres verres ici. Des calvados. Vite vite vite ça urge ! »

Je lui ai fait un petit sourire. J'étais consciente de vouloir projeter une certaine bravoure avec ce sourire, et je me trouvais ridicule. « C'est-tu ça, notre problème ? ai-je dit. On mise tout sur l'amour ? »

Catherine m'a regardée un long moment. C'était l'éternelle question des filles de notre âge, le leitmotiv des célibataires trentenaires (parce que j'en étais une maintenant ! J'en étais une ! J'avais encore de la difficulté à y croire) : l'amour était-il à ce point essentiel à notre bonheur ?

Nous sommes rentrées à la maison, très soûles, en chuchotant avec véhémence pour ne pas réveiller Noé que « Fuck l'amour » et que « Pas besoin de qui que ce soit pour se tenir deboutte, tabar… ». Je me suis couchée sans prendre la peine de me démaquiller, en répétant aux chats « Fuck l'amour, hein ? Fuck… ».

Je me suis réveillée le lendemain matin avec une gueule de bois de la grosseur de l'appartement. Du moins c'est ce que je croyais jusqu'à ce que je tente une percée vers la cuisine dans le but naïf et utopique de me prendre un verre de jus d'orange. Après avoir fait cinq pas dans le salon trop lumineux, je m'étais effondrée (« effoirée » serait le mot exact) sur le sofa, d'où je n'ai bougé que trois heures plus tard, pour attraper la télécommande qui était à environ un mètre de moi. Noé et Nicolas étaient partis et la porte de la chambre de Catherine restait fermée. Ti-Gus et Ti-Mousse me regardaient avec, j'en étais convaincue, un profond mépris pour ma conduite de la veille, mon état présent et l'ensemble de mon existence.

Ma gueule de bois, ai-je compris aussi rapidement que mes pauvres neurones me le permettaient, débordait de l'appartement. Elle s'étendait sur toute la ville, sur la province au complet, dans chaque recoin de ce condominium que j'avais habité avec Florian, elle tapissait l'intérieur de ma tête. « L'alcool est un dépressif », a réussi à articuler Catherine en émergeant enfin de sa chambre. « Ah oui ? Vraiment ? Tu crois ? » aurais-je dit avec verve et sarcasme si j'avais été capable de produire autre chose que des geignements.

J'étais anéantie. Écrabouillée, réduite en miettes, tout aplatie. Mon malaise physique n'était rien à côté de l'espèce de nausée émotive qui m'habitait. Ma peine d'amour avait pris des proportions monumentales, elle écrasait tout, à commencer par ma propre personne. C'était ma faute, ma très grande faute, Florian était parti parce que j'étais nulle, archinulle, turbo-nulle, la plus nulle de toutes les nulles.

Trois jours plus tard, j'étais dans le même état. Physiquement, j'allais mieux, mais sinon rien n'avait changé. Je m'apitoyais à longueur de journée, et je m'appliquais à cette tâche : *personne* n'avait jamais été aussi déprimé que moi. Je me serais battue avec quiconque aurait osé me dire le contraire si j'en avais eu la force. « On aurait peut-être pas dû sortir ce soir-là… » disait Catherine, mais je ne voulais rien entendre : le malheur ne venait pas de l'extérieur, je ne l'avais pas bu au fond d'une bouteille de rouge, il était en moi. Et il ne partait plus.

J'étais vaguement consciente d'être devenue une véritable caricature de fille dépressive, mais pas assez pour tenter de remédier à la situation. Je me complaisais dans cet état visqueux et toxique. Je lançais des « Je veux mouriiiiiir » pathétiques et scandaleux : je n'avais aucune intention de mourir mais j'aimais le dire, j'aimais jouer avec l'idée horrible et séduisante. C'était une perversité qui me permettait, joie sombre et noire, d'avoir un peu honte de moi. Je passais des heures couchée sur le ventre, la tête enfoncée entre deux coussins, à répéter que mes amis devaient en fait me haïr, souhaiter ma mort, regretter de m'avoir connue. Je disais, plusieurs fois par jour : « Je fais pitié.

— Ben non », répétaient Catherine et Nicolas sans aucune conviction.

Puis, un soir, alors que Noé faisait ses devoirs à côté de moi – il s'était habitué à la loque humaine qui traînait dans son salon – il m'a regardée geindre que je faisais terriblement pitié et a dit : « Moi je trouve que tu fais pitié. Tu fais *vraiment* pitié. » Et il y avait dans son beau petit visage une pitié réelle, comme celle qu'on éprouve pour les mendiants en hiver ou les vieux malades dans les corridors d'hôpitaux – une pitié résignée, qui ne méprise pas uniquement par grandeur d'âme. Je me suis redressée lentement.

« Tu trouves ? ai-je demandé à Noé.

— Ben non, il trouve pas ! a crié Catherine depuis la cuisine. Tu trouves pas ça, Noé !

— Non, je trouve vraiment que tu fais *pitié*, Gen. » Et il s'est penché de nouveau sur ses additions.

Je me suis levée. « Faut que je fasse quelque chose. » Nicolas, qui était dans la cuisine avec Catherine, en est sorti en essuyant un verre. « Tu me niaises ?

— Comment ça "Tu me niaises" ? Faut que je fasse quelque chose, Nic !

— Ben je sais ben qu'il faut que tu fasses quelque chose, ça fait une semaine qu'on te dit qu'il faut que tu fasses quelque chose ! Comment ça tu te décides, là, parce qu'un flo de huit ans te dit que tu fais dur ?

— J'ai huit ans et demi et j'ai pas dit qu'elle faisait dur, j'ai dit qu'elle faisait pitié. »

Nicolas et Catherine étaient vexés. Je les comprenais, mais j'étais de trop mauvaise foi pour le reconnaître. Ce soir-là, après que Noé a été couché, Nicolas s'est assis près de moi sur le divan qui avait maintenant ma forme.

« Bon ! Faque ça va être quoi ?

— Quoi quoi ?

— Ben tu veux faire quelque chose ?

— Oui je veux faire quelque chose… je… c'est pas tant pour me débarrasser de ma peine d'amour, c'est juste que… » J'ai montré le divan, comme si mon moi prostré était encore là. « C'est pas moi ça. Je suis comme en train de devenir un personnage… je veux dire : je suis pas de même… je fais pas pitié moi dans vie !

— Mais ça fait une semaine qu'on se tue à te le dire ! »

J'ai fait un petit sourire. « Je sais. Scuse-moi… je… peut-être qu'il fallait que je passe par là ? » Je ne savais pas comment lui dire – je ne savais pas comment *me* dire – que j'avais été étrangement (et très perversement) bien durant cette semaine passée sur le divan.

Au contraire des deux semaines qui avaient suivi le départ de Florian, que j'avais traversées dans un état de stupeur douloureuse et d'abjecte solitude, j'avais été durant les sept derniers jours entourée de la chaleur et de la sollicitude de mes amis. Ils étaient exaspérés, je le savais, et je testais inconsciemment leurs limites. Comme une enfant capricieuse, je voulais voir *jusqu'où* ils m'aimeraient. Très loin, de toute évidence.

Dans le cocon douillet que leur amitié tissait autour de moi, j'avais pu enfin m'adonner à tout ce qu'il y avait d'irrationnel dans ma peine. Protégée par le filet de leur présence rassurante, j'avais pu descendre très loin, explorer les bas-fonds de ma blessure et ses ramifications qui s'étendaient dans les recoins les plus sombres de mon âme. C'était de la spéléologie intérieure, pratiquée en toute sécurité. Un luxe étrange dont j'avais profité sans le comprendre.

« Faque qu'est-ce que tu vas faire ? a demandé Nicolas.

— Me brasser. Recommencer à écrire.

— ÇA c'est une bonne idée ! T'es auteure, toi, dans la vie, tu pourrais écrire ce que tu ressens… ça t'aiderait, non ?

— Non… D'abord je suis pas auteure, je suis nègre. Fantômette, remember ? » J'ai grimacé à ce souvenir. Florian, il y a un an encore, m'aurait sermonnée, m'aurait dit qu'il fallait que je me considère comme une auteure. J'en étais incapable. Persuadée de n'avoir jamais écrit quoi que ce soit qui vaille, j'aurais trouvé présomptueux de me qualifier ainsi.

« Non, ai-je poursuivi… j'ai essayé, en plus. » Des textes pathétiques, d'un masochisme calculé et faussement provocateur, que j'écrivais au « tu », m'adressant à Florian dans de pénibles envolées lyriques que je ne pouvais relire sans en éprouver une grande gêne. « Non… pas bon pour moi, ai-je répété.

— Moi j'ai ce qu'il te faut », a dit Catherine en sortant de sa chambre et en venant s'écraser à côté de moi. Elle a posé sur la table une boîte à chaussures remplie de dépliants.

« Ah non, pas tes pamphlets… a soupiré Nicolas.

— Écoute-le pas, m'a dit Catherine. T'as de quoi remonter n'importe qui là-dedans. » Elle s'est mise à sortir des dépliants et à me les tendre sans me laisser le temps de les consulter. « Qi Gong. Rebirth. Thérapie par le rire. Ateliers d'écriture… de peinture… de gumboot…

— Gumboot… je suis pas sûre que je te suis, Cath.

— Moi ça m'avait fait un bien *fou* le gumboot ! Super libérateur. »

J'ai croisé le regard de Nicolas et nous nous sommes mis à rire. *Ça* c'était libérateur. Je m'imaginais, pleurant comme une Madeleine en bottes à tuyau, criant ma peine et me mouchant dans les manches de mon chandail tout en tapant sur mes bottes.

« Catherine, come on, ai-je dit en riant.

— OK, peut-être pas le gumboot mais… une retraite à Saint-Benoît ? »

Elle était terriblement touchante. Elle avait fait, elle, toutes ces choses. Elle avait tout essayé – sa quête était perpétuelle. Et elle voulait partager son expérience, elle voulait m'aider et elle restait persuadée qu'il existait une religion, une secte, une technique, un livre quelque part qui ferait d'elle, ou de moi, une personne meilleure, voire parfaite.

« J'ai des livres, aussi.

— Non… » Son impressionnante collection de livres de psycho-pop m'avait toujours déprimée. Ce n'était pas le moment de me sortir *Seule mais avec soi-même* ou quelque autre ouvrage du genre.

« Donne-moi deux secondes. » Elle est partie vers sa chambre, me laissant avec un dépliant pour un cours de yoga qui promettait de m'aider à me reconnecter avec mon système digestif. J'ai lancé un regard désespéré à Nicolas.

« Je vais te donner un numéro, moi.

— Quoi?

— Une psy. Fantastique. Un peu… hors-normes, mais fantastique.

— T'as vu une psy? *Toi?*» J'avais toujours entretenu ce préjugé selon lequel seules les personnes trop intenses et visiblement instables (comme Catherine) consultaient des psys.

«Ben voyons, a dit Nicolas avec un sourire désarmant de simplicité. C'est sûr. Une couple de mois. Ç'a changé ma vie. Pas complètement, mais juste… juste ce dont j'avais besoin.»

J'ai fait une mine boudeuse. Inutile de tenter le diable en demandant si j'avais l'air trop intense et visiblement instable, mais tout de même – j'avais de la difficulté à accepter l'idée. Nicolas m'a souri de nouveau. «Tu rentres pas à l'asile, Gen. Tu vas voir une psy.»

Il m'a tendu la petite carte. «Julie Veilleux, psychothérapeute.» Un numéro. J'ai pris mon téléphone, j'ai lancé un dernier regard vers Nicolas et j'ai appelé. Cinq minutes plus tard, j'avais un rendez-vous pour le surlendemain avec Julie Veilleux.

CHAPITRE 4

« De quoi j'ai l'air ? » Je me tenais devant Nicolas, les bras un peu écartés, le buste avancé et les fesses cambrées, avec la moue ridicule que font les femmes (et beaucoup d'hommes, j'en étais certaine) lorsqu'elles analysent leur tenue devant un miroir.

« Euh… mignonne ? » a tenté Nicolas. Il me détaillait d'un œil intrigué et – était-ce cette paranoïa qui ne me lâchait plus depuis trois semaines ? – qui me semblait suspicieux. Je portais un col roulé noir en cachemire, mon jeans noir favori et une paire de bottes rouge pétant en un genre de plastique verni qui était d'un rare inconfort, mais vraiment très joli. J'avais pensé compléter le tout avec un rouge à lèvres de la même couleur que les bottes mais je m'étais souvenue de la bouche de la crisse de hipster et j'avais opté pour un gloss et un chignon.

« ¡Guapa! a dit Emilio en sortant de la cuisine. Mais moi j'aime mieux l'autre chandail noir… celui qui montre plus tes… » Il a tâté deux seins imaginaires sur sa poitrine.

« OK, qu'est-ce qu'il fait là, lui ? Puis comment ça tu connais ma garde-robe ?

« — Il m'apprend à faire des tamals, a dit Catherine en faisant son apparition derrière Emilio. En échange je l'aide avec son texte pour le film de marde pour lequel moi j'ai pas eu de rôle et… oh mais WOW ! Gen ! T'es donc ben belle !

— On peut-tu savoir ce que tu fais habillée de même ? a demandé Nicolas.

— Ben là Nico, dis pas ça ! C'est super important pour une femme de se sentir belle ! L'estime de soi se manifeste aussi dans l'image qu'on projette, tu sauras ! »

Nicolas et Emilio se sont tournés vers Catherine, la regardant comme si elle parlait un dialecte inconnu.

« Je… je peux répéter ma question ? a réitéré Nicolas.

— J'ai mon rendez-vous chez la psy », ai-je dit piteusement, en perdant instantanément ma pose de mannequin du dimanche. Nicolas a souri en hochant la tête, l'air de dire : « C'est ben ça que je pensais. »

« Tu te grimes pour aller chez la psy ? » Il semblait hésiter entre trouver cela franchement drôle ou sincèrement inquiétant.

« Ah come on ! Laisse-moi au moins ça…

— Oui ! a crié Catherine. C'est super important pour une femme de se sentir… tu vas voir une psy ? » Elle était étonnée, mais surtout piquée de n'être pas au courant et, j'en étais persuadée, d'apprendre que j'avais opté pour un « remède » qui ne m'avait pas été recommandé par un dépliant sortant de sa boîte à chaussures.

« Moui », ai-je bredouillé. Je me sentais comme une toute petite fille. J'étais gênée aussi, comme si mon pull et mon soutien-gorge s'étaient soudainement envolés, me laissant les seins à l'air devant mes amis.

« Moi yé crois pas aux psys, a dit Emilio. Tu sais c'est quoi le vrai remède pour réparer le cœur ?

— Si tu dis "fourrer avec un gars" je te lance une de mes bottes rouges dans face.

— J'allais dire "se faire faire l'amour tendre-
ment par un autre homme". De préférence d'origine
cubaine. *Pero hé… haz lo que sienta.* »

Je n'ai pu m'empêcher de rire.

« Tu sais qu'il est probablement sérieux, hein ? m'a
dit Nicolas pendant qu'Emilio décapsulait des bières
dans la cuisine.

— Ouais, je sais… » Je n'étais pas loin, en fait, d'être
d'accord avec lui. Pas sur la nécessité d'être détenteur
d'un passeport cubain pour être certifié remède effi-
cace contre la peine d'amour, mais sur le fait que de
simplement passer à autre chose pouvait parfois régler
bien des problèmes. Une théorie, me disais-je, que ne
devaient pas trop encourager les Julie Veilleux de ce
monde.

« Comment ça tu vois une psy ? » a demandé Catherine. Elle était un peu fébrile, pour ne pas dire déstabilisée : quelqu'un dans la pièce faisait une démarche
thérapeutique, et ce n'était pas elle. « C'est qui ? Tu l'as
trouvée où ? Comment elle s'appelle ? C'est quoi son
approche ?

— Je sais pas ! Je sais rien ! Elle s'appelle Julie Veilleux, c'est la psy de Nico.

— Ben là ! » Elle aurait préféré mourir que de le
dire à voix haute, mais elle considérait qu'elle déte-
nait le monopole sur l'aide psychologique et le mieux-
être en général. Elle a lancé à Nicolas un regard outré
et blessé, à défaut de pouvoir le traiter d'usurpateur
devant Emilio et moi.

« C'est toute une démarche, trouver un psy, Gen…
j'en ai vu… genre… quinze avant de trouver la bonne,
moi.

— Je sais, je sais… » La quête de Catherine pour
trouver la psy idéale était un dossier que Nicolas et
moi avions suivi avec l'intérêt que certains portent à
un téléroman.

« Faut que t'identifies tes besoins, ton niveau d'ouverture, la rapidité avec laquelle tu veux travailler, les

points que tu veux aborder… faut surtout que tu saches c'est quoi le cheminement que tu veux faire puis c'est quoi tes buts. Puis après faut que t'en discutes avec les psys puis que tu trouves un terrain d'entente puis… C'EST PAS FACILE!»

Nicolas et moi avons pouffé de rire devant l'intensité de sa sincérité. «Mangez donc d'la marde! a crié Catherine.

— Scuse-moi, Cath… scuse-moi… je suis juste nerveuse.» Je n'osais pas lui dire que si j'étais nerveuse c'était en partie parce que je craignais de devenir, en allant voir une psy, un peu comme elle, toujours trop attentive aux moindres mouvements de son âme, au point d'avoir parfois de la difficulté à être, tout simplement. Je ne voulais pas devenir ce genre de personne qui dit «Mon psy pense que» ou «Selon mon psy». Je ne voulais pas, surtout, être malade. Avoir besoin d'aide. Ne pas être capable de me soigner toute seule, ou à la rigueur à l'aide du corps d'un autre homme et d'une bonne dose de déni.

«J'aimerais juste revenir sur le fait que tu t'es mise cute pour aller chez la psy, a dit Nicolas.

— T'en laisseras pas passer une, hein?

— Ben pas une de même!» Il a pris une bière qu'Emilio lui tendait. «Je veux dire: t'es super cute puis… tant mieux, mais…

— Je veux avoir l'air d'avoir de l'allure! Je suis quand même pas pour aller là en pantalon mou puis en vieux t-shirt! Elle va penser quoi?»

Nicolas a fait un grand sourire. C'était exactement ce qu'il voulait m'entendre dire. J'ai fait une petite grimace. Pourquoi ne m'étais-je pas arrêtée tout de suite après «vieux t-shirt»? Pourquoi ne m'étais-je pas glissée discrètement hors de l'appartement, sans sentir le besoin de parader devant mes amis en leur demandant «De quoi j'ai l'air»? Maudite insécurité.

«C'est pas… c'est pas vraiment important ce que la psy pense de toi, a dit Nicolas.

— Absolument ! a crié Catherine. Ce qui est important c'est ce que *toi* tu penses d'elle. C'est *toi* qui es importante. »

Oh mon Dieu. J'allais voir une psy. J'allais commencer à dire des choses comme : « Ma priorité c'est moi. »

« Je veux juste pas qu'a pense que je suis une ostie de loser, ai-je dit.

— Elle est pas là pour te juger, tu sais.

— *Tout le monde* juge.

— Non, pas une psy. C'est ça le concept. Elle est habituée à voir du monde brailler puis crier "Moman" dans son bureau.

— Oh my God, ai-je dit, horrifiée. T'as-tu fait ça ?

— Non. Pas moi, mais ça arrive.

— Moi j'ai fait ça, a dit Catherine, sans que personne ne prenne la peine d'avoir l'air étonné.

— Veux-tu que je marche avec toi ? » a demandé Nicolas.

Le bureau de la psy était à quelques coins de rues de l'appartement. J'ai hoché la tête comme une enfant. Du coin de l'œil, j'ai aperçu Catherine, qui était au bord de l'attaque d'apoplexie. Quelqu'un gérait une crise, et ce n'était pas elle. Elle a pris une grande gorgée de bière et est allée chercher mon manteau. Elle ne pouvait pas ne pas s'impliquer, c'était plus fort qu'elle. Elle m'aidait à mettre mes manches, comme si j'avais été une convalescente, pendant que Nicolas m'attendait dans l'entrée.

« Tiens. Tsé Gen… y a rien de vulgaire à parler de ses émotions. Même les plus intimes. »

Je lui ai fait un petit sourire. Comme elle me connaissait bien ! J'étais mortifiée à l'idée d'avoir à m'ouvrir ainsi. Un autre signe, me suis-je dit en sortant et en lui donnant un bisou, que j'avais sans doute rudement besoin de consulter.

« Je pense que tu devrais acheter des fleurs à Catherine en rentrant, ai-je dit à Nicolas alors que nous passions devant la petite boutique d'un fleuriste italien.

— Ouin… je joue dans ses plates-bandes, hein?

— Tu te *vautres* dans ses plates-bandes, dude. Tu désacralises ses plates-bandes. »

Il a ri doucement. « Ça va ben aller, Gen. »

J'ai continué à marcher en regardant le sol et mes bottes rouges dans la neige grise.

« C'est juste… ça me fait chier, Nico… je peux pas te *dire* à quel point ça me fait chier.

— C'est correct. Je le sais. »

J'ai pris une grande inspiration pour ne pas me mettre à pleurer. Je ne voulais pas que mon mascara coule avant mon arrivée chez la psy, ce qui était, je n'en étais que trop consciente, complètement ridicule.

« J'ai toujours voulu croire que… j'ai toujours cru que j'étais pas de même… que j'étais capable de régler mes affaires toute seule. J'ai passé ma vie à juger le monde qui allait voir des psys… Puis là parce que c't'ostie de tabarnak-là me dompe je me retrouve désemparée puis toute… Je pense que c'est ça la pire affaire. Je pense que juste à cause de ça je vais y en vouloir jusqu'à fin de mes jours. C'est comme si en me dompant y avait ouvert une porte puis que toute la marde était derrière. Puis y en a en ostie de la marde.

— C'est une façon de le dire… Tu vas peut-être être reconnaissante, un jour.

— Envers Florian? Pousse pas ta luck, le gros. »

Il a ri en me prenant par l'épaule. Un homme de notre âge est passé à côté de nous. Il portait un grand manteau et un long foulard qui m'ont fait penser à cet ami de Nicolas qui était venu nous saluer au bar, juste avant l'arrivée apocalyptique de Florian.

« Tsé le gars qui est venu te voir l'autre jour au bar?

— Max Blackburn?

— Oui… Y es-tu… Il me regardait avec un drôle d'air.

— Oh boy… je veux pas être mean Gen, mais ça doit être ta paranoïa de fraîchement dompée parce que c'est probablement le gars le plus smatte sur la terre.

— Non je sais, c'était pas un méchant drôle d'air. Juste… anyway. » Nous étions arrivés devant le bureau de la psychothérapeute, qui était en fait un petit appartement au rez-de-chaussée d'un triplex. Il n'y avait aucune indication sur la porte, pas de petite plaque indiquant le nom et la profession de la personne qui m'attendait à l'intérieur. J'en étais reconnaissante, et je me suis dit que la plupart des gens qui venaient là devaient l'être aussi. Un homme d'une quarantaine d'années est sorti et nous a fait un sourire timide, sans lever le regard vers nous. Instantanément, je l'ai jugé : c'était un malade, un faible, quelqu'un qui consultait une psychothérapeute. L'ironie de cette réflexion, considérant la situation dans laquelle je me trouvais, m'a redonné envie de pleurer.

« Enweye, championne. » Nicolas m'a fait la bise, et j'ai mis la main sur la poignée de porte. « Gen ?

— Quoi ?

— Fais pas le saut, OK ? Elle est pas… elle correspond pas exactement à l'image qu'on se fait d'une psy. »

J'ai fait une petite recherche mentale pour tenter de trouver dans mon esprit des images de psy. À part le sexy psy joué par Gabriel Byrne dans *In Treatment*, je voyais des quinquagénaires un peu coincées, en tailleur, portant leurs lunettes sur le bout du nez. « Je pense pas que je m'attends à grand-chose, ai-je dit.

— En tout cas. Fais juste pas le saut. On se voit dans une heure ?

— Si je suis encore la même femme… »

J'ai fait un petit sourire qui se voulait courageux, et je suis entrée.

Je me suis assise sur une petite chaise droite dans une salle d'attente sans âme. Il y avait une horloge, une boîte de mouchoirs et la prévisible pile de magazines vieux de plusieurs années. Des *Loulou*. Quel genre de psy laisse traîner des *Loulou* dans sa salle d'attente? me demandais-je, quand j'ai entendu une voix de femme dire mon nom.

« Geneviève Criganne?

— Creighan, ai-je corrigé en levant la tête. Mais c'est pas grave tout le monde se... » Je me suis arrêtée en apercevant Julie Veilleux. Elle ressemblait, à s'y méprendre, à Julie Couillard. Ou à une concurrente d'*Occupation Double* si l'émission avait accepté les femmes d'environ trente-cinq ans. Ou quarante ans. Quel âge pouvait-elle avoir? Impossible à dire. Elle était impeccablement maquillée et ses longs cheveux noirs entouraient un visage tellement lisse que c'en était suspect.

« Excuse-moi, m'a-t-elle dit, me tutoyant d'emblée. Comment tu prononces ça?

— C'est... vous l'aviez presque, c'est correct. Creighan.

— C'est anglais?

— Irlandais.

— Hon! Paraît que c'est assez beau, l'Irlande! Tu viens de là?

— Mon grand-père... »

Elle a écarquillé de grands yeux magnifiques, d'un brun presque doré. « Ton grand-père... » Allions-nous continuer à échanger des banalités dans la salle d'attente de son bureau? Feuilleter un *Loulou* de septembre 2009, peut-être? Une partie de moi le souhaitait ardemment.

« Excuse-moi, a-t-elle encore dit. Moi c'est Julie. » Elle a tendu vers moi une main garnie de cinq faux ongles aux bouts blancs et carrés.

« Geneviève, ai-je répondu, en me demandant si elle pouvait voir mon ahurissement, et si celui-ci risquait de l'insulter.

« Viens t'asseoir », a ajouté Julie en me faisant entrer dans le petit bureau et en m'enveloppant d'un grand sourire radieux et empathique. « C'est correct si on se tutoie ? »

Pouvais-je répondre quoi que ce soit d'autre que oui ? Probablement pas. Je me suis assise dans un large fauteuil confortable et elle est venue s'installer devant moi. Elle avait des seins énormes, manifestement faux, que soulignait une taille toute fine. J'avais tellement hâte de retrouver Nicolas pour débriefer sur le look de Julie Veilleux que j'en oubliais presque d'être mal à l'aise.

« Alors, a dit Julie en me tendant un carton avec une feuille imprimée. Tu vas juste me remplir ça, c'est tes informations de base, tes coordonnées puis toute, puis on va commencer… » Était-il encore temps de m'enfuir ? Il n'y avait qu'une grande fenêtre au fond de la pièce qui donnait sur ce qui devait être une petite cour.

« Est-ce que vous… est-ce que t'habites ici ? ai-je demandé.

— Non. J'habite sur la Rive-Sud. C'est juste un bureau. »

Je voulais lui poser des questions sur sa maison, sur le chandail rose qu'elle portait, sur la décoration de ce petit bureau coquet… je voulais, en fait, faire du small talk. Tout sauf parler de moi.

« Bon. Explique-moi qu'est-ce qui t'amène, a dit Julie alors que je lui remettais ma feuille dûment remplie.

— Je… » Par où commencer ? Je passe mes journées à parler dans un coussin chez mes amis ? Même mes chats ne m'endurent plus ? L'homme que j'aime m'a quittée ?

« Mon chum m'a dompée », ai-je dit.

Julie a fait une petite moue désolée. Elle irradiait l'empathie. Mais elle ne disait rien. C'était donc à moi de parler ? J'avais inconsciemment souhaité que Julie

Veilleux, avec son physique d'ancienne lofteuse, fasse tout le travail pour moi. Qu'elle commence à parler à la minute où je me serais assise devant elle, pour m'expliquer en soixante minutes top chrono ce qu'il fallait que je fasse pour aller mieux. Ce qui, manifestement et très logiquement, n'allait pas se produire.

« Mon chum m'a dompée, ai-je répété, et ç'a ouvert une porte sur… toute la marde que j'ai à l'intérieur. » Wow, ai-je pensé. Bra-vo cham-pio-nne. Mais Julie m'a fait un autre beau sourire.

« On va voir ce qu'on peut faire pour la sortir, cette marde-là. »

Elle me regardait avec toute la bienveillance du monde. Elle avait compris ce que je voulais dire ! Elle était merveilleuse ! C'était ma nouvelle meilleure amie ! J'ai eu envie de me lever, et de la serrer très fort dans mes bras.

Les premières quarante-cinq minutes se sont écoulées à une vitesse qui m'a sidérée. Julie me posait des questions sur moi et je répondais avec toute l'honnêteté dont j'étais capable. Ce qui, ai-je réalisé, n'était pas grand-chose. Je mentais de manière éhontée à Julie Veilleux. En fait, je faisais pire : j'embellissais une réalité qui me semblait peu reluisante. Si au moins j'avais été carrément menteuse, excentrique et un peu folle, mes écarts quant à la vérité auraient eu un certain panache. Mais non. Je racontais simplement ma vie à Julie Veilleux – en omettant les aspects dont j'étais le moins fière. Je maquillais ma personne intérieure comme Julie maquillait son visage : outrancièrement, avec application et dans le but évident de camoufler toutes les imperfections. Bref, la fameuse porte ouverte sur ma marde intérieure restait résolument fermée.

J'étais incapable de dire à Julie et à son empathie qui, j'en étais certaine, aurait pu couvrir le monde, que j'avais des failles. Que je doutais de moi. Que je n'étais pas, en un mot, épanouie. Je ne voulais pas avoir l'air de me plaindre et je ne voulais surtout, mais surtout pas, avoir l'air trop incompétente pour être heureuse. Et je réalisais tout cela sur ces entrefaites, alors que je m'adressais au visage de Julie en faisant de furieux efforts pour ne pas regarder ses seins qui s'obstinaient à défier la gravité à un mètre de moi. J'aurais pu lui dire que j'avais kidnappé des enfants, que j'avais planifié le meurtre de la nouvelle blonde de mon ex (ce qui n'était pas loin d'être vrai) ou encore lui donner les détails les plus intimes de ma vie sexuelle, mais j'aurais préféré me faire arracher une dent à froid que d'avouer à Julie que, parfois, j'échouais quand venait le temps d'être heureuse.

« Donc tu te qualifierais d'heureuse, toi, dans la vie? m'a demandé Julie environ une demi-heure après que je m'étais assise.

— Absolument. Ben… pas là là parce que mon chum m'a dompée mais… je suis quelqu'un qui a été super choyée par la vie, ça je suis vraiment consciente de ça.

— On peut avoir été choyé par la vie et pas être heureux pareil. »

Oui, si on est un ostie de loser qui se plaint tout le temps, ai-je pensé.

« Qu'est-ce que c'est, le bonheur, pour toi? »

J'ai failli répondre : « Avoir la paix. » Mais je me suis retenue. Une personne joyeuse et épanouie ne demanderait pas à avoir la paix. « Je… c'est plein de choses, je suppose… non?

— Je sais pas, je te le demande. »

Pas de chance que tu m'aides, avais-je envie de dire.

« Je veux savoir le bonheur, pour toi, c'est quoi, a insisté Julie. Si t'avais à me dessiner une image du bonheur, qu'est-ce que ce serait?

— Pardon?

— Une image du bonheur. »

Je me suis vue sortant des flots dans une lumière radieuse, les bras en l'air, le visage tourné vers un soleil bienfaisant, l'eau fraîche et douce clapotant doucement autour de moi. C'était d'un ridicule consommé. Je ne pouvais pas dire ça à Julie. Impossible.

« Je peux pas trouver juste *une* image, ai-je dit.

— Non ?

— Ben non. » Quelque part, au fond de moi, je jaillissais encore de l'onde comme une naïade béate. « Je pourrais pas dire.

— OK », a fait Julie. J'étais presque piquée qu'elle n'insiste pas. Elle m'a regardée un long moment, avec un calme infini et ce genre de patience qu'on réserve aux enfants qui ont des difficultés scolaires même s'ils s'appliquent. Visiblement, elle n'était pas dupe. Ce qui n'aurait pas dû m'étonner, considérant qu'elle devait en avoir vu d'autres. Étais-je si mauvaise menteuse ? Probablement. Et mon malaise intérieur était-il si évident au regard doré de cette femme refaite ? Je me suis presque sentie rougir à cette idée. J'aurais préféré être nue devant elle. En fait, je n'aurais eu aucun problème à me dévêtir devant elle. Mais j'étais incapable de lui dire que je souffrais, bien avant que Florian ne me laisse, je le savais, de ne pas être aussi heureuse que je croyais devoir l'être.

« Qu'est-ce que tu fais comme travail ? m'a demandé Julie, changeant gentiment de sujet.

— Je… j'écris. J'écris des biographies.

— Des gens que je connais ?

— Oh, je pense pas… » J'ai failli dire Churchill, Marie Curie, Lucrèce Borgia, mais un restant d'intégrité m'a fait répondre honnêtement. « C'est surtout des vedettes de télévision… » J'ai commencé à énumérer quelques noms que Julie connaissait. Elle avait lu certains de « mes » livres et les avait adorés.

« Vraiment ? ai-je demandé avec un tel étonnement qu'elle n'a pu s'empêcher de rire.

— Oui, vraiment. Mais… on dirait que toi tu les aimes pas trop, est-ce que je me trompe ? »

C'était insupportable. Elle était comme Catherine lorsque cette dernière était dans une de ses phases «à l'écoute» et répliquait à chaque parole prononcée par une question se voulant profonde et remplie de perspicacité. («Ça va?» «Oui.» «Mais est-ce que ça va *vraiment*?») Elle nous rendait tous fous dans ces moments-là, et nous faisait beaucoup rire. Mais je n'avais pas envie de rire de Julie. J'avais envie de pleurer. Parce qu'elle avait raison, bien sûr, et parce que d'admettre que mon gagne-pain me déprimait m'était impossible. Quel genre de personne sans envergure persiste à faire un métier qu'elle n'est pas loin de mépriser?

Aussi ai-je répondu à Julie que j'adorais mon travail. Je me suis mise à lui dire que j'étais bien dans cette petite routine, que je me plaisais derrière un ordinateur, que la vie des autres était pour moi une intarissable source de fascination. J'avais dit toutes ces choses à Florian pendant des années, parce qu'à lui non plus je ne pouvais pas avouer que je ne faisais ce métier que par dépit. Il n'avait pas été dupe. Pas plus que Julie Veilleux ne l'était aujourd'hui.

Je me suis arrêtée alors que j'allais me mettre à louer les vertus du «vécu» d'autrui. Il y avait des limites au déni dont j'étais capable et au ridicule dont j'étais prête à me couvrir, surtout en face de cette femme qui semblait physiologiquement incapable de jugement. Quel étrange paradoxe, ai-je pensé. Elle se soucie de son apparence comme une greluche de calibre olympique mais n'éprouve aucun dégoût envers les difformités intérieures des autres.

«Geneviève?» a dit Julie. Il y avait un moment que je ne parlais plus.

«Je… j'haïs ça parler de moi, ai-je fini par dire.

— Ça explique peut-être pourquoi t'écris la vie des autres.

— Vous… tu penses pas que c'est un peu trop simpliste comme analyse?

— C'est pas parce que c'est simple que c'est simpliste. Puis moi j'ai pour mon dire que les analyses les plus simplistes sont souvent les bonnes.»

J'ai hoché la tête. Un bon point pour Julie Veilleux.

« Puis pourquoi t'haïs ça parler de toi ?

— Je sais pas… mais je comprends pas comment certaines personnes peuvent aimer parler d'eux. Je veux dire : parler de leur "vie intérieure". » J'ai fait le signe des guillemets avec mes doigts. « Est-ce que je suis déficiente ?

— Pardon ?

— Ben… de pas avoir envie de parler de ma "vie intérieure". » Encore les guillemets.

« Penses-tu qu'il y a beaucoup de chances que je réponde oui à ça ? »

J'ai émis un petit rire. « C'est correct, d'être pudique, a ajouté Julie.

— Ouin. Peut-être. Je sais pas. J'ai l'impression des fois qu'il faudrait que je sois super ouverte et à l'aise, puis prête à tout dire. Je trouve ça niaiseux d'être pudique. » Je pensais à Catherine, qui n'avait aucun filtre et dont j'enviais parfois la spontanéité et la transparence. J'étais, moi, cachée derrière mille voiles dans lesquels je m'enroulais comme dans un cocon. J'étais opaque.

« Peut-être qu'on pourrait travailler là-dessus.

— Sur quoi ?

— Sur le fait que tu trouves ça niaiseux d'être pudique mais que tu comprennes pas comment des gens peuvent aimer parler de leur "vie intérieure". » Elle m'a imitée en y allant de deux signes de guillemets à faux ongles.

« On peut ben mais… Ç'a tu vraiment rapport avec le fait que mon chum m'a dompée ?

— Tu m'as dit en arrivant que le départ de ton chum avait ouvert une porte sur ta marde intérieure. »

J'ai fait une petite grimace. « Oui… désolée pour la métaphore.

— Ça marche pour moi. Mais faudrait qu'on voie qu'est-ce que tu veux jeter dans cette marde-là. Veux-tu tout mettre dehors ? Y a sûrement des affaires de bonnes en dessous de la marde. »

Je l'écoutais à peine, trop occupée à me dire qu'il fallait impérativement que je n'oublie jamais cette conversation. Je payais une femme quatre-vingt-cinq dollars de l'heure pour me faire dire qu'il y avait sans doute des trésors cachés sous ma marde intérieure *et je trouvais cela pertinent.* J'ai soudain eu envie d'éclater de rire.

« Moi mon but c'est pas de te garder ici pendant des années, a poursuivi Julie. Y a des professionnels qui croient à ça mais moi je travaille pas comme ça.

— Merci mon Dieu », ai-je dit à voix haute. Julie a souri de toutes ses dents fluorescentes.

« Est-ce que tu veux qu'on se revoie ? m'a-t-elle demandé.

— Quoi ?

— Est-ce que tu veux qu'on prenne un rendez-vous pour une autre séance ?

— Ben je sais pas... c'est moi qui décide de ça ?

— Bien sûr que c'est toi qui décides de ça ! C'est toi qui décides de tout, ma belle. »

Je suis sortie du bureau de Julie Veilleux avec un rendez-vous pour la semaine suivante, beaucoup d'anecdotes que j'avais hâte de partager avec mes amis et un indéniable sentiment de légèreté. Je décide de tout ! me disais-je en marchant dans l'air frais de l'hiver. Je décide de tout ! C'était une évidence, une platitude, mais je la comprenais pour la première fois. Je n'étais pas encore certaine si j'avais *envie* de décider de tout, si ce n'était pas plus facile de laisser la vie suivre son cours et me porter avec elle, mais il y avait quelque chose de terriblement excitant dans le fait de savoir que je *pouvais* décider de tout.

Je regardais mes bottes pimpantes avancer sur les trottoirs où fondait la neige et je me voyais déjà, infiniment pure et sereine, calme et posée, parlant de moi avec aisance – mais pas trop, bien sûr. J'allais me garder une petite gêne. J'allais devenir une de ces femmes paisibles et équilibrées que Catherine et moi haïssions à voix haute chaque fois que nous en avions l'occasion, pour la très bonne raison qu'elles ne faisaient que mettre en valeur nos failles et nos faiblesses.

Le déni et le refoulement allaient faire place à une saine lucidité qui allait me permettre d'analyser mes besoins et de remédier à mes problèmes autrement qu'en calant des litres de vodka et en vociférant avec ma meilleure amie – une solution pratique et fort amusante mais qui ne tenait pas la route et, me disais-je, que n'approuverait certes pas une Julie Veilleux.

J'ai repensé à ces innombrables fois où Catherine et moi nous étions fébrilement moquées d'amies communes ou de connaissances qui nous semblaient insupportables parce qu'elles avaient l'air tout simplement… bien. C'était la première fois, après toutes ces années d'amitié et de blagues ô combien satisfaisantes sur ces « miss béatitude » et ces « imbéciles heureuses » que la chose me frappait. Il faudra en parler à Julie, ai-je pensé, une nanoseconde avant de me dire : oh mon Dieu non, je vais devenir le genre de fille qui prend des notes mentales de ce dont elle veut parler avec sa psy.

Était-ce un signe que je n'étais pas heureuse durant toutes ces années où j'avais cru l'être ? Je me souvenais d'une soirée, dans notre restaurant préféré, durant laquelle Catherine avait crié, alors que je décrivais avec mépris une éditrice avec qui je travaillais qui avait trois enfants, une grosse job, un mariage réussi, un abonnement au gym et une « ostie d'attitude over-positive et zen » : « Je les haïs, les filles fonctionnelles ! Je veux qui *meurent* ! » Et nous avions trinqué avec une joie presque violente. Avoir eu à notre portée deux crânes de filles hautement fonctionnelles pour pouvoir boire dedans comme des walkyries sanguinaires, nous n'aurions probablement pas hésité.

Nous jouions, depuis des années, aux filles « fuc-kées et fières de l'être » et ce n'était pas tant le fait que nous soyons fuckées qui me désolait, mais celui que nous ayons senti durant tout ce temps le besoin de hurler notre fierté de l'être pour nous convaincre que nous ne l'avions pas inventée.

J'avais l'impression d'être en ébullition. Était-ce grave ? Avais-je été une caricature de « fille fuckée et fière de l'être » ? Allais-je devenir une insupportable « miss béatitude » en me convainquant que c'était le chemin à suivre ? Avais-je besoin de faire un choix ? Était-ce normal de se poser autant de questions ? Est-ce que je savais ce que je voulais ? Est-ce que je *devais* savoir ce que je voulais ? N'était-ce pas banal de vouloir le savoir ? N'aurais-je pas pu continuer à être une joyeuse fille fuckée ? La tête va me sauter, me suis-je dit. Ou alors je vais devenir comme Catherine, à constamment me remettre en question et à chercher frénétiquement des réponses dont je n'ai, après tout, peut-être pas besoin.

Je me suis arrêtée à un coin de rue en prenant de grandes inspirations pour essayer de me calmer. Après un seul rendez-vous, c'était beaucoup. Était-ce le coup de pied au cul que j'attendais ? J'ai secoué la tête et me suis fait l'absurde promesse mentale de ne plus me poser une seule question avant d'être revenue chez Nicolas et Catherine.

C'était intéressant, tout de même. Nicolas et moi avions fait tant de blagues au sujet des diverses techniques d'introspection de Catherine que je ne m'étais jamais arrêtée au fait que ce pouvait être un voyage pour le moins instructif. On verra jusqu'où ça ira, me suis-je dit. Puis, tout de suite après : j'ai hâte de conter ça à Florian.

C'était un réflexe, tout naturel mais terriblement douloureux étant donné les circonstances : je vivais quelque chose qui m'affectait et je sentais le besoin d'en parler avec la personne qui avait été mon premier interlocuteur pendant plus de six ans. Aurait-il été fier de moi ? Surpris ? Amusé ? Un peu tout cela ? J'ai, l'espace d'un instant, songé sérieusement à rebrousser chemin pour aller m'effondrer en larmes sur les genoux de Julie Veilleux. J'ai plutôt pris mes jambes à mon cou, comme si je pouvais fuir ce besoin soudain et violent, et j'ai couru les trois pâtés de maisons qui me séparaient de l'appartement de Catherine et Nicolas.

« Gen ! a crié Noé quand je suis entrée dans l'appartement, hirsute et essoufflée. Tes chats sont homosexuels !

— Quoi ? » Rien comme un petit garçon de huit ans et demi pour vous changer les idées.

« Ti-Gus et Ti-Mousse sont homosexuels ! » Il m'a prise par la main et m'a menée jusque devant ma chambre sous les regards très amusés de Catherine et d'Emilio, qui étaient assis dans le salon. Sur la couette colorée, les deux chats se faisaient de furieux mamours, se léchant tour à tour le museau en ronronnant à tue-tête. « Ils se donnent des frenchs ! a dit Noé sur un ton tellement catastrophé que je me suis esclaffée.

— C'est pas… c'est parce que c'est des frères, hein et puis…

— C'est des *frères* ? » Il était maintenant carrément horrifié. « C'est des *frères* puis ils sont *homosexuels* ?

— Noé, a dit Nicolas. C'est pas grave d'être homosexuel. C'est pas un défaut ou un problème.

— Sont pas homosexuels, ai-je dit, c'est des *chats*. » C'était ridicule.

« Y a des canards homosexuels ! a dit Noé.

— Oui mais… Ti-Gus et Ti-Mousse sont pas… »

Nicolas m'a mis une main sur l'épaule. « Geneviève. C'est pas grave si les chats sont gais. » Je l'ai regardé. Toute cette conversation était surréaliste. Il voulait, visiblement, donner un bel exemple de tolérance à son fils.

« OK, ai-je dit. C'est pas grave.

— Faque ils sont *gais*? a répété Noé.

— Peut-être. Je… Mais peu importe ce qu'ils sont on va les aimer quand même.»

Derrière Noé, Nicolas faisait de grands hochements de tête approbateurs.

«Moi j'ai beaucoup d'amis gais, a dit Catherine.

— Peut-être qu'on pourrait leur présenter Ti-Gus et Ti-Mousse, a suggéré Noé.

— C'est une bonne idée.

— Hé, Geneviève!» a crié Emilio derrière moi. Il prononçait «Yénébieb». «Comment c'était chez la *psicóloga*?

— MERCI!» ai-je dit en tendant un bras vers Emilio. Catherine et Nicolas se sont tournés vers moi avec un air exagérément désolé. «Une chance qu'Emilio est ici, hein?» ai-je ajouté. Sur le divan, Emilio riait, fier de lui.

«C'est quoi une *psicóloga*? a demandé Noé.

— Une psychologue.

— Tu vois une psychologue?

— Ben oui.

— Est-ce que c'est parce que t'es folle?» Sa question était d'une telle candeur que Nicolas, Emilio et moi avons éclaté de rire.

«Y a pas juste les gens fous qui vont voir des psychologues, a dit Catherine qui en avait consulté plus d'une dizaine et avait fait une interminable psychanalyse dont nous connaissions tous le verbatim presque par cœur. Toi aussi tu vas peut-être avoir besoin de voir un psy un jour, Noé et puis…

— OK Cath, c'est beau… l'a arrêtée Nicolas.

— Oui… OK… peut-être.» Elle était très drôle quand elle prenait conscience de son absence de filtre et semblait soudain la regretter amèrement. «Faque! a-t-elle dit avec beaucoup trop de vivacité. Gen! Raconte-nous!

— Eh bien… notez la date parce que je me suis quand même fait dire aujourd'hui la phrase suivante:

"Y a peut-être des affaires de bonnes en dessous de ta marde."»

Nicolas s'est mis à rire en applaudissant. «Wow. Julie Veilleux, mesdames et messieurs. Elle déçoit pas! Je t'avais prévenue, hein, Gen?

— Oh je pense pas qu'il y a un degré de prévenage qui aurait été suffisant pour me préparer à ça.

— Anecdotes!» a réclamé Catherine en me tendant un grand verre de vin. Je me suis assise entre Emilio et elle pendant que Nicolas tirait une chaise devant nous. J'avais déjà presque oublié le douloureux et pressant désir d'appeler Florian qui m'avait assaillie juste avant d'arriver. Je leur ai raconté le gros de ma rencontre avec Julie, en omettant certains passages. Mais mes amis, s'ils n'avaient pas la perspicacité de Julie Veilleux, me connaissaient par cœur.

« T'as conté des menteries? m'a demandé Catherine.

— Quoi? Non!… Peut-être… Pas des menteries mais…» J'avais l'impression qu'on venait de me prendre les culottes baissées.

«C'est normal, a dit Nicolas.

— Oui?

— Moi y a une de mes psys à qui j'ai rien dit de vrai pendant presque un an, a senti le besoin d'avouer Catherine.

— OK, *ça* c'est pas normal.»

Je me suis mise à rire.

«C'était super intéressant, a poursuivi Catherine sans se préoccuper de Nicolas. Je me suis créé un personnage d'angoissée chronique…»

Nicolas et moi avons échangé un regard. «Créé»? Un «personnage»? Catherine s'est contentée de donner une claque sur la cuisse de son cousin avant de poursuivre.

« Une *vraie* angoissée, a-t-elle précisé. C'était comme si je pouvais exagérer toutes mes inquiétudes, tous mes doutes puis les pousser jusqu'au bout de leurs limites…

— Ayayay…» Emilio a pris un air terrifié qui m'a fait rire. La perspective de Catherine explorant les extrêmes limites de ses angoisses avait effectivement quelque chose d'assez épeurant.

«En plus pour mon travail c'était génial.

— En fin de compte je suis pas si pire, je suppose, ai-je dit.

— Non c'est un des beaux avantages de Catherine, a dit Nicolas. Quand on se compare…»

Catherine lui a donné une gigantesque bine sur le genou pendant que sur le divan, Emilio se tordait de rire.

«J'ai pas vraiment menti, ai-je expliqué. C'est juste qu'il y a des affaires que…

— Crisse, Gen, donne-toi le temps, quand même.

— Peut-être… C'est drôle parce qu'il y a une partie de moi qui a peur de devenir…

— Le genre de fille qui dit "ma psy" à toutes les deux phrases?

— Oui puis…» J'ai lancé un regard coupable vers Catherine. «Le genre de fille qu'on haït… fonctionnelle et équilibrée.

— Je m'inquiéterais pas trop pour ça, minoune.» Elle m'a fait un petit clin d'œil.

«Juste tout à l'heure, dans la rue… je me suis mise à me poser tellement, mais tellement de questions c'était ri-di-cule. On aurait pu booster un char avec l'énergie que je dépensais pour rien. La psy m'avait prévenue, mais…

— Oui tu deviens un peu Tourette dans les premiers temps, a dit Nicolas. Moi, on a beaucoup travaillé sur le fait que je gardais trop de choses à l'intérieur…»

Il s'est arrêté en voyant Catherine et moi qui le regardions, les bras croisés, d'un air qui devait être très amusé. Nicolas ne parlait pas souvent de son «intérieur» et surtout pas dans ces termes-là.

« … Pour des raisons évidentes, a-t-il poursuivi en pointant vers nous un doigt accusateur, mais toujours est-il que quand j'ai commencé à m'ouvrir j'étais comme… Tourette. Y a rien qui me sortait pas de la yeule.

— C'est vrai, a dit Catherine.

— Ça se tasse-tu? ai-je demandé.

— Hé, a fait Nicolas. Ne suis-je pas un parangon de retenue, maintenant? »

Nous avons continué à parler ainsi durant une bonne partie de la soirée, en mangeant les tamals qu'Emilio et Catherine avaient préparés. Je ne me posais plus trop de questions et j'étais bien – la méthode « consommation d'alcool et vocifération avec des amis » était, dans l'immédiat, beaucoup moins exigeante que la méthode « introspection et lucidité ».

Je ne leur ai pas mentionné, toutefois, ce besoin fulgurant que j'avais ressenti de partager avec Florian ce qui venait de m'arriver. Je ne voulais pas les inquiéter et je ne voulais pas, surtout, réveiller cette urgence. Un autre verre de vin, un peu plus de déni, c'était bien plus facile. On a du chemin à faire, me suis-je dit.

« On va chez ton père demain? » m'a demandé Catherine alors que je l'aidais à faire la vaisselle. J'avais complètement oublié l'anniversaire de ma petite sœur, qui avait lieu dans la McMansion de mon père le lendemain.

« Oh boy…

— Faut que tu y ailles, a dit Catherine.

— Oui… oui je sais…

— Je vais venir avec toi.

— Non… non, je vais y aller toute seule.

— T'es sûre? » Elle était visiblement soulagée.

« Oui… je suis sûre. » Une partie de moi avait envie d'être confrontée à ma famille pour voir comment je réagirais. J'attendais les questions qui en découleraient avec une certaine inquiétude, mais aussi avec beaucoup de curiosité. Au pire, me disais-je, je boosterai une couple de chars en revenant.

« Je suis sûre que ça va ben aller, m'a dit Catherine. Tu restes une heure ou deux, puis tu reviens. »

J'ai lancé un regard inquiet vers mon amie : généralement, quand elle disait qu'elle était certaine que quelque chose allait bien se dérouler, une catastrophe se produisait. C'était un don, selon Nicolas. J'ai rangé une pile d'assiettes en espérant que pour une fois, le don n'opère pas.

CHAPITRE 5

Je suis arrivée à la gare de Sainte-Dorothée vers 17 heures, alors qu'une bande de ciel encore rose mourait doucement au-dessus d'un immense stationnement incitatif à moitié vide. Ah, Laval, ai-je pensé. J'ai fait quelques pas sur le quai en prenant de grandes inspirations. J'étais nerveuse, sans trop savoir pourquoi. La soirée ne me tentait pas vraiment, je n'avais pas grande envie de voir ma petite sœur et ses amies, ou encore ma tante et mon oncle, mais il n'y avait là rien d'intimidant. J'espérais presque que mon père m'oublie là, sur le quai sans âme de la gare de Sainte-Dorothée, ou qu'il m'appelle pour me dire que la fête avait été annulée pour cause de pénurie de posters de Nico Archambault ou de fers à raidir les cheveux ou de je ne savais trop quoi qui faisait maintenant courir les ados.

Mais Bill était là, klaxonnant gaiement derrière le volant de son rutilant véhicule tout terrain dont j'allais, une fois de plus, être incapable de me souvenir de la marque. (Chaque fois que je voyais mon père, Nicolas me demandait : « Puis ? Son nouveau char ? » et je répondais immanquablement « Noir ? » ou « Un genre de gris ? ».)

« Puis ? a crié mon père par la fenêtre. T'es pas venue en Bixi ? » Ah, Bill. Rien, selon lui, n'était plus

113

spiriuel qu'une bonne blague sous-entendant que les gens vivant sur le Plateau, ou près du Plateau, ou fréquentant seulement le Plateau étaient tous des « hippies ». Il ne pouvait me regarder manger sans me dire, avec force clins d'œil (mon père était de ce type d'hommes qui persistent à croire que les gens comprennent mieux les blagues si elles sont accentuées d'un clin d'œil et/ou d'un coup de coude) : « Fais attention, ma Geneviève, c'est peut-être pas du bi-yo-lo-gique ! » alors que je n'avais jamais, en trente-deux ans, manifesté la moindre intransigeance envers le contenu organique de mon assiette. La notion que mon père avait du mot « hippie » était très personnelle.

J'ai descendu les marches qui menaient au stationnement et je suis venue m'asseoir à côté de lui.

« Ma belle fille », m'a-t-il dit. Il avait une façon de me regarder qui m'attendrissait tellement que je restais généralement muette durant quelques secondes lorsque je le retrouvais. Il y avait dans ses petits yeux bleus et pétillants un amour inconditionnel et une fierté immense, démesurée, comme s'il venait tout juste d'apprendre, chaque fois qu'il me voyait, que j'étais personnellement responsable de l'amélioration des conditions de vie de la moitié de la planète. Une fierté qui m'émouvait et dont l'ironie ne m'échappait pas, considérant que je n'étais toujours pas parvenue, après tout ce temps, à améliorer mes propres conditions de vie. Ou si peu.

« Allô papa. » Ma nervosité avait presque disparu. « Qu'est-ce que tu dirais qu'on parte juste tous les deux ? On se sauve. OK ? »

Il m'a fait un grand sourire. « Rien qui me ferait plus plaisir, ma noire. » Qui, dans l'univers, disait encore « ma noire » ? Mon père. « Mais pas sûr que les deux autres femmes de ma vie prendraient bien ça…

— Ouais, fair enough. »

Il ne démarrait toujours pas, se contentant de me regarder avec un ravissement qui me faisait chaud au cœur. Mon père m'avait répété toute ma vie que j'étais la plus belle, la plus fine et la plusss meilleure et il était le premier à se chagriner quand il constatait que malgré son inébranlable confiance en moi il n'avait pas réussi à me mettre à l'abri du doute et des remises en question qui régissaient mon existence.

« Comment tu vas, ma pitoune ?

— Je… mieux. Un petit peu mieux. Un tout petit peu mieux. J'ai… » Pendant une courte seconde, j'ai pensé lui dire que j'avais rencontré une psy la veille, mais j'ai soudain entrevu le tsunami de gags foireux que cela aurait entraîné et j'ai préféré me taire.

« T'as-tu un nouveau chum ?

— Papa…

— Une belle fille comme toi…

— Ç'a rien à voir ça ! Puis anyway je peux-tu prendre le temps de me patcher un peu, peut-être ? »

Il allait dire quelque chose. « Puis dis-moi pas que Florian mérite pas qu'une fille comme moi prenne plus que vingt secondes pour se patcher, OK ? » Il a fait un air faussement innocent qui était totalement exagéré. « Je sais que t'allais dire ça. Puis t'es cute, puis je t'aime, mais… ça arrivera pas du jour au lendemain, papa. Faut que tu respectes le fait que pour moi, c'est quelque chose de gros. » Il fallait tout énoncer à mon père. C'était souvent lassant, parfois amusant, mais toujours plus prudent.

« Comme tu veux, m'a-t-il dit. Tant que tu deviens pas comme ta mère…

— Oh p'pa je sais… je l'ai croisée l'autre jour dans le parc pendant qu'elle faisait son tai-chi puis je me suis dit qu'elle avait l'air heureuse, mais… juste de me dire ça, ça m'a fait peur… comme si quelque part j'essayais de me convaincre que c'était correct de finir de même…

— C'est *ben* correct, ma noire. Pour ta mère. C'est vrai qu'elle est heureuse puis je peux pas être plus heureux qu'elle soit heureuse. Tu sais comment j'aime ta mère. » C'était vrai. Mes parents avaient gardé une sincère affection l'un pour l'autre. Ma mère était toujours la bienvenue aux réveillons organisés dans la McMansion de Laval-sur-le-Lac, et mon père lui parlait comme à une vieille amie – ce qu'elle était devenue, d'ailleurs. « Mais c'est pas pour toi, a-t-il poursuivi, comme s'il s'agissait d'une simple évidence. T'es pas ce genre d'oiseau-là. » Il m'a fait un grand sourire. « T'es belle comme un cœur, en tout cas.

— J'espère, lui ai-je dit. Je me suis grimée pendant une demi-heure pour pas avoir l'air d'une vieille matante à côté de la gang à Audréanne. » Je m'étais, en fait, grimée pendant une heure. J'avais hésité entre cinq tenues que je jugeais soit trop sages, soit trop « vieille fille qui veut faire flyée », soit pas assez décontractées, soit trop drabes. J'avais failli rendre Catherine complètement folle. « C'est pas de ma faute, lui disais-je. Ça m'intimide, une gang d'ados. » « C'est normal, m'expliquait Catherine pour me rassurer. C'est parce qu'ils sont tellement self-conscious que ça nous rend self-conscious. Faque peux-tu juste mettre ton chandail mauve puis décâlisser ? »

Mon père m'a souri de nouveau et nous sommes partis. Le chemin qui menait chez lui suivait le bord de la rivière gelée, sur laquelle quelques skieurs filaient encore malgré l'heure tardive. Il habitait tout près de la gare et cinq minutes plus tard, nous passions entre deux piliers de briques blanches sur lesquels trônaient des lions en pierre.

« Euh… quessé ça ? ai-je demandé.

— Tu les avais pas encore vus ? m'a-t-il dit en se garant devant l'immense maison, encore toute illuminée de lumières de Noël. On a fait installer ça juste après les fêtes. » Il était *très* fier, cela se voyait. Je n'ai rien dit. « C'est mon signe astrologique ! Parce que je suis né au mois d'août !

— Ben oui… »

Mon père était puérilement fier d'être Lion. Il avait même appelé sa compagnie « Les productions du lion d'août » – une idée très mauvaise, considérant que si lui prononçait « a-outte » l'immense majorité de la clientèle et toutes ses réceptionnistes (dont moi, durant l'été où j'avais occupé ce poste) disaient tout simplement « ou », ce qui donnait, au téléphone : « Les productions du lion doux, bonjour ? » Une jeune femme d'origine française qui n'était restée que quelques mois prononçait, elle, « outte » : « Les productions du lion doute, bonjour ? » Ça n'allait pas du tout. Bill était furieux, j'étais hilare. Il avait réglé le problème en rebaptisant la compagnie « Les productions LDA » mais en gardant son logo digne d'un empereur romain qui représentait un lion rugissant dans le soleil.

Nous avons louvoyé dans le chemin de pavé uni, entre les petits arbustes qu'une main qui n'était certainement pas celle de mon père avait enveloppés dans des bâches protectrices pour l'hiver. J'ai soupiré. Y avait-il encore moyen de m'enfuir ? En contournant la maison, je pouvais rejoindre la rivière et peut-être voler le ski-doo d'un citoyen lavallois. Où irais-je ensuite ? J'imaginais difficilement un retour triomphal en plein centre-ville de Montréal sur un pétaradant ski-doo.

Mon père a ouvert la porte, sur laquelle une applique en métal doré d'une gueule de lion nous rappelait encore la supériorité astrologique du propriétaire des lieux. Il y avait dans l'entrée des dizaines de paires de bottes – des Ugg roses et blanches, des Sorel roses, bref, une orgie de rose. Les ados d'aujourd'hui n'ont pas les mêmes scrupules que nous quand vient le temps d'avoir l'air trop *girly*, me suis-je dit. J'avais passé mon adolescence en jeans et en bottes Timberland dans l'espoir de convaincre l'univers entier que j'étais beaucoup, mais beaucoup trop cool pour suivre la mode.

« Ge-ne-viève ! » a crié la voix flûtée de Josiane depuis le salon. Elle est arrivée, tout de blanc et de crème vêtue, et m'a prise dans ses bras avec une intensité qui m'a un peu donné envie de rire. Elle n'avait même pas dix ans de plus que moi, mais elle dégageait une énergie de « madame » que, je le savais très bien, je n'allais jamais posséder. Elle était, comme toujours, impeccable. Sa manucure était impeccable, la coupe et la couleur de ses cheveux aussi, ses vêtements, son maquillage, ses dents, sa taille affinée par des heures sur le court de tennis – même son attitude était impeccable. Je doutais fort que Josiane se soit déjà retrouvée à 3 heures du matin, complètement soûle, à caler des shooters de saké avec sa meilleure amie parce que c'était tout ce qui restait dans les armoires.

« Comment tu vas, ma grande ? » Elle me regardait avec toute l'affliction du monde dans ses beaux yeux bleus. Elle m'avait autrefois rendue folle lorsqu'elle m'appelait « ma grande » du haut de ses vingt-six ans alors que j'en avais dix-sept. Mais sa sincérité aussi était impeccable, et mon père avait je ne sais trop comment réussi à dénicher ce qui était probablement la seule « trophy wife » au monde qui, si elle appréciait l'argent, était vraiment là par amour. Elle aimait Bill et, par extension, tout ce que Bill avait produit dans sa vie. Ce qui englobait ses productions télévisuelles (galas, quiz, talk-shows et maintenant émissions de téléréalité)… et moi.

« Ça va, ça va…

— Il va revenir », m'a dit Josiane en me prenant le bras et en me fixant avec une telle conviction que j'ai presque eu peur. Elle était la première personne, depuis « les événements », à me dire cela. Mes amis n'avaient jamais essayé de me consoler, même alors que je calais des vodkas-mûre-crevette en pyjama, en me disant « Il va revenir ». J'ai soudain senti envers Josiane un flot de reconnaissance presque irrépressible. Je savais que ce n'était pas la bonne chose à dire, mais sa généreuse candeur et sa spontanéité de maman (elle avait dit « Il va revenir » comme elle aurait mis un pansement sur un bobo) me touchaient profondément. Je lui ai fait mon fameux sourire courageux des derniers jours.

« Ben non, il reviendra pas, a dit Bill. Puis c'est ben mieux de même. » Un point pour la lucidité, moins quinze pour la délicatesse.

« Bill ! » a fait Josiane sur un ton de reproche. Elle m'a prise par les épaules. « Viens-t'en, ma grande. On va aller dire bonjour puis après on va jaser ». Sa sollicitude devenait déjà lassante. Elle me parlait comme à une grande malade. Ce que j'étais peut-être, en fait. Mes parents et mes amis refusaient d'adopter cette attitude qu'ils trouvaient sans doute trop tendre, ou à la limite condescendante. Je me suis imaginée, souffrant d'un cancer en phase terminale, entourée de mes amis et de ma famille me disant : « Tu vas battre ça, cette cochonnerie-là ! » avec seulement Josiane, en arrière-plan, hochant tristement la tête et me répétant « c'est correct d'avoir mal ».

« Inquiète toi pas, m'a-t-elle dit en me menant vers le salon. Tout le monde est au courant de ce qui t'est arrivé. » J'étais sidérée. Comment cette déclaration pouvait-elle venir après « Inquiète-toi pas » ? En quoi constituait-elle une bonne nouvelle ? J'avais consommé tant de films, de séries télé et de livres qui me répétaient tous qu'une vraie femme forte refuse de se laisser abattre par le départ d'un homme que je me sentais stupidement humiliée par ce que Josiane venait de dire. J'étais la loser, la handicapée, celle qu'on regarde avec compassion en se disant « Pauvre petite fille son chum est parti ». Celle que les gens heureux en amour regardent de haut. Mon Dieu, ai-je pensé en traversant le grand salon gris et blanc, dont les immenses fenêtres donnaient sur la rivière, faudra parler de cette façon de voir les choses avec Julie Veilleux.

« Prendrais-tu un whiskey ? m'a demandé Josiane sur son ton de maman surattentionnée. Ton père aime toujours ça quand y a besoin de se remonter.

— C'est à cause de mes racines », a expliqué Bill, me faisant démesurément lever les yeux au ciel. Il avait si peu d'intérêt pour ses racines irlandaises qu'il n'avait même jamais réussi à apprendre l'anglais correctement. Mais un penchant pour le whiskey correspondait à l'idée qu'il se faisait d'un homme de pouvoir.

« Tu sais quoi ? ai-je répondu à Josiane en ignorant mon père. Je dirais pas non. » Josiane s'est retournée vers la seule « bibliothèque » de la maison, dont la devanture composée de faux dos de livres s'ouvrait pour révéler un bar. « Very *Mad Men*, ai-je dit.

— Mad quoi ? m'a demandé Josiane.

— Rien. Une série télé.

— On a-tu vu ça, Bill ? » Josiane faisait un usage excessif du « on ». Mon père a haussé les épaules : n'ayant pas produit *Mad Men*, il n'avait aucun intérêt pour la chose. Cinq minutes plus tard j'avais dans la main un verre d'un whiskey dont l'étiquette m'informait qu'il provenait du Connemara et contenait 60 % d'alcool. Fantastique, ai-je pensé en trinquant avec Josiane qui buvait un spritzer.

« Wow, ai-je dit après avoir pris une gorgée brûlante. Je suis soûle.

— Attagirl ! a fait mon père en me donnant une claque dans le dos.

— Attagirl, papa ? Vraiment ? »

Il m'a souri en me prenant par l'épaule et en répétant « Attagirl ».

« Où est tout le monde ? ai-je demandé.

— Les filles sont dans le sous-sol, a dit Josiane. Les autres sont dans la cuisine. »

Cher Québec, ai-je pensé en me dirigeant vers la grande cuisine tout droit sortie du *Décormag*. Il y a un salon avec un foyer, d'immenses fenêtres offrant une vue imprenable du soleil se couchant sur la rivière, mais on se tient dans la cuisine. Je me suis souvenue d'un mariage entre un Québécois et une Française auquel Florian et moi avions assisté à Paris. Après la cérémonie civile, les nouveaux mariés nous recevaient chez eux pour l'apéro. Instinctivement, tous les Québécois s'étaient dirigés vers la minuscule cuisine, sous le regard déconcerté des Français qui étaient installés confortablement (et très logiquement) dans les fauteuils du salon.

« Geneviève est arrivée, tout le monde ! » Tout le monde, c'était ma tante Kathleen, son mari, les trois sœurs de Josiane et leurs maris. Quatre couples qui m'ont fait huit sourires navrés. « Allô, ma belle », m'a dit Kathleen en me prenant sur ses énormes seins. Les sœurs de Josiane, que je n'étais jamais arrivée à différencier, m'ont toutes prise dans leurs bras pendant que leurs maris (indissociables eux aussi, sauf pour Jason, celui de la plus jeune sœur, qui avait mon âge et finissait toujours par boire beaucoup trop avec Florian et moi aux réveillons de Noël) levaient leurs verres d'un air solennel.

« Ça va, ai-je dit. Personne est mort, quand même.

— Non, mais y a quelque chose qui est mort, a dit Josiane sur un ton qui m'a presque donné envie de rire.

— Oui, ça va, Josie… pas besoin d'insister là-dessus… » J'essayais de garder un air détaché. Si je ne m'étais pas retenue, j'aurais été d'une dangereuse stridence.

« C'est correct d'en parler », n'a pu s'empêcher d'ajouter Josiane.

As-tu lu ça dans le *Coup de Pouce*? avais-je envie de hurler. Mais je me suis contentée d'un autre sourire courageux et d'une grande gorgée de whiskey du Connemara, ma nouvelle boisson préférée.

« Je vais aller dire bonne fête à Audréanne », ai-je dit en me faufilant entre les regards désolés vers l'escalier menant au sous-sol.

L'odeur florale et sucrée des jeunes filles m'est parvenue au milieu de l'escalier. Elles me faisaient dos, une dizaine de têtes blondes, brunes et rousses arborant toutes exactement la même coiffure – cheveux longs, savamment lissés et, je le devinais sans voir leurs visages, une frange tombant sur un œil. Elles portaient toutes des jeans beaucoup trop serrés, à taille basse, sauf une petite rousse dont le pantalon de coton ouaté rose bonbon m'annonçait, par la voie d'un texte en lettres gothiques imprimées en plein sur ses fesses, qu'elle était une «princess».

«Oh my God, a couiné l'une d'entre elles. Y a *tellement* pas rapport!» Une cascade de rires cristallins s'est ensuivie. Elles étaient regroupées devant un ordinateur.

«Salut, les girls», ai-je dit, en devenant soudainement très consciente de mon look, de ma pose, de mon énergie, de mes cheveux qui n'étaient pas du tout lissés. Elles se sont toutes retournées d'un bloc. Petits visages d'enfants sur des corps de femmes. En moins de cinq secondes, leurs yeux trop maquillés m'avaient détaillée de haut en bas.

«Gen! a dit Audréanne. C'est ma sœur, a-t-elle expliqué à ses amies. Ben… plus genre comme ma demi-sœur, mais nous autres on dit ma sœur.» Elle est venue m'embrasser, m'enveloppant dans l'odeur de barbe à papa de son parfum.

«Ça va, le nouveau look?» Ses cheveux blond doré étaient teints en noir de jais.

«Le blond c'était pus mon esthétique.» Elle a jeté un regard vers mes cheveux. «Scuse…

— Non non, ça va… j'ai pas un attachement universel pour les cheveux blonds… Même si on sait toutes, ai-je ajouté en faisant un clin d'œil à la seule petite blonde du groupe, que c'est beaucoup plus beau.» La petite blonde et ma sœur ont fait un sourire poli pendant que les autres filles me dévisageaient avec des yeux de merlan frit.

« Paraît que ton chum est parti avec une autre fille ? a demandé Audréanne.

— Yup. »

Un silence. Je pouvais voir qu'elles avaient toutes très hâte de retourner à leur activité qui, si je me fiais à l'écran d'ordinateur derrière elles, était la consultation d'une page Facebook. « Ça faisait combien de temps que t'étais avec ? a demandé l'ado au derrière de "princess".

— Béatrice est passée par là elle aussi, m'a dit Audréanne. Son chum l'a laissée pour Laurie Savoie ? » Elle avait l'inexplicable habitude de terminer presque toutes ses phrases, mêmes déclaratives, par un point d'interrogation. « C'est comme vraiment un loser ?

— Genre que toute l'école sait que Laurie Savoie a déjà couché avec Alex Michaud ? » a dit une brunette qui portait un chandail dont le décolleté me semblait d'une rare indécence. Une série de commentaires sur le comportement social et amoureux de Laurie Savoie, tous plus désobligeants les uns que les autres, se sont mis à fuser de toutes parts.

J'ai fait un petit sourire compatissant à l'égard de Béatrice. « J'étais avec mon chum depuis six ans, ai-je dit.

— Oh my GOD ! a fait Béatrice. Parce que moi j'étais avec Sam depuis genre cinq semaines puis je suis comme full traumatisée ?

— Je suis pas mal traumatisée », ai-je dit. Les grands yeux de Béatrice me fixaient avec une intensité presque comique. Je me suis soudain senti une ridicule solidarité pour cette petite fille de treize ou quatorze ans. Je me souvenais des peines d'amour de l'adolescence. Elle devait, quelque part, souffrir autant que moi.

« Ça va te prendre trois ans à t'en remettre ? a déclaré ma sœur.

— Ben là, c'est peut-être un peu beaucoup, trois ans…

— Non non c'est vraiment trois ans? Y a une application que tu peux downloader qui te dit combien de temps va durer ta peine d'amour? Puis genre c'est la moitié du temps que t'as été avec le gars?

— C'est pas une application, ai-je dit. C'est une vieille théorie.

— Euh… non? C'est une application?» Elle a tendu vers moi un iPod pour appuyer ses dires.

«La théorie existait avant l'application.

— C'est parce que l'application genre t'as juste à entrer le nombre de jours que t'as été avec le gars puis là a te dit combien de temps va durer ta peine d'amour? Puis c'est genre la moitié du temps que t'as été avec le gars?

— Oui. Je sais. Mais…» Pourquoi sentais-je toujours le besoin de m'obstiner avec ma petite sœur? Depuis qu'elle avait commencé à avoir des opinions sur tout, soit vers l'âge à mon sens beaucoup trop jeune de neuf ans, je me faisais pratiquement une mission de lui prouver qu'elle avait tort le plus souvent possible. Un autre beau dossier pour Julie Veilleux.

«En tout cas, ai-je dit. Des fois ça va plus vite que ça. Mettons que ça serait le fun dans mon cas.

— Anyway y est full nowhere, ton ex, s'il t'a laissée, a dit Béatrice.

— "Full nowhere"», ai-je répété en hochant la tête. Je trouvais cela très drôle.

«Oui, a-t-elle insisté. T'as l'air super cool.» Je me suis retenue pour ne pas aller l'embrasser. Le degré de fierté que je ressentais était très très loin d'être super cool. «C'est sûr qu'il est comme vraiment RPR.

— RPR? ai-je demandé, en ayant la nette impression d'avoir à peu près deux mille ans.

— Rejet pas rapport», a expliqué la petite brune au décolleté indécent.

Je n'ai pu retenir un sourire. «Vous avez ben raison», ai-je dit. En fait, elles avaient tout à fait tort. Florian avait mille défauts, mais il n'était pas «rejet» et encore moins « pas rapport ». Au contraire, même. Florian avait « rapport ». Plus que qui que ce soit d'autre que je connaissais. Il était adapté. Socialement apte. Hautement fonctionnel, comme ces femmes que Catherine et moi prenions plaisir à détester. Si quelqu'un était RPR entre nous deux, c'était moi. J'ai calé ce qui restait de whiskey à 60 % et j'ai tendu une petite boîte à Audréanne.

« Tiens. Pour ta fête. »

Elle a fait un immense sourire et une espèce de grognement, mélange de joie et d'excitation. Comment se faisait-il que cette enfant gâtée pourrie se réjouisse encore aussi intensément à l'idée de recevoir un cadeau ? Mystère. Elle a déballé et ouvert la petite boîte et une dizaine de « Oh my GOD ! », « WOW ! », « Full hot » ont cascadé vers moi.

« C'est comme full mon genre ? a dit Audréanne en montrant à ses amies les petites boucles d'oreilles en forme de têtes de mort en faux diamants. Non mais c'est vraiment mon genre ? a-t-elle ajouté à mon intention.

— Je sais. » Considérant qu'elle avait une collection remarquablement imposante de t-shirts roses et clinquants sur lesquels on trouvait des têtes de mort elles aussi roses et clinquantes, ça ne relevait pas exactement de l'exploit.

Elle est venue m'embrasser. « Oh my GOD ! a crié une des filles au même moment. Jules-Gabriel est en ligne ! » En moins d'une seconde, elles s'étaient toutes retournées vers l'ordinateur dans un seul mouvement, comme un ban de jolis poissons chatoyants.

J'ai fait un petit sourire et un tata de la main à leurs derrières de tête et aux fesses de « princess » de Béatrice et je suis remontée vers le monde des adultes. À quel âge exactement est-ce que notre agitation intérieure cesse de se manifester en surface ? Je vibrais autant que ces petites filles, je le savais. Catherine et moi nous posions au moins autant de questions

qu'elles. Nous étions aussi inquiètes et presque aussi
« self-conscious ». Mais nous avions appris à calmer
les manifestations extérieures de ces tempêtes intimes.
Quant à l'agitation elle-même, se calmait-elle un jour ?

Je suis arrivée au rez-de-chaussée pour trouver tout
le monde déjà à table. C'était la beauté des soupers
chez mon père : ils commençaient tôt, et finissaient
tôt.

« Les filles mangent pas avec nous ? ai-je demandé.

— Non, a expliqué Josiane. Spécial de fête pour
Audréanne : elles mangent des bonbons en regardant
un film. » Elles étaient encore, malgré leur intérêt exacerbé pour les Jules-Gabriel de ce monde, de petites
filles. Certaines choses ne changeaient pas. Combien
de livres de réglisse avais-je ingurgitées en regardant
Dirty Dancing et en rêvant aux beaux garçons de
l'école dans divers sous-sols d'amies ?

Les filles ne se sont jointes à nous que durant
quelques minutes, le temps de choisir un cupcake
dans la pyramide de petits gâteaux roses qui trônait au
milieu de la grande table. Quatorze d'entre eux étaient
surmontés d'une petite chandelle couverte de paillettes
argentées — Josiane les a jetés sans y toucher, prétendant que de la cire avait coulé sur le glaçage. J'ai pensé,
un moment, les ramasser et les apporter chez Catherine et Nicolas, mais je me suis retenue. Je ne pouvais
pas, en plus d'être la pauvre fille qui s'était fait domper,
être la folle qui fouillait dans les poubelles de son père.

J'ai suivi les filles au sous-sol après le dessert pour
me faire montrer le nouveau jeu de karaoké qui faisait partie de l'incroyable panoplie de cadeaux dont
avait été couverte Audréanne. Des ballerines, un
nouveau iPhone, des jeans, des t-shirts, des coupons
pour le stand à bonbons du Colossus, un manteau,
des tuques, des jeux électroniques. Trois amies de ma
sœur se déhanchaient déjà devant l'écran en chantant
à tue-tête les paroles d'une chanson d'Adele. C'était
une chanson que je n'avais jamais aimée mais que je

connaissais presque par cœur pour l'avoir entendue des centaines de fois à la radio.

« The scars of your love remind me of us, they keep me thinking that we almost had it all », chantait l'ado tout en se trémoussant. Elle chantait assez juste et le sens de ces paroles que je connaissais pourtant m'a frappée pour la première fois. J'ai fait un sourire maladroit à Audréanne, qui s'attendait à ce que je m'extasie devant l'infinie coolitude du jeu, et j'ai baragouiné quelque chose avant de m'enfuir vers la salle de bains. Il n'était pas question de fondre en larmes devant une fillette de quatorze ans qui hurlait du Adele en face d'un écran plasma.

« Allô ? a répondu la voix de Catherine au téléphone.

— Cellule de crise, ai-je dit d'une voix chevrotante.

— Déjà ? »

J'ai préféré ne pas relever le fait que mon amie avait littéralement prévu la nécessité d'une cellule de crise durant le courant de la soirée.

« Les ados jouent au karaoké, ai-je dit.

— Puis sont meilleures que toi ?

— Non, grosse épaisse ! Mais elles chantent la toune d'Adele… tsé là la toune que j'haïs où est-ce qu'elle crie… »

Je n'ai pas eu le temps de terminer ma phrase que Catherine hurlait « we could've had it aaaaaaaaaaaall ». Elle, elle faussait.

« Va-t'en de là, a finalement dit Catherine.

— Quoi ?

— C'est la PIRE toune pour les peines d'amour. En fait, dans une couple de mois tu vas l'écouter quand tu vas être ben soûle puis tu vas trouver qu'elle te parle. Mais là c'est juste beaucoup trop tôt pour Adele.

— OK on peut savoir d'où ça vient cette théorie-là ?

— Dude. C'est Adele ! C'est une affaire de tou-tounes trop intenses. Tu peux pas comprendre. » J'ai fait un petit sourire. Catherine avait réussi à gérer la crise en me faisant rire.

« Merci », lui ai-je dit avant de raccrocher et de grimper les escaliers quatre à quatre pour éviter la fin de la chanson. Les filles m'ont regardée passer sans ciller. Elles avaient, de toute évidence, décidé que j'étais trop nowhere ou RPR pour faire attention à moi.

Lorsque je suis allée leur dire au revoir, vers 20 h 30, elles étaient toutes en pyjama et gobaient des bonbons surs en se pâmant devant les vampires et les loups-garous de *Twilight*. Ma sœur et Béatrice se sont tout de même levées pour venir m'embrasser.

« Ça va ben aller, ai-je dit à Béatrice.

— Tu penses ? » Elle me posait la question très candidement. Elle se demandait si elle allait se remettre un jour de cette amourette.

« Je suis *sûre* », ai-je dit en essayant de mettre dans ma voix toute la conviction dont j'étais capable.

Elle m'a fait un joli sourire. « Moi aussi je suis sûre que tu vas bien aller. »

J'étais loin d'en être certaine, mais je lui ai donné un câlin tout de même, avant de m'en aller dans l'indifférence générale : Robert Pattinson, sur le grand écran plasma, venait d'enlever son chandail.

En me ramenant vers la gare, mon père a mis une main rassurante sur ma cuisse. « C'est des drôles de petites bêtes, hein ?

— Qui ça ? Audréanne puis ses amies ?

— Bof… toutes les p'tites filles de cet âge-là, je suppose.

— Je sais pas, ai-je dit. Je… oui. » Nous sommes restés silencieux un moment alors que les pneus de sa voiture crissaient sur la route peu fréquentée de son quartier de banlieue. « J'étais-tu de même ? » J'ai essayé de me souvenir de mes années d'adolescence. Un malaise général qui avait duré environ huit ans, ponctué ici et là d'éblouissements dont la glorieuse pureté m'avait laissé un souvenir impérissable.

« T'étais plus tranquille, a dit mon père. Tu passais ton temps à lire. » Fantastique, ai-je pensé. J'étais déjà RPR. « Mais ça veut pas dire que j'avais pas moins de misère à te comprendre. » Il a fait un petit sourire satisfait. Il aimait, me suis-je dit, être entouré de créatures étranges qu'il comprenait mal.

« Audréanne… Audréanne elle dit tout. Tout ce qui se passe en dedans, ça sort dehors. » Ça c'est ce que tu veux croire, ai-je pensé. Mon adolescence était encore assez proche pour que je me souvienne qu'on ne dévoile à cet âge-là que la toute petite queue d'un ouragan intérieur qui ne cesse de tournoyer, de tourbillonner et de tout chambouler sur son passage.

« Toi tu disais rien, a poursuivi Bill. Pleine de secrets… Ça tu tiens ça de ta mère, tu sais.

— Oui, je m'en doute papa. » Mon père et Catherine devaient se disputer chaque année la médaille d'or aux olympiades du manque de filtre.

« Mais ça brassait en dedans ! Je le voyais ben. Je te regardais des fois, t'étais assise dans le salon puis tu regardais dehors, tu bougeais pas mais je me disais hot damn ! Donne une pichenotte là-dessus puis tu peux faire sauter la planète au complet.

— Ben là, quand même. » Je n'aimais pas penser que j'avais été, moi aussi, *trop* intense. Je me doutais bien que j'avais dû l'être, et probablement que je l'étais encore (ne l'étions-nous pas tous ? N'était-ce pas là la grandeur et la misère de la nature humaine ?), mais j'aimais à croire que j'étais parmi les moins pires. J'avais toujours tiré une fierté un peu puérile du fait que j'étais plus posée que mes amies.

« Je te le dis, a continué Bill. Mais on voyait presque rien ! Ça se passait tout en dedans. Ça là… » Il agitait un doigt amusé devant lui. « Ça là… je te regardais puis je me disais hé boy ça va rendre les gars fous c'te p'tite fille-là !

— "Fou" dans le bon ou le mauvais sens du terme ?

— Fou dans le sens de fou. » Bien sûr. Inutile de demander à mon père de faire la différence entre le sens propre ou figuré d'un mot. Avais-je rendu Florian fou à force de ne rien extérioriser ? J'ai failli poser la question à mon père, mais j'ai eu trop peur de sa réponse.

« Bye, ma noire, a dit mon père en me laissant sur le quai presque désert de la gare. Puis fais-toi z'en pas, OK ? Y en a un qui va passer puis qui va savoir comment te prendre. Un vrai gars qui aura pas peur des beaux défis. »

Je lui ai fait ce qui était, je l'espérais, un sourire optimiste. J'étais loin d'être certaine que ce qu'il venait de me dire constituait une bonne nouvelle. « Un beau défi », dans la bouche d'un homme, cela ne voulait-il pas dire « une crisse de folle » ? J'ai repensé aux jeunes filles qui mangeaient des bonbons surs dans son soussol et pratiquaient devant le miroir des faces « cute et dans la lune » pour plaire à d'éventuels amoureux. Allaient-elles avoir assez de confiance en elles pour rester de « beaux défis » malgré la pression sociale ? Avaient-elles intérêt à le rester ?

J'ai embrassé mon père en lui disant de bien prendre soin d'Audréanne.

« Si y en tenait rien qu'à moi, m'a-t-il dit depuis la fenêtre de sa voiture, y aurait personne sur la terre de plus heureux que mes deux filles. »

« Drinks ! ai-je crié en entrant dans l'appartement.

— CHHHHHUUUUUUUT, a sifflé Catherine, atteignant un niveau de décibels certainement supérieur à mon cri. Noé dort.

— Oh ! Oups… » Je n'étais pas encore habituée aux horaires imposés par la cohabitation avec un petit garçon. « Drinks, ai-je murmuré.

— Je peux pas ben ben, a dit Catherine. Faut que je garde le flo puis j'ai des textes à apprendre. J'ai une audition demain.

— Est-ce qu'on veut savoir pour quoi?

— Le rôle d'une ado dans une série pour les jeunes? a dit Catherine avec une mimique tellement drôle que j'ai pouffé de rire.

— Dude, t'as trente-quatre ans!

— Oui ben l'ado moyen à la télévision québécoise en a vingt-huit, faque… »

Je suis tout de même allée nous chercher deux verres de vin dans la cuisine. « C'est pas compliqué, ai-je dit à Catherine en repensant à ma sœur et ses amies. Aie juste l'air perpétuellement offensée… et persuadée que tu possèdes la vérité.

— Ta sœur a pas changé, si j'ai bien compris?

— Man… elle m'a quand même expliqué que si mon chum était parti c'était peut-être parce que je le prenais tellement pour acquis que je me maquillais même plus quand j'étais toute seule avec lui? Genre que elle c'était comme impossible que son chum la voie pas maquillée? Tout ça avec des points d'interrogation en fin de phrases?

— Elle a un chum?

— Ç'a l'air. » J'essayais, sans y parvenir, de ne pas avoir l'air *trop* amère. Le fait que ma petite sœur de quatorze ans, quintessence de la superficialité selon moi, ait un chum alors que je venais d'en perdre un me déprimait au plus haut point. Elle m'avait donné d'autres conseils, qui semblaient tous impressionner Béatrice et qui m'avaient exaspérée. Mon préféré était : « Pratique des faces cute et comme dans la lune dans le miroir puis là après quand il te regarde ben tu fais semblant que tu le sais pas puis tu refais la face. »

« T'as-tu été capable de te retenir ou tu t'es fait un point d'honneur de lui expliquer qu'elle était ridicule? » m'a demandé Catherine.

J'ai fait une moue boudeuse.

« Ah come on, Gen! C'est le jour de sa fête!

— Oui mais ç'a aucun sens que des petites filles modernes pensent de même! »

Catherine m'a regardée, visiblement pas dupe : ce n'était pas la féministe en moi qui avait senti le besoin de contredire Audréanne, mais plutôt l'ado attardée.

« Penses-tu qu'on va arrêter d'être ado un jour ? ai-je demandé à Catherine.

— Je te rappelle que je suis en train de réviser un texte qui est supposé être dit par une fille de seize ans.

— Ouin. C'était tellement absurde... Quand je parlais avec la gang d'ados dans le sous-sol je disais "les adultes" en faisant référence à mon père puis à Josiane. Pas à moi.

— Je sais ben.

— Florian était un adulte, ai-je dit.

— Yup.

— Je sais juste pas si je trouve que c'est une bonne chose... je veux dire : c'est quelque chose à quoi on devrait aspirer, non ?

— Encore une fois est-ce que je peux te rappeler l'âge du personnage que j'espère incarner un jour à la tivi ? »

J'ai levé mon verre en signe d'acquiescement. « C'est un gros rôle ? ai-je demandé en désignant les papiers sur lesquels Catherine était penchée.

— Ça serait un rôle récurrent. Juste pour ça... Je pense que j'accepterais de jouer un pot de fleurs si ça voulait dire que j'ai une job steady.

— Voyons...

— Quoi ? J'ai besoin de cash ! ET j'ai besoin de jouer.

— Un pot de fleurs ?

— N'importe quoi.

— C'est pas un peu bizarre ?

— De vouloir jouer un pot de fleurs ? Non, tout se joue.

— Non, je veux dire de... je veux pas faire de la psychologie à cinq cennes... » Insupportable début de phrase qui indique immanquablement que son locuteur va faire, justement, de la psychologie à cinq cennes. « Mais y a pas quelque chose de comme… révélateur dans le fait d'avoir besoin de jouer un rôle ?

— Tu penses que t'en joues pas, toi ? »

Il n'y avait aucune agressivité dans sa question. C'était une simple remarque, mais dans l'état où j'étais, je lui trouvais d'infinies ramifications qui s'étendaient sur toute ma vie, sur toute mon existence. Jusqu'à quel point fallait-il jouer ? me suis-je demandé. Un peu, beaucoup, passionnément, pas du tout ? Je me doutais bien qu'il existait d'étranges énergumènes, d'une intégrité sauvage et absolue, qui étaient toujours d'une authenticité sans failles. Mais ils me faisaient presque aussi peur que les éternels comédiens, les grands acteurs du quotidien, ceux dont on ne sait jamais s'ils ressentent vraiment ce qu'ils disent ou s'ils espèrent tellement en avoir l'air qu'ils s'en sont convaincus euxmêmes. L'équilibre résidait-il quelque part entre les deux ? Je me suis passé une main sur le visage.

« J'ai besoin d'un autre drink, Cath.

— Nico est au bar si tu veux aller le rejoindre. »

L'image de Nicolas, assis derrière une pinte de bière blonde dans la lumière tamisée du bar, m'est soudain apparue comme un phare dans la nuit. J'aurais peutêtre dû me douter que le fait de voir quelque chose de carrément salvateur dans la présence d'un ami dans un bar était un signe qu'il valait mieux aller se coucher, mais je n'ai fait ni une ni deux, et j'ai enfilé mon manteau.

Les lumières du bar faisaient de belles taches dorées sur les bancs de neige qui longeaient la devanture. J'ai souri en imaginant la chaleur de la grande pièce, du sourire de Nicolas et du verre de vin qui m'attendaient derrière la porte. J'ai tout de suite vu Nicolas, qui a levé joyeusement la tête en m'apercevant. Avec ses cheveux blonds, son air content et toujours prêt, il me faisait souvent penser à un golden retriever. Je ne lui disais jamais – personne n'aime se faire dire qu'il ressemble à un chien – mais c'était à mon sens un compliment.

« Yo Gen ! a-t-il dit en se tassant pour me faire une place. Tu te rappelles de Maxime ? »

Il était assis avec le jeune homme que nous avions rencontré environ deux semaines plus tôt, LA fois de l'arrivée de LUI avec ELLE.

« Salut Maxime », ai-je dit. J'étais un peu déçue. J'avais espéré avoir Nicolas à moi toute seule, pour pouvoir bien égoïstement l'assommer de mes questions et l'amuser avec ma description des amies de ma sœur.

« Salut Geneviève ! » a dit Maxime en se levant. Même sourire enveloppant et contagieux, mêmes yeux rieurs. Il m'a pris la main et l'a tirée doucement vers lui pour que je m'approche. Une bise sur une joue, puis sur l'autre. « Ça va bien ? m'a-t-il demandé en éloignant sa tête de la mienne.

— Je... » Quelque chose venait de se passer. Ou alors j'étais déjà plus soûle que je ne le pensais. J'ai levé les yeux vers Maxime, qui me regardait avec cet air que je lui avais trouvé deux semaines auparavant. Il était, vraiment, très beau. Ce n'était pas tant la régularité de ses traits mais le fait qu'il avait un des visages les plus avenants que j'avais vus de ma vie.

« 'Tention, Max, elle va penser que tu la regardes avec un drôle d'air ! a fait Nicolas en pouffant dans sa bière.

— DUDE ! » ai-je crié. Je me sentais soudain une profonde connexion avec les amies de ma sœur et j'ai dû me retenir pour ne pas lancer : « Rapport ? » Devant moi, Maxime riait de bon cœur.

« C'est moi qui lui ai parlé de toi, a expliqué Maxime. Je lui ai dit que je t'avais trouvée super jolie puis il m'a dit que ç'avait dû paraître parce que t'avais dit que je te regardais comme un mongol. »

Il avait une manière totalement désarmante de faire un compliment. De toute évidence, ai-je pensé, on n'est plus habituées à se faire dire qu'on est jolie avec naturel et désinvolture. « J'ai pas trouvé que tu me regardais comme un mongol, ai-je dit.

— Non t'as dit qu'il te regardait avec un drôle d'air, a spécifié Nicolas.

— DUDE! » J'ai écarté les mains devant lui pour lui demander d'un geste ce qui pouvait bien lui prendre puis je me suis tournée vers Maxime. « Sérieux, c'est comme une maladie! Y est devenu Tourette ou quoi? »

Maxime riait toujours. « Tu prends un verre avec nous?

— Je sais pas! ai-je dit en m'assoyant. Il va sûrement hurler ma grandeur de brassière dans deux secondes.

— TRENTE-QUATRE C! a hurlé Nicolas, faisant se tourner une dizaine de têtes. Scuse-moi, Gen mais je pouvais pas ne pas prendre cette perche-là.

— Puis on peut savoir comment tu sais ça?

— Un homme d'expérience peut deviner la grandeur de brassière de n'importe quelle fille, ma chérie. » Maxime et lui se sont mis à énumérer la taille des soutiens-gorge des filles qui buvaient dans le bar, en se donnant de ridicules high five quand ils arrivaient à la même conclusion.

« On va prendre deux autres bières, a dit Nicolas à Marie, la serveuse, lorsque celle-ci s'est approchée.

— Un verre de chardonnay pour moi. » Marie m'a fait un grand sourire complice et un oui de la tête.

« Trente-quatre B », ont dit Maxime et Nicolas dès qu'elle a tourné le dos. Ils se sont fait un autre high five.

« OK, a dit Nicolas. On arrête. Comment était ta soirée?

— Pas si pire. Spéciale. Mon père. Un groupe d'ados. Laval.

— Wow, a dit Maxime. Je sais pas pour ton père mais sinon c'est comme le début d'un film d'horreur.

— On peut avoir des détails ? » a demandé Nicolas.

Alors je me suis mise à raconter ma soirée, avec beaucoup d'animation et, surtout, beaucoup de plaisir. J'imitais les ados, je parodiais mon père, je décrivais avec emphase les lions de pierre qui ornaient l'entrée de la grande maison…

« Ton père a un nouveau char ? m'a demandé Nicolas.

— De marque grise, oui. »

J'en beurrais épais, pour la plus grande joie de mon petit auditoire. Et je devais me retenir pour ne pas jubiler chaque fois que je faisais rire Maxime. Ses éclats de rire étaient comme autant de récompenses, et je trouvais qu'après toutes ces semaines de vaches maigres et de peines, je méritais chacune d'entre elles.

Aussi je n'ai pas parlé des questions qu'avaient soulevées les commentaires de mon père, ni de l'appel passé dans les toilettes du sous-sol et des larmes qu'avait failli me tirer une ado qui faisait du karaoké. Je ne voulais pas parler de ma peine d'amour. Je ne voulais pas être un « beau défi », pas ce soir. Je voulais être, dans les yeux brillants de Maxime, drôle et désinvolte. C'est un rôle, me suis-je dit en repensant à ma conversation avec Catherine. Mais je m'en foutais. J'étais contente et, pour la première fois depuis longtemps, j'étais bien. Tant que Maxime continue à sourire, me disais-je.

Et c'est ce qu'il a fait, durant toute la soirée et une bonne partie de la nuit. Il souriait encore le lendemain matin lorsque je me suis réveillée dans sa chambre remplie de lumière.

CHAPITRE 6

J'avais d'abord ouvert un œil timide et un peu sec qui m'avait révélé une immense fenêtre par laquelle on ne voyait rien d'autre que le sommet du mont Royal trônant fièrement dans un ciel céruléen. L'appartement de Maxime était-il donc situé si haut? Je me souvenais vaguement de notre arrivée sur les lieux – un tourbillon de rires, de *furieux* necking dans la cage d'escalier art déco de l'immeuble et de vêtements enlevés avec une urgence qui, rétrospectivement, me semblait un peu exagérée.

Quelle heure pouvait-il être? J'ai regardé autour de moi en essayant de bouger le moins possible – Maxime respirait encore régulièrement contre ma nuque et je ne voulais surtout, mais surtout pas le réveiller. C'était la première fois depuis ma rencontre avec Florian, à Paris, six ans plus tôt, que je couchais avec un quasi-inconnu. Une activité que j'avais pratiquée avec assiduité durant tout le début de ma vingtaine mais qui me paraissait aujourd'hui un brin juvénile, voire carrément gênante. Quand, exactement, étais-je devenue aussi coincée? J'ai essayé de me dire qu'il n'y avait rien là, que Maxime s'envoyait sûrement *fréquemment* en l'air avec des filles qu'il venait de rencontrer, mais non seulement ça n'aidait pas MA cause, ça empirait la sienne.

Je suis rendue trop vieille pour ça, me disais-je en cherchant, dans la grande pièce trop lumineuse, une montre ou une horloge. Il y avait beaucoup, beaucoup de choses dans cette chambre. Des piles de livres d'art plus hautes que moi contre les murs. Un chevalet avec un dessin au fusain d'une femme couchée sur le côté. Des boîtes de couleurs. Au moins trois guitares. Une bibliothèque dont les étagères s'étaient effondrées sous le poids des livres. Un tas de vêtements dans un coin. Maxime aurait fait installer un néon indiquant « Je suis un artiste » sur un des murs de sa chambre que ç'aurait été moins évident. Dans la lumière crue du matin et avec un léger mal de bloc, c'était un peu insupportable.

Oh non, ai-je pensé en sentant son bras droit, qui m'enlaçait doucement, se resserrer autour de ma taille. De quoi va-t-il avoir l'air, lui, dans la lumière crue du matin ? Va-t-il penser, comme 95 % des humains de sexe masculin de la planète, que je meurs d'envie de baiser de nouveau malgré l'heure matinale et l'absence d'alcool dans mon sang ? J'ai senti, contre le bas de mon dos, la prévisible érection. Que faire ? me suis-je demandé en cherchant parmi les souvenirs embrumés des matins semblables de ma vingtaine. J'ai soudainement eu une envie terriblement pressante de pleurer. Je me sentais petite, toute nue et vulnérable – et où était Florian pour me consoler, me protéger ? Le bras qui m'entourait n'était pas le sien, le sexe bandé dans mon dos n'était pas à lui et je n'avais besoin que de lui.

« Ça va ? » a demandé Maxime. J'ai tout de même eu le réflexe d'essuyer le mascara que je devinais répandu sous mes yeux et je me suis retournée. Maxime me souriait. Il avait les yeux un peu bouffis mais le regard toujours aussi franc, et sa belle bouche formait un sourire qui n'avait rien de carnassier ou de prédateur. Il s'était avéré durant la nuit un amant attentif et enthousiaste qui avait, de toute évidence, une inclination naturelle pour la chose. Mais il n'était pas Florian, et j'avais dû à quelques reprises faire des efforts conscients pour ne pas comparer chaque caresse, chaque odeur, chaque soupir avec ceux de l'homme qui m'avait tenue dans ses bras pendant six ans. J'avais même manifesté à un certain moment une impatience totalement injustifiée, exigeant que Maxime sache exactement ce que j'attendais de lui – et je lui en voulais presque de s'attarder sur chaque partie de mon corps parce que je ne voulais pas me souvenir qu'il venait, après tout, de le découvrir.

« Ça va », ai-je dit d'une toute petite voix. Il a cessé de sourire et m'a soudain regardée très sérieusement, comme s'il me voyait pour la première fois, et m'a passé une main dans les cheveux. Puis il s'est levé. Délicatesse ? Lucidité quant à la position de 97 % des femmes sur le sexe matinal le lendemain d'un one-night stand ? Pitié devant mon air vulnérable et déconfit ? Il s'est extirpé du lit et s'est longuement étiré avant de traverser la chambre, parfaitement à l'aise avec cette érection qui n'avait visiblement aucune intention de s'estomper. Quel beau cul, ai-je pensé malgré mon état. M'être sentie un peu mieux, physiquement et surtout mentalement, j'aurais fait un petit sifflement.

« C'est beau, hein ? m'a-t-il dit en regardant par la fenêtre. Il doit y avoir à peu près cinquante affaires que j'aime pas dans cet appart-là mais je suis pas capable de renoncer à la vue. » Il s'est retourné avec un grand sourire. C'était, effectivement, très beau. Le mont Royal, avec son crâne gris et blanc des jours d'hiver, avait quand même fière allure. « Tu devrais voir ça au mois d'octobre », a dit Maxime. La veille, nous avions calmé nos ardeurs quelques secondes, le temps de regarder la croix briller dans la nuit noire.

Je ne disais toujours rien. Je voulais être ailleurs, sous la couette colorée chez Catherine et Nicolas. (Mon Dieu, ai-je pensé. Nicolas. Il doit être en train de tout raconter à Catherine. On ne pouvait pas dire que nous nous étions gênés devant lui.) Mieux encore, j'aurais voulu être dans *mon* lit, c'est-à-dire dans le lit que je partageais il y avait quelques semaines encore avec Florian. J'ai remonté la couverture à grosses fleurs, héritage manifeste d'une ancienne blonde, jusque sous mon nez. Devant moi, Maxime rangeait son érection dans un pantalon de corduroy brun.

« Tu veux un café ? »

Non, ai-je pensé. Non non non non non non. Je veux m'en aller, je veux que tu sortes de la pièce et que tu me laisses filer en douce. « Oui, s'il te plaît », ai-je répondu. Maxime est sorti en me faisant un dernier sourire. Il avait l'air on ne peut plus à l'aise, comme si le fait de se réveiller avec une inconnue ne l'embêtait pas le moins du monde. Ce qui était une bonne chose. Dans l'état où j'étais, j'aurais difficilement pu endurer l'angoisse ou le mal de vivre d'un autre.

Il n'avait pas fini de refermer la porte derrière lui (délicate attention, ai-je remarqué) que j'étais debout, en train d'essayer de trouver mes vêtements parmi ceux qui jonchaient le sol. C'était, au bas mot, le bordel. J'ai localisé, dans un petit tas, mon jeans, ma culotte et mes bas, qui semblaient avoir tous été enlevés d'un seul geste comme si j'avais carrément bondi en dehors de mon pantalon. Mon soutien-gorge était quant à lui accroché au chevalet (nice touch, ai-je pensé, very artsy). Je tournais sur moi-même entre les vieux t-shirts et les trois condoms usagés qui traînaient tristement sur le sol (reliefs toujours décevants des nuits d'amour impromptues) quand la porte s'est ouverte et que mon chandail a fait un vol plané jusqu'à moi. « Tu dois chercher ça ? » a dit Maxime en s'éloignant. J'ai fait une petite grimace et je l'ai enfilé.

À quelle heure étions-nous rentrés ? Je me souvenais des verres de vin qui étaient devenus des bouteilles de vin quand les garçons avaient décidé de lâcher la bière pour m'accompagner. Je me souvenais des yeux brillants de Maxime et de son sourire – de la montée du désir, qui était graduellement devenu de plus en plus urgent, à tel point que pendant un moment le simple contact de sa cuisse contre la mienne me faisait l'effet d'une douce décharge électrique dans le bas-ventre. Je me souvenais de Nicolas qui me disait, alors que Maxime était parti aux toilettes : « Ça va la tension sexuelle ? Voulez-vous fourrer sur la table, peut-être ? » avant de partir en riant. Et je me souvenais des mains de Maxime sur mon visage et dans mon cou alors qu'il m'embrassait pendant ce qui me semblait encore avoir été des heures.

Il m'avait coupé la parole en plein milieu d'une phrase (j'avais beaucoup *beaucoup* parlé durant toute la soirée) pour m'embrasser avec une telle fougue que j'avais failli manquer de souffle. C'était tout ce que j'attendais, me semblait-il alors. Ses lèvres pulpeuses étaient d'une douceur qui me faisait chavirer et ses mains sur mon visage, sur mon corps et sur mes seins me faisaient l'effet que produit un grand verre d'eau lorsqu'on est assoiffé. J'avais pensé à Emilio qui m'avait dit que le meilleur remède pour réparer le cœur était de coucher avec un autre homme. L'intensité avec laquelle je m'étais accrochée aux lèvres de Maxime, avec laquelle je m'étais littéralement ouverte à lui donnait raison à notre ami cubain. Il y avait quelque chose dans le fait de laisser Maxime m'emplir de sa personne et de sa passion qui était plus que voluptueux, qui n'était pas loin d'être vital.

Nous avions quitté le bar dans une hâte qui devait être drôle à voir – j'avais tellement envie de sentir Maxime *dans* moi que j'avais failli, l'espace d'un instant, lui suggérer d'aller régler ça tout de suite dans les toilettes. Une courte course en taxi au bout de laquelle j'avais pratiquement lancé un dix dollars au chauffeur en lui criant de garder le change, puis la cage d'escalier art déco et enfin la chambre sur laquelle veillait la croix du mont Royal. J'avais joui une première fois au bout de quelques minutes à peine avec une violence presque sauvage.

Maxime avait-il compris alors qu'il y avait dans cette voracité un peu plus qu'un simple engouement pour le sexe ? Moi-même, sur le coup, je ne m'étais pas posé la question. Mais les regards que me jetait Maxime de temps à autre me revenaient à l'esprit et me faisaient croire, dans la lucide clarté du matin, qu'il avait peut-être vu ce que je choisissais alors d'ignorer. Plusieurs fois dans la soirée, au bar, dans le taxi puis dans son lit, il avait planté ses yeux dans les miens comme s'il avait voulu aller chercher quelque chose – une réponse à une question qu'il n'osait pas poser ? me demandais-je. Mais ces regards qui me fouillaient le fond de l'âme me dérangeaient et je les contrecarrais en offrant ma bouche. Et leur souvenir me dérangeait encore – comme si, de tout ce que Maxime avait pu me faire durant la soirée, ils avaient été les seuls gestes vraiment pervers.

J'ai chassé cette idée en ouvrant la fenêtre et en prenant deux ou trois grandes inspirations. L'air était glacial et sec, presque craquant. C'était extrêmement satisfaisant. J'ai refermé la fenêtre et je suis sortie de la chambre. Un café, me suis-je dit. Un café, et après je pars.

Une heure plus tard, j'acquiesçais stupidement alors que Maxime me proposait d'aller déjeuner dans un petit café en bas de chez lui. L'horloge du four m'avait appris qu'il était à peine 8 h 30 et je mourais d'envie de quitter l'endroit, d'aller me coucher en petite boule et de dormir d'un sommeil sans rêve jusqu'à l'après-midi. Mais j'étais trop faible ou trop lâche ou trop polie pour dire non. Le pire, me disais-je en faisant un effort futile pour ranger ma tasse sur le comptoir jonché d'autres tasses, de bouteilles vides et d'assiettes dans divers états de propreté, c'est que Maxime serait exactement le genre de gars à ne pas prendre personnel un refus. Mais sa demande avait été tellement gentille, tellement spontanée, que je n'avais pu que baragouiner un «oui» dans ma grosse tasse de café à l'effigie de la reine Elizabeth.

«Je l'ai trouvée au marché Finnegan, à Hudson, m'avait fièrement déclaré Maxime en me la tendant à ma sortie de la chambre. Tu connais ça?

— Pas vraiment.

— J'ai une petite passion pour les marchés aux puces.

— J'aurais jamais deviné», avais-je répondu, ce qui avait fait rire Maxime de son beau rire sans complexes. Son appartement semblait avoir été entièrement meublé d'objets chinés dans des encans, des ventes de succession et des brocantes. «En fait, avais-je poursuivi, on pourrait mettre des petits prix sur à peu près tout ce qu'il y a ici d'dans et ouvrir un marché aux puces drette là.»

Il y avait des vieux fauteuils dépareillés, des meubles de diverses époques placés côte à côte, des lampes torchères aux pieds couverts de vert-de-gris, des tapis persans aux couleurs fanées, un vieux piano droit et des toiles complètement ridicules sur les murs. «Je collectionne les toiles laides», m'avait expliqué Maxime quand je m'étais enquise de la raison d'être de l'une d'entre elles, qui représentait un clown à moitié achevé devant un paysage vaguement écossais.

«Tu réalises qu'on est vraiment pas loin de la caricature de l'artiste trop intense, hein?» lui avais-je demandé. Il avait haussé les épaules en souriant. Lui arrivait-il de douter de lui-même? Contrairement à la plupart des caricatures d'artistes trop intenses dont j'avais croisé le chemin jusque-là, il n'avait pas du tout l'air affecté. Son naturel était désarmant et, à la limite, un peu déconcertant. Était-il toujours aussi à l'aise ou étais-je assise devant l'un des meilleurs comédiens de la ville? Le fait que je me pose cette question, et donc que je présume d'emblée qu'une personne parfaitement «bien» ne pouvait qu'être en train de jouer un rôle m'avait soudain profondément déprimée.

«Ça va? m'avait demandé Maxime.

— Oui, je... salle de bains?»

Il avait indiqué le corridor.

«Est-ce que je vais avoir peur?» avais-je lancé avant d'avancer.

Il avait ri. «Non... non c'est pas si pire. J'ai fait la salle de bains y a une couple de jours...» Peux-tu avoir au moins *un* complexe? avais-je pensé. Son aisance, son absence totale d'angoisse, réelle ou pas, me dérangeait. «J'ai pas eu le temps de me trouver une femme de ménage, avait-il dit. Puis...» Il s'était arrêté.

«Est-ce que t'allais dire: puis j'ai pas de blonde?»

Encore le même rire tranquille. «Écoute... y a rien qui motive un homme à se ramasser comme une blonde.

— Parce qu'elle doit finir par se tanner puis ramasser à sa place!

— Tu parles d'expérience?»

J'avais haussé les épaules sans répondre. Je ne voulais pas parler de Florian, pas lui dire: «Non, moi j'ai vécu six ans avec un homme qui était beaucoup plus ordonné que moi.» Le souvenir de notre condo, propre et clair et ordonné, me pinçait le cœur. Je m'étais donc dirigée vers la salle de bains, qui n'était effectivement «pas si pire» et j'étais passée en revenant devant la seule pièce, à part la cuisine, qui n'avait pas l'air sortie tout droit d'un roman de Huysmans. C'était un bureau, dans lequel un sofa plutôt neuf faisait face à une télévision immense et à la fine pointe de la technologie. Un ordinateur tout aussi neuf trônait sur une grande table au design épuré, au milieu de nombreux papiers et de dictionnaires ouverts.

Maxime m'avait appris la veille qu'il publiait des romans policiers sous un pseudonyme, Lawrence Black, que je connaissais très bien pour l'avoir vu

régulièrement dans les palmarès de diverses librairies.
« Pourquoi le pseudonyme ? lui avais-je demandé.

— Parce que je garde mon vrai nom pour publier des recueils de poésie que personne lit, avait-il expliqué. Et oui, au début je pensais que j'allais écrire juste un roman policier et devenir célèbre grâce à ma poésie de feu mais bon… Puis Lawrence c'est mon deuxième nom puis Black ben… ça sonne juste bien.

— Geneviève écrit aussi », avait cru bon de dire Nicolas. Mais j'avais changé de sujet. Je voulais rire et me fondre dans la douce aisance de Maxime – je ne voulais surtout pas penser à la biographie inachevée de la jeune starlette de téléréalité qui m'attendait dans mon ordinateur et encore moins à ces textes personnels et plus littéraires que j'avais essayé d'écrire mais qui n'avaient jamais été publiés, ni sous mon nom ni sous un pseudonyme.

« Voudrais-tu aller déjeuner ? » m'avait demandé Maxime lorsque j'étais revenue. Je l'avais regardé un moment, ses cheveux bruns qui tombaient un peu n'importe comment sur son front, ses grands yeux brillants et son sourire facile, et j'avais cherché, frénétiquement, une excuse. Mais je n'avais rien trouvé, défaite par tant de sincérité, et j'avais baragouiné mon « oui » dans ma tasse brune. Et c'est ainsi que je me retrouvais, à 8 h 45 par un trop beau dimanche de février, à aller déjeuner avec mon linge de la veille encore sur le dos au bras d'un homme dont la simplicité m'irritait autant qu'elle me charmait. Câlisse, me suis-je dit en descendant les marches de l'escalier dans lequel nous nous étions tant embrassés la veille. Et parce que c'était plus facile que de me trouver trop lâche ou trop stupide, je lui en voulais un peu.

J'étais donc passablement bougonne quand nous nous sommes assis dans le petit café dont la décoration rappelait, à s'y méprendre, celle de l'appartement de Maxime. Des vieilles machines à coudre, des métiers à tisser, des cages à homards et autres objets hétéroclites se voulant charmants traînaient un peu partout entre les tables dépareillées.

« On dirait une extension de ta maison », ai-je fait remarquer. Et Maxime, encore une fois, a ri. Il est, me suis-je dit, vraiment bon public.

Le serveur s'est approché, un grand type dégingandé aux allures de gitan qui s'est penché pour faire la bise à Maxime avant de tourner vers moi son regard noir.

« Geneviève, Gaspar, Gaspar, Geneviève. »

J'ai serré la main de Gaspar, en m'attendant à ce qu'il me fasse une révélation-choc sur mon avenir ou qu'il se mette à m'engueuler dans une langue inconnue de moi. Mais il s'est contenté de déclarer sur un ton autoritaire : « Un café pour toi.

— Allongé ? ai-je risqué.

— Avec lait froid, a dit Gaspar.

— OK. » J'aurais préféré mourir qu'exiger du lait chaud. « Et…

— Je te fais omelette maison. Avec pain brun et confitures. » Encore une fois, ce n'était pas une suggestion. Il a semblé ensuite évaluer quelque chose sur mon visage et a statué : « Trois œufs. » Puis il a indiqué avec ses doigts à l'intention de Maxime un trois, puis un quatre, avec un léger soulèvement de sourcils interrogateur. Maxime a fait un quatre de la main et Gaspar est parti sans demander son reste.

« Wow.

— Y est beau, hein ? a dit Maxime. C'est un poème, ce gars-là.

— T'as eu le droit de choisir le nombre de cocos dans ton omelette.

— Un droit gagné très chèrement. Y a fallu que je vire une brosse avec lui. Avec un alcool dont je suis toujours pas capable de prononcer le nom mais qui… oh Geneviève je te jure, j'ai *jamais* souffert de même. Mais maintenant je peux choisir combien de cocos je veux le matin.

— Il vient d'où ?

— Hongrie.

— C'est-tu un vrai gitan ?

— Je sais pas… il dit que oui mais je le soupçonne des fois de juste jouer la game. »

J'ai regardé Gaspar s'agiter derrière son comptoir. « Moi aussi des fois je me dis que je ferais ça… je partirais je sais pas trop où puis je m'inventerais une autre identité. *Tabula rasa*, tu sais ? Tu gardes juste le bon, t'oublies le mauvais puis t'en inventes un peu pour arriver à ce dont t'as toujours rêvé.

— Ça s'appelle un profil Facebook, ça. »

Pour la première fois depuis le matin, j'ai ri de bon cœur. « Excellent gag, ai-je dit.

— Mon Dieu, merci.

— C'est ça que tu fais ? ai-je demandé. Avec Lawrence Black ?

— Quoi ?

— T'inventer un personnage ? » J'avais la ferme conviction que, si une personne ne s'était jamais inventé un personnage, c'était bien Maxime. Mais je voulais lui trouver des failles. Des bobos. Des petites gênes. Je ne voulais pas être la seule, dans ce café gitan désert, à être toute croche.

Maxime a haussé les épaules. « Je sais pas. Peut-être un peu ? »

Maudit gars trop équilibré, ai-je pensé. Il n'aurait pas pu mal réagir à ma question ? Se rebiffer ? Revendiquer avec véhémence une authenticité et une unicité que de toute évidence il cherchait à étaler dans son appartement aux airs de brocante d'autrefois ?

« Je pense surtout que je voulais me dissocier de mon autre personnage, a-t-il dit. Le personnage de poète. » J'ai levé les yeux au ciel. « Je sais, a poursuivi Maxime. C'est insupportable. Mais je me croyais *vraiment* quand j'avais vingt-cinq ans. Tu te rappelles comment on se croyait à cet âge-là ? »

J'ai essayé de me souvenir de la dernière fois où je m'étais «crue». De la dernière fois où j'avais réussi à incarner un personnage que je rêvais d'être sans être consciente du fait que je jouais un rôle, sans être arrêtée par cette pudeur qui vient avec les années, le recul et le cynisme. J'avais passé trois ans, à l'université, à me promener avec un recueil de Saint-Denys Garneau dans mon sac et à déclarer dans des cafés enfumés, avec un sérieux et une intensité à couper au couteau, que «tu sais, des fois, la réalité dépasse la fiction».

«Tu penses qu'on était plus ridicules dans ce temps-là, ai-je demandé à Maxime, ou qu'on est plus ridicules maintenant qu'on a peur d'avoir l'air fous en étant trop intenses? Je me demande des fois si ça revient pas au même.»

Il a haussé les épaules. «Je suis pas clair là-dessus. Mais je peux te dire que la fille qui a passé huit ans avec moi pendant que j'insistais pour être rien d'autre qu'un poète pur et dur me trouvait ridicule en tabarnak… Peux-tu imaginer à quel point c'est dull endurer un gars qui persiste à croire qu'il va réussir en tant que poète?»

J'ai imaginé une caricature de poète, ou du moins la caricature que je me faisais, moi, d'un poète : un homme un peu trop mince, échevelé et l'œil brillant, portant de longs foulards et se distinguant par une absence totale et absolue de sens de l'humour. La vie avec ce genre de personnage ne pouvait, en effet, qu'être excessivement dull.

Gaspar s'est approché avec nos cafés. «Lait froid, m'a-t-il rappelé, comme pour me prévenir de ne pas faire le saut ou, pire encore, une demande pour du lait chaud.

— Oui, oui, ai-je dit. Lait froid. Parfait pour moi.»

Maxime lui a fait un signe de tête pour le remercier de son café, un espresso court. Gaspar semblait être ce genre d'homme avec qui on pouvait construire une relation riche et complexe en ayant seulement recours à divers regards et d'occasionnels hochements de tête. Une brosse avec lui devait être une étude sur les différentes textures du silence entre deux personnes.

« Puis là un soir, a poursuivi Maxime, je raconte à ma blonde une idée que j'ai eue pour un polar… Je sais pas d'où ça m'était venu, j'ai jamais été un consommateur du genre mais ma blonde a trouvé que mon flash était écœurant. Évidemment, je la croyais pas parce que j'étais sûr que rendu là, elle aurait dit que *n'importe quoi* qui était pas de la poésie était un bon flash. Mais j'ai quand même commencé à écrire. Puis au bout d'une couple de jours je me suis rendu compte que j'avais du *fun*. Je me prenais plus la tête. J'avais l'impression de faire une job manuelle. Ardue, mais super satisfaisante. Y avait une partie de moi qui se sentait un peu coupable de pas être en train de pondre des vers mais… En tout cas… j'ai fini par écrire le roman puis quand est venu le temps de l'envoyer à un éditeur… j'ai choké.

— T'as choké.

— Full choke. J'avais l'impression que si je faisais ça je trahissais mon idéal. Celui d'être un poète. C'est un peu gênant mais c'était ça.

— C'est pas gênant… on a tous des idéaux, non ? Un genre d'idée de ce qu'on veut être ? Je vois pas pourquoi ça serait facile de s'en défaire. Je suis juste pas claire quant à où est la ligne entre un abus d'intégrité carrément stupide et le respect de toi même.

— Exactement », a dit Maxime. Il avait l'air tout content d'être d'accord avec moi. « Puis moi je peux te dire que j'étais en plein dans l'abus d'intégrité carrément stupide. En fait le problème c'est pas que c'est un abus d'intégrité. C'est que c'est de la prétention. C'est que tu te fais une idée de toi-même qui est tellement fucking extraordinaire que t'es pas capable de mettre de l'eau dans ton vin. ÇA c'est stupide. »

J'ai hoché la tête en signe d'approbation. Je ne savais pas si c'était l'effet euphorisant du lendemain de veille qui s'estompait, ou encore l'excellent café de Gaspar (aurait-il été aussi bon avec un lait chaud, me demandais-je sans essayer de trouver une réponse), mais j'étais bien. Le soleil, filtré par la grande fenêtre un peu sale de la devanture, me réchauffait le dos. Et Maxime, avec son sourire lumineux et malgré ses regards parfois trop intenses, me réchauffait certainement quelque chose.

« Anyway, a-t-il dit. Faque quand est venu le temps d'envoyer le manuscrit j'ai signé M. Black.

— M. Black ? » J'ai ri.

« Oui ben ma blonde était pas conne non plus et elle m'a fait remarquer que c'était peut-être un peu too much. C'est elle qui a pensé à Lawrence. Puis… l'éditeur a aimé ça. »

J'avais lu quelque part qu'il avait vendu plusieurs centaines de milliers d'exemplaires de ses romans. « T'as été déçu, quand ça s'est mis à marcher ? ai-je demandé, un peu moqueuse.

— Mon Dieu non ! T'as jamais vu des principes prendre le bord aussi vite quand le premier gros chèque est entré.

— Puis la poésie ?

— Je continue.

— Ça marche ?

— Absolument pas. »

Nous nous sommes mis à rire au moment même où Gaspar arrivait avec deux immenses assiettes. Il nous a lancé le regard suspicieux qu'il devait réserver aux gens qui rient en général et les a laissées devant nous, en nous souhaitant bon appétit d'un signe de tête. Ses omelettes étaient d'étranges concoctions contenant plus de fromage que d'œufs – nos fourchettes traînaient derrière elles de longs filaments de fromage fondu que nous mangions en nous penchant au-dessus de nos assiettes et en riant.

« Faut qu'il commercialise ça comme remède pour les lendemains de veille, ai-je dit. C'est magique.

— Non non non, a dit Maxime. Faut pas parler de Gaspar à personne. Moi je viens ici tous les matins et j'aime avoir mon Gaspar pour moi tout seul.

— Y a jamais de monde?

— Jamais plus que deux ou… des fois trois personnes. Dans ce temps-là y est dans le jus comme c'est pas possible.

— Comment il fait pour arriver financièrement?

— Est-ce qu'on veut vraiment savoir comment Gaspar fait pour arriver dans la vie?

— Non. Non t'as raison. »

Nous avons échangé un regard complice au-dessus de nos assiettes de fromage fondu. Et Maxime a alors posé LA question que j'espérais qu'il ne pose pas: « Puis? Toi? »

Je l'ai regardé sans rien dire. Peut-être que si je reste muette assez longtemps, ai-je pensé, il va oublier que je suis là. Mais il ne me lâchait pas du regard et a fini par hausser les sourcils. « Oh boy. OK…

— Mon chum vient de me domper, OK?

— OK. » J'ai vu dans ses yeux limpides qu'il ne le savait pas. J'ai soudain ressenti une vive tendresse pour Nicolas, qui avait su se taire à ce sujet.

« Puis j'écris des livres de marde. Des biographies de vedettes de série B. En fait je ghost write leurs autobiographies.

— Faque toi aussi t'as un pseudonyme.

— J'ai vingt-cinq pseudonymes. » Je lui ai fait la liste des semi-vedettes pour lesquelles j'avais écrit.

« À part la chanteuse country je sais pas c'est qui, a dit Maxime.

— C'est tout à ton honneur. C'est presque toutes des vedettes qui ont été créées sur mesure par l'Empire.

— L'Empire? » Il avait l'air de se demander si je n'étais pas folle. Je lui ai dit le nom de l'empire médiatique qui signait mes chèques.

« Ah… L'Empire… je connais un gars qui est payé pour écrire les tounes de je sais plus trop quel chanteur qui fait partie de l'Empire. Lui non plus a pas le droit de dire son nom.

— La question est : est-ce qu'on aurait envie de dire nos noms si on pouvait ? Pas sûre. »

Maxime a semblé réfléchir. « C'est vraiment leurs histoires que tu racontes ou c'est une fiction spinée par l'Empire ?

— Je sais pas, ai-je répondu. Toutes les histoires se ressemblent, faque d'un côté je me dis : y a quelqu'un quelque part qui formate leurs vies. D'un autre côté c'est tellement, mais tellement plate que j'ai de la misère à concevoir que quelqu'un ait pu prendre la peine de réinventer des vies pour faire juste ça.

— Quoi, t'aurais voulu qu'ils deviennent sherpas ou serial killers ? Les gens aiment le monde ordinaire. Et d'après moi l'Empire, qui est assez fucking wise, doit savoir ça. »

Il avait parfaitement raison. J'aimais bien, moi aussi, l'ordinaire. Jeune adolescente, j'avais rêvé en dévorant les romans d'Alexandre Dumas – je voulais une vie de cape et d'épée, des amours tumultueuses et des aventures déchirantes. Je voulais devenir pirate, découvrir d'impossibles îles encore désertes et caler du rhum brun à même la bouteille en compagnie des flibustiers les plus louches que les mers des tropiques auraient eu à m'offrir. Mais le temps avait passé, et depuis j'aspirais au calme de l'amour partagé, à la sérénité d'une âme tranquille, aux jours sans remous d'une existence paisible. Florian avait-il vu cela comme un renoncement ? Était-il parti parce que la crisse de hipster à marde rêvait encore, elle, d'abordages et de chasses aux trésors ?

« C'est pas une tare, d'être ordinaire », a dit Maxime, comme s'il lisait dans mes pensées.

J'ai fait un petit sourire. « Tu penses que tout le monde croit secrètement être extraordinaire ?

— Oui », a-t-il dit. Puis il a regardé à gauche et à droite, comme les comédiens le font dans les films pour enfants quand ils veulent montrer qu'ils s'apprêtent à révéler un secret ; il s'est avancé vers moi et a murmuré « Mais y a juste moi qui le suis vraiment » avant de mettre un doigt sur ses lèvres.

J'ai ri doucement. « Puis toi, a demandé Maxime, qu'est-ce que t'écris ?

— Ben je viens de te le dire.

— Non, *toi*, qu'est-ce que t'écris ?

— Qu'est-ce que tu veux dire ?

— Ben je me doute bien que tu t'es pas réveillée un matin vers la fin du cégep en disant : "Je veux écrire des autobiographies de semi-vedettes." Faque t'écris quoi ? Pour toi ?

— Pas grand-chose. »

Il m'a regardée un moment. Il se demandait visiblement s'il devait insister ou pas. Je le fixais en retour, en répétant mentalement « Laisse faire, laisse faire, laisse faire » quand une grande brune est entrée et s'est dirigée tout droit vers notre table.

« Salut », a-t-elle dit sur un ton indubitablement agressif, en enlevant ses lunettes fumées à au moins quatre cents dollars. Maxime s'est d'instinct reculé de quelques centimètres.

« Salut.

— Ça fait combien de temps que t'es revenu ? » J'avais appris la veille que Maxime avait passé les deux dernières années en France, où il était d'abord allé après avoir obtenu une bourse du Conseil des arts et des lettres du Québec (en tant que poète – le Conseil des arts ne considérant pas, selon lui, le polar comme un art) et où il était resté pour les beaux yeux d'une Française qui s'était avérée impossible à vivre. Il était revenu, m'avait-il dit, il y avait de cela un peu plus d'un mois.

« Je… ça fait pas longtemps, a-t-il répondu.

— T'es revenu le 20 janvier. »

Maxime ne disait rien. La grande brune, qui était en fait une magnifique grande brune, avait l'air sur le point de tomber sur lui comme un missile.

« T'es revenu le 20 janvier, a-t-elle répété. C'est ta voisine qui me l'a dit.

— Tu… connais ma voisine ?

— Ben là j'ai pas de tes nouvelles depuis presque un an, faut ben que je me renseigne quelque part, non ? J'en reviens pas que tu sois revenu depuis quatre semaines puis que tu m'as pas appelée. »

Ben oui, avais-je envie de dire. C'est super surprenant.

« Je pensais que j'avais été clair la dernière fois qu'on s'est vus, non ? a dit Maxime. Quand je suis venu l'année dernière je t'ai expliqué qu'il y avait quelqu'un dans ma vie.

— C'est elle ? a demandé la grande brune en pointant un doigt vers moi, sans prendre la peine de me regarder.

— Non. Non, ça c'est… laisse Geneviève tranquille. »

L'idée m'est soudain venue que j'allais peut-être devoir me battre, ce qui m'a donné une furieuse envie de rire. Mais la grande brune ne s'est même pas tournée vers moi. Elle allait invectiver Maxime de nouveau quand celui-ci a parlé : « Marianne, ciboire ! Je te dois rien, tu me dois rien ! On a eu toutes ces conversations-là ! »

Marianne est restée figée. Derrière son comptoir, Gaspar observait la situation, prêt sans doute à lancer un mauvais sort à Marianne si le besoin se présentait. Maxime l'a prise par le poignet. « Ça fait deux ans, Marianne. Sérieux.

— TOUCHE-MOI PAS ! » Elle a dégagé son poignet d'un grand geste et a traversé le café en deux enjambées avant de franchir la porte. Je n'osais rien dire. Devant moi, Maxime était tout ébranlé.

« Ça va ? ai-je finalement demandé.

— Oui… je… désolé pour ça. » Il a baissé les yeux.

J'ai répété : « Ça va ? » mais il semblait trop absorbé dans ses pensées et – avais-je la berlue ? – en train de ravaler une larme. « Scuse-moi, a-t-il dit en s'essuyant un œil. J'aime pas ça des affaires de même… C'est quelqu'un que j'ai beaucoup aimé puis que j'aime encore beaucoup même si, bon… »

Si j'avais été plus en forme, j'aurais été sidérée.

« Excuse-moi, a répété Maxime. Je suis un peu sensible.

— Et t'es surtout *très* à l'aise avec ta sensibilité ! »

Il a ri. « Ben oui… c'est pas super viril, je suppose… J'aurais pas dû ?

— Non non… c'est juste rare. Ou peut-être que j'ai juste fréquenté des brutes. Ça aussi ça se peut.

— Non… paraît que je suis particulièrement braillard. »

J'ai haussé les sourcils, incrédule.

« Je devrais pas dire ça à une fille que j'essaye d'impressionner, hein ?

— Techniquement je pense que t'es pas supposé dire à une fille que t'essaies d'impressionner que t'essaies de l'impressionner. » Maxime s'est mis à rire. J'étais à la fois flattée et mal à l'aise. Je ne voulais pas qu'il veuille m'impressionner, et encore moins qu'il me le dise. Sa candeur m'obligeait à une réponse ou du moins à une réaction que je ne voulais pas avoir, par paresse et par lâcheté. Mais Maxime ne semblait rien attendre de moi. Alors que je cherchais quelque chose à dire par rapport à sa déclaration, il a désigné la porte par laquelle Marianne venait de sortir.

« J'aimerais juste dire, à ma décharge, que c'est pas moi qui l'ai rendue de même, OK ? Elle était comme ça quand je l'ai rencontrée. Évidemment au début c'est comme excitant puis charmant. Ça c'était la pointe de l'iceberg. Mais bon le cul était…

— C'est pas un mythe ça ? Que les folles sont toujours des furieuses cochonnes ?

— Je sais pas si c'est un mythe mais… » Il a plissé les yeux. « OK c'est-tu un piège ? Genre que peu importe ce que je réponds tu vas ramener ça à la soirée d'hier pour savoir si je pense que t'es folle ou pas assez cochonne ? »

J'ai laissé échapper un rire. « OK oui, c'était un piège. » Mais j'étais un peu jalouse de Marianne, qui deux ans plus tard, gardait son aura de furieuse folle cochonne.

« Parce que… je suis un gentleman, a dit Maxime, donc je m'avancerai pas mais… j'ai passé… une crisse de belle nuit. »

Je me suis sentie rougir un peu. Je ne voulais pas repenser à la nuit. Elle me gênait. Ce n'était pas tant l'acte physique lui-même que le fait que je m'étais projetée dedans pour oublier ma peine. Une démarche, me suis-je dit, de folle. Je devais avoir été furieusement cochonne. J'ai donc préféré changer de sujet. « As-tu comme… fui en France ?

— Oui madame. Littéralement. Quand j'ai eu la bourse j'avais plus vraiment l'intention d'y aller mais là… oh boy. Je me suis dit que le timing était parfait. J'ai même pas essayé de sous-louer mon appart puis j'ai câlissé mon camp. Genre sans crier gare.

— Genre en laissant des skid marks derrière toi ?

— Genre en me disant "Fuck la valise je magasinerai là-bas". »

Je lui ai souri. Je soupçonnais toujours les hommes à qui ce genre de chose arrivait d'être secrètement contents. À défaut d'être agréable, avoir une femme magnifique et instable à ses trousses ne pouvait que bien paraître. On se demandait, inévitablement, ce que l'homme en question avait de si extraordinaire pour justifier tant de passion malsaine. Maxime était un bon amant, j'avais pu le constater après une seule nuit, mais de là à provoquer des scènes d'hystérie le dimanche matin ?

J'étais, évidemment, bien loin de pouvoir comprendre ce qui provoquait les scènes d'hystérie. J'avais revu mon ex, par hasard, avec sa nouvelle blonde, et j'étais restée muette comme une carpe pendant que mes amis, autour de moi, se déchaînaient. Je ne l'avais même pas rappelé. Mon hystérie à moi se canalisait dans un affaissement total et une consommation excessive de vodkas-mûre-crevette. J'étais profondément, éperdument amoureuse de Florian, mais je n'aurais jamais, jamais eu l'idée d'aller le confronter dans un café où il se tenait. Aurais-je dû? Étais-je trop passive? L'attitude des Marianne de ce monde me semblait faible et pitoyable. Mais j'étais loin d'être certaine que la mienne fût plus courageuse, ou même plus digne.

Nous avions terminé nos assiettes. J'ai jeté un coup d'œil vers la rue. Quelques passants se hâtaient sur le trottoir, traînés pour la plupart par des chiens trop enthousiastes: il fallait avoir une sacrée bonne excuse pour sortir dans la froidure presque piquante de ce dimanche matin. Comme aller faire une scène à son ancien amoureux.

« Tu penses que la voie est libre? » ai-je demandé. J'imaginais Marianne, cachée dans l'entrée de la ruelle voisine, prête à bondir sur nous avec un long glaçon bien acéré.

« J'aurais tendance à dire oui, a répondu Maxime. Mais on devrait peut-être attendre un peu. Juste pour être sûrs. »

Nous sommes donc restés dans la chaleur du café de Gaspar une bonne heure de plus. Nous avons parlé de nos vies, du passé lointain qui est toujours plus facile à raconter – nos origines, nos premières amours, nos études. Nos deux noms descendus tout droit des îles britanniques et que nous avaient laissés en héritage nos pères francophones et farouches souverainistes. Pas une seule fois Maxime ne m'a demandé d'élaborer sur ce chum qui m'avait dompée. Je ne savais pas s'il était particulièrement habile ou remarquablement délicat mais j'étais reconnaissante. J'étais bien consciente que ce besoin de me voir encore intacte dans le regard de Maxime était plus futile qu'autre chose, mais je ne voulais pas dévoiler ma fêlure. De toute manière, me suis-je dit, il doit bien la sentir.

Nous sommes sortis dans l'air pur et glacial vers 10 heures, en jetant des regards à gauche et à droite comme deux mauvais espions. Marianne n'était évidemment plus là, et j'ai fait quelques pas sur la neige encore vierge en direction de l'appartement de Nicolas et Catherine.

« Je m'en vais de l'autre bord, a dit Maxime.

— C'est vrai. Scuse. »

Je me suis retournée vers lui. Le soleil plombait sur son visage et il clignait des yeux dans la lumière. « Désolé de t'avoir obligée à déjeuner avec moi même si ça te tentait pas.

— Ça me tentait pas pas ! » Mon Dieu que je sonnais comme ma petite sœur quand j'essayais de mentir.

Maxime n'a pu s'empêcher de sourire. « En tout cas. Je suis content que tu sois venue. »

J'ai repensé au fait qu'il avait dit vouloir m'impressionner et j'ai eu envie de partir sans demander mon reste, pour ne pas attiser ce qu'il pouvait bien y avoir à attiser. J'étais presque fâchée contre lui : pourquoi venait-il tout gâcher avec cet intérêt qui débordait des limites froides et cliniques du one-night stand ? Et en même temps je me vautrais dans cet engouement non sollicité qui, après l'épouvantable rejet que je venais de vivre, me faisait un bien immense. Maudit que les filles sont compliquées, ai-je pensé avant de dire « Moi aussi » à Maxime.

Je l'ai regardé un moment. Devions-nous nous faire la bise ? Nous serrer la main ? Nous donner une petite bine ? Je ne me souvenais pas d'avoir eu à débattre de cette ridicule question à l'époque de ma vingtaine. Ce gars-là a été *dans* moi, me suis-je dit. Il est un peu tard pour se la jouer pusillanime et réservée. Je me suis avancée et je l'ai embrassé sur la bouche. Un léger électrochoc m'a serré le bas-ventre. Je ne savais pas si c'était ma trop longue abstinence des dernières semaines ou les phéromones de Maxime mais, décidément, il me faisait de l'effet.

« Ciao », ai-je dit.

Devant moi, Maxime semblait abasourdi et me dévisageait avec cette intensité qui commençait à devenir familière.

« Attention, ai-je dit en le laissant sur le trottoir. T'es pas loin de me regarder encore avec ton drôle d'air. » Je lui ai souri et je suis partie. J'ai pensé, l'espace d'un instant, qu'il allait me suivre – j'ai même eu le temps, pendant ces quelques secondes, d'être à la fois enchantée et irritée par cette idée. Mais lorsque j'ai tourné le coin, une dizaine de mètres plus loin, j'ai vu qu'il n'était déjà plus là.

J'ai ouvert la porte de l'appartement très lentement. J'hésitais entre le sourire triomphal et goguenard de la-fille-qui-a-fourré-toute-la-nuit et l'air piteux de la-fille-un-peu-gênée-de-son-comportement-de-la-veille. Ce n'était pas tant pour épater ou amuser mes amis : j'étais réellement déchirée entre les deux attitudes. J'ai donc fait mon entrée avec un sourire piteux et goguenard, si une telle chose est possible.

« Gen ! » a crié Noé en me voyant, alors que les deux chats trottinaient vers moi en poussant de longs miaulements outrés pour me reprocher, j'en étais certaine, de les avoir abandonnés toute une nuit. Noé s'est levé sur le divan. Il portait son petit bas de pyjama Harry Potter et rien d'autre. Derrière lui, la télévision me renvoyait les images stroboscopiques et les sons cacophoniques d'une émission pour enfants. Ça va être beau la génération d'épileptiques que ça va donner, ai-je pensé.

« Ça va, mon loup ?

— J'ai tué le troisième boss du deuxième tableau dans le troisième monde ! » a crié Noé en brandissant vers moi son Nintendo DS qu'à cause de mon âge avancé je persistais à appeler « ton Gameboy ». Il jouait donc à un jeu vidéo en plus d'être assailli par ce que projetait la télévision. Je me suis soudain sentie très vieille, et étrangement solidaire de ma mère. J'avais envie de lui proposer un bon thé et un abonnement à un club de lecture.

« Tu trouves pas qu'il y a beaucoup de bruit, ici ?

— Quel bruit ? » Fantastique. La télévision était déjà devenue pour lui un bruit de fond. Sur l'écran plasma, un poisson rouge dont les gros sourcils noirs m'indiquaient qu'il était soit machiavélique, soit candidat dans un concours de sosies de Pierre Flynn éclatait d'un long rire sardonique dans son bocal. « Ton père puis Cath sont où ? ai-je demandé en enlevant mes bottes.

— Cath dort encore », a répondu Noé. Au même moment, la tête de Nicolas est apparue derrière le dossier du divan qui faisait face à la télévision. Il était couché là depuis que j'étais arrivée et me regardait maintenant avec un air qui se voulait moqueur mais qui était surtout celui d'un gars qui risque de vomir d'une minute à l'autre.

« Ça va ? » ai-je demandé en riant. Nicolas s'est contenté de me répondre en mettant ses mains très loin de chaque côté de sa tête comme si celle-ci était énorme. J'ai écarté les mains, voulant dire « Comment ça ? » et il a poursuivi notre absurde pantomime en faisant d'abord le geste de boire, puis en montrant le divan et en ajoutant un geste de la main qui devait signifier après. Il avait donc continué à boire ici après avoir quitté le bar. J'ai ri de nouveau et j'ai indiqué la cuisine d'un air interrogateur pour savoir s'il voulait quelque chose mais Nicolas s'est levé.

« Je vais t'accompagner si tu permets, lover girl.

— Pourquoi loveux girl ? a crié Noé.

— Oui pourquoi on mime *ta* honte mais on exprime verbalement la mienne, hein ? ai-je demandé.

— C'est quoi ta honte ? Oh MAN ! Je suis rendu au quatrième boss ! »

Le déficit d'attention des jeunes garçons avait décidément ses avantages. J'ai accroché mon manteau et je me suis dirigée vers la cuisine.

«Well well well, a dit Nicolas derrière moi. Grosse nuit?

— Sérieux, dude, t'as aucune latitude pour rire de moi… Qu'est-ce t'as fait, t'es rentré puis tu t'es paqueté avec Cath?»

Il a eu l'air découragé. «Tu vas-tu rire de moi si je te dis que c'est vraiment pire que ça?

— Certain.

— Cath était couchée quand je suis rentré… mais y avait une des bouteilles de tequila d'Emilio sur la table… Y a dû venir prendre un verre avec elle… faque…

— Faque t'as bu de la tequila tout seul.

— En regardant *Point Break*.

— Quoi?»

Il riait maintenant lui aussi, avec ce rire doux et mou qu'ont les gens qui ont trop bu la veille. «Ça passait à Moviepix ou je sais pas trop quel poste puis j'étais comme trop vedge pour me relever du divan puis la bouteille était là puis…

— OK arrête de me donner des détails, je vais pleurer.

— Noé s'est réveillé à six heures et demie.

— Ouch.

— Et toi, championne?

— Quoi, moi?» Je faisais exprès. Je ne devais pas être loin d'avoir un sourire triomphal et goguenard.

«Oh come on! Quand je suis parti du bar vous étiez pratiquement en train de fourrer sur la… avez-vous fourré sur la table?

— NON! Geez… Non. Pas sur la table. Pas dans le bar non plus si tu veux savoir. On a été très civilisés.»

Nicolas m'a regardée, l'air de dire: «Essaye pas de m'en passer une.» Je me suis sentie sourire comme une ado.

« Man… j'avais pas fait ça depuis… depuis le soir où j'ai rencontré Florian, tu peux-tu croire ?

— Je peux surtout pas croire que tu viens de dire "Florian" sans perdre ton sourire. Ç'a fait du bien ? »

J'allais répondre un grand « Ouiiii », mais je me suis retenue. Une sorte de respect mêlé de sincère reconnaissance envers Maxime m'avait empêchée de continuer. Je me suis souvenue de cette érection matinale qu'il avait eu l'élégance de ne pas m'imposer, des questions au sujet de Florian qu'il avait gentiment évitées, de sa candeur qui me plaisait tout en me mettant un peu mal à l'aise. Je ne pouvais pas dire que je m'étais servie de lui. Était-ce même le cas ?

« Je sais pas, ai-je dit à Nicolas. Je veux dire : oui, ç'a fait du bien mais surtout parce que… » Je ne voulais pas devenir la fille qui se rebooste l'ego à grands coups d'orgasmes entre des bras inconnus, mais je me doutais bien que Nicolas ne pouvait pas être dupe. « C'est-tu gênant ? » ai-je demandé.

Il s'est mis à rire. « Ben voyons, tu me niaises-tu ? Et je peux-tu te rappeler que Max est probablement le gars le moins gênant sur terre ?

— C't'encore drôle, ça. Y a une façon de me regarder, des fois…

— C'est parce qu'il te trouve vraiment de son goût. Il me l'a dit avant que t'arrives, hier.

— Il me connaît même pas ! » J'avais parlé un peu fort. Ma réaction était la même que lorsque Maxime m'avait dit vouloir m'impressionner environ une heure plus tôt. Je ne voulais pas que ça existe. La vie, ma vie, était plus simple s'il ne me trouvait pas de son goût.

« Gen calme-toi… j'ai pas dit qu'il voulait te faire des flos, j'ai dit qu'il te trouvait cute. Puis… » Il s'est remis à rire. « Astheure il doit te connaître pas mal mieux…

— Ça va, ça va…

— Man j'ai hâte que Cath se lève. Ça va comme être un double cadeau pour elle, mon lendemain de veille puis ton one-night… »

Au même moment, nous avons entendu la porte de la chambre de Catherine s'entrouvrir et Noé crier «Emilio!». En moins d'une nanoseconde, Nicolas et moi étions rendus dans le salon, juste à temps pour voir Emilio sortir de la chambre. «*Hola, amigos…*» Il était encore plus échevelé que d'habitude et son t-shirt de Che Guevara était à l'envers. Nous l'avons regardé traverser l'appartement, bouche bée tous les deux, et nous faire un signe de la main avant de refermer la porte derrière lui. J'étais trop estomaquée pour dire quoi que ce soit et je sentais Nicolas, à côté de moi, qui cherchait frénétiquement une blague ou un commentaire ou simplement un bruit à faire sans savoir sur lequel s'arrêter. Catherine est apparue dans le cadre de la porte de sa chambre avec l'air le plus piteux jamais vu sur un visage de femme.

«MA-LA-DE», ai-je finalement dit alors que Nicolas déclarait, plus qu'il ne demandait: «Tu. Me. Niaises.» Puis nous avons éclaté de rire tous les deux en nous faisant, inexplicablement, un high five.

«Tu me niaises, a redit Nicolas. Sérieux, tu me niaises? A nous niaise? Cath. Tu. Me. Niaises.»

Catherine s'est contentée de faire un petit bruit tellement lamentable que je n'ai pu m'empêcher d'aller la prendre dans mes bras en riant. C'était la première fois, depuis des semaines, que je posais, moi, un geste de réconfort. C'était dans une situation complètement loufoque, mais ça arrivait quand même.

«Oh, Cath…» Je n'arrêtais pas de rire. «Je… est-ce qu'on peut avoir comme… beaucoup de détails?

— Non…

— Étais-tu super soûle? Archi soûle?

— Pas tant que ça…»

Sa déconfiture était telle que c'en était drôle. «J'ai passé la nuit chez Maxime Blackburn si ça peut te rassurer.

— Maxime Blackburn est *cute,* a dit Catherine. Et je pense pas qu'il fait de la propagande communiste en guise de pillow talk.

— Non mais y a un pantalon en corduroy brun… ai-je dit charitablement, ce qui a semblé réconforter un peu Catherine.

— En corduroy?

— Brun.

— Puis est-ce qu'il le porte ironiquement ou…

— Non, pas d'ironie.»

Catherine a hoché la tête. «Merci.

— Désolé, lui a dit Nicolas, mais ton affaire tope toutes les affaires. Dude… Emilio?

— Écoute-le pas, ai-je dit. Y a fini votre bouteille de tequila en regardant *Point Break.*

— C'est *vraiment* moins pire!» a crié Nicolas.

Je l'ai observé un moment, puis je me suis retournée vers Catherine, qui fixait toujours le plancher d'un air presque dévasté. «Ouin, honnêtement y a raison. C'est moins pire. Man! Emilio!» Et nous nous sommes mis à rire tous les trois.

Nous avons passé le reste de l'avant-midi et une bonne partie du lunch à nous raconter nos soirées respectives en ayant recours à tous les euphémismes et les mimes que nous connaissions pour épargner Noé. Nous avions tous plus ou moins honte, mais surtout pour la forme – au bout du compte, nous savions tous les trois, sans avoir à nous le dire, que nous avions passé des soirées dont nous allions reparler encore longtemps (à part peut-être Nicolas, qui calait des bloody ceasar dans l'espoir non récompensé que son lendemain de veille s'estompe enfin).

«Vas-tu… comme… remettre ça avec Emilio? ai-je demandé à Catherine durant notre lunch.

— NON!

— Why not, c'était pas le fun?»

Elle a rougi jusqu'au cuir chevelu, ce qui ne lui arrivait *jamais.*

« C'était une *gaffe*, a dit Catherine. Puis toi, a-t-elle ajouté, avec Maxime ?

— Je vais pas remettre ça, Cath, je viens de me faire domper. Ça serait le plus gros rebound de l'histoire.

— Y est trop bon pour un rebound, ce gars-là, a dit Nicolas en ajoutant du tabasco dans son bloody ceasar.

— Je peux pas être plus d'accord. » C'était vrai. Et je ne voulais pas, non plus, encourager un intérêt dont je n'étais pourtant même pas certaine qu'il existe vraiment.

Avec les jours qui passaient, j'avais commencé à me demander si Maxime ne m'avait pas tout simplement servi le même numéro qu'il servait à toutes ses conquêtes. Peut-être était-il pathologiquement charmeur, comme beaucoup d'hommes – et de femmes – le sont. Peut-être aussi – et c'était là la théorie la plus désagréable, que j'avais tout imaginé. Que j'avais vu une étincelle là où il n'y avait qu'un intérêt sexuel comme on en développe sans doute plusieurs fois par jour quand on est un jeune homme de trente-cinq ans.

Mais j'avais cessé de me poser ces questions creuses au bout de quelques jours. Florian avait repris toute sa place dans mon esprit et dans mon cœur, à défaut d'être dans ma vie. Il n'appelait pas, il ne se manifestait d'aucune manière mais c'était comme s'il était là tout le temps, comme une ombre qui me suivait et me gardait dans une semi-obscurité permanente. Ce n'était plus l'invisible présence violente et terriblement lourde des premières semaines, mais je le sentais partout, tout le temps, à chaque instant. Je me disais par moments que j'allais finir par m'habituer, que j'allais devenir et rester la fille étrange qui traîne sa peine d'amour comme les vieilles itinérantes traînent leur cabas.

J'arrivais tout de même à travailler de longues heures sur le divan du salon, avec mon ordinateur sur les genoux et un chat de chaque côté, alors que Nicolas écoutait des albums et prenait des notes à son bureau. De temps en temps, Catherine sortait de sa chambre et venait tester sur nous ou sur Noé, s'il était rentré de l'école, certaines répliques. Elle n'avait pas eu le rôle de l'ado de seize ans, ce qui, malgré le fait que c'était au fond pour le mieux, l'avait profondément insultée et motivée à chercher encore plus activement, si une telle chose était possible, un rôle. Elle ne sortait que très tôt le matin, pour aller travailler, et revenait chaque après-midi en coup de vent, terrifiée à l'idée de tomber sur Emilio dans le corridor, qui restait pourtant la quintessence du cool et du jeune propagandiste épanoui quand Nicolas ou moi le croisions.

L'histoire de ma starlette de la téléréalité était presque terminée. J'en étais au dernier chapitre, qui nous racontait comment elle avait réussi à se « réinventer » en devenant porte-parole pour une chaîne de pose d'ongles en acrylique. Ça, ça ne s'invente pas, me disais-je en repensant à la conversation que j'avais eue avec Maxime. Maxime qui, trois ou quatre jours après notre nuit ensemble, m'envoyait un texto : « Drame chez Gaspar ce matin : une cliente a exigé du lait chaud. Tu lui manques beaucoup. Fais-moi signe si tu veux rendre un vieux gitan heureux. M. » Un message qui, évidemment, m'avait fait autant plaisir (je n'étais pas folle, il y avait un intérêt) qu'il m'avait agacée (qu'est-ce qu'il veut, pourquoi il insiste ?).

« Réponds-lui pas, m'a dit Nicolas alors que je sollicitais l'avis de mes amis autour d'une bouteille de vin. Si t'as pas le moindre intérêt pour ce gars-là, niaise-le pas. Réponds-lui pas.

— Ben là, a fait Catherine, pauvre gars.

— Il va être correct ! Un gars s'essaye, c'est ben normal. Y est pas en train de lui dire qu'il veut faire sa vie avec…

— Mais… » Je n'ai pas terminé ma phrase. Catherine et Nicolas attendaient, pendant que Noé faisait valoir que, comme le disait souvent sa prof, c'était tout de même dommage qu'aujourd'hui une bonne partie de nos communications se fasse avec les messages textes et sur les réseaux sociaux.

« Merci mon loup, mais…

— Mais quoi ? »

J'étais en train de me demander, en fait, si je ne pouvais pas peut-être rappeler Maxime pour une simple partie de jambes en l'air. C'était, après tout, fort probablement ce qu'il voulait. Et… et j'avais envie, vraiment envie, de sentir le poids de son corps sur le mien. Pour les bonnes raisons ? J'en doutais fort.

« OK je sais *exactement* à quoi tu penses, Geneviève Creighan. » Nicolas me regardait, les bras croisés, un grand sourire sur le visage.

« Non tu sais pas !

— Geneviève ! a crié Catherine sur un ton faussement scandalisé.

— Moi aussi je sais à quoi tu penses ! a dit Noé.

— OK à quoi je pense ?

— Tu penses que tu veux un autre verre de vin ! »

J'ai regardé mon verre vide. « T'es pas loin d'avoir raison, Noé. » Catherine, Nicolas et moi avons éclaté de rire. La vie reprenait son cours. Je la sentais passer, tout contre moi, et si j'étais encore trop lourde de peine pour me laisser emporter par elle je sentais la force de son courant, l'irrésistible tirant de ses eaux. Ça va finir par aller, me suis-je dit, et j'étais tout étonnée d'y croire vraiment.

Alors que Nicolas me servait un autre verre de vin, trois petits coups se firent entendre à la porte. Catherine s'est levée d'un bond. « Si c'est Emilio je suis pas là ! » mais Noé était déjà devant la porte, en train d'ouvrir. C'était ma sœur.

« Mon chum m'a dompée ! » a-t-elle dit en entrant sans prendre la peine d'enlever ses bottes roses et en venant se jeter dans mes bras.

CHAPITRE 7

Je suis restée sidérée pendant un bon trente secondes qui a dû paraître beaucoup trop long à Audréanne puisqu'elle s'est finalement détachée de moi en criant : « Ben là dis quelque chose ? » Avec plaisir, avais-je envie de rétorquer, mais quoi ? « Ben non ben non » ? « Ça va aller » ? « T'aurais dû faire plus de faces cute et comme dans la lune » ? Et surtout : « Et c'est *ici* que tu viens pleurer ? » Je n'étais pas exactement proche de cette petite sœur qui avait près de vingt ans de moins que moi, et ce choix qu'elle faisait de venir se vider le cœur à des kilomètres de chez elle, dans les bras d'une personne qu'au bout du compte elle connaissait peu, me déstabilisait.

J'avais aussi eu le temps de penser qu'elle usurpait *mon* monopole sur la peine d'amour, ce qui m'avait instantanément dégoûtée de moi-même. Ce n'était pas tant mon égocentrisme qui me déprimait que le fait de découvrir qu'une obscure partie de moi tenait à ce chagrin d'amour, comme si celui-ci constituait un état un tant soit peu enviable. Si je continue comme ça, ai-je songé, je vais devenir une de ces femmes qui se définissent par leur peine d'amour. Pitoyable, honteux destin.

Audréanne me dévisageait avec ses immenses yeux bleus et son air qui trouvait malgré tout le moyen d'être encore outré. « Ben voyons », ai-je dit en la reprenant dans mes bras, ce qui m'aurait sans doute mérité sur-le-champ la médaille du commentaire le moins constructif de l'histoire. J'ai d'ailleurs pu voir, derrière Audréanne, Nicolas lever les yeux au ciel. J'en ai profité pour lui lancer un regard de détresse, auquel il m'a répondu avec un air voulant dire « Arrange-toi avec tes troubles ».

« Tu veux-tu un drink, Audréanne ? a proposé Catherine.

— Cath ! ai-je dit alors que Nicolas, sur le divan, levait les yeux encore plus haut vers le ciel.

— Désolée, a dit Catherine. Réflexe. Crème glacée ? Chocolat ? Crème glacée au chocolat ? » Elle n'était pas loin d'être excitée. Mon amie était attirée par le malheur des autres comme un papillon de nuit par la lumière. Il se passait quelque chose, elle pouvait aider, se sentir utile – j'ai soudain eu l'intuition que la boîte à chaussures pleine de dépliants mal imprimés sur le Qi Gong et le rebirth n'était pas loin.

« Assieds-toi donc, ai-je suggéré à Audréanne, qui s'est laissée tomber comme un sac à côté de Nicolas.

— Tu peux-tu croire ? » a-t-elle demandé en essayant d'attraper mon verre qui traînait encore sur la table et que j'ai rapidement repris. Comment aurais-je pu croire ou ne pas croire ? Audréanne était-elle à ce point préoccupée par sa petite personne qu'elle en était arrivée à penser que tout le monde avait une opinion sur son couple ? J'ai tenté de me souvenir de mon adolescence et de mon nombrilisme d'alors – c'était, effectivement, une option à considérer.

« Audré je… comment t'es venue ici ? » À défaut d'avoir une opinion tranchée sur sa déconfiture, je pouvais me rabattre sur les questions pratiques.

« J'ai pris le train puis le métro ? a répondu ma sœur, sur un ton qui laissait entendre que jamais, *jamais, dans toute l'histoire de l'humanité*, phrase aussi débile n'avait été prononcée.

— Puis… papa puis Josiane savent-tu que t'es ici ?

— J'ai quatorze ans ? » Toujours le même ton. Quel genre de personne venait demander aide et réconfort en soulignant à très gros traits l'imbécillité (relative il me semblait) de son interlocutrice ? Audréanne.

« Qu'est-ce qui t'est arrivée, ma belle chouette ? » a demandé Catherine en s'assoyant près d'elle. Elle était soudainement devenue la compassion personnifiée. Nicolas et moi avons échangé un regard amusé.

« Elle s'est fait domper par son chum ! a chantonné Noé en se dirigeant vers sa chambre.

— Ben là ! a geint Audréanne. C'est quoi son problème, lui ? » Je me pinçais les lèvres pour ne pas rire.

« Écoute-le pas », a poursuivi Catherine. Un mini-drame humain se déroulait dans la pièce, pas question qu'elle lâche le morceau. « Raconte-nous. »

J'ai été presque soulagée d'entendre Audréanne reprendre son ton de « non-mais-genre-c'est-quoi-t'es-bouchée-ou-quoi ? » pour répondre : « Ben mon chum m'a laissée puis je savais pas où aller faque je suis venue ici ?

— On peut-tu te demander pourquoi t'es venue ici ? est intervenu Nicolas. Of all places ?

— Oui ! a dit Catherine. Vous vous entendez même pas bien ! » Son absence de filtre était vraiment spectaculaire.

Audréanne l'a regardée un moment, prête sans doute à l'écraser du poids de son souverain mépris, mais sa lèvre d'en bas s'est mise à trembler et elle est redevenue, en l'espace d'une seconde à peine, une toute petite fille. « Ben LÀ ! » a-t-elle crié. Elle était toujours outrée, mais sa touchante façade, vaillamment construite à grands coups de mascara Maybelline, de vernis à ongles noir et d'attitude, s'était totalement effritée, enlevant à son outrage toute apparence de ridicule. J'ai donné une petite tape à Nicolas pour qu'il se tasse et je suis allée la prendre par les épaules.

« Ben voyons », ai-je répété pour la deuxième fois. Elle s'est laissée tomber sur moi. Elle pleurait maintenant à chaudes larmes. « Je savais pas où aller ! Je voulais pas parler à maman puis…

— Puis quoi ? » Je repensais à ses petites amies que j'avais vues dans le sous-sol quelques jours plus tôt. Avec leur féminité fraîchement éclose, ne constituaient-elles pas de parfaites confidentes ? Elles m'avaient fait l'effet d'autant de papillons, voletant autour de l'idée qu'elles se faisaient de l'amour, obnubilées par cette chose étrange qu'elles redoutaient autant qu'elles la désiraient. (Je faisais, évidemment, beaucoup de projection : j'avais été, moi, terrifiée et fascinée par l'amour à l'époque de mon adolescence. Audréanne et ses amies me semblaient simplement plus faciles à comprendre si je leur collais les mêmes émotions volatiles que celles qui m'avaient habitée vingt ans plus tôt.)

« Je peux pas raconter ça à mes amies ? a dit Audréanne en jouant frénétiquement avec le cordon de son kangourou. Je… je veux pas qu'elles sachent que je suis une loser qui est même pas capable de garder son chum ! » Elle a terminé sa phrase dans un sanglot, en se cachant le visage contre mon épaule. J'étais tellement consternée, tellement navrée par ce qu'elle venait de dire que j'ai failli me mettre à pleurer moi aussi. En étions-nous vraiment arrivées là ? À croire que le rejet amoureux faisait de nous des parias ? J'étais à cet égard-là encore plus pitoyable que ma sœur : à trente-deux ans, n'aurais-je pas dû être capable de me moquer du regard des autres ? Surtout dans de telles circonstances ? Je n'avais de plus qu'elle qu'une paire d'amis qui, eux, auraient préféré mourir que de me faire sentir « loser ».

J'allais parler quand Noé s'est approché de nous. Il tenait Ti-Mousse par les aisselles. Le chat, dont les pattes arrière pendaient dans le vide, avait la queue entre les deux jambes et l'air absolument résigné que prennent les bons animaux avec les enfants.

« Tiens, a dit Noé en déposant Ti-Mousse sur les genoux d'Audréanne. Quand Gen est triste elle prend toujours son chat. » Audréanne l'a regardé un instant – elle semblait chercher, dans le strict code de réponses appropriées qu'elle possédait, laquelle s'imposait. Ignorer l'enfant ? L'envoyer paître avec les autres RPR de son rang ? Elle a finalement collé le chat contre elle en faisant un petit sourire à Noé et en balbutiant un « Merci ? » incrédule.

« Viens ici, toi, a chuchoté Catherine à Noé en le prenant dans ses bras. Peux-tu être plus cute ? Han ? Peux-tu être plus fin ? » Nicolas, à côté de moi, avait l'air si fier de son fils que j'ai cru pendant un moment qu'il allait pleurer. Je lui ai fait un sourire en serrant Audréanne contre moi. Elle était menue comme une enfant. Elle était grande, pourtant, et avait depuis plus d'un an des formes de femme qui désespéraient mon père (« J'ai plus de bébé », répétait-il en hochant triste-ment la tête chaque fois qu'elle passait devant lui dans ses vêtements beaucoup trop moulants à mon goût), mais il se dégageait de son corps une impression de fragilité, comme si elle n'était pas encore terminée. Il manquait quelques vis ici et là pour solidifier le tout.

« Je me suis dit que toi tu me jugerais pas ? a dit Audréanne, le visage enfoncé dans la fourrure touffue de Ti-Mousse. Tsé à cause de ton âge puis toute...

— Qu'est-ce qu'il a notre âge ? a demandé Cathe-rine, qui à trente-quatre ans à peine commençait déjà à être un peu trop sensible à ce sujet.

— Ben vous êtes comme trop vieux pour juger... » Aux mots « trop vieux », Nicolas et moi avons serré les dents comme des gens qui voient arriver l'accident. « ... mais en même temps vous êtes encore jeunes ? a poursuivi Audréanne, sauvant la mise et notre santé mentale à tous. Ma mère est comme... est super cool puis toute mais elle fait juste me dire que ça va passer en genre deux secondes parce que… » Elle a pris une petite voix niaise pour imiter sa mère : « … des amours de jeunesse ça dure jamais ben ben longtemps. »

Nicolas, Catherine et moi nous sommes insurgés en chœur. Rien n'était plus sérieux qu'un amour de jeunesse, disions-nous à Audréanne, plongés tous les trois dans les souvenirs tumultueux de nos cœurs d'adolescents. Catherine, particulièrement, semblait se souvenir de chaque garçon, de chaque détail, de ceux qui l'avaient fait souffrir comme de ceux qui avaient provoqué ses premiers émois. J'ai dû l'arrêter quand elle a dit, sur un ton de confidence presque comique : « J'ai gardé longtemps un vieux sweat-shirt qui appartenait au premier gars qui m'a… tu sais… » Elle avait poursuivi en chuchotant, pour ne pas être entendue de Noé mais aussi, j'en étais certaine, pour accentuer l'effet de complicité féminine : « … passé le doigt…

— WHOA ! avons crié Nicolas et moi à l'unisson. Major TMI !

— Ah oui ? » a demandé Catherine, sincèrement curieuse. « Major TMI » (« Too Much Information ») était un cri d'alarme que nous avions inventé dans le but d'avertir Catherine lorsqu'elle versait dangereusement dans l'épanchement excessif, ce qui se produisait beaucoup, mais beaucoup trop souvent. On pouvait nous entendre dans des bars, des restaurants ou des partys, crier un « MAJOR TMI ! » à l'intention de notre amie, qui semblait toujours étonnée de se trouver prise ainsi en flagrant délit d'impudeur. Elle était un peu comme une exhibitionniste du cœur qui n'aurait jamais vu venir le moment où son imperméable beige allait s'ouvrir, dévoilant des états d'âme, des opinions et des faits vécus qui avaient tout intérêt à rester dans la sphère normalement opaque de l'intime. Nicolas lui répétait souvent qu'elle souffrait de Tourette émotionnelle.

« Ben là… a-t-elle dit, apparemment déconcertée par notre zèle soudain, elle sait ce que c'est se faire passer le…

— Catherine ! » J'ai fait le geste de mettre un zipper devant ma bouche. Audréanne, à côté de moi, n'avait pas l'air choquée, mais plutôt vaguement dégoûtée par le « major TMI » de Catherine.

« C'est un peu weird, a-t-elle dit, ce qui a semblé insulter Catherine au plus haut point.

— Quand on était ados, lui a expliqué Nicolas, Cath avait un cahier dans lequel elle notait le nom de tous les gars sur qui elle avait un kick… puis elle mettait des petits collants colorés pour dire si elle avait frenché avec ou… » Il a fait un geste évoquant la suite des possibilités.

« Quoi, c'est un beau souvenir ! a crié Catherine. Je l'ai gardé puis je le regrette pas. »

Nicolas lui a souri puis, voyant Audréanne qui regardait Catherine avec cet air de jugement impitoyable et acéré que maîtrisent la plupart des jeunes filles entre onze et quinze ans, s'est lancé dans une grande tirade exaltée sur l'adolescence. Il fallait impérativement, disait-il, qu'Audréanne se souvienne toute sa vie de l'intensité avec laquelle elle était capable de vivre présentement.

« Mon Dieu, a dit Catherine, t'es donc ben intense toi-même !

— *Tu* me dis ça à *moi* ? Trouves-tu que je suis trop intense, Audré ? »

Audréanne a haussé les épaules. Elle ne l'avait pas vraiment écouté et voulait visiblement revenir à son problème, qui était tout ce qui l'intéressait. « En fait, a-t-elle dit, je suis juste venue ici parce que Gen ben… toi aussi tu t'es fait rejeter ? »

Nicolas n'a pu s'empêcher de rire. Elle avait donc accouru vers la seule autre personne qui, dans son esprit, était aussi « loser » qu'elle. Moi. J'ai failli crier d'une voix beaucoup trop aiguë : « Ben là ton amie Béatrice est pas mieux, genre ? » mais je me suis retenue, lui demandant tout simplement : « T'avais pas envie d'en parler à Béatrice ?

— Béatrice a pas rapport. Elle était pas en amour pour vrai avec Sam. »

Mon ridiculissime instinct qui me dictait de toujours contredire ma petite sœur m'a donné envie de défendre âprement la pauvre Béatrice mais Nicolas, qui me connaissait beaucoup trop bien, m'a donné une bine sur l'épaule et a fait non de la tête.

« Toi par exemple ça paraît que t'es comme *vraiment* traumatisée.

— Bon, ça va, quand même », ai-je maugréé en lui enlevant le chat des bras et en me plongeant à mon tour dans la petite fourrure parfumée. De loin, nous devions avoir l'air de deux ados – ce que, me suis-je dit, nous n'étions pas loin d'être. Il y avait pourtant un gouffre entre nous : le nez dans le cou du chat, je regardais ma petite sœur et me demandais ce que je pouvais faire pour elle. Lui préparer des vodkas-pamplemousse en écoutant *With or Without You* à tue-tête ? Je n'avais pas connu de grande peine amoureuse durant mon adolescence, pour la très bonne raison que j'avais trop peur des garçons pour m'en approcher assez pour m'y brûler. La crème glacée au chocolat de Catherine commençait à ressembler à un bon plan quand la porte, qu'Audréanne n'avait pas barrée en entrant, s'est ouverte.

« *Holaaaaa* », a dit la voix toujours un peu traînante d'Emilio. Catherine s'est levée d'un bond en criant : « Je suis pas là ! » faisant déguerpir Ti-Mousse et éclater de rire Nicolas. Elle était rouge comme une tomate sous sa crinière noire.

« Catherine, a dit Emilio. Yé t'entends partir le matin et rentrer le soir comme une petite souris et ça me fait mal, tu sais ? Moi yé suis ton *amigo… y un poco más* si tu veux… » Il a fait un sourire coquin.

« Je veux rien pantoute !

— OK, OK, a dit Emilio, dont la bonne humeur était une inexpugnable forteresse. Mais tu peux me parler, *no* ? C'est pas cool Catherine.

— Emilio !» a crié Noé en bondissant hors de sa chambre. Son affection pour Emilio était sans bornes. « Pourquoi Cath est pas cool ? » Il a jeté un regard offensé vers celle-ci.

« Parce que, Noécito, Catarina et moi on a partagé quelque chose et…

— C'est beau ! » l'a interrompu Nicolas. C'était sage. Si quelqu'un était capable d'expliquer à un petit garçon la nature d'un one-night stand et ses innombrables vertus, c'était bien Emilio.

« Nicolas, yé parle de belles choses ! » a dit Emilio avec une candeur qui m'a fait pouffer de rire. Devant nous, Catherine se prenait la tête dans les mains.

« OK genre qu'est-ce qui se passe ? » a demandé Audréanne qui était à la fois dérangée dans son épanchement et légèrement inquiète à la vue de cet être étrange (en plus de son fidèle t-shirt, Emilio portait des shorts malgré la neige qui tombait dehors, de grosses pantoufles et un bonnet péruvien) qui ne courait certainement pas les rues trop paisibles de Laval-sur-le-Lac à moins d'être bien caché derrière une tondeuse ou un coupe-bordures.

« On va aller prendre un café », lui ai-je dit. J'avais l'intuition que la situation ne se réglerait pas de sitôt dans l'appartement. Audréanne m'a fait un grand oui de la tête.

« Je viens avec vous ! a couiné Catherine.

— Non, toi tu restes ici, dude.

— Pourquoi ? » Elle parlait comme une enfant déçue.

« Parce qu'il faut que tu deales ? ai-je dit en désignant Emilio avec une absence de subtilité un peu déplacée.

— Ben là tu peux ben parler, toi, tu deales pas exactement avec Max Blackburn !

— C'est qui Max Blackburn ? a demandé Audréanne.

— C'est personne, y a pas rapport ! »

J'avais parlé avec une spontanéité qui a fait faire de grands yeux à Nicolas. « Wow, a-t-il dit. Audré, je pense que tu devrais venir plus souvent… tu réveilles les ados intérieures des filles puis c'est… c'est vraiment intéressant.

— Ta yeule! a dit Catherine, dont l'ado intérieure était on ne peut plus extériorisée. Tu penses que c'est pas ado de regarder *Point Break* en calant de la tequila?

— Mets ton manteau, ai-je dit à Audréanne en riant. On s'en va. Je pense pas qu'il va y avoir de conversation possible ici.

— Ben là! Où?

— J'ai une bonne idée.»

Situé à deux pas de chez Catherine et Nicolas, le Jukebox était un minuscule restaurant dont la pertinence nous avait toujours échappé. Décoré comme un dinner des années 1950, il servait des milk-shakes, des banana splits, des pêches Melba et autres desserts démodés au son des vieux tubes d'Elvis à une clientèle qui n'était probablement même pas née lors de la mort du King. On pouvait aussi commander des hot dogs et des burgers et arroser le tout d'un crème soda ou d'un Cinzano, selon le degré d'ironie dont on se sentait capable.

J'étais donc en train de siroter un p'tit Cinzano, confortablement installée sur ma banquette en plastique rose clair, pendant que devant moi Audréanne engloutissait un sundae aux fraises et au chocolat presque aussi gros que sa tête.

«C'est *vraiment* full hot comme place? a-t-elle répété pour la sixième fois en prenant une bouchée de sundae. Tu viens souvent ici?

— Non… c'est pas mon genre de place.» J'avais parlé avec une désinvolture absolument affectée et résolument insupportable. Avoir eu juste un peu moins de filtre, j'aurais ajouté quelque chose pour dire que j'étais comme «*vraiment* trop cool pour venir ici?».

«Pourquoi? a demandé Audréanne avec une pointe d'agressivité – elle avait apparemment décidé que les gens dignes de son respect ne pouvaient que trouver le Jukebox "full hot".

— J'aime pas beaucoup les desserts », ai-je dit, ce qui était vrai.

À côté de nous, une fille trop maquillée m'a fait un sourire pâle. « Moi non plus, a-t-elle dit, surtout à l'intention d'Audréanne. Mais des fois ça fait du bien, hein ? » Elle partageait avec une autre fille un banana split d'au moins dix kilos. Je lui ai rendu son sourire et j'ai vu dans ses yeux fardés qu'elle me reconnaissait – qu'elle *nous* reconnaissait, en fait. Nous étions, comme elle, des naufragées sentimentales.

La pertinence du restaurant, qui m'avait échappé jusque-là, s'est soudain révélée à moi. J'étais même un peu étonnée de ne jamais y avoir pensé auparavant. Avec son menu truffé de desserts orgiaques et d'alcools sucrés, le Jukebox avait été créé pour aller au-devant des besoins criants des femmes en peine d'amour. Quelqu'un, dans cet endroit, avait eu une idée de génie. Et être un homme célibataire et sans scrupules, j'aurais passé mes journées sur les banquettes roses du restaurant, un air bonasse et faussement inoffensif sur le visage, afin de profiter de cette tale de femmes vulnérables et éplorées. J'ai lancé un regard suspicieux au seul homme non accompagné de la place, qui a froncé les sourcils avant de retourner à sa lecture, me prenant sans doute pour une folle. Étais-je rendue à ce point paranoïaque ? Probablement.

« On fait dur, hein ? ai-je dit à Audréanne.

— NON ! » Elle avait l'air effarée. Faire dur, me suis-je souvenue, était la pire calamité qui pouvait s'abattre sur une jeune adolescente.

« Non, t'as raison, ai-je dit. Mais c'est pas facile. » Elle me regardait, se demandant sans doute si j'étais maintenant digne de confiance. « Veux-tu me raconter ce qui s'est passé ? » lui ai-je demandé.

Elle a haussé les épaules. Je croyais qu'elle allait se taire et finir son sundae en boudant, mais elle s'est mise à parler. C'était une histoire extrêmement simple qui, dans la bouche et dans la tête de ma sœur, prenait des proportions épiques. Je ne l'ai interrompue qu'une seule fois, lorsqu'elle m'a appris que l'élu de son cœur portait le prénom de William – le même que celui de notre père. « Je sais, a-t-elle dit. C'est comme full dégueu… Mais tout le monde appelle papa Bill puis William dirait comme *jamais* Bill parce que ç'a vraiment pas rapport ? » J'ai eu beau lui faire valoir (encore une fois, par pur besoin malsain de m'obstiner avec elle), que Bill était le diminutif de William, elle ne voulait rien entendre. *Son* William était cool. Il était beau. Il était hot. Il était en secondaire IV.

J'ai repensé à l'ascendant et à l'attrait démesurés qu'avaient sur nous, à l'époque où j'étais moi-même au secondaire, les garçons qui étaient une ou deux années devant nous. Des demi-dieux. Sortir avec un gars qui était scolairement plus avancé que soi, même s'il était complètement demeuré, était un status symbol d'une rare puissance.

Son William, ai-je compris alors que devant Audréanne le sundae diminuait lentement, avait jeté son convoité dévolu sur elle un peu avant Noël. Il y avait de quoi, d'ailleurs : Audréanne était remarquablement jolie mais, surtout, elle semblait habitée par un tel désir de plaire qu'elle devait attirer un certain type d'hommes comme des mouches. William avait dû se dire qu'il allait pouvoir faire ce qu'il voulait de cette belle petite fille pétillante et apparemment « willing ». J'ai commandé un autre Cinzano, en fomentant le projet d'aller casser la gueule de William un de ces quatre même s'il devait déjà, à quinze ans, mesurer près d'un pied de plus que moi.

Ils avaient commencé à se frencher dans la cour d'école. (Ah, les « frencheux » des cours d'école. Comme je les avais enviés dans ma jeunesse ! Je les regardais s'embrasser goulûment sur les marches de ciment qui menaient à la porte principale et je les trouvais tellement, mais tellement cool! Tellement adultes!) Les french kiss avaient duré quelques semaines et s'étaient transformés, après l'interminable hiatus du temps des Fêtes durant lequel Audréanne avait été obligée, la pauvre, de suivre ses parents dans un Club Med «totalement nowhere», en du pognage dc boules et peut-être d'autre chose. Audréanne ne voulait pas me donner de détails, ce que je comprenais très bien, mais elle avait une manière de se tortiller sur sa chaise lorsqu'elle parlait de ses séjours dans le sous-sol des parents du beau William qui me faisaient croire qu'ils n'avaient pas sculement regardé des vidéos sur YouTube.

Mais William voulait plus, toujours plus, et Audréanne ne savait pas si elle était «prête». Elle débattait de la question pendant des heures avec ses amies, à grands coups de textos, de courriels et de Messenger et, quand elles se sentaient particulièrement rétros, de conversations téléphoniques. Mais voilà: Sarah-Maude Gagnon-Dutil, la petite brune au décolleté indécent que j'avais rencontrée quelques jours plus tôt, était allée dire au meilleur ami de William qu'Audréanne n'avait aucune intention d'aller plus loin. Je n'avais pas besoin d'un doctorat en psychologie adolescente pour deviner que, depuis, Sarah-Maude sortait avec William et s'adonnait avcc lui à des actes qui m'auraient fait mourir de honte à son âge.

«Quelle ostie de *bitch*», ai-je dit quand Audréanne a eu terminé son récit. Ma sœur m'a d'abord regardée avec de grands yeux un peu choqués, puis elle m'a fait un sourire.

«Oui, hein?

— Ben là… méchante salope! Est-ce que toutes tes amies sont comme ça? ai-je demandé à Audréanne.

— Non… non… mais là l'affaire c'est que dans notre gang y en a qui ont pris le bord de Sarah-Maude puis d'autres le mien mais là même avec mes amies qui sont restées mes amies je peux pas parler, tsé?

— Pourquoi?

— Ben parce qu'il faut que j'aie l'air de m'en foutre! Je peux pas avoir l'air loser puis traumatisée! Je sais pas comment tu fais, toi!» Elle semblait très étonnée que je n'aie pas compris cela d'emblée. J'avais peut-être besoin, après tout, d'un doctorat en psychologie adolescente.

«Tsé si ça paraît que j'ai de la peine ben là y a une des filles qui pourrait aller le dire à Sarah-Maude?

— Maudite Sarah-Maude à marde. Mais Audré… ça se peut pas qu'il y ait pas *une* de tes amies à qui tu peux parler.»

Elle a baissé les yeux. «J'en ai parlé un peu à Béatrice mais… là elle a un nouveau chum, faque…

— Elle a un *nouveau* chum? La Béatrice que j'ai vue chez vous en fin de semaine?» J'étais totalement déconcertée par la vie sentimentale de ces jeunes filles qui étaient presque encore des enfants. J'aurais voulu que Catherine soit avec nous, pour avoir un appui, un baromètre: nous n'étions pas si vieilles pourtant, mais est-ce que les choses avaient vraiment à ce point changé? Ou était-ce seulement moi qui avais tellement joué à l'autruche durant mon adolescence que je n'avais pas remarqué les impitoyables jeux de coulisses qui régissaient la vie amoureuse de ceux qui en avaient une?

Devant moi, Audréanne me regardait en suçotant une cerise au marasquin. Elle avait l'air triste, et blessée, mais ne semblait pas du tout perdue: ce qui lui arrivait ne bousculait pas ses repères. C'était une chose relativement normale dans son monde, une série de comportements entraînant des événements auxquels on pouvait raisonnablement s'attendre. J'ai ressenti une certaine admiration pour elle: il fallait avoir la couenne dure pour vivre dans ce monde qui était le sien, et je trouvais cela d'une épouvantable tristesse.

Je pensais à ma propre adolescence, qui avait été loin d'être une partie de plaisir mais qui, à côté de la sienne, me faisait l'effet d'une période charmante et enchantée. J'étais restée naïve longtemps (trop longtemps au goût de mon père, qui me mortifiait en me demandant, devant mes amis parfois, « comment ça j'avais pas encore de chum ») et j'avais pu rêver d'amour tout mon soûl avant d'avoir à le faire. Il y avait eu, bien sûr, des camarades plus délurés – en fait, à part les quelques nerds sans espoir qui lorsqu'ils s'étaient manifestés sur Facebook vingt ans plus tard affichaient encore fièrement leur inaptitude sociale, presque tout le monde était plus déluré que moi. Je les jugeais (adolescence oblige), mais j'enviais aussi ce que je voyais comme leur aisance et leur courage : ils plongeaient tête première dans les eaux troubles de l'amour alors que je restais sur le quai, obnubilée et comme prise de vertige.

Mais je n'avais jamais éprouvé cette terrible pression sociale qui semblait régir la vie de ma petite sœur, et je commençais à me demander si je n'avais pas été épargnée, que ce soit par ma propre inconscience béate ou par une suite de conjonctures particulièrement favorables. Le monde et la nature humaine ne pouvaient pas avoir changé tant que ça en vingt ans.

« T'étais comment quand t'avais mon âge ? a demandé Audréanne.

— J'étais en train de penser à ça, justement.

— Papa dit que t'étais full intello ?

— "Full intello" ? » Je trouvais cela très amusant. Mon père considérait que la lecture du *Journal de Montréal* constituait un acte intellectuel. « Dans quel sens ?

— Ben genre que tu lisais tout le temps puis que t'étais full bonne à l'école ? » À en juger par son ton, lire tout le temps et être bon à l'école n'avait pas la cote de nos jours.

« Oui, c'est vrai… mais toi aussi tu lis beaucoup, non ? » Je me souvenais de l'avoir vue, deux étés auparavant, le nez plongé dans un livre durant plusieurs heures. «Tu voulais pas lâcher *Le Journal d'Aurélie Laflamme*.

— Oui mais c'est genre full bébé?»

Comment pouvait-elle trouver Aurélie Laflamme «full bébé», *à son âge*? «Je sais pas, Audré… me semble qu'il y a plein d'ados qui lisent ça et qui peuvent pas être full bébé, non?»

Elle a haussé les épaules. Aurélie Laflamme et la lecture en général ne l'intéressaient visiblement plus du tout. J'étais triste pour elle. Il me semblait qu'Aurélie s'en sortait drôlement mieux.

«Y a encore des filles qui lisent ses livres, a dit Audréanne. Y a une fille dans ma classe qui lit *tout le temps*. Genre même en cours de math.

— Puis elle est cool?»

Elle a de nouveau haussé les épaules. Elle avait un impressionnant répertoire de haussements d'épaules dont elle ponctuait son discours. Certains voulaient dire «Je m'en torche royalement», d'autres «Je sais pas», d'autres «J'aime mieux pas en parler».

«Oui, elle est un peu cool, a-t-elle finalement répondu. Mais elle est pas dans notre gang.

— J'aurais probablement pas été dans votre gang non plus.

— Non, ça c'est *sûr*!» Elle avait parlé avec une telle spontanéité qu'elle a semblé brièvement mal à l'aise. Je me suis mise à rire.

«C'est correct, l'ai-je rassurée. Je suis pas sûre que j'aurais voulu être dans votre gang.

— Pourquoi?

— Je trouve que vous jouez rough.

— Qu'on quoi?

— Je trouve que ç'a pas l'air facile.»

Un autre haussement d'épaules.

«Je vais aller aux toilettes, lui ai-je dit. Commande-moi deux hot dogs si jamais la serveuse passe.»

Lorsque je suis revenue, elle était penchée sur son iPod touch et pitonnait furieusement. Elle a levé la tête en m'apercevant pour me dire qu'elle avait passé ma commande mais a gardé le petit appareil près d'elle.

« Textos ? ai-je dit.

— Oui. Toi quand Florian t'a laissée t'as fait quoi ? »

Bu des litres de vodka ? Usé la fourrure de mes chats à force de me moucher dedans ? Harcelé mes amis avec des appels incohérents ?

« J'ai… j'ai braillé toutes les larmes de mon corps. Je braille encore.

— Pour vrai ?

— Ben oui. Je pensais que j'allais faire des bébés avec lui. Je vivais avec. J'étais sûre qu'on allait devenir vieux ensemble. » La simple élocution de ces mots me donnait l'impression d'avoir un étau autour du cœur. J'ai pris une grande inspiration, et j'ai fait signe à la serveuse d'oublier mes hot dogs. « J'ai pas arrêté de l'aimer.

— Pourquoi ?

— Pourquoi ? » Quelle étrange question, ai-je pensé. « Mais… mais parce que ça reste une des personnes les plus extraordinaires que j'ai rencontrées. Selon moi. Je le trouvais… Je le *trouve*… » Parler de lui au présent me demandait un effort soutenu. Une partie de moi préférait sans douté croire qu'il était mort. « Je le trouve brillant. Puis débrouillard. Puis j'aimais… » Encore une fois, je me suis reprise. « J'aime le fait qu'il sache ce qu'il veut dans la vie puis qu'il s'arrange pour que ça arrive.

— Tu sais pas ce que tu veux, toi ? »

J'ai plissé les yeux. Pour une jeune fille qui textait tout en écoutant et qui semblait, en apparence, pencher solidement du côté de la légèreté, je trouvais qu'elle avait de fort pertinentes questions.

« Pas toujours, ai-je dit. Vraiment pas toujours. » Je me suis retenue pour ne pas pleurer. La dernière chose dont j'avais envie était de me trouver en larmes dans ce temple de la femme éplorée. « Puis la vie avec lui était juste… plus belle. Genre que quand il était là il faisait un peu plus soleil?» J'ai fait une petite grimace. Était-ce la peine qui me rendait si quétaine? Si Nicolas m'entendait, me suis-je dit, il mourrait de rire. Mais devant moi, Audréanne semblait transfigurée par la beauté de ma prose à cinq cennes.

«Wow, a-t-elle dit.

— En tout cas… pourquoi tu me demandes ça? Pourquoi tu l'aimes, toi, William?»

J'ai compté mentalement les secondes (deux) jusqu'au haussement d'épaules. «Je… toutes les filles de l'école veulent sortir avec?

— Oui mais toi? Toi t'aimes quoi chez lui?»

Elle a battu frénétiquement des paupières et a dit, d'une voix éteinte: «Je sais pas… mais… mais quand j'étais avec lui c'était comme si j'avais toujours des papillons dans le ventre.»

J'ai souri et je lui ai pris la main.

«Je sais juste pas comment le dire puis je sais que tu penses que c'est juste une affaire d'ado, puis…

— Non! Tu l'as dit. Des papillons dans le ventre c'est ben en masse. C'est tout ce qu'il faut, en fait.»

Elle s'est mise à pleurer doucement, retrouvant son visage de toute petite fille.

«Viens t'asseoir près de moi, lui ai-je dit.

— Non, non c'est beau.» Elle a tenté d'essuyer ses larmes tout en jetant des regards furtifs et inquiets autour d'elle. «J'ai l'air full conne…

— Ben non. Absolument pas.» Dixit la fille qui venait elle-même de faire un effort surhumain pour ne pas pleurer.

«C'est juste que je l'aime!» s'est-elle écriée soudainement, renonçant à toute dignité et venant finalement se blottir contre moi. Elle était tellement touchante que j'avais envie de la prendre sur mes genoux, et de la bercer comme un petit bébé.

«Ben voyons… chouchoune…

— Je l'aime, OK! Je voudrais être avec lui tout le temps!

— Je sais.

— Puis Sarah-Maude c'est juste une bitch !

— Une *slut* », ai-je renchéri en me demandant si c'était un mot approprié à utiliser devant une si jeune fille. J'ai failli ajouter que le fait qu'elle ait refusé, elle, de se plier à tous les désirs du beau William avait de quoi la rendre fière : elle n'était pas une slut, elle, elle avait de la colonne, de la volonté, elle se respectait. Mais je me suis dit qu'il n'y avait pas de plus piètre consolation que de se faire dire « Bravo pour ta belle intégrité » quand on était en peine d'amour. Elle devait haïr cette intégrité qui persistait à faire obstacle à son amour autant qu'elle y tenait. J'ai donc préféré me rabattre sur l'ex-chum.

« Tu sais, ai-je dit, je sais que c'est pas le genre d'affaire que tu dois avoir envie d'entendre mais ton William… s'il t'a laissée juste parce que tu voulais pas coucher avec lui, me semble que ça fait pas de lui un gars super cool, non ?

— Ben là ton chum t'a laissée pour une autre fille, tu trouves ça cool, toi ? »

J'ai failli préciser que les motifs du départ de Florian étaient certainement plus nobles que le sexe, mais je me suis tue. J'avais toujours eu une confiance du tonnerre en notre vie sexuelle, qui me semblait hautement satisfaisante, mais comment savoir si je ne m'étais pas leurrée, après tout ? Je m'étais leurrée à propos de tant de choses.

« Je veux juste dire… ai-je poursuivi.

— Je sais ce que tu veux dire. Je suis pas conne, tsé. »

Je l'ai regardée. « Je sais, Audréanne.

— C'est juste… c'est pas évident, être une ado. »

J'ai hoché la tête, étonnée par une lucidité à laquelle elle ne m'avait pas habituée. « Ça aussi je le sais. Je savais pas que tu le savais, par exemple.

— Ben oui, je le sais ! J'ai assez hâte d'être au cégep… »

Je n'ai pu retenir un sourire. Pour elle, l'âge adulte commençait avec le cégep, qui signifiait la fin des aléas de l'adolescence. Inutile de la contredire, ai-je pensé.

« Tu parleras pas de ça à papa, hein ?

— God ! God, non. Inquiète-toi pas. Mais s'il m'appelle parce qu'il te cherche va falloir que je lui dise que t'es avec moi.

— Oui oui mais… pas de détails.

— Promis. »

Elle s'est remise à jouer avec son iPod. « Les filles me trouvent chanceuse d'avoir une grande sœur cool comme toi, a-t-elle dit en faisant référence au texto qu'elle était en train de lire.

— Pour vrai ? » J'étais ridiculement, démesurément flattée. J'avais presque envie d'appeler à l'appartement pour rapporter la chose à Catherine et Nicolas.

« Faque… qu'est-ce que je devrais faire, tu penses ?

— Tiens ton boutte. Peu importe ce qui arrive, tiens ton boutte. »

Elle me regardait, très peu impressionnée. Mon degré de coolitude diminuait à vue d'œil. « Je sais que tu me crois pas, Audré, mais… non seulement tu vas être contente au bout du compte d'avoir tenu ton boutte puis de t'être écoutée mais moi ça m'étonnerait pas qu'il finisse par revenir. Je peux pas être certaine à cent pour cent mais les gars en général finissent par se tanner des Sarah-Maude Dumont-Dutil…

— Gagnon-Dutil.

— Whatever, c'est ridicule, les noms composés. » Audréanne, qui portait le nom impossible de Charrette-Creighan, m'a regardée d'un air offensé. « OK, scuse. Mais anyway… tu vas voir. Je te dis pas qu'il va te rappeler demain matin, mais il va finir par laisser Sarah-Mélanie-Julie-Rita Dumouchel-Simard-Beaugrand. Tu vas voir. » Je n'étais pas loin d'être véhémente et je pensais, évidemment, à Florian et à sa crisse de hipster. Mais Audréanne semblait prête à me croire.

« Faque je tiens mon boutte puis je sèche ? »

J'ai ri de bon cœur. « Ignore-le donc, aussi. C'est le plus vieux truc au monde mais je suis sûre que ça marche encore.

— Toi t'ignores-tu Florian ?

— En fait, oui. Mais… » Je n'allais certainement pas commencer à lui dire que, dans mon cas, il ne s'agissait pas d'une technique de reconquête, mais plutôt de lâcheté, et d'une passivité un peu trop caractéristique.

« Mais quoi ?

— Mais rien.

— Tu penses-tu qu'il va revenir ? »

Je pense juste à ça, avais-je envie de dire. Je pense à ça en me levant, en prenant ma douche, en parlant avec mes amis, en écrivant l'histoire d'une ancienne starlette de la télé aujourd'hui payée pour endosser une marque d'ongles en acrylique, en mangeant, en buvant. Le seul moment, depuis près d'un mois, où je n'avais pas pensé au retour de Florian avait eu lieu dans le lit de Maxime.

« Je… mettons que je te mentirais si je te disais que j'espère pas qu'il va revenir. » C'était l'euphémisme du siècle. Je m'endormais chaque soir en m'inventant des histoires dignes d'Harlequin. J'échafaudais des scénarios impossibles et dérisoires dans lesquels Florian me revenait au ralenti alors qu'autour de nous mes amis, ma famille et même mes chats pleuraient de joie devant la force rédemptrice de mon amour.

« Viens-t'en, ai-je dit. Commence à être temps que tu rentres.

— Ah non ! a dit Audréanne.

— Audré, papa puis Josiane doivent capoter…

— Je peux pas dormir chez vous ? Please ? Please please please ? Je vais appeler papa de là promis…

— Premièrement j'ai plus de chez nous et deuxièmement je sais pas si le voisin est encore là…

— C'est pas grave… c'est comme drôle.

— Ah ça pour être drôle, c'est drôle…

— Il a couché avec Catherine ? »

J'étais vaguement mal à l'aise de parler explicitement de sexe avec ma petite sœur. Je me doutais bien qu'elle en savait au moins autant que moi, mais quelque chose m'empêchait d'entrer dans le vif du sujet.

« Oui… ai-je quand même répondu en réglant l'addition et en me levant.

— Puis toi ?

— Moi quoi ?

— Ben là ! Catherine parlait d'un gars… Max Blackbine ou quelque chose… » Elle était redevenue coquine et légère. Et elle était, me suis-je dit en la voyant mettre son manteau en quatrième vitesse, sur un énorme rush de sucre.

« Max Blackburn. Je… oui.

— C'est un ami de Florian ?

— Non ! Non… puis fais jamais ça. Coucher avec le meilleur ami de l'ex, very bad. »

J'avais commis ce lâche impair des années plus tôt et je m'en voulais encore. L'ex en question, un garçon sympathique et très drôle avec qui j'allais à l'université, avait été terriblement blessé, bien au-delà de ce que j'avais pu espérer et bien au-delà, surtout, de ce que j'avais pu ressentir, moi, lorsqu'il m'avait laissée. Je m'en étais voulu longtemps et je sentais encore un léger pincement de dégoût envers moi-même lorsque j'y repensais.

« À quel âge t'as couché avec un gars pour la première fois ? a demandé Audréanne alors que nous marchions dans l'air trop froid pour la saison.

— Dix-neuf ans.

— QUOI ? »

Je lui aurais dit trente et un qu'elle aurait réagi de la même manière. « Je sais, je sais… je voulais être sûre d'attendre le bon.

— Puis ?

— Le bon est venu. Tard. » C'était un vil mensonge : le bon avait fini par venir mais beaucoup, beaucoup plus tard. Tellement qu'à dix-neuf ans je m'étais

190

rabattue sur un garçon que je n'aimais pas mais qui me semblait faire l'affaire. Ce n'était pas le moment, me disais-je, de raconter cette histoire à ma petite sœur à l'ego fragile comme du verre.

« Puis t'as couché avec combien de gars à part Florian ?

— ÇA VA les questions ? » Je l'ai regardée du coin de l'œil. Elle était sincèrement curieuse. Je me suis demandé quelle était ma responsabilité en tant que grande sœur considérée comme « cool ».

« Pas tant que ça, ai-je menti. » « J'ai commencé tard, mais je me suis reprise en tabarnak » ne me semblait pas une réponse appropriée.

« Puis c'est vrai que c'est plus cool quand on est en amour ?

— Ç'a rien à voir. » J'ai repensé à Maxime, avec qui j'avais passé une nuit torride et physiquement on ne peut plus satisfaisante, puis aux bras de Florian et à son corps bougeant lentement contre le mien. « Ç'a vraiment rien à voir », ai-je répété.

Nous avons marché en silence durant quelques minutes. « Comment tu fais quand t'as trop de peine ? »

Je bois de la vodka et je m'envoie en l'air avec des étrangers ? « Je vois une psy, ai-je répondu.

— Pour vrai ?

— Ben oui… » Je me suis tournée vers elle. « Dis pas ça à papa, OK ? Tu sais ce qu'il pense des psys puis toute…

— Je *sais* ! Y est déjà assez découragé parce que maman va chez le psy toutes les semaines.

— Ta mère va chez le psy ?

— Oui. Pour son anxiété. Elle prend des médicaments, aussi. »

J'étais toujours étonnée lorsque j'apprenais que des gens qui ne faisaient pratiquement rien disaient souffrir d'anxiété. Qu'est-ce qui pouvait bien angoisser Josiane ? Trop d'argent ? Trop de confort ? Trop de loisirs ? Probablement.

«Crisse que la vie est compliquée, ai-je dit à voix haute sans m'en rendre compte.

— Ah my God, t'as tellement raison! s'est écriée Audréanne alors que je débarrais la porte de l'immeuble. T'as tellement *tellement* raison.» Et elle semblait étrangement rassurée par cette certitude : ce n'était pas elle qui était compliquée, c'était la vie.

J'ai entendu la voix familière avant même d'être entrée dans l'appartement. J'ai ouvert la porte et il était là, assis dans le fauteuil du salon en face de Nicolas, un gros scotch dans la main. «Papa?

— Ciboire de crisse de câlisse… mes p'tites filles… voulez-vous ben me dire ce que j'ai pu faire pour rendre mes *deux* filles badluckées de même en amour!»

Sur le divan, Nicolas a éclaté de rire pendant que, dans le cadre de la porte, Audréanne et moi sifflions entre nos dents «Papaaaaaa!…» sur le même ton humilié et offensé. Deux vraies ados, ai-je pensé de nouveau. Et je n'avais pas vraiment tort.

CHAPITRE 8

« Qu'est-ce que tu fais ici? ai-je finalement demandé à mon père, qui essayait sans trop y parvenir de se lever de son fauteuil.

— Je m'inquiétais pour mon bebé, c't'affaire! Audré… pourquoi tu nous as pas dit où tu t'en allais? Y a fallu qu'on appelle toutes tes amies!

— Quoi? » Il y avait une note très distincte de pure terreur dans le «Quoi?» d'Audréanne et j'ai cru pendant un moment qu'elle allait défaillir de honte, ce qui m'a un peu donné envie de rire.

«Papa, ai-je dit sur un ton de reproche. Tu sais pas que c'est la pire affaire au monde à faire à une ado? Appeler personnellement ses amies? À quoi tu pensais?

— Mais à retrouver ma fille, câlisse!» Il a réussi à se lever mais a hésité avant d'avancer vers nous.

«Es-tu soûl?» Je me suis tournée vers Catherine, qui sortait de la cuisine avec une assiette de charcuteries. «Y est-tu soûl?» Elle m'a fait un grand oui de la tête.

«C'est eux autres qui m'ont donné du scotch! a expliqué mon père sur un ton exagérément piteux. Parce qu'ils avaient pas de whiskey…

— Désolé, Gen, a fait Nicolas en se levant à son tour.

— Il faisait tellement pitié, a dit Catherine. Pauv'
Bill. Y était tout à l'envers, les filles.

— J'étais *vraiment* à l'envers. Mais là ça va mieux.

— Puis honnêtement, a ajouté Nicolas… On n'a
pas pu résister… ton père est le meilleur drinking
buddy *ever* ! »

Ils ont trinqué en riant comme deux abrutis et se
sont rassis.

« T'as appelé mes *amies* ? a demandé Audréanne à
côté de moi. Oh my God c'est pire que la fin du monde !

— Bon faudrait peut-être relativiser, tu penses pas ?

— Mon *père* a appelé mes *amies* ! » Elle m'a regardée
d'un air qui m'a bien fait comprendre qu'il n'y aurait
pas de relativisation au menu ce soir.

« Mais qu'est-ce que tu voulais que je fasse, Audré ?
s'est écrié mon père, bien trop éploré. Ta mère était
après me rendre fou. Elle a vu un reportage à la télé
sur le suicide chez les jeunes puis…

— *RAPPORT* ?

— Ben là avec le p'tit Bill chose qui t'a dompée
puis toute…

— T'es vraiment con, hein ! T'es vraiment con ! »
Elle a traversé la grande pièce sans enlever ses bottes
mais, ne sachant pas où aller, a dû s'arrêter avant de
prendre le couloir qui menait aux chambres. « Gen,
est où ta chambre ?

— C'est pas sa chambre c'est le bureau de papa ! »
a crié Noé, alors que j'indiquais la petite pièce, située
juste derrière mon père. Audréanne, qui vibrait littéralement d'indignation et faisait des efforts surhumains
pour préserver ce qu'elle devait considérer comme les
derniers vestiges de sa dignité, a fait le tour de la pièce
et s'est précipitée dans ce qui me servait de chambre
en claquant magistralement la porte.

« Peut-être qu'elle voudrait un des chats ? a suggéré
Noé.

— Je pense pas que ça soit une bonne idée, mon
loup. »

Il a fait une petite moue perplexe et peu impressionnée et est allé s'asseoir à côté de son père. « Elle est un peu compliquée, ta sœur.

— Noé, lui a dit Nicolas en lui donnant une petite tape sur la cuisse, les femmes ont pas fini de t'en faire voir de toutes les couleurs.

— Nico, franchement ! s'est exclamée Catherine.

— En v'là un bel exemple ! » a lancé mon père en levant son verre vers Nicolas. Ils ont trinqué de nouveau, en riant comme deux imbéciles heureux, pendant que Catherine donnait de grandes claques derrière la tête de son cousin.

« Va falloir que t'ailles t'excuser, ai-je dit à mon père qui a tout de suite commencé à réessayer de se lever. Pas tout de suite ! Laisse-lui le temps de décanter… Crisse p'pa… après avoir eu deux filles tu pourrais être un peu plus délicat, tu penses pas ?

— Je suis moins pire que j'étais, tu sauras… t'en parleras à ta mère…

— Ça va, je connais les anecdotes… » Ma mère avait une série d'exemples de mon père s'adonnant à divers actes d'une indélicatesse tonitruante (comme déclarer, en plein milieu d'une dispute conjugale : « Bon ben moi j't'écœuré de me chicaner. On fourre-tu puis on oublie ça ? ») qui étaient aujourd'hui très drôles mais avaient dû l'être beaucoup moins par le passé.

« Crisse c'est normal qu'on soit inquiets, non ? C'est sûr que Josie exagère mais quand même…

— Mais comment t'as pensé à venir ici ? J'en reviens déjà pas qu'Audréanne ait pensé à venir ici…

— Ben après avoir appelé ses chums j'ai essayé de penser… puis je me suis dit… elle a parlé de toi toute la semaine après ta visite à sa fête.

— C'est vrai ? » Encore une fois, j'étais beaucoup trop flattée.

« Mais oui… a dit mon père, que ça semblait étonner aussi. Puis je me suis dit qu'étant donné que toi aussi tu t'étais faite domper…

— Ça va… tu peux pas le dire autrement ? »

Il m'a regardée comme si j'avais parlé chinois. « Anyway je t'ai appelée, mais tu répondais pas. » J'avais effectivement laissé mon téléphone sur la table de la salle à manger. « Faque je suis venu, comme un seul homme. Josie voulait rester à la maison au cas où Audréanne revienne… Oh fuck ! Josie ! Faut qu'on retourne chez nous ! Y est quelle heure ?

— Y est bientôt huit heures.

— C'est l'heure de National Geographic ! » a crié Noé de sa voix pointue. Il avait une passion dévorante pour les documentaires animaliers présentés à cette émission. « Allez parler dans la salle à manger ! » Huit ans et demi, et déjà un tyran de la zapette.

« Faut qu'on s'en aille, a répété mon père, en faisant un mouvement ridicule pour tenter de se lever.

— Je pense pas que tu peux conduire, papa. »

Catherine me regardait en faisant de gros yeux et de véhéments non de la tête.

« Come on ! Je suis irlandais ! C'est pas un scotch ou deux… » Nicolas a levé la main sans se retourner et a indiqué le chiffre quatre avec ses doigts.

« OK, Irish boy. Tu restes ici, ai-je déclaré.

— Mais y en est pas question !

— P'pa… je vais appeler Josiane puis je vais lui dire que t'es soûl. Penses-tu *vraiment* qu'elle va vouloir que tu conduises ?

— Chus pas choûl ! » Il s'est arrêté en s'entendant dire « choûl » et a éclaté de son grand rire. « Oh boy.

— Oui, oh boy. Enweye, appelle ta femme, puis reste à souper avec nous.

— Moi j'ai déjà soupé puis j'aimerais ça que vous alliez dans la salle à manger ! » a dit Noé avec toute sa petite autorité.

Trois heures plus tard, j'allais me coucher à côté de ma sœur, qui avait fini par pardonner à notre père. Ils avaient eu une longue conversation que j'avais pris soin d'arbitrer et elle avait reconnu ce qu'elle comprenait déjà, à savoir que son père, tout malhabile qu'il était, l'aimait férocement. Elle était légèrement contrariée à l'idée d'avoir à se lever à l'aube pour pouvoir passer chez elle et se changer avant d'aller à l'école (j'avais proposé de lui prêter un chandail mais cela impliquait de mettre le même jeans deux jours de suite, l'équivalent pour elle d'arriver à l'école avec un tas de merde sur la tête), mais elle était un peu excitée par ce camping impromptu dans un appartement du Plateau.

Mon père était couché sur le divan et ronflait déjà quand je suis sortie de la salle de bains après m'être brossé les dents. Je lui ai donné un bisou sur le front, en me disant que j'étais contente qu'il soit là, contente d'avoir un père absurde et souvent ridicule mais si profondément aimant.

« Bonne nuit, ai-je dit à Audréanne qui était blottie sous ma couette, entre les deux chats.

— Bonne nuit… » Il y a eu une longue pause, puis sa voix claire dans l'obscurité : « Gen ?

— Oui ?

— On fait pas dur, hein ? »

Je nous ai visualisées, deux petits cœurs brisés couchés dans un divan-lit dans un appartement qui n'était pas le nôtre, avec notre père qui ronflait devant notre chambre comme un cerbère bienveillant et maladroit. « Mais non, ai-je dit. On fait pas dur. » Et étrangement, je le croyais vraiment.

Nicolas et moi avons dû nous y prendre à deux le lendemain pour réveiller mon père, qui faisait encore vibrer les ressorts du divan de ses ronflements titanesques. Il était, avec sa gueule de bois et ses cheveux aplatis d'un côté du crâne, très drôle. Il maugréait, rouspétait, geignait et riait, répétant à Nicolas qu'il avait passé une maudite belle soirée et à Noé de faire attention au scotch et aux femmes. Il est parti avec Audréanne après avoir enfilé deux cafés serrés.

« Merci… m'a dit Audréanne en me serrant par le cou avec une force étonnante. Je vais revenir souvent, OK ?

— OK ? ai-je répondu, plutôt angoissée à l'idée d'avoir à socialiser sur une base régulière avec ma petite sœur de quatorze ans. Tu me tiendras au courant, lui ai-je finalement dit. Mais je peux te promettre que ça va aller mieux. »

Elle ne semblait pas me croire, mais elle m'a quand même fait un petit sourire et m'a envoyé une main gantée de rose avant de disparaître dans l'escalier. Elle était suivie peu de temps après par Nicolas et Noé, qui essayait d'enfiler son manteau à l'envers, puis par Catherine, qui dévalait les escaliers quatre à quatre en criant, comme chaque matin « Je suis en retard ! ».

Quinze secondes plus tard, je l'entendais qui remontait à la même vitesse. « Tabarnaaaaaaaak… » J'étais encore devant la porte, aussi l'ai-je ouverte pour découvrir qu'elle était partie avec son manteau, sa tuque et son foulard… et sans ses bottes.

« C'est un début d'Alzheimer, a-t-elle dit en me montrant ses pieds que ne couvraient que deux chaussettes rouges. C'est sûr. C'est l'Alzheimer.

— Calme-toi… » J'étais morte de rire.

« Y a une fille dans *La Galère* qui était pas beaucoup plus vieille que moi puis qui avait l'Alzheimer…

— Veux-tu ben te calmer ? » Je me suis penchée pour ramasser ses bottes, que je lui ai tendues. « Comment ça s'est passé avec… » J'ai indiqué du menton la porte de l'appartement d'Emilio, placardée d'un prévisible poster du Che.

« Correct, correct, a répondu Catherine. J'y ai dit que je m'excusais mais que c'était un peu une gaffe…

— T'as dit "gaffe" ?

— Non, j'ai dit "gaffa" pour qu'il comprenne mieux ! » Elle me regardait comme si j'avais été la dernière des abruties.

« C'est juste que c'est un peu bête…

— Dude, c'est Emilio. Y était pas exactement présent quand le livreur de susceptibilité est passé. Anyway c'est aussi ben de même, j'vais sûrement avoir besoin de toute l'aide possible pour gérer mon Alzheimer... » Elle a semblé avoir une idée. « Penses-tu qu'il resterait au pays genre... pour devenir mon aidant naturel?

— Je... Cath, y est vraiment trop tôt pour ce niveau-là de ridicule. Je pense pas que je suis prête.

— Oui ben tu vas le regretter quand je vais commencer à oublier ton nom!

— Hmm hmm...

— Puis ta face! » a-t-elle crié en repartant. J'allais fermer la porte quand Emilio a ouvert la sienne.

« ¿Que loca, hé?

— À qui le dis-tu. Elle a été correcte avec toi, hier?

— Geneviève. La vie est courte et les femmes sont belles. J'ai pas le temps d'être fâché. »

Il m'a fait un clin d'œil et a refermé sa porte. Je l'ai imité en souriant et en souhaitant ardemment être comme lui. Était-ce possible? Pouvait-on vraiment posséder ce magnifique détachement? La vie est courte, les femmes sont belles, je n'ai pas le temps d'être fâché. Je suis allée me faire un café en me répétant ces trois courtes phrases comme un mantra. Peut-être que si je parvenais à intégrer correctement l'idée derrière elles je n'aurais pas à envier l'illusoire Alzheimer de Catherine et son bienfaisant oubli. Peut-être que j'allais pouvoir, moi aussi, profiter de cette vie qui passe si vite sans rester accrochée au souvenir de Florian.

J'ai repensé à *Eternal Sunshine of the Spotless Mind*, ce film dans lequel Jim Carrey choisit d'effacer de sa mémoire la femme qui lui a brisé le cœur. Choisirais-je cette option, si elle m'était offerte? Je nous imaginais dans cinquante ans, Catherine et moi, assises dans nos chaises berçantes dans un hospice du futur, souriant béatement en nous remémorant une vie dont tout souvenir pénible aurait été effacé. Nous ririons de ses chaussettes rouges, et rien n'aurait d'importance.

Une vie sans Florian. Je savais qu'un jour lointain notre histoire allait m'être infiniment précieuse, que j'allais chérir chaque image et chaque souvenir qui aujourd'hui me déchiraient le cœur. Mais qu'ils me semblaient loin, ces jours de grand détachement! Tant de choses plus ou moins signifiantes me rappelaient douloureusement Florian et tout ce que nous avions partagé.

Des lieux, comme la petite fruiterie où nous faisions nos courses de dernière minute ou le restaurant coréen un peu malpropre où nous aimions manger avant d'aller au cinéma. Des natures mortes: un plateau d'huîtres posé près d'une bouteille de vin blanc (le premier repas que nous avions partagé en tête à tête), les branches d'un grand cèdre sous la neige. Des odeurs: celle du lilas dont les grappes fleuries se dressaient sous nos fenêtres ou celle encore de l'huile d'orange avec laquelle Florian polissait chaque semaine une vieille table en tek héritée de sa mère. Un pays au complet: je ne savais pas quand, au juste, l'Allemagne et tout ce qui en provenait allaient me redevenir supportables. Des sons, des saisons et des moments de la journée. L'aube, qu'il aimait religieusement, lui appartiendrait pour toujours.

La liste était longue, terrible, impitoyable. Il y avait aussi des souvenirs plus durs, moins agréables – la manière qu'il avait d'être froid et distant après nos disputes et qui me faisait immanquablement l'effet d'une punition, ses nombreuses questions de principes auxquelles il s'accrochait même lorsque leur absurdité avait été démontrée hors de tout doute, sa mauvaise foi presque comique quand il était pris en défaut. Mais la nature n'est pas toujours bien faite et ces éléments négatifs étaient relégués dans les bas-fonds de ma mémoire – seuls les moments doux et beaux me revenaient, remontant à la surface comme autant de bulles assassines.

Je me suis demandé si Audréanne était comme moi, si elle parvenait, elle, à évoquer ces aspects du beau William qui lui plaisaient moins. Puis je me suis souvenue qu'elle n'avait probablement même pas eu le temps de lui en trouver, et je ne savais pas si je l'enviais ou si je la plaignais.

J'ai attrapé Ti-Gus qui trottinait devant moi et j'en ai fait une petite boule ronronnante que je pouvais cajoler tout en faisant les cent pas dans l'appartement. Mon père m'avait redemandé, la veille, alors que nous mangions de la salade et des charcuteries en buvant trop de vin, ce qu'il avait bien pu faire ou ne pas faire pour rendre ses filles aussi malheureuses en amour – une idée qui m'offensait particulièrement : pourquoi tenait-il à ce point à s'attribuer la responsabilité de nos cœurs malmenés ? Et je n'osais pas le dire devant Audréanne, mais il me semblait que mettre nos deux peines d'amour dans le même panier insultait la mienne.

« J'ai ben dû faire quelque chose, disait mon père, c'est moi le seul point commun entre vous deux !

— P'pa… t'as rien fait, veux-tu ben ? Même nous on a rien fait ! C'est nos chums qui sont partis ! On a rien fait !

— C'est peut-être ça, votre problème ? »

J'avais tellement peur qu'il ait raison que je n'avais rien répondu. Un autre bon sujet pour la psy, me suis-je dit en déposant doucement le chat par terre, comme s'il avait été fait en porcelaine. Je la voyais plus tard dans l'avant-midi et je m'étais fait une liste des sujets qui me semblaient pertinents afin de les aborder avec elle. Je trouvais l'exercice un peu futile, et je me sentais comme à l'école, lorsque j'étais consciente de trop m'appliquer et que je tâchais de dissimuler mon zèle estudiantin derrière une attitude désinvolte.

J'ai relu ma liste, en me disant que si j'étais capable de me souvenir de son contenu, je pourrais m'éviter d'avoir à la sortir devant la psy. Je me doutais qu'elle avait dû voir nombre de comportements beaucoup, mais beaucoup plus ridicules, mais de la même manière que je regimbais à l'idée de pleurer devant elle alors que je savais pertinemment qu'une grande partie de ses patients devaient le faire, je préférais ne pas lui montrer la preuve physique de mes problèmes.

J'avais écrit :

Trop passive ?

Besoin compulsif de m'obstiner avec Audréanne

Feeling qu'être malheureux en amour = être loser

Me pose beaucoup trop de questions ?

Peur du regard des autres ?

Les points d'interrogation n'étaient là, évidemment, que pour me rassurer. Je savais très bien que si j'exposais ces problèmes à Julie Veilleux comme autant de questions elle allait me répondre quelque chose d'insupportable comme : « *Toi* qu'est-ce que t'en penses ? » ce qui m'irritait rien que d'y penser. J'ai répété, dans le bas de la liste, « passivité », en soulignant le mot trois fois plutôt qu'une. Armée ainsi de ma petite liste facilement mémorisable, j'avais l'impression sécurisante d'avoir fait mes devoirs. Je n'avais jamais été très organisée (une source éternelle de conflit entre Florian et moi) et les rares fois où je parvenais à l'être me procuraient toujours une grande satisfaction. Je me promettais alors de l'être plus dorénavant, en sachant pertinemment que ce ne serait jamais, jamais mon cas.

Lorsque nous avions trop bu, Catherine et moi nous lancions mutuellement des fleurs en nous félicitant pour notre « beau désordre intérieur », ce qui avait longtemps fait rire Florian. Il m'embrassait alors, en me disant que c'était vrai, qu'il aimait ce fouillis complexe et selon lui charmant qui m'encombrait la tête. Avait-il cessé de le trouver charmant ? S'en était-il lassé ? J'ai ajouté dans le bas de la feuille : « Échafaudage compulsif de théories sur pourquoi F m'a dompée. »

J'imaginais bien que ce dernier élément devait figurer sur la liste de la plupart des femmes ayant été laissées, et que plusieurs d'entre nous devions aussi avoir tendance à diriger toutes ces théories *contre* nous, à chercher la faute en nous, à considérer le problème comme venant de nous seules. Maudits œstrogènes, ai-je pensé. Les hommes, j'en étais certaine, devaient être infiniment moins nombreux que nous à tomber dans le panneau de la culpabilité, ce qui me donnait toujours envie de redoubler d'ardeur féministe ET de désespérer à tout jamais de la nature féminine.

Nicolas n'était pas là pour débattre avec moi beaucoup trop longtemps de ces questions aux infinies ramifications, aussi ai-je décidé de me rabattre sur le travail avant de me présenter à mon rendez-vous. J'avais prévenu mon éditeur que j'avais presque terminé la bio de la starlette enthousiaste du bel ongle, et il m'avait envoyé ce qu'il appelait (très ironiquement, selon moi) le « synopsis » de la vie d'une autre femme, une actrice et chanteuse qui avait aujourd'hui dans la cinquantaine et avait connu la gloire, je m'en souvenais très bien, quand j'étais toute jeune. Et encore, me disais-je, on ne pouvait pas parler d'une gloire à tout casser : un bon film et deux moins bons, un rôle dans un téléroman populaire et une chanson dont la vidéo avait été écrasée par Def Leppard au *Combat des clips* (j'avais voté contre elle).

Je me suis installée dans le fauteuil du salon pour lire le synopsis de cette vie qui ne voulait pas être oubliée. C'était écrit de manière télégraphique – on relatait des faits, on soulignait ici et là la présence d'une émotion (« Cette année-là mon père est mort : j'étais triste ») et on donnait d'inutiles repères chronologiques. La maison d'édition de l'Empire me faisait maintenant assez confiance pour omettre les surréalistes directives qu'elle avait incluses dans les premiers synopsis et qui m'indiquaient à quel moment il fallait ajouter un peu de pathos et quels passages devaient être travaillés de manière à ce que le lecteur comprenne qu'il s'agissait d'un événement déclencheur (future actrice voit *The Silence of the Lambs* avec Jodie Foster, comprend sa destinée – ce qui n'aurait pas été aussi risible si la future actrice en question n'était pas devenue par la suite célèbre pour sa présence régulière dans les tabloïds, sur les plateaux des quiz… et à cause d'une imitation particulièrement mordante que faisait d'elle un humoriste grinçant). Je faisais de beaux efforts pour ne pas crouler sous le poids du cynisme facile, mais c'était immanquable : plus la carrière était insignifiante, plus le besoin de se créer une mythologie personnelle se faisait pressant.

J'essayais donc de retrouver dans l'histoire de la chanteuse/actrice ces événements déclencheurs qui allaient devoir me guider dans mon écriture. Mais il n'y en avait pas. Elle avait été suivie, durant presque toute son existence, par une poisse absolument incroyable, qui frisait le risible par moments : on ne pouvait pas être à ce point malchanceux sans que ça devienne carrément drôle. Des parents profiteurs, un gérant voleur, des amants infidèles, un mari voleur (c'était le gérant), des collègues envieux, un comptable véreux, et la liste ne s'arrêtait pas là. Elle avait fait systématiquement les pires choix, dans chaque situation. Mais elle ne se plaignait *jamais*. C'était épatant.

Elle paraissait en fait plutôt contente de son sort, et sa prévisible « réinvention » – elle vivait maintenant seule à la campagne et cultivait de la lavande – semblait la combler de bonheur. J'ai posé le synopsis devant moi sur la table à café, et je l'ai éloigné légèrement du bout du pied. Quelque chose d'anormal était en train de se produire : je réagissais positivement à cette histoire – pire encore, j'étais *émue*.

J'étais déchirée entre l'envie de pleurer devant cette leçon de vie que je trouvais sincèrement belle (cultiver de la lavande ! Sourire dans l'adversité ! S'épanouir malgré un destin qui s'acharne !) et celle de rire aux éclats de moi-même. Ça ne va pas du tout, me suis-je dit. Je n'ai officiellement plus *aucun* recul. J'ai attrapé le téléphone, et j'ai composé le numéro du cellulaire de Nicolas, qui a répondu rapidement. J'entendais une musique tonitruante derrière lui. Il assistait à l'enregistrement du nouvel album d'un band perpétuellement émergent et devait crier pour se faire entendre.

«ALLÔ?

— As-tu deux secondes?

— C'EST-TU VITAL?

— Je viens de manquer brailler en lisant le synopsis de la prochaine bio qu'il faut que j'écrive.

— C'EST LA BIO DE QUI?»

Je lui ai dit le nom de l'actrice/chanteuse. Il y a eu un silence au bout du fil.

«Allô? ai-je répété.

— Je suis sorti du studio, a dit Nicolas. Gen, tu me *niaises*?

— Nooooon… je suis littéralement devenue trop émotive… Nico, soit j'ai plus *aucun* recul, soit mon destin est probablement d'aller faire pousser de la lavande dans les Cantons-de-l'Est.»

Nicolas riait de bon cœur. «Écoute… on serait peut-être bien toute la gang dans les Cantons-de-l'Est… puis ça sent bon de la lavande.

— Nico si je t'ai appelé *toi*, c'est parce que j'ai besoin de cynisme. Si j'avais voulu de l'optimisme débridé, j'aurais appelé Cath.

— Je sais pas… on boirait du vin en faisant des p'tits coussins sent-bon à la lavande que les madames mettent dans leurs tiroirs… on écouterait le *Canon* de Pachelbel… ça serait comme *Le Déclin de l'empire américain* mais sans le côté intello, pis avec moins de cul. Ma-la-de.»

Il se moquait allègrement de moi. «Merci Nico, lui ai-je dit. Ça fait du bien.

— T'es encore émue pareil, hein?» Mon Dieu qu'il me connaissait bien.

« Moui. Mais je m'en vais voir Julie Veilleux dans une heure.

— Parfait, a dit Nicolas. Fuck tous les autres dossiers puis concentre-toi là-dessus.

— Mais peut-être que je devrais moi aussi sourire dans l'adversité, non? D'un coup que c'est comme un message que le destin m'envoie?

— Bye Gen.

— Bye… »

J'ai raccroché en souriant. Que ferais-je sans mes amis? me suis-je demandé pour la millième fois depuis que Florian était parti. J'ai lancé un regard méfiant au synopsis qui traînait encore sur la table à café. J'allais le reprendre quand mon téléphone a sonné.

« Yallô! ai-je répondu, persuadée qu'il s'agissait encore de Nicolas. Ça émerge?

— Geneviève? »

Mon cœur a donné un grand coup et, j'en étais certaine, s'est arrêté de battre. C'était Florian. Et comme s'il avait été possible que j'oublie cette voix que j'attendais depuis des semaines, que j'allais attendre, j'en étais persuadée, toute ma vie, il a ajouté : « C'est Florian. »

Je ne disais toujours rien – ma vie en aurait dépendu que j'aurais été incapable de produire le moindre son. J'avais au milieu de la poitrine un poids immense qui faisait pression sur ma cage thoracique, mes poumons, ma gorge, mon ventre et mon pauvre petit cœur malmené. J'ai eu le temps de penser, ce qui m'a frappée comme étant extrêmement absurde dans ces circonstances, que le signal cellulaire ne devait probablement pas entrer dans les champs de lavande des Cantons-de-l'Est.

« Allô? » a dit Florian.

Je n'ai pas répondu. Je ne savais pas quoi dire et surtout je ne *voulais* rien dire. Je n'ai pas envie de parler, ai-je pensé. Et je me sentais le droit de rester muette, d'imposer mon silence non pas comme une punition, mais parce qu'il me semblait que Florian ne pouvait pas, avec toute la peine qu'il m'avait déjà faite, exiger de moi des mots. Cette idée m'a calmée, et je me suis assise sur le divan en reprenant mon souffle.

« Je… je voulais… » Il a toussoté d'une manière qui m'a paru un peu affectée. « Savoir comment tu allais ? » J'avais deviné, sans en avoir eu la confirmation, qu'il avait appelé à deux reprises à l'appartement et qu'après avoir essuyé les copieuses insultes de Catherine (qui avait pris la peine d'apprendre une série de mots injurieux en allemand), il s'était rabattu sur Nicolas, qui l'avait assuré que je survivais, merci bonsoir.

Il a attendu un moment puis a dit : « Bon. » Il venait de comprendre que je ne parlerais pas, du moins pas tout de suite. J'ai failli ouvrir la bouche pour lui dire que je gardais le silence parce que j'avais le droit de ne pas m'obliger à parler et non pas parce que je boudais, mais j'ai pensé qu'il me connaissait assez bien pour savoir que le boudin n'avait jamais été ma spécialité. Mais que savait-il de moi en peine d'amour ? Que savais-je moi, de moi-même ? J'étais une nouvelle personne, à cause de lui.

« J'ai pensé t'envoyer un e-mail, a-t-il dit, mais… je trouvais ça un peu lâche. » C'était du Florian tout craché : il se servait de sa tête et de ses questions de principes. Il avait raison, bien sûr, mais il me semblait que, dans cette situation, un peu de lâcheté, un peu de *lousse* aurait été acceptable, voire charitable. J'aurais pu lire ce courriel, entourée de mes amis et armée d'une bouteille d'alcool fort : un scénario beaucoup plus agréable que celui que j'étais en train de vivre.

« Bon, a-t-il répété. C'était peut-être pas une bonne idée. » Il parlait avec une grande douceur, dont je le savais capable.

« Attends », ai-je dit. Je ne voulais pas qu'il raccroche tout de suite. Mais je ne pouvais pas raisonnablement lui demander de rester en ligne et de respirer dans l'émetteur pendant encore une heure avant que je parte pour mon rendez-vous chez la psy.

« J'en reviens pas que t'aies attendu tout ce temps-là pour m'appeler. » C'était sorti spontanément. Je ne m'étais pourtant pas arrêtée à penser au silence de Florian et à sa signification avant ce moment. « J'en reviens pas, ai-je redit parce que, soudainement, je n'en revenais *vraiment* pas.

— Mais… je voulais… tu appelais pas non plus.

— *JE* t'appelais pas ? Tu me *niaises* ? » Oh oh. L'idée m'est passée par la tête que si j'avais envisagé, ne serait-ce qu'une seconde, que j'allais être capable de rester digne et distante, je m'étais mis le doigt dans l'œil jusqu'au coude.

« Tu me *niaises* ? ai-je martelé.

— Geneviève…

— Prends pas ta voix calme puis mature puis oh my God je suis un dieu du self-control. Sois donc humain pour une crisse de fois ! » Premier cheap shot. Bravo. Florian ne disait plus rien. « Je pouvais pas t'appeler parce que j'avais peur que ta crisse de p'tite hipster à marde réponde puis parce que qu'est-ce que t'aurais voulu que je te dise, hein ? Que je te confirme que oui, tu m'as bien brisé le cœur ? Oui, je braille des nuits de temps à cause de toi ? C'est ça que tu veux entendre ? T'es content ?

— Geneviève, come on. C'est pas toi, ça. »

J'ai répété sur un ton désagréable : « "C'est pas toi, ça !" Non. C'est pas l'idée que *toi* tu te fais de moi, Florian. Désolée de pas être toujours exactement parfaitement comme tu l'aurais voulu. Je suis sûre que ta p'tite blonde de marde est toujours parfaitement comme tu veux. Désolée de pas pouvoir t'offrir en PLUS une ex qui dit tout ce que tu veux entendre. » Wow ! ai-je songé. J'étais mesquine et de *très* mauvaise foi mais mon Dieu que ça faisait du bien.

« Ah fuck ! a presque crié Florian au bout du fil. Je voulais juste savoir comment t'allais ! Fuck !

— Mais je vais pas bien, gros crisse de cave ! »
J'avais envie de lui hurler des insultes. Il me semblait que rien au monde n'aurait été plus voluptueux
que de l'insulter durant des heures. À part peut-être
le frapper. Mon Dieu. J'avais vraiment envie de le
frapper. « Qu'est-ce que tu pensais, que j'allais être
top shape ? T'es déficient, ou quoi ?

— Je vais raccrocher.

— Wow. T'appelles pour me raccrocher au nez.

— Mais qu'est-ce que tu veux que je te dise ? »

Je veux que tu pleures des larmes de sang, ai-je
pensé. Mais même dans l'état où j'étais, il y avait des
limites au ridicule. « Je veux rien que tu me dises.
Je veux *rien* que tu me dises. » C'était, évidemment,
faux, faux et archifaux. Je voulais qu'il me dise qu'il
était désolé, qu'il avait étouffé dans la nuit la crisse de
hipster à marde et avait jeté son corps dans le fleuve
parce qu'il ne pouvait plus endurer sa sottise, qu'il me
revenait, qu'il avait acheté d'indestructibles menottes
avec lesquelles il s'attacherait à moi jusqu'à la fin des
temps.

« Bon, a dit la voix calme et posée de Florian. Je…
je pense à toi, OK ?

— Fuck you.

— All right, eh bien… je… à bient… bye.

— Fuck you. »

Et j'ai raccroché. « Ç'a bien été, hein ? » ai-je dit
aux chats qui me fixaient, avant de m'effondrer sur le
divan. Je ne pleurais pas, j'hyperventilais. J'avais envie
de mordre. Mon téléphone m'a avertie que je venais de
recevoir un message texte. J'ai retourné l'appareil, déjà
toute prête à haïr chaque mot de Florian, mais c'était
Maxime. « Je rejoins Nico au bar ce soir à 18 h. Come
along ? M. xx » J'ai lancé le téléphone, qui a heureusement atterri sur un fauteuil.

Encore quarante-cinq minutes avant mon rendez-
vous chez la psy. Si je ne sors pas, me suis-je dit, je
vais avoir grugé le divan d'ici là. J'ai donc ramassé le

premier manteau que j'ai trouvé, enfilé mes bottes, et je suis partie. Emilio était sur le palier avec un énorme sac rempli de pommes de terre.

« *Querida*, c'est pas oune manteau de Nicolas ?

— Pas l'temps ! »

Si je m'arrêtais, c'était pour le gifler, pour le simple plaisir de gifler un être humain. J'ai donc fait un signe de la main et j'ai dévalé les escaliers, puis j'ai couru jusqu'au café où travaillait Catherine.

« Salut », m'a dit sur un ton insupportablement ratoureux Steven, le gérant du café, un gros garçon que je soupçonnais de jouer encore à Donjons et Dragons et qui cultivait un solide béguin à mon égard. Catherine lui avait évidemment parlé de ma rupture, et le pauvre semblait habité d'un espoir que je me suis fait un malin plaisir d'écrabouiller avec un regard assassin. Catherine était derrière le comptoir, où elle s'agitait devant une gigantesque machine à café.

« Florian vient de m'appeler, ai-je dit en bousculant un jeune homme qui avait les cheveux relevés en chignon.

— Va chier ! » a crié Catherine. Elle a toujours eu une manière particulièrement subtile de manifester son étonnement. Elle a quitté son poste et est venue vers moi.

« Euh… mon café ? a tenté timidement le jeune homme au chignon.

— Dude, j'ai une urgence ! lui a lancé Catherine en m'attirant vers une table. Steve ! Va faire les cafés ! Le gars qui veut beaucoup avoir l'air d'un étudiant en histoire de l'art a pris un petit latte. » Elle parlait très, très fort. Catherine était probablement la seule serveuse au monde qui pouvait insulter sa clientèle et donner des ordres à ses supérieurs sans perdre son emploi.

« Je suis en anthropo… » a dit piteusement le pauvre client, ce qui m'aurait fait rire en temps normal.

«OK, m'a dit Catherine en s'assoyant devant moi. Détails.» Elle a fait une pause et a semblé remarquer quelque chose. «C'est pas à Nico ce manteau-là?

— Regarde… peux-tu imaginer dans quel état j'étais quand je suis partie de chez vous? J'ai quand même pensé à mettre mes bottes d'ailleurs, faque si j'étais toi…

— OK, OK… Détails.»

Je lui ai raconté notre conversation. Elle m'écoutait en hochant, me paraissait-il, beaucoup trop la tête, comme ces intervieweuses trop empathiques à la télévision.

«Oh boy… a-t-elle dit quand j'ai eu fini. Faque tout le plan de "ice queen" a pris le bord.

— Quel plan de "ice queen"?

— Ben le plan de rester froide, cool et distante.

— Y a jamais eu de plan de rester froide, cool et distante, Cath.

— Non?

— Non.

— Parce que me semble que c'est toujours le meilleur plan.

— Scuse-moi mais… est-ce que t'es sous l'impression que t'as déjà été froide, cool et distante? Ever?» Catherine était, littéralement, l'antithèse de tout cela.

«Ben… peut-être pas distante mais… je veux dire ça date pas d'hier comme théorie, non? Les gars sont attirés par les femmes mystérieuses…» Je la regardais sans rien dire. «Tu penses pas que je suis mystérieuse?

— Non…

— Ah non?» Elle semblait sincèrement déçue.

«Tu peux pas être moins mystérieuse, Cath, t'es comme un écran sur lequel tous tes sentiments seraient constamment projetés.» Elle avait l'air si débinée que j'ai senti le besoin d'adoucir mon commentaire. «Anyway j'ai toujours pensé que les filles supposément "mystérieuses" étaient juste des connes qui ont tellement rien à dire qu'elles ont pas d'autre choix que d'avoir l'air mystérieuses. Y a des gars qui confondent mystère et vacuité. »

Catherine a hoché pensivement la tête. « Mais tu penses pas que si t'avais été un peu plus froide au téléphone…

— Cath ! C'est un miracle que j'aie pas eu besoin d'un fucking de défibrillateur ! Crisse j'ai pas UNE nouvelle pendant un mois puis là monsieur appelle pour prendre de mes news. Comment tu penses que je vas, gros cave ? » Je me suis pris la tête à deux mains. « Oh God. J'aurais dû rester "ice queen".

— Ben non…

— Anyway, qu'est-ce que ça aurait changé, hein ? On se fera quand même pas d'accroires… Je pense pas qu'il serait revenu à la course si j'avais eu l'air de m'en câlisser.

— Oui mais peut-être que…

— Cath ! J'ai pas besoin de lucidité présentement, j'ai besoin que tu me dises "Ben non ben non", ça se peut-tu ?

— Ben non ben non…

— Merci. » J'avais toujours la tête dans les mains. « Je veux juste qu'il revienne, Cath… » J'étais surprise de ne pas pleurer. J'ai levé la tête vers Catherine, attendant un flot de larmes qui ne venait pas.

« Ben non ben non, a dit Catherine.

— Ben oui, je veux qu'il revienne ! Je… y a des moments dans la journée où on dirait que j'oublie, pendant deux ou trois secondes, qu'il est parti. Puis là ça me revient puis… Je te jure c'est comme un flash et je me dis "Mon Dieu je suis la personne la plus malheureuse du monde". » J'ai levé une main avant que Catherine puisse parler. « *Je sais* que je suis pas la personne la plus malheureuse du monde. Mais tu comprends ?

— Mais oui je comprends. Puis tu sais-tu c'est quoi le pire ? C'est que des fois le soir je pense à ton affaire puis je t'envie. Parce qu'au moins toi tu vis quelque chose. »

Elle avait parlé avec une candeur absolument désarmante. J'ai eu envie de bondir par-dessus la table pour la prendre dans mes bras. Mon amie. Tellement, tellement pas mystérieuse. Et tellement vraie que c'en était, il me semblait, plus bouleversant que n'importe quel mystère. « On fait un méchant beau team, hein ? » lui ai-je dit.

Catherine avait les yeux pleins d'eau. Mais les miens restaient résolument, obstinément secs. J'ai regardé la grande horloge derrière le comptoir où le gros Steve s'agitait frénétiquement pour préparer à lui seul des cafés pour un petit attroupement. « Faut que j'y aille », ai-je dit.

Catherine a hoché la tête en s'essuyant un œil. « Scuse-moi. Je suis la pire amie sur terre... tu viens ici avec ton histoire puis c'est moi qui te braille dans face.

— Arrête donc. C'est moi qui parle juste de moi depuis un mois... T'as beau.

— Oui ?

— Ben oui. Puis là je vais aller parler juste de moi à quelqu'un que je paye pour ça.

— Demande-lui donc ce qu'a pense de la théorie de la "ice queen" ! » a crié Catherine alors que je filais, en évitant les regards éplorés de Steve.

Bien assise dans son fauteuil de cuir, Julie Veilleux me regardait sereinement. Elle portait une chemise blanche archi-moulante et de longues mèches de cheveux noirs retombaient symétriquement sur ses deux seins.

« Faque... c'est ça », ai-je dit. Je venais de terminer le récit de ma conversation avec Florian. Ma liste, évidemment, avait été reléguée aux oubliettes. Plus rien ne m'importait que cet échange et ce qui en ressortait. J'avais parlé, ai-je réalisé en voyant le petit réveil posé sur le bureau entre nous, pendant plus d'une demi-heure. Et je m'attendais maintenant à ce que Julie

Veilleux, du haut de ses études et de sa voluptueuse poitrine siliconée, me dise quoi penser. Je voulais qu'elle décortique pour moi cette conversation que j'avais moi-même eue avec mon ex que je connaissais, après tout, mieux que personne (un fait dont je tirais encore une pitoyable fierté – la crisse de hipster partageait peut-être son lit [horrible, horriblissime idée], mais je le connaissais, moi, par cœur).

Mais Julie, évidemment, ne disait rien.

« Ma meilleure amie considère que j'aurais dû agir comme une "ice queen"… qu'est-ce que t'en penses ?

— "Ice queen" ?

— Froide, cool et distante. »

Julie a hoché la tête en signe de compréhension.

« C'est ridicule, ai-je finalement dit. Je pense pas que c'est ça qui aurait changé quoi que ce soit, non ? »

Julie ne disait toujours rien.

« OK c'est-tu genre… tu dis rien parce qu'il faut que je trouve moi-même les réponses à mes questions ? »

Elle a ri doucement. « Je peux t'aider à répondre à tes questions, Geneviève. Mais je peux pas te dire si oui ou non t'as bien fait de crier après ton ex.

— Mais c'est normal, non ?

— Quoi ?

— De crier, d'être en tabarnak… Avant de venir ici je suis allée voir mon amie au café où elle travaille puis… rien, pas une larme. J'étais juste trop fâchée.

— Ça se peut. Comment tu te sens par rapport à ça ?

— Par rapport au fait d'être en tabarnak ? » Il me semblait que notre conversation prenait un tour de plus en plus abscons. « Je sais pas… je pense que c'est une étape normale, la colère, non ?

— Normale selon qui ?

— Mais je sais pas, moi… l'affaire des étapes après un deuil… la tristesse, la colère, le ressentiment, l'acceptation… » Je n'avais qu'une idée très très vague de la liste et de l'ordre des étapes en question, dont j'avais entendu parler à plusieurs reprises sans jamais y porter vraiment attention – je me basais en fait sur un épisode de *30 Rock* dans lequel Alec Baldwin joue au ralenti chacune des étapes. On pouvait repasser en matière de source crédible.

Devant moi, Julie Veilleux souriait. « J'aime pas trop cette approche-là, a-t-elle dit.

— Faque selon toi y a pas d'étapes ?

— Oui, y a des étapes, mais c'est les tiennes. »

Je me suis sentie faire de grands yeux, comme lorsqu'elle m'avait dit, sept jours plus tôt, que c'était moi qui décidais de tout. Je me suis vue m'asseyant dans le petit bureau de Julie Veilleux semaine après semaine, et être chaque fois sidérée par une évidence. Tant qu'à avoir l'air conne, me suis-je dit, allons-y avec les questions stupides. « Mais… comment je sais c'est quoi mes étapes ? »

Julie souriait toujours.

« Est-ce que tous les patients sont niaiseux de même ?

— Si j'étais pas tenue par le secret professionnel je pourrais t'en raconter des assez pas pires merci… »

Je lui ai rendu son sourire. « Faque… je vais poser ma question autrement : comment je sais si c'est une étape ou si c'est juste une coche que j'ai pétée ?

— Ah ça c'est peut-être plus intéressant. Est-ce que tu t'en veux de lui avoir parlé comme ça ?

— Non ! » J'avais répondu sur le ton offensé et « tu me prends pour une épaisse ou quoi ? » d'Audréanne.

« Est-ce que ça t'a fait du bien ? »

J'ai réfléchi. « Pas assez. Quand j'ai raccroché j'étais sur une espèce de high de colère inassouvie… comme si j'avais commencé ma montée mais que j'avais pas eu le temps de me rendre au sommet… » Julie me regardait en hochant la tête – elle était la compréhension personnifiée.

« En même temps, ai-je poursuivi… en même temps y a une partie de moi qui avait juste envie de lui dire de revenir. De me mettre toute nue puis de dire "reviens".

— Tu veux plus jouer de games avec lui.

— Non… certainement pas celle de la "ice queen". Mais… j'ai de la misère à savoir ce qui est une game puis ce qui l'est pas… C'est-tu weird ?

— Non.

— Je sais pas si lui en joue aussi, en plus… Je veux dire : c'est pas trop son genre mais… je sais pas. Je suis toute mêlée. » J'ai regardé autour de moi, comme si une réponse, ou à tout le moins une piste de réflexion pouvait être inscrite sur un des murs beiges du bureau de Julie. Florian jouait-il une game ? Il était d'une probité presque maniaque, mais je savais très bien qu'il devait faire attention lorsqu'il me parlait – attention à moi, à lui, au fragile équilibre qu'il espérait rapidement instaurer entre nous. Florian avait horreur du déséquilibre.

« J'ai passé les dernières vingt-quatre heures avec ma demi-sœur, ai-je dit à Julie, qui a quatorze ans. Puis elle me parlait des games que jouent les ados et… je trouvais ça tellement triste et tellement malsain… Et je suis pas conne, je sais très bien que les adultes en jouent aussi, qu'on passe notre vie à jouer plus ou moins mais…

— Tout le monde joue des games à un certain niveau, à un certain moment.

— Je sais. C'est correct. J'accepte ça. Mais c'est pas rendu un problème si je commence à avoir de la misère à savoir si quelqu'un est en train d'en jouer ou pas ? Quand *moi* je suis en train d'en jouer ? »

Julie me regardait en souriant, avec cette lueur positive dans l'œil qu'on réserve aux enfants qui font de rapides progrès d'apprentissage.

« Ce qu'il faut que t'arrives à identifier, c'est quand toi tu veux être dans le vrai.

— Ben là, tout le temps ! Tout le temps ! Je suis à boutte des games ! Si je peux être dans le vrai tout le temps… bring it on ! » J'ai eu une vision de moi, parfaitement pure et vraie, d'une transparence et d'une honnêteté émotive absolues… et je me suis trouvée insupportable. J'ai fait une petite grimace. J'avais encore cette idée préconçue que le but d'une consultation avec un psychologue était, justement, de trouver sa «vérité intérieure», expression fourre-tout que je honnissais bruyamment chaque fois que Catherine la prononçait. «C'est pas ça qu'il faut que je fasse? ai-je demandé à Julie. C'est pas à ça qu'il faut aspirer? Plus de games, juste du vrai?

— Pas nécessairement, a dit Julie. Pas toujours. Puis c'est correct. Le contrat social est plus compliqué que ça.»

Mais je ne veux pas de contrat social entre moi et mon ex! avais-je envie de crier. Nous avons vécu six ans ensemble! Nous sommes au-delà du contrat social! Nous nous sommes aimés d'amour! D'un vrai amour pur et grand et beau et qui m'habite encore! Et que je refuse de souiller avec ces horribles notions de game et de contrat social et de… j'allais verbaliser quelque chose dans ce sens quand Julie a dit: «Notre heure est finie.»

Notre «heure» ne faisait en fait que cinquante minutes. J'étais désemparée. «Ah non! J'avais…» J'ai failli dire: «J'avais fait une belle liste» mais j'ai dit: «J'avais plein d'autres dossiers…

— Y a des semaines comme ça. Où un événement vient prendre toute la place.

— Crisse… y aurait pas pu appeler y a deux jours, lui? J'aurais eu le temps de décanter…»

Julie m'a fait un grand sourire, exposant ses dents d'une surréaliste blancheur. «Tu vas avoir eu le temps de décanter la semaine prochaine. Essaye juste de… de respecter tes étapes OK? Si t'as envie d'être triste, ou en colère ou quoi que ce soit. C'est toi. C'est *ton* rythme. Y a pas de théorie universelle Geneviève.»

Je suis sortie en me répétant: «Y a pas de théorie universelle.» Que j'en aurais voulu une, par contre!

J'avais souhaité, bien naïvement, que Julie Veilleux me donne des réponses simples et inébranlables. C'est ainsi, ça se passe comme ça, voici ce que tu ressens, ce que tu vas ressentir, ce à quoi tu peux et dois t'attendre. Pourquoi n'y a-t-il pas de guide pratique pour la femme en peine d'amour ? ai-je pensé, alors que je savais très bien que les rayons de psychologie populaire des librairies regorgeaient de livres qui devaient avoir plus ou moins exactement ce titre.

J'ai repensé à Florian. Ma colère s'était estompée et j'avais soudain mille questions à lui poser. Des questions qui ne seraient plus influencées par mon désir de blesser ou de reconquérir, des questions importantes et sincères. Oh oui, me disais-je en marchant dans les rues de la ville qui sentait enfin le printemps. Oui ! Je caressais des images de Florian et moi, symboliquement nus, nous regardant tels que nous étions vraiment tous les deux – des images dont je refusais, pour une fois, de voir l'infini potentiel de ridicule. Plus de cynisme ! me disais-je en souriant béatement à cette vision new age. Juste du beau, du positif, des champs de lavande en Estrie !

Était-ce l'exaltation post-rendez-vous avec la psy contre laquelle Nicolas m'avait mise en garde ? Toujours est-il qu'à défaut d'obtenir des réponses précises de Julie Veilleux, j'ai décidé que j'en voulais et que j'en obtiendrais de Florian.

J'ai sorti mon téléphone de ma poche. Si je pense, me suis-je dit, si je réfléchis avant de poser ce geste, je ne ferai rien. Aussi avais-je l'esprit presque vide et étrangement clair quand j'ai appelé mon ex, pour lui dire très posément que je m'excusais pour mon comportement du matin et que je voulais luncher avec lui.

« Tu me dois bien ça », ai-je dit, sachant très bien que Florian, homme de devoir qu'il était, ne pouvait refuser une telle demande. Il a acquiescé, sur un ton un peu inquiet, et nous avons raccroché après nous être donné rendez-vous pour le lendemain midi dans un restaurant près de son bureau. Le fait que ce soit le genre de plan qui figure probablement en haut de toutes les listes de « choses à ne pas faire » dans les guides pratiques pour les femmes en peine d'amour ne m'a frappée que le lendemain matin, alors qu'il était beaucoup trop tard pour reculer.

CHAPITRE 9

Nicolas et Catherine étaient debout au milieu de la grande pièce et me regardaient avec cet air désolé et impuissant qu'on réserve aux personnes en phase terminale.

« Je sais pas quoi te dire, a répété Catherine pour la troisième fois, pendant qu'à côté d'elle Nicolas hochait la tête et faisait des petits "Mmm" navrés.

— Mais à quoi t'as pensé ?

— Oui, à quoi t'as pensé ?

— T'as dû penser à quelque chose non ?

— Non ? »

Ils m'ont dévisagée un bon moment, puis Nicolas m'a demandé de nouveau, sur un ton extrêmement patient : « Gen... à quoi t'as pensé ? »

J'avais réussi, fort héroïquement me semblait-il, à traverser la soirée de la veille sans leur parler de mon rendez-vous avec Florian. Nicolas était sorti avec Maxime, et malgré les textos (assez charmants, je devais le reconnaître) de ce dernier et les appels de plus en plus insistants de Nicolas, qui croyait dur comme fer à la thérapie par le sexe, j'avais refusé d'aller les rejoindre, sous le fallacieux prétexte d'un deadline. Maxime, qui en tant qu'auteur connaissait très bien l'élasticité surnaturelle des deadlines, avait fini par comprendre que je ne voulais tout simplement pas être là et m'avait souhaité un gentil « Bonne nuit ».

Noé, qui avait une vie sociale de loin plus trépidante que la mienne, était à sa troisième fête d'enfants en autant de semaines. Catherine et moi nous étions donc organisé une vraie soirée de fifilles avec DVD, cocktails et sushis et nous criions des insanités aux jolis vampires de *True Blood* en nous gavant de poisson cru et de saké chaud. J'avais failli, à plusieurs reprises, appuyer sur « pause » et déballer mon sac à Catherine, mais j'entrevoyais les mimiques catastrophées, les cris décuplés par l'effet de l'alcool et les innombrables recommandations sans doute toutes contradictoires qui se seraient soldées par une confusion totale, un appel semi-cohérent à Florian et, avouons-le, une course titubante jusqu'au bar à Nico, où j'aurais réclamé une thérapie par le sexe d'urgence à Maxime. Valait mieux éviter.

J'avais préféré me concentrer sur le beau vampire un peu viking qui me rappelait Florian à plus d'un égard et me permettait de rêver à mon ancien amoureux comme on fantasme sur un acteur inaccessible. J'ai bien fait, me disais-je en enfilant des bouchées de maki et des rasades de saké. J'ai bien fait. Je ne poussais pas ma réflexion plus loin que : « Je vais revoir Florian que j'aime. » La moindre extrapolation aurait eu des conséquences que je ne voulais surtout pas gérer, sachant très bien que j'étais incapable de gérer quoi que ce soit.

Aussi me répétais-je « J'ai bien fait », en caressant une image idéalisée de cet homme qui m'avait brisé le cœur. Une personne plus avisée et moins soûle aurait pu me faire remarquer que, si j'avais été à ce point persuadée d'avoir bien fait, je n'aurais pas hésité à parler à ma meilleure amie de mon rendez-vous du lendemain, mais je ne l'aurais sans doute pas écoutée, comme je n'écoutais pas cette autre voix en moi-même qui me disait « Mauvais plan, Gen. Très mauvais plan ».

Je m'étais couchée avec en tête cette image loufoque d'une mini-version de moi frappant sur les murs de ma conscience et hurlant, à travers l'épaisse vitre anti-lucidité que j'avais moi-même installée là : « Vas-y pas ! Tu vas le regretter ! » alors que de l'autre côté de la vitre, dans ce vaste déni que j'habitais voluptueuse-ment, mon autre moi riait d'un air machiavélique dans sa camisole de force.

J'avais donc attendu le lendemain pour faire face à mes amis. J'avais sérieusement songé à partir pour mon lunch sans rien leur dire, mais la fragilité mati-nale avait pris la place de l'épaisse confiance de la veille et j'avais senti le besoin d'être rassurée, encouragée. Avais-je pensé, ne serait-ce qu'une seule seconde, que Catherine et Nicolas allaient me donner de grandes tapes dans le dos en me disant « Bravo championne, excellent move » ? Probablement. Probablement aussi que, comme la veille, j'avais refusé de *trop* penser et même de réfléchir avant de parler. Je m'étais avancée dans la grande pièce alors que Nicolas travaillait et que Catherine s'installait pour lire une pièce de théâtre qu'elle voulait monter avec une troupe qu'elle rêvait de former (on était loin de la coupe aux lèvres) et j'avais dit : « Je m'en vais luncher avec Florian. » Avoir été vraiment rusée, j'aurais attendu pour leur parler qu'il soit moins une, et j'aurais crié ma nouvelle avant de refermer la porte derrière moi. Mais il était à peine 11 heures, et ils avaient beaucoup, beaucoup de temps pour réagir.

Il y avait d'abord eu un silence presque comique, durant lequel ils avaient tous les deux écarquillé les yeux, s'étaient tournés l'un vers l'autre, puis vers moi, puis de nouveau l'un vers l'autre. Les questions avaient ensuite commencé, mais les réponses n'étaient pas venues. J'étais figée devant eux, comme un chevreuil dans les phares d'une automobile, et je sentais, lit-téralement, mon cerveau fonctionner. Alors que mes deux meilleurs amis me pressaient de questions, je visualisais à l'intérieur de ma tête un petit hamster courant frénétiquement dans une roue.

Enfin, Nicolas, qui a fini le premier par comprendre que « À quoi t'as pensé ? » ne trouverait pas de réponse de sitôt, a demandé : « Qu'est-ce qui est arrivé ? Il t'a rappelée pour s'excuser et t'inviter à luncher puis t'as dit oui ? »

Il était encore temps, me suis-je dit, de prendre la fuite. Catherine et Nicolas étaient debout entre la porte et moi, mais je pouvais toujours me jeter par la fenêtre, Lara Croft style. J'avais fréquenté les eaux sournoises et enjôleuses du déni une bonne partie de ma vie, pourquoi ne pas pousser le concept une coche plus loin et refuser de voir la vérité en face en la fuyant maintenant *physiquement* ? Je me suis vue, plongeant avec élégance par la fenêtre et roulant dans la neige quelques mètres plus bas, puis me relever sans une marque sur moi, regarder à gauche et à droite (assez longtemps pour laisser au spectateur le temps d'admirer ma formidable plastie) et partir en courant d'un air décidé. J'ai lorgné vers la fenêtre.

« Nice try, a dit Nicolas, mais probablement que tu ferais juste t'assommer sur la vitre. »

Je l'ai regardé avec une petite grimace. Comment pouvait-il lire ainsi dans mes pensées ? Étais-je *à ce point* prévisible ? « OK d'abord, ai-je dit, si t'es si fin que ça… Qu'est-ce que tu penses que je vais répondre ?

— D'après moi tu t'enlignes pour te croiser les bras puis faire la baboune. » Il était très fort. Je me suis donc forcée à garder mes bras de chaque côté de mon corps, ce qui me rendait soudain beaucoup trop consciente de ces deux membres, et j'ai dit sur un ton que j'espérais le moins babouneux possible : « C'est pas lui qui m'a rappelée, c'est moi qui l'ai appelé. »

Nicolas et Catherine gardaient le silence. Ce qui, dans le cas de cette dernière, était particulièrement alarmant : si même Catherine ne trouvait rien à dire ou à crier, c'est qu'il y avait un gros, gros malaise. Autant aller au-devant du problème.

« OK, ai-je dit. Ça va faire. Vous allez arrêter de me regarder comme si j'étais une attardée, c'est-tu clair? » Ils se sont mis tous les deux à fixer comiquement le tapis. « J'ai rappelé Florian parce qu'en sortant de chez la psy…

— … je t'avais *dit* qu'il faut se méfier du high post-psy… faut *toujours* décanter avant de…

— … j'ai donc appelé Florian parce que j'ai décidé que j'étais à boutte de jouer des games. Puis la vérité, la vraie vérité vraie, c'est que j'ai envie de le voir. J'ai envie de parler avec lui, de lui dire comment je me sens puis d'essayer de comprendre… Ça vous a pas frappés, vous deux, que ça fait un mois que je suis plus avec et qu'on a jamais eu la moindre conversation? Je pense que j'ai droit à un débriefing.

— Y est quelle heure? a demandé Catherine.

— Onze heures et quart, pourquoi?

— Je vais aller faire des bloody ceasar.

— J'ai dit *onze* heures et quart.

— Gen… » Elle me regardait comme si j'avais été un jeune homme un peu trop optimiste s'apprêtant à partir pour le débarquement de Normandie. « On est tous d'accord que t'as droit à un débriefing. Mais je pense pas que tu sois encore prête pour. Pas sans un drink. »

Nicolas, qui avait d'abord eu l'air surpris par l'idée des bloody ceasar, semblait finalement approuver.

« Cath je suis quand même pas pour arriver là paquetée.

— *Un* drink. Après ça tu fais attention. » Nous avons hoché la tête tous les trois comme si, quelque part, de quelque manière que ce soit, il avait pu s'agir d'un bon plan.

« Vas-y pas, a dit Nicolas, dès que Catherine a eu quitté la pièce.

— Je peux pas le rappeler pour lui dire que je choke.

225

— C'est pas jouer une game, ça? Refuser d'admettre que t'as peur ou que t'as peut-être fait une gaffe?

— J'ai pas peur! Puis pourquoi ça serait une gaffe?» J'avais parlé sur un ton beaucoup trop aigu, ce qui était toujours mauvais signe. Nicolas avait repris son air navré. «Arrête de me regarder de même.

— T'es *sûre* que tu veux ça?

— Honnêtement?» Je me suis assise sur une des chaises de la salle à manger pour mieux réfléchir. Je faisais un effort soutenu pour penser *honnêtement*. Les cartes étaient brouillées depuis si longtemps et j'opérais depuis un mois sur un mode «survie» qui exigeait, plus souvent qu'autrement, que je fasse de rudes entorses à l'honnêteté. «Honnêtement?» ai-je répété, comme si le mot pouvait magiquement déclencher une attaque de lucidité. «Je sais pas.» C'était peu, mais c'était honnête. Un bloody ceasar est apparu devant moi. J'en ai pris une grande gorgée qui m'a presque donné envie de pleurer de reconnaissance, et j'ai poursuivi: «Je pense pas que j'ai peur parce que je suis au-delà de la peur. Puis c'est pour ça qu'il faut pas que je pense trop parce que ça me met dans un tel état...» J'ai senti que j'allais pleurer, et je me suis tue.

Catherine s'est assise devant moi, avec son énorme verre. «Avoue que t'es secrètement contente que j'aie besoin d'un drink, lui ai-je dit. Ça te donne la plus grosse excuse pour boire avant midi...» J'ai fait un petit sourire. Mes amis aussi, et ils ont trinqué avec moi.

«Toujours un plaisir d'encourager les vices des autres quand faut s'adonner aux nôtres pour ça, a dit Nicolas.

— Tu penses pas... t'aurais pas préféré attendre? a demandé Catherine.

— Non... c'est comme l'affaire du band-aid que t'es mieux d'arracher d'un coup... Après l'appel d'hier puis ma réaction, j'étais tellement à l'envers... comme tellement encore plus à l'envers qu'avant...»

Catherine a fait de grands yeux : ça commençait à être *très* à l'envers.

« ... J'aime mieux régler ça tout de suite. Honnêtement... » J'ai levé un doigt vers Nicolas pour souligner mon usage délibéré de cet adverbe. « ... Je me câlisse un peu, à la limite, de ce qu'il va me dire. Je veux juste arrêter d'être dans le doute.

— OK, a dit Nicolas, s'assoyant à son tour. Faque tu y vas.

— Oui.

— Bon. T'as un plan ?

— T'as un outfit ? a demandé Catherine exactement au même moment.

— Non et non. C'est pour ça aussi que je voulais vous parler, même si je savais que vous alliez me juger comme y a pas de demain. » J'ai regardé mon drink, dont je n'avais pourtant bu que quelques gorgées. J'étais déjà dangereusement mollifiée par l'effet de l'alcool et toute pleine d'affection et de reconnaissance envers mes amis. J'ai donc fait ce qu'il est toujours recommandé de faire dans ce temps-là : j'ai allègrement pris une autre gorgée, et je me suis laissé guider par Catherine et Nicolas, qui se sont mis à me bombarder de conseils.

« Des leggings, puis ton long chandail rose.

— Commence par juste l'écouter.

— Pas le rose, le gris.

— Sans jouer de game, y a quand même moyen de la jouer safe.

— Le rose c'est un peu too much.

— Dis-lui d'emblée que t'es à boutte de faire semblant. Sois transparente.

— Sans trop te dévoiler.

— Exactement.

— Tout est dans le dosage.

— Puis oublie pas de parler au "je".

— Des bottes ! Faut que tu mettes des bottes. Talons hauts.

— Commence tes phrases par "Je me sens", "J'ai l'impression que"… ç'a l'air niaiseux mais…

— Tes bottes noires en suède. Y a presque plus de neige anyway.

— Peu importe ce que tu dis, ça va passer mieux si tu le dis au "je". »

Je les écoutais avec une attention qui devait friser le ridicule, comme quelqu'un qui s'applique à comprendre ce qu'on lui dit dans une langue qu'il maîtrise mal. Au bout d'une demi-heure de ce bombardement de sollicitude, je n'avais retenu que deux choses : il fallait que je parle au « je » et que je mette mes bottes en suède noires.

Mais le bloody ceasar avait fait son effet et j'avais l'impression d'être protégée par un léger cocon de ouate. J'étais stressée, mais optimiste. J'ai laissé Catherine choisir mes vêtements et je me suis habillée avec calme et confiance. En remontant mes cheveux devant le petit miroir de ce qui me servait de chambre, j'ai eu le temps de me dire : « Ta confiance est complètement illusoire. Méfie-toi. » Mais je ne voulais surtout pas me méfier. Si je réussis à rester dans cet état suspendu jusqu'au restaurant, ça ira, me répétais-je en finissant de me maquiller. L'absence totale de logique de ce raisonnement ne me préoccupait guère : mon bel état me permettait de l'ignorer elle aussi, et de surfer gracieusement au-dessus d'elle. J'ai embrassé mes amis et je suis partie, sur la pointe de mes bottes en suède noires, en marchant très doucement comme si j'avais eu peur de réveiller un enfant. Ou un monstre, me suis-je dit en entrant dans le restaurant, où Florian, toujours ponctuel, devait déjà m'attendre.

Il était assis dos à la porte. Je ne savais pas s'il s'agissait d'un hasard ou d'une délicatesse de sa part, mais j'étais reconnaissante. Je pouvais me recomposer, enlever mon manteau et marcher tranquillement vers lui sans avoir à me soucier, déjà, de ce que je projetais comme image. Le serveur, qui m'avait tout de suite reconnue pour m'avoir vue dans ce même endroit en compagnie de Florian à plusieurs reprises, m'avait dit un bref « Monsieur vous attend », tout en m'indiquant la table. Merci, avais-je envie de dire, mais ce n'était pas nécessaire : j'aurais pu sentir Florian les yeux fermés.

J'ai souri nerveusement au serveur et j'ai commencé ma longue marche vers la table, m'attendant à tout instant à voir la tête de Florian éclater sous l'intensité du regard que je posais sur elle. Mon cœur battait sourdement, lourdement et, me semblait-il, très lentement. J'en suis venue à me demander s'il s'agissait d'une condition cardiaque particulière, s'il était normal, en temps de stress très grand, d'avoir le cœur qui bat moins vite que de coutume. Puis j'étais à côté de lui. Il a levé la tête avant même que je parle ou que j'entre dans son champ de vision, ce qui m'a fait comprendre qu'il savait que j'étais là depuis un bon moment, que lui aussi avait pu me sentir. M'aimes-tu encore ? avais-je envie de crier. C'était tout ce que je voulais savoir, au fond.

« Hé », a-t-il fait tout simplement, en posant sur moi son regard bleu. Ses yeux. Le bleu de ses yeux. Pendant des années, je m'étais enveloppée dans ce regard, je m'en étais abritée, jusqu'à tenir pour acquis la douceur et le réconfort de ce cocon couleur d'azur. Que m'était-il, maintenant ? Un laser, un rayon qui cherchait en moi des réponses, qui m'auscultait et me jaugeait. Il était nerveux, comme moi, et j'ai été étonnée de ne pas avoir pensé plus tôt qu'il puisse l'être.

« Hé », ai-je répondu. C'était déjà mieux que « Je t'aime » – deux petits mots et demi qui occupaient toute ma pensée. Je n'avais qu'un gros « Je t'aime » dans la tête, un « Je t'aime » tonitruant que Florian ne pouvait pas ne pas entendre, qui risquait de faire éclater les grandes vitres de la devanture du restaurant et des voitures garées en face. Mon « Je t'aime » allait faire exploser les buildings de verre du centre-ville, les coupes de vin vides dans les armoires de cuisine des condos neufs, les lustres de cristal des maisons bourgeoises, les miroirs des salles de bains des polyvalentes de banlieue dans lesquels se miraient de jeunes adolescentes.

C'était un « Je t'aime » violent et soudain, déclenché par la vue de ce visage que je connaissais par cœur et qui avait à mes yeux la beauté unique et déchirante des êtres auxquels on s'est attaché depuis longtemps et dont la présence nous a été retirée. J'étais incapable de penser à autre chose, et je devais fixer Florian étrangement : j'essayais de l'absorber du regard et de comprendre ce qu'il y avait, dans ces traits harmonieux et réguliers, qui dessinait pour moi les contours familiers de l'amour. Je me suis retenue pour ne pas le toucher, pour ne pas appuyer mon nez sur sa joue afin de le respirer.

« Assieds-toi », a dit Florian en m'indiquant la place devant lui. Il m'a regardée faire puis a ajouté, après avoir hésité un moment : « T'es belle. »

J'ai penché la tête sur le côté d'un air de reproche. Il ne pouvait pas me dire cela. C'était banal, évident et à la limite probablement faux. Je devais avoir perdu trop de poids, et il m'avait fallu appliquer de l'anticernes à deux reprises pour tenter de cacher les traces que les mauvaises nuits et les larmes m'avaient laissées sous les yeux. Et c'était cruel, aussi. N'y avait-il pas une loi interdisant aux ex de complimenter gentiment celles qu'ils avaient abandonnées ?

« Quoi ? a dit Florian en décodant mon air. C'est vrai.

— Je pense pas que t'as le droit de dire ça. »

Il m'a souri. Le serveur s'est approché et allait sans doute nous proposer de l'eau quand je lui ai lancé : « Un verre de chardonnay, s'il vous plaît.

— On va prendre une bouteille, a dit Florian. C'est correct pour toi, une bouteille ?

— Oui oui, c'est parfait. »

S'ils avaient eu des fûts de chêne pleins dans le cellier, je leur aurais demandé d'en monter un.

Le serveur est parti et je me suis dit : Il faut que je parle. Il faut que je dise quelque chose. C'est moi qui l'ai appelé et si je ne parle pas, je vais hurler.

« Merci d'être venu, ai-je balbutié.

— C'est la moindre des choses. »

Ouch. Il était là par charité, par devoir.

« Moi aussi je voulais te voir, a-t-il ajouté, par pitié peut-être, ou parce qu'il avait lu dans mes pensées. Je pense que… J'ai pas… Quand tout ça est arrivé… » Il cherchait ses mots, ses idées. « Je me suis ennuyé de toi, a-t-il finalement dit.

— Oh boy. Ça je suis *sûre* que t'as pas le droit de dire ça. Tu t'es pas ennuyé de moi, Florian ! » J'ai pensé à Nicolas et à son conseil à saveur psycho-pop : « Parle au "je". » « Je pense pas que tu te sois ennuyé de moi, ai-je corrigé.

— T'as tort. C'est pas parce que… » Il s'est arrêté. Qu'allait-il dire ? C'est pas parce que je t'ai laissée, parce que j'aime une autre femme, parce que j'ai cessé de t'aimer toi ? J'ai réalisé que nous évoluions sur un terrain totalement miné : peu importe où il mettait le pied, peu importe où je décidais d'aller, tout pouvait éclater. J'ai donc décider de plonger. Un grand coup, me suis-je dit, et ça sera fait. Mieux vaut cela que de piétiner comme deux imbéciles pendant une heure ou deux, de peur de faire sauter la baraque.

« Quand est-ce que… » Je me suis reprise. « *Je* voudrais savoir : quand est-ce que… » Mais le serveur, dont j'hésitais à qualifier le timing d'infernal ou de merveilleux, était de retour, tenant dans une main une bouteille et dans l'autre un tire-bouchon. Il a posé la bouteille sur la table, l'a tranquillement tournée vers moi pour me montrer l'étiquette dont je me foutais éperdument, puis l'a ouverte avec une lenteur absolument sidérante. Florian et moi regardions la table, les mains du serveur, les tuiles du plancher, la femme à la table voisine qui mangeait seule en lisant un magazine… tout cela au son du petit squik squik que faisait le bouchon de liège en tournant dans le goulot. J'ai levé les yeux vers Florian. Il me regardait lui aussi et a pris un air ahuri devant la lenteur du serveur. Squik squik. Florian a esquissé un sourire. Squiiiiik. Et je me suis mise à rire.

Pop ! Le serveur a soulevé le bouchon, et l'a senti, puis a commencé à l'enlever du tire-bouchon. Resquik squik, et j'étais maintenant hilare. Je riais sans faire de bruit, le visage dans une main, et les larmes me montaient aux yeux, comme lorsque j'essayais de réprimer des fous rires en classe, vingt ans plus tôt. Il va tendre le bouchon à Florian, ai-je pensé. Mais non, le serveur me l'a tendu, pour que je puisse m'assurer, moi, que le vin n'était pas bouchonné. J'ai porté le petit cylindre de liège à mon nez, en proie à de véritables spasmes.

« Ça sent super bon », ai-je réussi à articuler. Devant moi, Florian riait aux larmes lui aussi, la bouche cachée inutilement derrière sa serviette de table. On aurait pu croire que le serveur allait finir par comprendre, ou du moins par se lasser de ce couple d'imbéciles que nous formions mais non, il a versé une toute petite quantité de vin dans mon verre afin que je puisse y goûter. J'ai levé le verre – j'émettais des petits « hiiiis » suraigus et la femme au magazine, à côté de moi, lorgnait vers moi d'un air amusé. J'ai regardé Florian. Fallait-il vraiment que je hume le vin ? Que je déguste sérieusement ? Il riait tellement que j'ai cru qu'il allait s'étouffer. Je me suis tout de même exécutée, une main autour du verre et l'autre sur le ventre, qui commençait à me faire mal, et j'ai déclaré au serveur : « C'est parfait », avant de me mettre à rire, enfin, très très fort. Le serveur, dont l'impassibilité de calibre olympique redoublait mon hilarité, a rempli mon verre, puis celui de Florian et est finalement parti en laissant la bouteille sur la table.

Nous avons ri encore un moment – la délicieuse sensation de légèreté qui suit les grands fous rires commençait à faire effet. J'ai fini par me calmer – j'étais toujours secouée de petits spasmes de rire, mais je pouvais respirer plus aisément. J'ai essuyé le mascara qui devait avoir copieusement coulé sous mes yeux et j'ai regardé Florian. Il me regardait et souriait comme s'il me voyait enfin. « Allô », m'a-t-il dit. Et parce que je le reconnaissais enfin moi aussi j'ai répondu « Allô ».

Une partie de la nervosité ainsi exorcisée, nous avons pu passer plus de la moitié de l'heure suivante à discuter normalement, ou du moins le plus normalement possible dans de telles circonstances. Nous commentions l'actualité que nous avions suivie ensemble autrefois, Florian me parlait de ses projets, je lui racontais la dernière biographie que j'avais à écrire (sans insister sur le fait que j'avais, pendant quelques minutes la veille, caressé le projet de devenir cultivatrice de lavande), nous prenions des nouvelles de nos familles respectives.

Il y avait une certaine urgence, autant chez lui que chez moi, de se parler, de se raconter ces petits éléments de nos quotidiens, et je me suis fait la triste réflexion que cela avait sans doute plus à voir avec l'habitude qu'avec autre chose. J'avais été l'interlocutrice de Florian pendant six ans. Il avait beau avoir amené son cœur ailleurs, il existait encore entre nous mille conversations que notre rupture avait interrompues. Des conversations sans grande envergure, mais d'autant plus importantes qu'elles parlaient de nos vies de tous les jours, dont nous avions toujours partagé les détails aussi banals qu'essentiels.

Mais nos vies de tous les jours avaient changé – elles s'étaient en fait complètement transformées en l'espace d'un mois, aussi notre échange prenait un tour de plus en plus absurde et nous nous sommes rapidement retrouvés au milieu du même champ de mines, incapables de faire un pas dans quelque direction que ce soit de peur de nous enfarger dans tout ce qu'il fallait éviter : ma nouvelle vie, ma résidence sur un divan-lit chez Catherine et Nicolas, la femme qui partageait maintenant son lit, l'état de mon pauvre cœur.

Nous ne pouvions pas parler de mes amis, pas faire la moindre référence à son condo qui avait été durant si longtemps notre maison et dans lequel j'avais encore d'innombrables possessions, allant de la batterie de cuisine à un set de chambre. C'était ridicule. Nous méritions mieux que cela, nous nous devions d'être plus courageux, plus honnêtes que cela. J'étais étonnée que Florian ne fasse pas exploser la première mine, qu'il ne se sente pas le chevaleresque devoir de donner le premier grand coup, d'assumer le rôle ingrat d'amener sur la table les sujets dont nous ne voulions pas parler et dont nous ne pouvions pas ne pas parler.

Les plats principaux venaient d'arriver et je jouais nerveusement avec mon risotto pendant que Florian me parlait d'un projet somme toute assez prestigieux pour lequel sa firme venait d'être engagée. C'était un sujet qui d'ordinaire m'aurait beaucoup intéressée. Contrairement à Florian, qui avait d'abord fait semblant d'éprouver une certaine curiosité pour mes travaux avant de s'en détourner presque entièrement (on ne pouvait pas exactement le blâmer), j'avais toujours trouvé son travail fascinant. J'aimais qu'il me parle de lignes et d'espace, qu'il me montre sur de grandes feuilles ou sur l'écran de son ordinateur des plans qui ressemblaient à des œuvres minimalistes et qui allaient devenir, une fois réalisés, des structures harmonieuses et lumineuses. Je l'écoutais donc me parler de fenêtres et de larges escaliers en poussant dans mon assiette des petits pois quand je me suis dit que ça ne pouvait plus durer et que j'ai sauté à pieds joints, moi, dans le champ de mines.

« Florian… » Que c'était étrange de l'interpeller par son prénom ! Je l'appelais Florian quand je parlais de lui aux autres – à lui, je disais « Mamou » ou « M'chou » ou d'autres surnoms qui étaient allés et venus et portaient toutes les consonances charmantes et nunuches de l'intimité. «Florian… ai-je répété. Qu'est-ce qui s'est passé?» Je me suis tout de suite reprise: «J'aimerais que tu m'expliques ce qui s'est passé.»

Il m'a regardée longuement. Il avait l'air déçu – espérait-il vraiment que ce moment ne vienne pas? Que nous sortirions de ce repas sans avoir fait la moindre allusion à ce qui était devenu toute ma vie? – et triste: j'ai vu dans son œil clair qu'il ne voulait pas me faire mal, et qu'il savait bien qu'une réponse honnête à une telle question ne pouvait que m'être douloureuse.

«Je…» Il a hésité tout en m'observant. Il se demande sans doute si je suis assez solide pour accuser le coup qu'il s'apprête à me porter, me disais-je. Et je me raidissais à l'intérieur, en sachant d'avance que c'était inutile. «J'ai beaucoup pensé à ça, a-t-il dit. Je me suis posé la question pendant…» Une autre hésitation. Chacune d'entre elles m'était pénible puisque je devinais derrière le désir de faire attention, donc de ne pas dire toute la vérité, qu'ainsi voilée je ne pouvais qu'imaginer comme étant d'une insupportable cruauté. «Je me suis posé la question pendant plusieurs mois.»

Bang. Je me doutais bien que Florian ne s'était pas réveillé un matin en se disant: tiens je vais aller voir ailleurs. Je savais qu'il y avait eu un lent et triste processus de désamour avant son départ. Mais de l'entendre le dire, c'était autre chose. J'ai tout de même eu le temps d'apprécier son honnêteté, et de me demander quoi faire avec la bouchée que j'étais en train de mastiquer. J'ai fini par avaler, péniblement, avant que mon gosier ne se referme complètement. J'ai repoussé un peu mon assiette. Florian a toussoté.

«J'ai rencontré… Billy…

— Billy?» Ma voix était presque inaudible. La bouteille de vin était terminée, aussi ai-je fait signe au serveur impassible de m'apporter un autre verre.

« La… ma… la fille que tu as vue au bar l'autre jour.

— Elle s'appelle Billy ? » La page Facebook de la crisse de hipster l'identifiait pourtant comme étant une Brigitte, mais j'ai préféré ne pas revenir sur ma consultation compulsive de ladite page devant mon ex.

« C'est son nom d'artiste », a dit Florian, qui, je l'aurais juré, était un peu gêné par ce détail. C'était une bonne chose que je n'aie pas encore beaucoup de voix. J'avais envie de hurler : « Quel genre de fille de plus de quinze ans veut se faire appeler Billy ? » mais j'ai balbutié :

« Elle a quel âge ?

— Vingt-quatre ans. »

J'ai jeté un regard paniqué vers le serveur : où était donc ce verre de vin ? Il l'a finalement posé devant moi et j'en ai calé la moitié d'un coup. J'étais devenue, à trente-deux ans, le genre de femme qui se fait laisser pour une plus jeune. J'avais remarqué que « Billy » (je savais déjà que j'allais être incapable de dire ce prénom sans faire le signe de guillemets avec mes doigts) avait l'air jeune mais… *vingt-quatre ans* ? Florian était si calme, si… je n'aimais pas le mot, mais il m'avait toujours fait l'effet de quelqu'un de particulièrement mature. Il était posé, réfléchi, tranquille. Et il avait choisi la jeunesse – vingt-quatre ans me semblait soudain excessivement jeune, et je voyais « Billy » danser dans le sous-sol chez mon père devant le jeu de karaoké d'Audréanne.

« Je sais », a dit Florian, qui devait bien voir mon trouble et qui était, visiblement, embarrassé par l'extrême jeunesse de la crisse de hipster. Il a fait un petit sourire et a poursuivi avec l'histoire de leur rencontre. Je l'écoutais, accrochée à mon verre de vin comme à une bouée, en me demandant ce que j'avais pu dire ou faire pour lui laisser croire que je voulais vraiment connaître cette histoire. Mais j'étais incapable de parler et je le dévisageais avec une attention qui ne pouvait qu'être démesurée – je devais avoir l'air d'un oiseau hypnotisé par le regard d'un serpent, l'œil fixe et vide, le corps immobile malgré le danger imminent et le bon sens qui me criait « Va-t'en de là ! ».

« Billy », comme me l'avait dit Catherine quelques semaines plus tôt, était comédienne. Mais comme la plupart des jeunes comédiennes de la ville, elle avait un autre emploi, qui consistait à prendre les appels et à accueillir la clientèle dans une agence de pub bien en vue avec laquelle la firme de Florian avait fait affaire. C'était d'une simplicité déconcertante. Florian avait eu des rendez-vous et il avait été reçu par cette jeune personne aux cheveux peroxydés et à la démarche pimpante (« Billy » était devenue dans ma tête un petit oiseau sautillant et cuicuitant, adorable, complètement stupide et irrésistible). Elle lui faisait les yeux doux et il avait été forcé de s'avouer à lui-même qu'il n'était pas insensible aux charmes légers de l'énergique réceptionniste.

Et tout cela, m'expliquait-il alors que je le dévisageais toujours comme s'il avait été un spectaculaire carambolage sur une autoroute, avait eu lieu *vers la fin de l'été dernier et durant l'automne.* Il y avait, donc, près de six mois, alors que je nageais, croyais-je, en pleine béatitude conjugale. J'ai levé la main vers le serveur pour lui demander un autre verre.

« Mais il ne s'est rien, *rien* passé avant que je t'en parle, a finalement dit Florian, mon ex-amoureux, l'homme que j'aimais encore, la droiture incarnée qui n'aurait pas pu vivre avec l'idée d'avoir "trompé" quelqu'un.

— Bravo, ai-je dit. Tu dois être fier de toi. »

Il a pris un air à la fois blessé et magnanime, m'indiquant par là que mon commentaire était un brin mesquin mais qu'il laisserait faire, par pitié pour moi, par grandeur d'âme. J'ai pris le verre que m'apportait le serveur avant même qu'il ait le temps de le poser sur la table et j'en ai bu de nouveau une grande gorgée.

« Tu bois pas un peu vite ? a demandé Florian.

— Sérieux ? ai-je répondu. Tu veux vraiment m'encourager à boire raisonnablement *présentement* ? »

Il a ouvert la bouche pour dire quelque chose – certainement en lien avec le fait que j'étais fragile, que j'étais en train d'encaisser de dures nouvelles et donc que, oui, c'était le moment de boire raisonnablement, mais il a vu mon visage au-dessus de ma coupe de vin et s'est arrêté.

« Je peux savoir, ai-je demandé… comment c'est arrivé ? »

Florian m'a regardée d'un air interdit.

« Pas comment ça s'est passé pour la première fois avec "Bobby", ai-je dit sur un ton parfaitement désagréable, en faisant exprès de me tromper de prénom, comme s'il était possible que j'oublie un jour celui de "Billy". Comment… c'est quoi, t'as arrêté de m'aimer ? Quand ?

— J'ai pas arrêté de t'aimer, a dit Florian et j'ai bien vu qu'il ne mentait pas, mais j'étais rendue bien au-delà de la bonne foi.

— Mais qu'est-ce qui s'est passé ? »

Il avait l'air navré. Il avait raison, d'ailleurs : pourquoi insistais-je ainsi pour me faire dire ce qui ne pouvait que me faire mal ? J'ai regardé mon verre, qui était déjà presque vide, et j'ai réalisé que j'étais passablement soûle. J'ai répété, avec l'intensité que confère l'alcool : « Qu'est-ce qui s'est passé ? » puis j'ai spécifié, me souvenant des conseils de Nicolas : « J'ai besoin de savoir ce qui s'est passé.

— Gen… je sais pas ce qui s'est passé. Je… j'avais l'impression… » Comment savait-il, lui, instinctivement, qu'il fallait parler au « je » ? « J'avais l'impression, a-t-il répété, que… que tu te laissais… peut-être trop souvent… porter par les événements… Tu sais… Je sais que dans le fond t'aimerais écrire pour toi, puis on en a souvent parlé, mais je voyais bien que tu le faisais pas et… un jour je me suis rendu compte que j'avais de moins en moins envie de t'encourager et…

— Tu m'as dompée parce que j'écris pas pour moi?

— C'est un exemple. Je suis sûr que tu comprends ce que je veux dire. »

Non seulement je comprenais ce qu'il voulait dire, mais j'avais moi-même envisagé cette cause à son départ : il m'avait quittée parce que j'étais trop passive, parce que j'étais, avais-je envie de crier, « un ostie de mollusque ». Le fait d'avoir raison, d'avoir vu juste, me broyait le cœur. J'ai réalisé que j'étais venue là, en partie, pour l'entendre me contredire.

« J'aurais dû t'en parler, a dit devant moi Monsieur Magnanimité qui, évidemment, m'en avait parlé. Mais… je te voyais te laisser porter par les événements. » Il ne cessait de répéter cela. Par quels événements m'étais-je laissé porter ? En moins d'une seconde, plusieurs réponses à cette question me sont venues en tête et je les ai toutes chassées, parce que je n'avais pas envie, moi, d'être magnanime et de donner raison à Florian sur quoi que ce soit. « … Et comme je sentais que tu ne te prenais pas en main… ça… c'est de ma faute, je suis fait comme ça, mais ça me donnait moins envie de… de m'impliquer dans ce que tu vivais. »

Il avait visiblement réfléchi à tout cela très longtemps. « Mais pourquoi tu m'as rien dit ? » ai-je crié. Il m'avait parlé, avec moult détours, de ma passivité, mais il ne m'avait jamais alertée du fait que cela « lui donnait moins envie de s'impliquer dans ce que je vivais ».

« Je… je voulais pas te demander d'être autrement, ou te brusquer… a baragouiné Florian.

— Mais c'est n'importe quoi, ça ! C'est pas vrai pantoute ! C'est pas vrai que je me prends pas en main, OK ? C'est moi qui décide ! Ma psy me l'a dit ! » Oh mon Dieu. Venais-je vraiment de dire cela ? J'étais péniblement consciente de l'immense pathétisme de ma déclaration et de mon ton en général, qui était celui d'un enfant qui ne comprend pas pourquoi il se fait enlever ses Lego. « C'est moi qui décide, OK ? ai-je répété. Puis si j'ai envie de décider de rester passive, j'ai le droit ! » C'était épouvantable. Je me voyais m'enfoncer dans cette rhétorique parfaitement ridicule et, devant moi, Florian être témoin de cela et en être désolé, navré au-delà des mots. Je me suis mise à pleurer.

« Geneviève… Je… T'as raison. C'est sûrement… t'as le droit d'être qui tu veux, comme tu veux et *moi* j'avais pas le droit de te demander de… j'avais pas le droit de te demander quoi que ce soit.

— Mais t'aurais dû ! T'aurais dû ! » Je parlais très fort à travers mes larmes. Il y avait quelque chose de voluptueux dans le fait de pleurer ainsi devant Florian, et j'ai eu une brève pensée pour ces épisodes de mon enfance lorsque, m'étant fait un petit bobo, j'attendais d'être dans les bras de mon père pour me mettre à pleurer. « T'aurais dû », ai-je répété.

T'aurais dû, et quoi ? Et je serais devenue une dynamo ? Une personne à l'ambition dévorante, hautement motivée et career-oriented ? Florian devait se poser les mêmes questions, et arriver aux mêmes conclusions que moi.

« C'est quoi, ai-je dit à travers mes larmes, alors que la femme au magazine, à côté de nous, se retenait pour ne pas me dévisager. C'est quoi, t'as rencontré cette fille-là puis tu t'es dit, wow une réceptionniste qui veut devenir comédienne, ça ç'a de la drive ? » C'était très malhonnête mais j'ai eu la présence d'esprit d'être un peu fière de cette pointe.

« Geneviève… a dit Florian sur son doux ton de reproche qui m'avait toujours insultée.

— Arrête de me parler comme si j'étais une enfant. » J'ai levé la tête vers lui. Je venais de réaliser que j'avais longtemps eu l'impression d'être traitée comme une enfant par mon chum. Une situation qui me rassurait (après tout, les enfants n'ont pas beaucoup de décisions à prendre et peuvent, dans une certaine mesure, se laisser porter par les événements), mais qui me dérangeait, aussi, sans que je m'en rende vraiment compte.

« Je te traite pas comme si tu étais une enf…

— Oui ! Oui tu me traites comme si j'étais une enfant ! » J'ai failli ajouter qu'il y avait certainement un lien à faire avec le fait qu'il fréquentait depuis peu une presque enfant, mais je n'avais pas assez d'énergie pour être à ce point belliqueuse et, force m'était d'avouer, je savourais mes larmes.

« As-tu déjà pensé que peut-être tu *voulais* être traitée comme si tu étais une enfant ? »

Je l'ai regardé comme s'il venait de me gifler et je me suis demandé, pendant une seconde, si je n'allais pas faire exactement cela et lui envoyer une formidable claque. « Excuse-moi, a-t-il dit tout de suite. Je… excuse-moi. C'était pas cool, c'était pas… »

C'était de la mauvaise foi, de la mauvaise foi typique et cheap comme il ne pouvait s'empêcher d'en manifester lorsqu'il avait tort. Et pourtant, m'a dit une petite voix cachée très très loin à l'intérieur de moi, il n'avait pas complètement tort. Il n'était en fait pas loin d'avoir raison. C'est cette idée, plus insupportable encore en elle-même que le fait que ce soit lui qui l'ait articulée, qui m'a fait me lever d'un bond.

« Je m'en vais, ai-je dit, en m'essuyant les yeux avec ma manche, exactement comme une enfant.

— Gen…

— Non, je m'en vais. Et je sais que c'est trop intense, et je sais que c'est ridicule, et je suis sûre que "Bindi" ou je sais pas trop qui ferait jamais quelque chose de même, mais j'ai pas envie de rester ici, OK ? Et by the way je sais que ça te donne raison faque tu peux être content. J'agis comme un bébé. T'es content ? »

Il s'est levé et m'a regardée droit dans les yeux. Il n'était pas content. Évidemment. « Laisse-moi au moins… je vais te raccompagner.

— Non ! Non. Anyway on savait que ça allait finir comme ça, non ? » Et je me suis dit : c'est vrai, une partie de moi savait tout le long que j'allais finalement quitter le restaurant de manière beaucoup trop dramatique. « Désolée de t'avoir dérangé. » J'ai failli ajouter quelque chose comme « have a nice life », mais il y avait des limites au pathos, quand même. J'ai donc tourné les talons de mes bottes en suède noires, et je suis partie, en espérant ardemment, au moins, ne pas m'enfarger avant d'avoir atteint la porte.

J'ai pensé, en arrivant dans l'appartement vide, appeler Catherine ou Nicolas à la rescousse. Mais ils étaient partis avec Noé chez leurs mères, dont c'était l'anniversaire, jusqu'au lendemain. Catherine avait voulu annuler, m'avait dit qu'elle pouvait s'arranger pour écourter sa visite, mais j'avais refusé. Leurs mères vivaient dans les Laurentides, Catherine n'avait pas de permis de conduire, et j'avais voulu croire, aussi, que j'étais forte et autonome. J'ai tout de même hésité un moment avant de décider de ne pas les appeler. Mais je n'étais pas une enfant, comme je ne cessais de le répéter à Ti-Gus et Ti-Mousse, contre lesquels j'étais allée me coucher en petite boule dès mon arrivée. J'étais capable de gérer la situation comme une grande.

J'ai fait le tour de l'appartement. Il y avait de la vodka (beaucoup), du jus (donc pas besoin de me résoudre à un sorbet infusé à la crevette), des DVD de comédies romantiques que j'avais toutes vues cent fois, deux chats pour fournir des services de zoothérapie, un pantalon mou dans lequel je me suis glissée et un téléphone qui allait me permettre de m'isoler complètement. J'ai envoyé des textos mensongers à Catherine et Nicolas, les assurant que j'étais triste, que j'avais plein de choses à leur raconter mais que ça allait. Ni l'un ni l'autre ne m'a crue, bien sûr, me répondant « Appelle anytime » avant d'essayer de m'appeler à plusieurs reprises. J'ai fini par répondre, pour leur dire que je gérais la situation et qu'un peu de solitude allait me faire du bien.

« Tu veux être toute seule ? a dit Catherine au bout du fil. Elle veut être toute seule », a-t-elle ajouté à l'intention de Nicolas, qui a pris l'appareil. « Gen, a-t-il dit. Appelle-nous *anytime*, même à trois heures du matin, OK ? Si t'en sens le besoin. Sinon on va te laisser tranquille. Promis. » J'ai failli exploser en sanglots. Sa douceur, le fait qu'il me connaisse si bien et respecte mon désir masochiste de mariner dans ma peine en solitaire m'allaient droit au cœur. « Merci », ai-je dit, enfin sincère. Florian, entre-temps, avait essayé de m'appeler, mais il était hors de question que je réponde. Je voulais le statu quo, je voulais pouvoir savourer ma peine et mon désarroi et je ne voulais surtout, mais surtout pas pousser notre discussion plus loin.

Je me suis finalement installée sur le divan, devant la télévision, avec un très gros verre de vodka et je ne savais plus trop quel jus orangé, une boîte de mouchoirs et mes deux chats. « J'ai bien fait », ai-je dit aux petits museaux noirs qui me dévisageaient. Et ce n'était pas complètement faux. Je pouvais maintenant jongler avec des faits réels, quoique douloureux, et cette réalité avait quelque chose d'étrangement calmant.

Je me suis même retrouvée, au bout de quelques heures, dans un état d'euphorie causé par l'alcool, les comédies romantiques et plusieurs longues conversations avec les chats et/ou mon reflet dans le grand miroir de l'entrée qui se résumaient toutes à : « Fuck Florian, c'est moi qui décide ! » La nuit était tombée, et les petites lumières de Noël blanches que Catherine avait accrochées autour des fenêtres durant un temps des Fêtes lointain éclairaient l'appartement d'une lueur rassurante, qui me donnait l'impression d'être dans un cocon.

« Fuck Florian et son ostie de Billie Jean », ai-je répété aux chats, qui ne bronchaient plus depuis longtemps, en terminant un restant de chili con carne qui traînait dans le frigo. Et afin d'illustrer mon propos encore plus clairement, j'ai pris le téléphone, et j'ai appelé Maxime Blackburn.

CHAPITRE 10

$\mathcal{L}$e vase était pourtant énorme. Et plein. Mais j'avais soif. Debout dans une rivière un peu féerique au-dessus de laquelle se penchaient les branches d'un saule, je buvais goulûment à même un grand vase. J'appelais l'apaisement de ma soif, la fraîcheur de l'eau claire – rien, ne me semblait-il, n'était plus voluptueux que le geste de boire. Mais j'avais beau avaler des gallons d'eau, rien n'y faisait : je restais cruellement assoiffée.

Je me suis finalement réveillée pour constater que j'avais encore plus soif que dans mon rêve, mais qu'aucune source ne coulait à mes pieds – et pas de vase rempli d'eau fraîche en vue. J'avais, aussi, un mal de tête himalayen et l'impression que le cœur allait me sortir de la poitrine. J'ai porté une main à mon visage et j'ai essayé de recoller les souvenirs de la veille. Le chili con carne, les verres de vodka, les monologues devant le miroir de l'entrée et… je me suis retournée péniblement dans les draps froissés : Maxime.

Il dormait à côté de moi, sans émettre le moindre petit son, et ses traits détendus ainsi que son teint frais me disaient qu'il devait se souvenir, lui, de la veille. J'ai replié un bras sur mes yeux, dans l'espoir vague et futile que si je cessais de voir le monde il m'oublierait peut être en retour. Mais les chats, qui avaient un sixième sens exclusivement consacré à connaître le moment précis de mon réveil, avançaient tous les deux sur la couette pour venir me réclamer de la nourriture. J'ai pensé leur souffler au visage pour les décourager de venir plus près (ou les abrutir instantanément avec les vapeurs d'alcool), mais Ti-Mousse était déjà rendu sur le torse de Maxime, qu'il pétrissait avec application.

« Non… non… Viens ici », ai-je articulé à l'intention du chat, comme si cela pouvait avoir un effet quelconque. Ti-Gus, de son côté, s'était posté juste au-dessus de ma tête et me signifiait sa présence en ronronnant furieusement et en posant une de ses pattes sur mon visage.

« Héhé, p'tit bonhomme ! a dit Maxime en se réveillant et en commençant à caresser copieusement Ti-Mousse, qui s'est mis en tête de montrer de quoi il était capable lui aussi, en matière de ronrons. T'es ben beau toi ! T'es ben un beau chat ! » Ti-Mousse n'en revenait pas : malgré six ans de valeureux efforts, il n'avait jamais rien obtenu de la part de Florian que diverses manifestations d'indifférence frisant l'agacement.

« Salut… » ai-je dit timidement (et d'une voix qui devait avoir trois octaves de moins que la mienne). Maxime s'est tourné vers moi et m'a fait un grand sourire. J'avais une patte de Ti-Gus sur un œil, mais il devait amplement pouvoir lire ma déconfiture dans l'autre.

« Comment ça va ce matin ? m'a-t-il demandé en riant un peu.

— Est-ce que ça vaut la peine que je réponde ? »

Il a hoché la tête d'un air désolé et amusé, et j'ai caché mon œil libre avec une de mes mains. « Oh c'est la honte… c'est vraiment la honte…

— Ben non…

— Ben oui c'est la honte… ça peut pas plus être la honte ! »

Je me souvenais de mon appel, puis de l'arrivée de Maxime – j'avais ouvert la porte et m'étais littéralement jetée sur lui avec toute l'élégance et la retenue dont j'étais capable après quatre? cinq? quatre-vingts cocktails? Les images du restant de la soirée me revenaient par bribes : des vêtements arrachés maladroitement, le sourire de Maxime, ma bouche dans son cou, nos corps enlacés sur…

« Oh my God, ai-je dit. Cath puis Nico sont-tu revenus ?

— Je pense pas…

— Faut que j'aille faire le ménage. »

Nous nous étions envoyés en l'air sur à peu près chaque surface de l'appartement – j'avais des flashs qui, dans d'autres circonstances, auraient pu être hautement érotiques mais qui dans l'état où je me trouvais étaient comme autant de coups de poing. La table de la salle à manger, bang ! Le divan, bang ! La chaise du bureau de Nico, bang ! Le mur près du grand miroir, bang ! « Oh c'est vraiment la honte… ça peut pas PLUS être la honte ! ai-je répété en me levant beaucoup trop vite. Oh boy… » Je me suis rassise sur le lit.

« Arrête donc, a dit Maxime en riant toujours.

— Ben là ! Je t'appelle à… je sais pas quelle heure pour un booty call puis je suis complètement soûle puis…

— Hé, j'avais-tu l'air de me plaindre ?

— Non… mais… » Je me suis recouchée sur le dos, ce qui m'a donné violemment mal à la tête. « Tu dois trouver que je suis la dernière des… » Je n'ai pas fini ma phrase, incapable de trouver un mot qui rende correctement ma pensée confuse.

« Regarde… a dit Maxime en se redressant dans le lit pour mieux prendre le chat, qui délirait de bonheur et de ronrons. Tu peux t'en vouloir si tu veux mais… » Il m'a regardée avec un petit sourire moqueur. « … Moi je trouve que t'as l'air de souffrir assez solide de même faque… si tu veux te taper dessus en plus, vas-y fort. Mais mets-moi pas ça sur le dos. » Il ne parlait pas méchamment, ou durement, mais plutôt avec aplomb et conviction. Il ne voyait rien de mal ou de risible dans toute cette situation, à part peut-être ma propre réaction. Je me suis sentie un peu stupide, et un peu mieux. J'ai essayé de me relever de nouveau, en me tenant solidement le front, comme si cela pouvait aider. Maxime me regardait, franchement amusé.

« Je vais aller t'aider, a-t-il dit.

— Non ! Non non…

— Calvaire, t'aimes donc ben ça souffrir, toi ! Je veux pas te rappeler de mauvais souvenirs, mais je t'ai vue hier faque j'ai une assez bonne idée de l'ampleur du mal de tête que tu dois avoir à matin. »

Je me suis mise à geindre à la mention du fait qu'il m'avait vue la veille. « Ooooh… comment t'as pu… » J'ai fait un geste vaguement explicite. « … Avec une fille dans cet état-là ?

— Laisse-moi te révéler un grand secret à propos des hommes et de leur rapport aux belles filles en état d'ébriété… »

J'ai poussé une autre série de geignements tout en m'habillant avec un chandail et des leggings qui traînaient par terre.

« Techniquement, a ajouté Maxime, c'est moi qui devrais avoir honte. C'est moi qui ai abusé de toi dans un moment de faiblesse.

— Eille c'est vrai ça !

— Bon ! Faque vas-tu me laisser t'aider, astheure ? »

Je me suis retournée pour le regarder. Il n'y avait en effet pas la moindre trace de jugement dans ses grands yeux. Évidemment, me suis-je dit. Le gars le plus à l'aise et le plus cool de la ville. Mais cette aisance, qui m'avait tapé sur les nerfs une semaine plus tôt, me faisait aujourd'hui du bien. J'ai fait oui de la tête, et je me suis levée lentement.

Les dégâts étaient moins pires que je l'avais craint. J'ai rapidement fait le tour de la grande pièce pour ramasser deux condoms qui traînaient, tout en remerciant le ciel, le petit Jésus et le saint patron des filles soûles que Noé ne soit pas rentré pour les trouver avant moi. Maxime, en jeans et en t-shirt (je n'avais porté absolument aucune attention à ses vêtements la veille, mais j'étais presque déçue de ne pas revoir les corduroys bruns), faisait des allers-retours entre le salon et la cuisine et replaçait des meubles. En moins de quinze minutes, nous avions effacé toute trace de nos ébats, et une bonne odeur de café régnait dans l'appartement.

« T'as fait du café ? lui ai-je demandé.

— Je me suis dit que ça te ferait peut-être du bien…

— Merci… Je… Tu… » J'avais envie d'être seule, pour pouvoir mariner dans ma culpabilité, ma honte et mon lendemain de veille, mais une partie de moi ne voulait pas qu'il s'en aille. Je savais que dès que j'allais me retrouver seule, j'allais commencer à analyser (sobrement cette fois) chaque seconde de mon lunch avec Florian – ce qui, avec les nerfs à vif comme je les avais, risquait de ne pas être une partie de plaisir. C'est étrange, ai-je pensé en regardant Maxime retirer la petite cafetière en stainless du poêle. Tant qu'il est là, on dirait que ça ne peut pas aller *trop* mal. « Tu veux prendre un café ? ai-je finalement demandé.

— T'es sûre ? Je serai pas vexé si tu me mets dehors.

— Non… non je suis sûre. »

Il était à peine 10 heures, et Catherine, Nicolas et Noé ne devaient pas être de retour avant le début de l'après-midi. Nous nous sommes installés sur le divan, qui était tout inondé de soleil, et j'ai raconté à Maxime ma peine d'amour.

« Shit… a dit Maxime quand j'ai eu terminé.

— Ouin. Shit. » Je lui avais raconté chaque détail de mon histoire avec une lucidité et une précision qui m'étonnaient moi-même. Et il m'avait écoutée, lui, avec une parfaite attention : il réagissait juste assez, jamais trop, et n'avait surtout pas eu l'air, à aucun moment, d'avoir pitié de moi. Il était désolé pour moi, certes, mais ne trouvait apparemment pas que j'étais pitoyable, ce qui me rendait extrêmement reconnaissante.

« Faque tu comprends, ai-je dit, c'est aussi pour ça la honte. C'était un booty call de soûlonne *en peine d'amour*. Le pire genre de booty call. »

Maxime a souri. « C'est correct. Tu me feras pas dire que je suis pas content pareil. »

Je lui ai souri à mon tour. « T'es-tu… ça t'arrive-tu d'être angoissé ? D'être pas bien ? Des fois ? »

Il a ri, révélant ses belles dents blanches. « Ben oui. Souvent.

— J'ai comme de la misère à te croire.

— Tant mieux.

— Parce que ç'a pas l'air d'être un personnage, ton affaire.

— Quelle affaire ?

— D'avoir l'air toujours tellement… *bien*. Bien avec toi-même.

— Calvaire, a dit Maxime, quel genre de monde t'as fréquenté, toi ?

— Qu'est-ce que tu veux dire ?

— Je me demande juste, a-t-il répondu en se levant et en se dirigeant vers la cuisine, quel genre de monde t'as fréquenté pour être étonnée quand tu rencontres quelqu'un qui a pas l'air mal dans sa peau… »

Je suis restée silencieuse sur le divan. C'était une sacrée bonne question, une question à laquelle il était impossible que je trouve le début d'une réponse dans l'état où j'étais, aussi ai-je préféré me concentrer sur l'observation de particules de poussière dansant dans un rayon de soleil.

« Tu penses qu'on peut prendre des Capitaine Crounche à Noé ? a crié Maxime depuis la cuisine.

— Sont pas à Noé sont à Nico… Mais oui, tu peux en prendre… » ai-je répondu, distraitement. Je repensais à la question de Maxime, la faisant jouer mollement dans mon esprit. Des phrases que Florian avait prononcées la veille venaient s'entremêler à ses nombreuses ramifications, formant une constellation complexe que je considérais de loin, paresseusement, comme on observe les étoiles un soir d'été. J'allais devoir m'en approcher, je le savais, ou du moins l'observer consciencieusement avec une sorte de télescope intérieur, mais je repoussais lâchement ce moment. Je n'avais pas assez d'énergie, de toute manière, pour m'adonner à quelque forme d'introspection constructive que ce soit. Valait mieux m'amuser à trouver d'autres métaphores cosmiques pour mon état d'esprit.

« Tiens, m'a dit Maxime en me tendant un bol dans lequel des céréales flottaient dans un lait déjà un peu jaunâtre. C'est pas une omelette de Gaspar, mais ça devrait aider. »

Je l'ai remercié d'un sourire. Le lait sucré me faisait l'effet d'un doux remède. « T'as déjà eu une grosse peine d'amour, toi ? »

Devant moi, Maxime a semblé réfléchir.

« Je pense que la réponse est non si t'as besoin d'y penser, Max.

— En fait, a-t-il dit, j'ai jamais... » Il a cogné sur la petite table de bois qui faisait dos au divan. « J'ai jamais eu à vivre ce que t'as vécu.

— Y a jamais une fille qui t'a laissé ?

— Si tu comptes pas Mélanie Campeau, en troisième année. Elle m'avait dit que j'étais son amoureux, on s'est tenu la main pendant deux jours puis elle est partie avec mon meilleur ami. » Il a levé un poing caricatural vers le ciel. « Olivier Gouin... Je lui ai toujours pas pardonné... » Il m'a fait un sourire. « Mais à part pour l'horrible trahison de Mélanie Campeau... non, j'ai été épargné. Mais j'ai eu des grandes peines. »

J'ai levé un sourcil dubitatif. Il me semblait que quiconque n'avait pas vécu ce que je vivais n'avait pas souffert. Et je me suis rendu compte que je le regardais presque de haut, comme si j'avais eu au moins cela de plus que lui : une peine d'amour plus intense. Un peu plus et je lui disais, sur un ton extrêmement suffisant : « Viens pas me parler de grande peine à *moi*, mon homme. »

« La fille dont je te parlais l'autre fois chez Gaspar, a poursuivi Maxime sans faire attention à mon sourcil accusateur.

— La folle ?

— Non… a répondu patiemment Maxime, pas Marianne. La fille avec qui j'étais quand j'ai commencé à écrire des policiers. Celle qui m'a enduré huit ans pendant que je me prenais pour le prochain Rimbaud.

— Rien de moins ?

— Faut viser le top, tu penses pas ? »

J'ai hoché la tête. J'étais loin d'avoir jamais visé quelque top que ce soit, encore moins de rimbaldiens sommets. J'éprouvais même une sorte de méfiance légèrement assaisonnée de mépris envers l'ambition professionnelle. Un bon sujet, me suis-je dit, pour Julie Veilleux.

« Anyway, a poursuivi Maxime. C'est moi qui l'ai laissée. C'était quelque chose qu'un de nous deux aurait dû faire depuis longtemps, ça marchait plus pantoute, mais parce qu'on s'aimait tellement profondément on restait ensemble. Mais on n'était plus un couple. On restait là par attachement, par habitude… C'est dull, hein ? »

J'ai haussé les épaules. Aimais-je encore Florian par attachement ? Par habitude ? En partie, oui. Mais il y avait beaucoup plus que cela, du moins me semblait-il.

« Faque je suis parti, a dit Maxime, et ça m'a brisé le cœur. » Je me suis souvenue de ses yeux remplis de larmes l'autre matin chez Gaspar, alors que la souffrance toute personnelle de Marianne lui avait fait mal à lui. « Ça se compare peut-être pas à ton histoire, a ajouté Maxime. Mais dans mon book à moi c'est une peine d'amour. C'est… on voudrait toujours que ça finisse jamais, hein ? »

Je l'ai regardé sans rien dire. J'avais peur de pleurer si j'ouvrais la bouche, ou de dire des bêtises du genre de « Oui mais moi c'était *vraiment* supposé jamais finir ».

« Je me demande souvent, a dit Maxime, si y a des gens qui sont… qui tombent pas en bas d'eux-mêmes quand leurs relations se terminent. Si y en a qui considèrent que ça fait partie de la game. »

J'ai revu Florian tel qu'il était la veille, calme et rationnel malgré sa nervosité. « J'aurais tendance à croire que oui, ai-je dit.

— Tant pis pour eux, d'abord.

— Ouin… tu comprendras que j'ai de la misère à trouver de la beauté dans l'intensité de ce que je vis ces temps-ci. »

Maxime m'a souri. « Fair enough.

— Tu penses que je vais en tirer des belles leçons un jour ? Mes amis me disent ça des fois et évidemment j'ai envie de les battre mais…

— C'est sûr que je pense que oui.

— Tu sais-tu ce qui me fait vraiment chier ? » Je parlais à Maxime avec une aisance qui m'étonnait moi-même. J'aurais pris mille détours (et plusieurs drinks) avant d'exposer tout cela à Catherine et Nicolas. Peut-être était-ce parce que je craignais plus leurs réponses – me connaissant parfaitement bien, ils voyaient en moi des failles que je ne devinais pas. Devant Maxime, j'étais encore entière et sans forme précise. Il ne pouvait qu'accepter ce que je lui disais de moi. Je faisais pourtant de sincères efforts pour ne pas lui mentir en embellissant la réalité ou en dissimulant certains aspects de ce que j'étais qui me déplaisaient. Était-ce à cause de cette incroyable transparence qui émanait de lui ? J'ai pensé que je ne le connaissais même pas, et que j'étais peut-être en train de me faire berner par un angoissé chronique et machiavélique qui s'adonnait à être un des meilleurs comédiens de la ville. Mais je le préférais, ce matin-là, sincère, ouvert, et sain.

« Qu'est-ce qui te fait vraiment chier ? a demandé Maxime.

— Que… Les affaires que mon ex m'a dites hier… »
Je lui avais tout raconté : « Billy », les remarques de Florian quant à ma passivité, mes larmes et mon départ théâtral. « … À propos de mon… » Les mots m'humiliaient encore. « … mon manque de drive. Ben je me dis que si *jamais* il faut que j'apprenne de belles leçons à cause de lui, ça va me faire quadruple chier. Et encore plus de penser qu'il a fallu que je vive une ostie de peine d'amour pour… anyway je suis pas si pire ! »

Maxime s'est mis à rire. « Je te connais pas beaucoup Geneviève, mais de ce que j'ai vu de toi so far, tu manques pas exactement de drive…

— OK pas d'allusion à mon comportement sexuel, je suis pas encore assez forte. Puis c'est pas de ce genre de drive-là que Florian parlait.

— Je sais bien. Est-ce que… » Il a hésité un moment, il me regardait, l'air de se demander s'il pouvait poser la question qu'il avait en tête.

« Est-ce que quoi ?

— Est-ce que… tu peux me répondre que c'est pas de mes affaires mais… est-ce que quelque part tu penses que ton ex pourrait avoir raison ?

— Ben là, franchement ! » Mon Dieu que j'étais susceptible, surtout quand on me disait ce que je ne voulais pas entendre. Devant moi, Maxime a levé la main comme on montre patte blanche. Je me suis fait violence : parler à Maxime me faisait du bien, je m'en rendais compte. Autant en profiter. « Je pense qu'il a raison sur le fait que je me laisse porter par les événements, ai-je dit plus calmement. Mais… y a rien de mal à ça, non ? C'est pas comme si j'empêchais quelqu'un de vivre en faisant ça, non ?

— Ben… toi, peut-être ?

— OK, ça va faire. Trop d'insight, trop de recul. Puis on se connaît pas assez.

— Tu m'as posé une question !

— Je voulais pas une vraie réponse ! » Je l'ai observé un instant. « Tu dois être le genre de gars qui répond

254

honnêtement quand sa blonde lui demande "J'ai-tu l'air grosse là-dedans?", hein?

— T'as pas idée du nombre de fois que ça m'a mis dans marde, a répondu Maxime en riant. Puis tout ce que je dis, c'est que... si toi t'es bien comme t'es, ton ex a rien à redire, puis c'est probablement une bonne affaire que vous soyez plus ensemble. Mais si t'es le moindrement pas bien...

— Je sais, je sais... » Je me suis mise à jouer nerveusement avec une des manches de mon chandail. J'étais trop « pas bien » depuis que Florian m'avait laissée pour réfléchir intelligemment à cette question, et une partie de moi redoutait le moment où, enfin mieux, j'allais devoir me demander, sérieusement, si j'étais bien. « Il m'a dit aussi, juste avant que je parte, que... je venais de lui dire qu'il me traitait toujours comme une enfant, puis il m'a dit que c'était peut-être parce que je voulais être traitée comme une enfant. » J'ai regardé Maxime, m'attendant à de véhémentes protestations, mais il n'a rien dit. J'ai failli ajouter que je craignais que Florian ait raison, que je n'étais même pas loin d'être certaine qu'il avait raison, mais je me suis tue. Maxime m'observait, attendant sans doute que je parle, ou lisant simplement dans mes gestes nerveux et mon air inquiet les réponses qui s'y trouvaient. Il a finalement attrapé une de mes mains et m'a attirée vers lui pour m'embrasser.

« Mnon... ai-je dit sans conviction, mais sa bouche était sur la mienne, et ses mains sur mes seins me donnaient des frissons jusqu'au bout des pieds.

— Viens-t'en, a-t-il dit sans cesser de m'embrasser, en m'attirant vers ma chambre.

— Non... je me laisse encore porter par les événements... » J'étais déjà debout, à moitié accrochée à lui par mes bras, mes jambes, mes lèvres. Il a pris mon visage dans ses mains, m'a regardée de son air trop intense et m'a fait un grand oui de la tête avant de m'embrasser à nouveau et de me soulever légèrement pour m'emporter jusqu'au lit.

J'allais m'endormir, couchée en cuiller contre le corps de Maxime, repue comme je ne l'avais pas été depuis longtemps (la fatigue, la langueur et la douceur du lit et de la peau de mon amant m'étaient exquises) quand Maxime a dit, dans mon oreille : « J'aime ça faire l'amour avec toi. » Je ne savais pas si son choix de mots était délibéré, mais j'ai tout de même fait appel à mon vieux complice le déni, et j'ai fait semblant d'être endormie et de ne pas l'avoir entendu dire « faire l'*amour* ».

J'ai été réveillée par la voix flûtée et le bruit des pas de Noé, qui traversait l'appartement en courant et en réclamant un jeu de Wii au nom imprononçable. Oh non, me suis-je dit. Maxime m'enlaçait toujours et il venait, lui aussi, de se réveiller. « Il est quelle heure ? a-t-il demandé dans mon cou.

— L'heure à laquelle Cath puis Nico reviennent. »

Quelqu'un – Maxime – avait eu la brillante idée de fermer la porte derrière nous lorsque nous nous étions étalés sur le lit, mais la situation était tout de même loin d'être idéale. Je me sentais comme une adolescente prise au dépourvu par le retour de ses parents et je me demandais, confusément, si la présence de Maxime ne risquait pas de troubler Noé à tout jamais. On a cogné trois petits coups à la porte de ma chambre. « Gen ? » a demandé Nicolas. Merci mon Dieu, ai-je pensé, si ç'avait été Catherine elle aurait simplement ouvert la porte, sans prendre la peine de cogner. J'ai répondu un « oui oui » qui se voulait désinvolte mais a tout de suite sonné à mes oreilles comme le couinement malhabile d'un enfant qui a quelque chose à cacher, et j'ai commencé à m'habiller à la hâte tout en faisant de grands gestes autoritaires à Maxime pour qu'il fasse de même. Il était, évidemment, mort de rire.

Je me suis enfin dirigée vers la porte, que j'ai ouverte avec mille précautions. J'essayais, ce qui était complètement ridicule et parfaitement futile, de cacher la présence de Maxime. Que croyais-je? Qu'il allait filer en douce par la fenêtre? Vivre sous le divan-lit jusqu'à ce que l'appartement soit vide de nouveau? «Saluuuuut, ai-je dit à Nicolas, qui s'est contenté de me regarder, les bras croisés et les yeux plissés. Ça va?

— Moi ça va, a dit Nicolas. Toi?

— Oui… je faisais une petite sieste… j'ai… un peu abusé de la vodka hier et…» Je pédalais encore et je commençais à me demander pourquoi je me donnais autant de peine quand j'ai senti le corps de Maxime derrière moi.

«Hé man, a-t-il dit en ouvrant la porte toute grande.

— Ah ben tabarnak! a lâché Nicolas en riant.

— OK donnez-vous juste pas un high five!» ai-je eu le temps de dire avant qu'il soit trop tard. Les deux hommes ont replacé piteusement leurs bras le long de leurs corps.

«Puis mon homme?» a lancé Nicolas.

Maxime souriait comme un imbécile, ai-je pensé.

Nicolas s'est tourné vers moi. Il avait le même sourire imbécile, qui devait être, me suis-je dit, la réaction d'usage qu'un homme doit avoir devant l'évidence d'une baise. «Gen… dire qu'on s'inquiétait pour toi…

— Bon, ça va, ça va…» Je l'ai contourné pour aller m'asseoir dans le salon.

«C'est qui? a dit Noé en arrivant devant nous.

— Noé, ai-je dit, c'est… c'est mon ami Maxime.

— Y était dans ta chambre?» Il parlait épouvantablement fort, et Catherine est sortie de la sienne avec un air curieux.

«Ben… oui…?» ai-je répondu, en lançant des regards désespérés vers Nicolas. Dans quelle mesure est-ce que la sexualité pouvait être évoquée devant un enfant? Je n'en avais aucune idée.

Noé s'est approché et a demandé, à Maxime cette fois: «Est-ce que vous faisiez…» Puis il s'est mis à faire des gémissements parfaitement explicites. La sexualité, de toute évidence, avait déjà été évoquée, et pas subtilement. Maxime et Catherine ont éclaté de rire. Noé, fier de lui, a poursuivi un moment, pendant que je le montrais du doigt en regardant Nicolas, afin de savoir comment cet enfant en était venu à maîtriser la bande sonore d'un film porno à l'âge de huit ans.

« Noé, d'où ça vient, ça ? a demandé Nicolas, avant de se tourner vers Catherine, qui a signifié son innocence avec de grandes mimiques de vierge offensée.

— Tout le monde connaît ça, à l'école, a dit Noé, toujours fier, avant d'aller installer son jeu de Wii. Tous les animaux ils font... » Il a émis une autre série de geignements, qui cette fois m'a fait rire moi aussi. « Ils l'ont dit dans une émission de National Geographic.

— Je pense pas qu'ils ont dit ça de même... a fait valoir Catherine.

— Ils parlent de cul dans les cours d'école ? » J'étais sincèrement offensée.

Devant moi, Nicolas et Maxime faisaient de grands oui de la tête. « Tant qu'il prend pas ça sur l'ordi... a dit Nicolas.

— T'aimes mieux qu'il fasse son éducation sexuelle avec des garçons de huit ans ? »

Il a réfléchi un instant, puis a pris un air découragé. « Oh boy... Faut que j'aie le talk, hein ? » Maxime lui a donné une claque d'encouragement dans le dos. « Pourquoi y a pas de mère, cet enfant-là...

— Je peux lui parler, moi, a suggéré Catherine.

— NON ! » Nicolas et moi avions parlé en même temps, ce qui a beaucoup amusé Maxime. Catherine a haussé les épaules. « Tant pis pour toi, a-t-elle dit à son cousin. Mais toi mamzelle... on te laisse toute seule une soirée puis...

— OK on peut-tu parler de ça un autre tantôt ? »

Maxime, évidemment, trouvait tout cela hilarant. « Tu restes-tu prendre un verre ? » lui a demandé Nicolas, qui ne cessait de me faire d'insupportables clins d'œil. Maxime s'est tourné vers moi, comme s'il me demandait l'autorisation de rester, ce qui m'a frappée comme étant très délicat. « Ben oui si tu veux… » J'ai repensé à mon après-midi et à ma soirée de la veille. « Il reste peut-être plus grand-chose par contre…

— On va aller à la SAQ, a dit Catherine. Hein Gen ? Les boys peuvent siffler les fonds de bouteilles en nous attendant. »

C'était, me semblait-il, le meilleur plan du monde. Air frais, complicité féminine – j'avais une faim vorace de tout cela. « I am *so* your girl », ai-je dit à Catherine.

Nous n'avions pas mis le pied sur le trottoir que Catherine me taraudait de « Ouin ouin ouin », « Pis, pis, pis ? » et autres « Faque ? » qui m'irritaient autant qu'ils m'amusaient.

« J'ai fait le plus gros booty call de la honte, ai-je fini par dire.

— T'étais soûle ?

— Yup.

— Puis quelque part dans ta tête c'était une façon de remettre Florian à sa place ?

— Oui madame.

— Aw… » Catherine m'a mis un bras autour de la taille en riant doucement de moi. « Ça t'a-tu fait du bien, au moins ? »

J'ai réfléchi un moment. « En fait… oui. » J'avais encore de la difficulté à croire qu'un geste aussi stupide, dont les motivations étaient à ce point malsaines, puisse résulter en quoi que ce soit de positif.

« Bon ben c'est tout ce qui compte, a dit joyeusement Catherine. Puis… y est comment ?

— Ah Cath… pas sûre que je suis prête pour le sex talk…

— Come on ! Je l'ai toujours trouvé cute, ce gars-là… y a l'air cochon…

— Cath…

— Dude ! Depuis qu'on est amies que t'as le même chum ! Je peux-tu s'il te plaît avoir mon nananne ! Ça fait six ans que j'entends parler de Florian et honnêtement... » Elle s'est arrêtée. Catherine était très drôle lorsqu'elle se censurait elle-même. Plutôt que de se taire ou de faire subtilement diversion, comme tous les gens qui ne veulent pas qu'on devine le fond de leur pensée, elle cessait abruptement de parler et se couvrait la bouche avec les deux mains en faisant de grands yeux.

« OK, quoi ? ai-je demandé.

— Rien rien.

— Catherine Saroyan... Qu'est-ce que t'allais dire ?

— Rien ! Rien ! »

J'avais une assez bonne idée de ce qui serait sorti si elle ne s'était pas arrêtée, mais j'aimais torturer mon amie. « Non ! Qu'est-ce que t'allais dire ?

— Ben... j'ai jamais vraiment trippé sur Florian... » Elle me regardait de côté, l'air craintif, comme quelqu'un qui s'attend à recevoir un coup.

« C'est correct, Cath... je le savais bien. » Je n'ai pas ajouté que Florian le lui rendait bien. Ces deux personnalités diamétralement opposées n'avaient rien pour se plaire – ils évoluaient sur deux planètes différentes, avec des repères différents, des principes différents, une cosmogonie différente même. J'étais leur seul point commun et, parce qu'ils m'aimaient sincèrement tous les deux, ils avaient fait durant six ans de valeureux efforts pour se tolérer l'un l'autre, ce qui avait donné lieu à plus d'une scène cocasse au cours des années. Florian, en particulier, était tellement agacé par l'exubérance de Catherine qu'il avait développé une étrange technique qui consistait à oblitérer l'existence de mon amie de son champ de conscience. Catherine, évidemment, n'était pas du genre à se laisser oblitérer de bonne grâce. Aussi avait-elle passé plusieurs fins de soirée à crier à deux pouces du visage de Florian pendant que celui-ci regardait vers un lointain où les filles trop loud et dépourvues de tact n'existaient pas.

« Tu savais ? » m'a demandé Catherine. Étant persuadée d'être une grande comédienne, elle était toujours déconcertée quand quelqu'un la prenait en flagrant délit de mensonge ou de dissimulation.

« Ben là… Ça demandait pas un doc en psycho pour voir que vous étiez pas exactement compatibles…

— Je le haïssais pas, là !

— Je sais, je sais… » J'ai passé un bras autour de ses épaules, m'appuyant sur l'épais coussin de sa chevelure. « C'était pas ton genre de gars, il te tapait sur les nerfs, mais tu faisais des beaux efforts pour être fine avec lui par amitié pour moi.

— J'étais sûre que tu t'en rendais pas compte… » Elle était toute débinée, et je me suis mise à rire.

« C'est pas grave… c'est vraiment pas grave. Ce qui compte c'est l'effort.

— Faque qu'est-ce qu'il t'a dit, hier, l'ostie de schleu ?

— OK, pas d'insultes racistes par exemple.

— Ça compte pas quand c'est contre les Allemands. »

Je lui ai fait un petit sourire et j'ai commencé à raconter mon dîner de la veille. Après avoir tout dévoilé à Maxime, j'avais plus de facilité à énoncer les détails – je faisais même un peu d'humour, m'imitant en train de pleurer et de quitter le restaurant dans un grand geste beaucoup trop dramatique. Catherine m'écoutait en riant et en poussant de stridents hurlements aux bons moments (son « QUOI ? » quand j'avais mentionné le surnom et l'âge de la crisse de hipster avait fait sursauter un vieux chien qui attendait patiemment son maître devant une pharmacie).

« Je suis désolée, Gen, mais c'est un ostie de plein de marde. C'est quoi son ostie de rapport, anyway ! Tu veux pas être traitée comme une enfant ! What the fuck ?

— Ben…

— Ben quoi?

— Ben je sais pas si y a complètement tort, Cath.

— Oh come on! T'es brainwashée ou quoi?

— Non, penses-y! Penses-y sérieusement.»

Elle a pensé, les sourcils froncés, durant environ un tiers de seconde. «C'est de la bullshit.

— Je suis pas si sûre… pour vrai. C'est vrai que ça faisait mon affaire… quelque part… à un certain niveau… Je sais pas.

— Eille si toi tu veux être traitée comme une floune ça fait quoi de moi, ça?»

Nous étions arrivées devant la SAQ. Un itinérant, auquel Catherine a donné un dollar en disant «Salut Guy, la famille va bien?», nous a ouvert la porte.

«C'est peut-être Florian qui agit trop comme un adulte, t'as pas pensé à ça?» m'a-t-elle demandé alors que nous considérions les vins rouges d'Australie.

J'ai réfléchi un moment. Inexplicablement, cette théorie me semblait brillante. «Non, j'avais pas vu ça de même… En même temps, tu penses pas que ça en dit long sur nous autres si on est rendues à se méfier des adultes qui agissent comme des adultes?»

Catherine a fait une petite grimace qui consistait à plisser le nez. «Whatever. J'aime ça, moi, comme théorie. Qu'est-ce qu'on prend?

— Aucune idée. On aurait dû demander à Nico… T'es fruitée et généreuse, toi? Aromatique et souple?

— Définitivement aromatique et charnue», a répondu Catherine, en indiquant d'un grand geste ses courbes voluptueuses. Nous avons fini par prendre, comme toujours, deux bouteilles de rouge au hasard, et une de vodka pour la forme.

«Bye Guy!» a crié Catherine alors que nous quittions la succursale. Il faisait un temps radieux, une vraie belle journée de pré-printemps, comme les appelait Noé.

«Je pense que je vais commencer à chercher un appart, ai-je annoncé.

— Quoi? C'est-tu à cause de ce que l'autre cave t'a dit?

— Ben non! Cath, je peux pas vivre chez vous pour toujours.

— J'aime ça, moi, que tu sois chez nous… t'es sûre que c'est pas à cause de…

— Non! Faut juste que… Crisse si vous étiez arrivés trois heures plus tôt, Noé aurait trouvé des capotes usagées dans le salon.

— Dans le salon! Sexy… et un peu dégueu à la fois.

— Oui ben tu comprendras que j'aimerais peut-être ça avoir mon divan et mon salon pour fourrer où je veux quand je veux.

— Faque tu vas refourrer avec Sexy Dude Blackburn?

— Non!… Je… C'est pas ça que je voulais dire.

— Tant que tu pars pas parce que tu te sens obligée de partir… Ou pour prouver quelque chose à Florian…

— Inquiète-toi pas. » J'ai fait un effort d'intro-spection pour voir en moi si, vraiment, Catherine n'avait pas à s'inquiéter. J'étais loin d'en être certaine. Une partie de moi – une grosse, grosse partie de moi – aurait voulu végéter sur le divan-lit de mes amis jusqu'à la fin des temps. Mais d'un autre côté je ne voulais plus me faire dorloter. Je voulais, pour une fois, prendre les choses en main. Il ne pouvait qu'y avoir un lien direct avec ce que Florian m'avait dit, et j'ai repensé à ce que j'avais confié à Maxime le matin même: « S'il faut que j'apprenne des belles leçons à cause de lui, ça va me faire quadruple chier. » Eh bien tant pis, me suis-je dit en marchant dans l'air doux, à côté de mon amie. Quadruple chier ce sera.

« Tu vas m'aider à chercher? ai-je demandé à Catherine.

— Mets-en… mais je vais être très busy ce mois-ci, on monte une pièce avec mon atelier…

— Ton atelier… » Catherine participait toujours simultanément à au moins trois ateliers de théâtre, d'expression corporelle ou de créativité quelconque. J'ai eu peur qu'elle me dise qu'il s'agissait de son atelier de mime.

« Ma gang de théâtre expérimental, a-t-elle précisé. Tu vas venir ? »

Sachant que les gangs de théâtre expérimental auxquelles se collait Catherine étaient capables du meilleur, du tellement-épouvantablement-pire-que-c'en-est-drôle et de tout ce qui se situait entre les deux, j'ai répondu par un grand oui que j'espérais farouchement optimiste.

Nous étions rendues à un coin de rue de l'appartement quand Catherine m'a demandé : « OK, avant qu'on arrive, donne-moi au moins un détail crunchy sur Maxime. Ses moves ? Son pénis ? Quelque chose !

— Je te donne un détail crunchy sur Maxime si tu me donnes un détail crunchy sur Emilio. » Je me trouvais très drôle.

« C'est pas cool, ça !

— Come on, je suis curieuse !

— OK ben… » Catherine a rougi un peu. « C'est un bon amant. Très… tendre. Mais rendue là… j'ai peur de plus être ben ben difficile.

— Voyons donc…

— Gen… » Elle s'est arrêtée au milieu du trottoir. Elle s'arrêtait toujours de marcher quand elle avait quelque chose à dire qui lui semblait important, ce qui rendait chaque déplacement en sa compagnie interminable. « J'ai *tellement* besoin d'amour… »

Je me suis arrêtée à mon tour. Il y avait une telle vulnérabilité dans son ton et dans ses grands yeux que je l'ai prise dans mes bras. « Je sais… » ai-je dit. Et c'était vrai. Je savais. « Moi aussi.

— J'en *peux* plus de pas avoir de chum. Je sais que ça se dit pas, mais j'en *peux* plus.

— Je sais.

— Je manque pas d'amour puis je devrais pas me plaindre mais… on est crissement insatiables, hein ?

— Oui. Crissement. »

Nous nous sommes prises par les épaules et nous avons continué jusqu'à l'appartement, deux célibataires insatiables parmi tant d'autres. Était-ce une mauvaise chose ? Une insatiable soif d'amour était-elle nécessairement pathétique ? Il me semblait que nous avions été abreuvées de cette théorie, inondées de stéréotypes peu flatteurs de filles cherchant désespérément l'amour. Pas juste, me suis-je dit, en pensant à mon amie qui cherchait le bon depuis toujours, et à moi qui avais perdu celui qui était pour moi le seul et l'unique. Comment pouvions-nous ne *pas* avoir soif ? C'était impossible.

« Eille ! a chuchoté Catherine entre ses dents alors que nous nous trouvions devant la porte. J'ai pas eu mon détail crunchy ! »

J'ai tenu mes deux index devant moi à une distance qui me semblait rendre justice à Maxime. « Nice… » a dit Catherine, et nous sommes entrées en riant. À la table de la salle à manger, Nicolas, Maxime, Noé et Emilio jouaient aux cartes.

Je me suis penchée au-dessus de la table. En moins des vingt minutes qu'il nous avait fallu pour faire l'aller-retour à la SAQ, ils avaient eu le temps de sortir de l'argent, des jetons, des pions, *deux* jeux de cartes et plusieurs verres à shooters. « C'est le poker *cubano*, m'a expliqué Emilio. Tu veux jouer ?

— Ça va, sans façon… »

Je les ai observés un instant. Ils échangeaient des cartes, se consultaient, lançaient des jetons dans des verres, remplissaient des verres de Baileys (le seul alcool qui avait été épargné lors de mon pillage de la veille) ou de lait quand il s'agissait de Noé, achetaient des cartes…

« Ça n'a aucun sens », ai-je dit. Maxime et Nicolas ont chacun désigné Emilio, qui me regardait d'un air mauvais, comme si c'était ma remarque qui risquait de faire réaliser aux autres que son jeu n'avait ni queue ni tête. « Vous faites n'importe quoi, ai-je ajouté.

— Tu comprends rien au poker *cubano*.

— J'ai gagné trois valets mais ça m'a coûté cinquante sous puis y a fallu que je boive un verre de lait! » a crié Noé. Au même moment, Maxime a montré une main composée de cinq cartes hétéroclites avant de lever les bras en signe de victoire. Emilio a donné un vingt-cinq sous à Nicolas, qui a calé un shooter, pendant que Noé ramassait trois jetons. « Pourquoi vous jouez pas? nous a demandé Noé.

— Je pense qu'on va avoir plus de fun à vous observer… » a répondu Catherine en posant la bouteille de vodka au milieu de la table, provoquant chez les hommes des sons gutturaux et triomphants comme si le Saint-Graal venait d'apparaître devant eux.

L'après-midi s'est doucement transformé en soirée, et Catherine et moi avons fait plusieurs autres allers-retours, à la SAQ mais aussi à l'épicerie, afin de préparer un énorme navarin d'agneau (présenté à Noé comme un « ragoût de bœuf ») pendant que Maxime jouait à la Wii avec Noé et que Nicolas essayait, une fois de plus, d'expliquer à Emilio qu'en sa qualité d'immigrant maintenant clandestin (son visa avait expiré il y avait de cela plusieurs mois) il était grandement préférable qu'il ne cherche pas à traîner le propriétaire de l'immeuble qu'ils habitaient en cour. Je pouvais entendre Emilio, depuis la cuisine où Catherine et moi nous affairions, déclarer : « Dans mon pays, la notion de propriété existe seulement dans les histoires pour faire peur à *los niños*. » Noé et Maxime, bien installés sur le divan dont nous avions fait un tout autre genre d'usage la veille, criaient de joie parce qu'ils avaient enfin réussi à délivrer une princesse.

J'étais étrangement bien au milieu de cette domesticité un peu toute croche, composée d'une famille rabibochée, de vieux amis, de cœurs assoiffés et d'un voisin absurde qui était devenu, avec le temps, un ami lui aussi. Emilio faisait le tour de l'appartement avec Noé sur son dos quand j'ai pensé que je n'aurais pas voulu que Florian soit là, que s'il avait été des nôtres une partie de l'insouciance qui me semblait caractériser ce moment se serait enfuie. J'en ai fait part à Catherine qui s'est contentée de me dire « J'aime vraiment *beaucoup* Maxime » sur un ton qui m'a tellement dérangée que j'ai fait semblant de n'avoir rien entendu. (Une technique complètement inutile lors d'une interaction avec Catherine, qui m'a poursuivie de « Non mais… j'aime vraiment *beaucoup* Maxime » jusqu'à ce que, devant choisir entre quitter l'appartement et lui répondre, je finisse par lui dire un « Ben là couche avec d'abord » qui était à la fois méchant, stupide et déplacé, mais qui a eu au moins l'avantage de la faire taire.)

La simple idée que Maxime puisse être plus qu'un garçon éminemment sympathique avec qui j'avais fait des choses éminemment agréables m'était presque intolérable : elle me donnait l'impression (non justifiée, je le savais) d'avoir à gérer un autre problème, une autre réalité. Mon cœur et ma tête, qui vivaient depuis plus d'un mois au rythme tyrannique de ma peine, n'étaient pas prêts à cela. Ils voulaient se reposer, ne pas être stimulés, se faire oublier.

J'avais même failli sauter à la gorge de Nicolas quand il m'avait lancé : « Faque… toi puis Maxime, hein ? » à tel point qu'il m'avait plus ou moins subtilement traitée de folle. « Calme-toi donc, m'avait-il dit. Je le trouve cool, c'est tout, puis je trouve ça cool que vous ayez du fun. » Maxime, évidemment, était d'un naturel absolu, agissant avec moi comme aurait agi un bon ami et trouvant le moyen de s'en aller, un peu avant minuit, sans avoir à me mettre dans une situation où j'aurais eu à choisir entre une bise ou un baiser.

Emilio et Catherine flirtaient gentiment sur le divan et j'allais me coucher quand Nicolas m'a dit :

« Tu sais Gen, ça peut être correct, des fois, de juste laisser aller les choses. Des fois la vie nous mène exactement où…

— Oui mais je veux plus me faire mener par la vie ! ai-je répondu avec une véhémence carrément comique. TOUT est là OK ? » Tout était là ? Vraiment ? J'étais vaguement consciente de dire n'importe quoi et de parler comme un personnage de mauvaise télésérie, mais je ne pouvais m'empêcher de continuer sur le même ton. « Je veux plus laisser aller les choses, OK ? Julie Veilleux me l'a dit : c'est moi qui décide ! »

Nicolas est resté interdit un moment – il avait visiblement envie de rire, mais il voulait poursuivre. « Peut-être que… des fois on peut décider de laisser la vie nous mener…

— AARGH ! Trop compliqué ! Trop de… » Je me suis passé les mains sur la tête. « Je suis plus capable de penser. Je… Là je vais aller me coucher, puis demain on commence à chercher un appart.

— On ?

— Oui, tu vas m'aider », ai-je dit avant de fermer la porte de ma chambre derrière moi. Je l'ai rouverte deux secondes plus tard. « Mais c'est moi qui décide ! » Et je l'ai claquée d'un grand geste. Derrière elle, Nicolas a éclaté de rire.

Trois semaines plus tard, nous cherchions toujours. Nous avions d'abord perdu plusieurs jours à débattre trop longuement de l'importance du quartier par rapport à la nécessité d'être loin de Florian. J'étais profondément attachée au quartier que j'avais habité avec lui, j'y avais mes habitudes et mes repères, mais l'idée de le croiser à la pharmacie ou à la fruiterie en compagnie de « Billy » m'était atroce.

« Donc on cible un autre quartier, disait Nicolas.

— Oui mais j'aime le quartier…

— Alors une autre partie du quartier ?

— C'est pas vraiment grand, un quartier…

— Donc un autre quartier.

— Mais j'aime tellement ce quartier-là…

— Faque on cherche dans le quartier.

— Oui mais d'un coup que je les croise dans le quartier ? »

C'était insupportable, et très peu productif. Emilio avait suggéré que j'aille vivre à Cuba avec lui, ce qui, après trois jours de « Oui mais j'aime le quartier mais je veux pas être dans le quartier », avait commencé à me faire l'effet d'une option raisonnable. C'était finalement Catherine qui, dans un rare élan d'esprit pratique, avait fait remarquer qu'ils habitaient, eux aussi, dans le même quartier que Florian et qu'en six ans nous ne nous étions rencontrés par hasard que deux fois. J'avais fait valoir que la loi de Murphy allait s'organiser pour que je tombe, moi, sur Florian et « Billy » au moins trois fois par semaine, mais nous nous étions entendus, après un âpre débat, pour déclarer qu'on ne pouvait raisonnablement baser une décision immobilière sur la loi de Murphy.

J'avais donc commencé à chercher dans ce quartier que je croyais connaître par cœur mais qui recelait, ai-je rapidement compris, d'innombrables surprises. Les propriétaires, entre autres, semblaient tous être d'impayables personnages. En trois semaines, nous avions croisé un Juif hassidique qui louait un appartement immense mais crasseux et qui, dès que Nicolas avait eu le dos tourné, m'avait littéralement fait une passe – un geste tellement improbable qu'il m'avait ravie plus qu'autre chose : j'allais pouvoir raconter pendant des années l'histoire du vieil hassidique qui m'avait mis la main au cul en me demandant, dans un anglais approximatif : « You know… spanish fly ? »

Un Portugais d'environ deux cents kilos avait essayé de nous convaincre que le rez-de-chaussée qu'il louait pour 1 400 $ par mois et dont *toutes* les fenêtres sauf celles de la cuisine donnaient sur le garage de fortune qu'il s'était construit à côté était une aubaine.

Une dame d'une soixantaine d'années qui était la quintessence de la bourgeoise d'Outremont m'avait fait visiter un quatre et demi coquet qu'elle était prête à me laisser à un prix relativement raisonnable. « Tout pour ne pas louer à un… » Elle avait baissé la voix, sifflant comme un serpent les mots : « crisssse de Juiffff », ce qui m'avait donné envie de retourner chez l'hassidique libidineux pour lui dire qu'il y avait une dame, trois rues plus loin, qui rêvait de découvrir les nombreuses délices du spanish fly.

Ma mère, inexplicablement, s'était mis en tête de m'aider et venait visiter avec moi des appartements sur lesquels elle avait beaucoup trop d'opinions – il n'y avait selon elle jamais assez de lumière et toujours « de la vermine ». Je ne voyais aucune vermine, ni même de traces de vermine, mais ma mère semblait avoir l'œil d'un exterminateur paranoïaque et me traînait toujours hors de ces lieux comme s'ils avaient été infestés. Les appartements qui avaient grâce à ses yeux lui paraissaient tous trop chers – en fait, tout ce qui excédait les 550 $ par mois (le prix qu'elle payait pour l'appartement où elle vivait, il fallait dire, depuis quinze ans), la faisait hurler au vol. J'avais beau lui expliquer que le marché avait augmenté, rien n'y faisait.

Elle avait appelé mon père pour qu'il me fasse entendre raison – celui-ci avait voulu régler le problème en m'achetant un condo dans le Vieux-Montréal, ce qui était pour moi hors de question (un refus qui m'avait valu d'être traitée de folle par toutes mes connaissances, incluant Audréanne, qui avait crié à mon père qu'il était mieux de lui en offrir un à elle quand elle aurait dix-huit ans).

Maxime était venu visiter quelques appartements avec moi et s'était avéré être un juge aussi impitoyable que ma mère, ce qui, venant de la part de quelqu'un qui habitait dans un marché aux puces avec une jolie vue, m'avait beaucoup fait rire. Je l'avais revu à deux reprises durant ces semaines de recherche – il m'avait appelée, et lorsque j'avais hésité, baragouinant «Oui mais je sais pas si j'ai le temps c'est juste que peut-être que oui mais je veux pas…», il avait fini par me dire: «Regarde: moi j'ai envie de te voir. C'est pas plus compliqué que ça. Puis toi t'as pas à te sentir obligée de me voir.»

J'avais tenté de lui expliquer que pour moi *tout* était «plus compliqué que ça» mais j'avais finalement cédé parce qu'une partie de moi voulait voir cet homme tranquille, dont les pieds me semblaient solidement ancrés sur cette terre que je ne touchais plus depuis longtemps. Je m'étais fait accroire, les deux fois, que j'allais rester de glace, passer avec lui de platoniques après-midi à visiter des appartements, mais les deux après-midi en question s'étaient transformés en soirées sympathiques, puis en nuits torrides. Était-ce lui, spécifiquement, ou mon inextinguible soif? Le simple contact de sa peau avec la mienne m'électrisait.

Mais c'était encore les bras de Florian que je cherchais lorsque je me réveillais la nuit sur ce divan-lit que j'avais l'impression de ne jamais devoir quitter. Quand cela allait-il cesser? avais-je demandé à Julie Veilleux, qui m'avait répondu, bien évidemment, qu'il n'y avait pas de réponse à de telles questions. Elle était fière de moi, par contre, fière de ce petit personnage soudainement volontaire que je tâchais d'être et que je parvenais à croire, par moments, être devenue. Je lui avais parlé de Maxime, du fait que j'aimais le voir, que j'adorais «baiser» avec lui – j'insistais sur le mot «baiser», me refusant à dire «faire l'amour», comme lui – et de la peur et du malaise que me causait cette nouvelle «relation» puisqu'il s'agissait bien, non, d'une relation humaine? Julie avait souri devant mes angoisses et m'avait répondu: «S'il te demande rien en retour, pourquoi tu te contenterais pas de prendre ce qui te fait du bien?» et j'étais sortie de son bureau, encore une fois, tout ébahie par une évidence: on pouvait se faire plaisir sans s'attendre à devoir payer pour.

J'étais aussi particulièrement fière d'avoir pu répondre posément et, me semblait-il, intelligemment aux quelques courriels prudents que Florian m'avait envoyés. Il avait dû comprendre, lors de notre rencontre pour moi très peu glorieuse, que le courriel constituait un mode de communication plus safe, et m'avait écrit de courtes missives dont il avait dû peser et soupeser chaque mot. Mes réponses, qui nécessitaient d'interminables séances de brainstorm avec Nicolas et Catherine, étaient tout aussi réfléchies mais me confortaient dans l'idée qu'une reprise de dialogue était quelque chose d'éventuellement envisageable.

Je m'étais demandé, chaque fois que j'allais appuyer sur « Envoyer », si je ne mettais pas tant de temps à me trouver un appartement parce que j'attendais inconsciemment que Florian me rappelle à lui, mais j'avais réussi à repousser cette pensée loin, très loin, dans l'enclos encombré de mes nombreux dénis.

Et puis un matin, alors que j'étais partie seule pour visiter ce qui était selon moi le cent cinquantième appartement que je voyais, je suis tombée sur la perle rare. J'ai été accueillie par un jeune couple dont la perfection m'a instantanément déprimée : ils étaient beaux, charmants, parents d'un enfant adorable et ils vivaient au premier et au deuxième étage d'un magnifique triplex entièrement rénové de leurs propres mains et sûrement très écologique. Bref, ils étaient, en apparence du moins, tout ce que je rêvais bêtement d'être, à commencer par un couple. Je les aurais probablement maudits avant de les quitter s'ils n'avaient pas aussi été propriétaires du troisième étage du triplex, un grand cinq et demi lumineux, sans vermine (mais j'avais gardé l'œil de lynx de ma mère à distance), bien situé et dont le large balcon arrière s'ouvrait sur une ruelle dans laquelle Ti-Gus et Ti-Mousse allaient pouvoir jouer gaiement (un critère auquel je tenais mordicus et qui désespérait Nicolas).

Je suis rentrée à pied jusque chez Catherine et Nicolas après avoir déclaré au jeune couple parfait et ravi que je prenais l'appartement. Il faisait un temps radieux et quelques intrépides buvaient de la bière et de la sangria sur les terrasses qui avaient éclos un peu partout, semblait-il, pendant la nuit. Le nez en l'air, je respirais à pleins poumons et je jouais avec l'impression furtive et fragile que tout allait bien, que tout ne pouvait qu'aller mieux.

Arrivée au coin de la rue de Catherine et Nicolas, j'ai aperçu, dans les marches qui menaient à l'entrée de l'immeuble, Maxime. Il était assis avec un livre et semblait attendre quelqu'un. Et parce qu'il était beau dans le soleil, parce que l'air était doux et que tout était enfin parfait, je me suis cachée derrière une boîte aux lettres.

CHAPITRE 11

« *J*'es vraiment ridicule », m'a répété Nicolas pour ce qui me semblait être la millième fois depuis que nous avions quitté l'appartement. Nous faisions la file pour entrer dans la petite salle de théâtre où Catherine et sa troupe présentaient leur pièce expérimentale, entourés de gens qui étaient presque tous, comme nous, des amis ou des proches des comédiens.

Noé était resté avec Emilio, une idée judicieuse considérant que la dernière pièce de Catherine à laquelle il avait assisté mettait en scène un minotaure qui sodomisait allègrement une femme et deux jeunes hommes. Noé, heureusement, s'était endormi avant la scène en question, mais Nicolas avait préféré le garder par la suite à l'écart des productions expérimentales de Catherine, qui l'avait traité d'obscurantiste et de béotien – deux quolibets que Nicolas assumait parfaitement dans les circonstances.

« Vraiment », a dit Nicolas en hochant la tête et en riant. Il allait me redire pour la mille et unième fois que j'étais ridicule, mais je l'ai arrêté d'un « ÇA VA ! » qui a fait sursauter les deux jeunes étudiantes qui attendaient devant nous. « Non seulement Max venait pour *me* voir, a poursuivi Nicolas, mais même s'il était venu pour te voir… qui c'est qui se cache derrière une boîte aux lettres, Gen ? Hmm ? Qui c'est qui se cache derrière une boîte aux lettres ? » Une des deux étudiantes, sans doute amusée par cette image, s'est retournée vers nous. Je lui ai fait un sourire niais qui voulait dire « Ben oui, c'est moi la folle » et elle a baissé les yeux, un peu gênée mais toujours amusée.

« Je savais pas qu'il venait pour *te* voir », ai-je marmonné entre mes dents à Nicolas. Nous avions la même conversation depuis notre départ de l'appartement, ce qui devenait fort irritant. Nicolas, lui, trouvait tout cela extrêmement drôle.

« Tu l'aurais su si tu t'étais avancée pour lui poser la question, a-t-il fait remarquer. Mais t'aimais mieux te cacher derrière une…

— ÇA VA ! »

Je n'étais pourtant pas restée derrière ma boîte aux lettres très longtemps. J'avais fait demi-tour, marchant à moitié courbée comme un personnage de filou dans une vieille comédie française. J'avançais sur la pointe des pieds et je m'étais fait la réflexion que s'il y avait eu une caméra, je me serais tournée vers elle pour faire un « Chhhhut » et un clin d'œil aux enfants. Je m'étais ensuite dirigée vers le premier café que j'avais trouvé, où je m'étais assise et où j'avais commencé à « spinner », comme le disait si bien Nicolas, qui me traitait depuis toujours de « master spinneuse ».

Spinner voulait dire : décortiquer la situation bien au-delà de l'entendement et l'analyser jusqu'à ce que plus rien n'ait de sens. J'étais effectivement une master spinneuse. Quand je m'y mettais, peu de personnes avaient mon opiniâtreté et mon habileté à tirer des conclusions abracadabrantes de la plus simple situation. Ce n'était pas très original. Je soupçonnais la quasi-totalité des femmes et un bon pourcentage des hommes de spinner plus ou moins régulièrement sur des questions d'amour, de travail, ou de simple morale. Quelques moines bouddhistes et une ou deux cultivatrices de lavande devaient parvenir à se tenir à l'écart de tout spinnage nocif. Mais j'étais loin d'avoir, ou même d'envier, cette belle sagesse.

Assise dans le petit café, je spinnais donc avec une application presque maladive. J'extrapolais démesurément. Bien encouragée par mon ego blessé, qui depuis le départ de Florian ne cherchait qu'à se regonfler, je me disais : Ça y est, Maxime pense que nous sommes un couple. Il tient notre « relation » pour acquise, il est persuadé qu'il n'a même plus besoin de m'appeler ou de me faire signe avant de se pointer, il s'attend à ce que je sois contente de le voir, il est sûr que je ne désire rien de plus, en ce bel après-midi de printemps, que de passer du temps en sa compagnie, il veut être mon chum, il est amoureux de moi, il est convaincu que nous allons nous marier – oh mon Dieu il était là pour me demander en mariage et il veut des enfants de moi.

L'infime partie de moi qui était encore relativement saine d'esprit comprenait très bien que je raisonnais comme une folle furieuse. Je savais que j'exagérais et que mes conclusions étaient d'une effarante présomption (pour ne pas dire horriblement prétentieuses) mais j'étais lancée, la machine était à spin et rien ne pouvait m'arrêter.

J'avais cultivé ces réflexions malsaines durant une bonne heure, au bout de laquelle j'étais retournée derrière ma boîte aux lettres pour voir si la voie était libre. J'avais eu le temps d'échafauder divers plans pour dissuader Maxime de fonder une famille avec moi – je me voyais, glaciale et impitoyable, lui dire qu'il était inutile d'attendre quoi que ce soit de moi, que mon cœur en deuil s'était refermé il y avait de cela plusieurs semaines et qu'il ne s'ouvrirait pas pour ses beaux yeux.

Mais Maxime n'était plus là, et j'avais reporté ma cruelle séance de désillusionnement à plus tard. J'étais montée prudemment jusque dans l'appartement, où il n'y avait personne, et j'avais poursuivi mon exercice de spinnage (c'était trop tôt, pourquoi me faisait-il ça, je n'étais pas prête, avais-je envoyé les mauvais signaux ou était-ce lui qui s'entichait trop rapidement ?). Ce n'était que plusieurs heures plus tard que Nicolas, hilare et découragé, m'avait appris que Maxime était venu pour le voir, parce que Nicolas avait des billets de spectacle pour lui. Il lui avait donné rendez-vous à l'appartement et était en retard, et comme il faisait beau et qu'il avait un bon livre sous la main, Maxime avait choisi de l'attendre dehors.

« Oh, avais-je répondu.

— Oui, oh », avait répété Nicolas.

Je m'étais sentie, dans l'ordre, stupide, ridicule, présomptueuse, gênée et finalement un peu déçue. Je n'avais évidemment pas dit à Nicolas que mon pauvre ego, au bout du compte, n'avait pas détesté du tout cette idée qu'un homme comme Maxime soit éperdument amoureux de moi. Mon pauvre ego avait même secrètement souhaité être l'outil de désillusionnement de Maxime – il s'était vautré, le cuistre, dans le projet mesquin de faire mal à quelqu'un à son tour. J'étais un tantinet scandalisée par cette envie vengeresse et méchante qui avait poussé en moi comme une herbe vénéneuse et qui avait pris pour cible une personne comme Maxime que non seulement j'estimais, mais qui avait toujours manifesté à mon égard une gentillesse et une droiture irréprochables.

« C'est pas ma faute, avais-je dit à Nicolas. C'est la peine d'amour qui me rend folle. » J'espérais ardemment que cela soit vrai – qu'il existait une raison extérieure à moi-même pour justifier d'aussi laides motivations intérieures.

« Oui… avait fait Nicolas. Elle va avoir le dos large pendant combien de temps, ta peine d'amour ? » Je lui avais donné un dérisoire coup de poing sur une épaule – ma façon de reconnaître que sa question était pertinente, et donc dérangeante. J'y avais pensé pendant que nous nous préparions pour aller au théâtre et j'y pensais encore dans cette file qui n'avançait pas :

allais-je devenir une de ces personnes qui passent leur vie à capitaliser sur un malheur passé pour justifier leurs inconséquences? Les biographies que je rédigeais étaient peuplées de tels gens, des personnes persuadées d'avoir tous les droits (à commencer par celui d'être horriblement égocentriques) parce qu'elles avaient essuyé un coup dur.

« Et puis anyway, m'a dit Nicolas alors que nous approchions du guichet de fortune. Quand ben même que Maxime aurait un kick sur toi… qu'est-ce que ça peut te faire?

— Pourquoi, il t'a dit ça?

— Non, grosse folle! Je fais juste te poser la question. Chaque fois qu'on commence à mentionner le début du semblant de cette idée-là, tu freakes.

— Ben c'est parce que je veux pas que ça arrive, c'est tout! Je veux pas, Nico… Je suis pas prête, je suis pas… ça me fait peur, OK? Ça me fait carrément peur. Ça serait une trop grosse responsabilité. »

Nicolas m'a observée un moment et a semblé être attendri par quelque chose qu'il voyait sur mon visage. Il m'a fait un petit sourire et m'a prise par les épaules. « C'est correct, a-t-il dit. Je suppose que même si la fille la plus cool au monde s'était présentée à moi dans l'année qui a suivi ma rupture j'aurais freaké.

— Pour vrai?

— Ben oui.

— T'aurais pas pu me dire ça avant plutôt que de rire de moi?

— Oui mais je me suis jamais caché derrière une boîte aux lettres, moi…

— Va donc chier… »

Il m'a prise dans ses bras et je me suis laissée aller, en souriant, sur sa poitrine.

« Ça va se tasser, m'a dit Nicolas. Tu vas voir, toute finit par se tasser. »

Je ne lui ai pas fait part de ce que je pensais vraiment, à savoir qu'après cinq ans il n'avait toujours pas retrouvé, lui, de grand amour, et ne semblait même plus l'attendre. Il n'avait pas l'air malheureux, mais était-il résigné ? Je ne lui avais jamais posé la question, ayant sans doute trop peur de sa réponse. Catherine, quelques semaines plus tôt, avait formulé le souhait alors qu'elle avait trop bu de nous voir finir ensemble, et nous avions tous les deux frissonné comme si elle nous avait parlé d'inceste. Nous n'étions pas faits l'un pour l'autre, nous le savions – mais étions-nous encore faits pour quelqu'un d'autre ? Je n'avais pas de réponse à cette triste question et j'ai eu soudainement peur, dans cette file d'amateurs de théâtre, que Nicolas n'en ait pas non plus.

La petite troupe de Catherine, composée de quatre filles et d'un seul homme qui agissait aussi à titre de metteur en scène (j'avais essayé plus tôt de ne pas me formaliser du fait que ce soit l'homme minoritaire qui dirige cette troupe majoritairement féminine), avait monté une courte pièce sur le thème de l'attente. Les quatre femmes, regroupées autour d'un arbre nu qui constituait le seul décor, attendaient la venue d'un homme. Elles représentaient chacune un élément différent de la féminité – la femme romantique qui rêve d'amour, celle qui n'attend que la semence de l'homme, celle qui appelle la confrontation et espère régler des comptes et celle, enfin, incarnée par Catherine, qui a terriblement peur de ce qui s'en vient. C'était gros, et le texte manquait par moments à tel point de subtilité que Nicolas et moi avions dû nous pincer pour ne pas rire, mais il y avait de belles envolées et le propos, bien entendu, m'allait droit au cœur.

Les femmes attendaient, donc – la venue était annoncée depuis le début –, et elles échangeaient ou monologuaient au sujet de leurs espoirs et de leurs inquiétudes. L'écriture de la pièce avait été un projet collectif, et je reconnaissais dans certaines tirades des idées et des sentiments que Catherine m'avait déjà exposés. C'était naïf, intense et exalté, comme mon amie, comme la plupart des pièces de théâtre expérimental qu'il m'avait été donné de voir. La pièce se terminait sur l'arrivée de l'homme, qu'on ne voyait pas, mais qui nous était apprise par les cris des femmes. « Il est là ! » criaient-elles tour à tour, sur des tons radicalement différents qui allaient du déchirement à l'extase en passant par le cri de guerre.

Le public restreint s'est levé d'un bond après la tombée du rideau (qui était évoquée, dans cette salle minuscule, par l'extinction des lumières) et a applaudi à tout rompre. Nicolas et moi sifflions et hurlions des « Woooouuuuu ! » dignes d'un concert rock – nous étions fiers de notre amie et très soulagés d'avoir assisté à une pièce assez bonne pour que nous puissions la féliciter sincèrement. (Nous gardions le souvenir amer de pièces tellement ratées qu'elles nous avaient obligés à déblatérer des banalités telles que « Vous aviez l'air d'avoir *vraiment* du fun… » à une Catherine qui n'était évidemment pas dupe.)

Les comédiennes et le metteur en scène se sont rapidement mêlés au public, vibrant de cette énergie qui vient après toutes les fins de spectacles qui se sont bien passés. « T'as aimé ça ? m'a demandé Catherine. Je voulais pas t'en dire trop avant que tu voies la pièce parce que c'est des affaires dont on a parlé assez souvent… C'était pas trop quétaine ?

— C'était pas quétaine pantoute, pourquoi ?

— Ben tu sais… des affaires qui parlent d'amour, c'est souvent quétaine… » Elle était presque gênée, ce qui était si rare chez elle que je l'ai trouvée un peu touchante.

« Inquiète-toi pas, ai-je dit. Zéro quétaine. Ben des affaires, mais certainement pas quétaine.

— Parce que tsé… tout le monde parle d'amour… puis on s'en voulait de parler de ça aussi mais…

— Cath… ça marche votre affaire. » J'ai jeté un coup d'œil dans la salle. Une chroniqueuse culturelle assez connue était en train de quitter les lieux. Je l'avais vue sourire à quelques reprises durant la pièce. « D'après moi vous allez peut-être même avoir un bon commentaire dans les médias. »

Les yeux de Catherine brillaient sous le khôl. « On va aller fêter ça au petit bar à côté. Vous venez ? » Nous avons poliment décliné – Nicolas voulait aller délivrer Emilio de ses fonctions et je voulais être n'importe où sauf dans un petit bar avec des comédiens célébrant le succès d'une pièce avec laquelle je n'avais rien à voir. Nous sommes donc rentrés à pied par les petites rues de la ville, en discutant de la pièce et de nos espoirs pour notre amie.

« Si elle pouvait avoir une bonne critique, me disait Nicolas. Elle est bonne non ? C'est-tu juste parce que c'est ma cousine que je la trouve bonne ?

— Non, elle est bonne. Elle est super bonne. » Catherine était, effectivement, la meilleure comédienne de la petite troupe. Une bonne critique, espérais-je aussi en croisant les doigts. Nous nous sommes mis à l'imaginer connaissant enfin un succès fulgurant, devenant la fille la plus en demande de la province puis décrochant un rôle sur les planches d'un théâtre Off-Broadway – le tout se terminait dans une glorieuse apothéose, sur le podium du Kodak Theatre à Hollywood, lors de la remise des Oscars, durant laquelle Catherine, en larmes, déclarait que rien n'aurait été possible sans ses précieux amis Nicolas et Geneviève. Nous spinnions, mais dans le bon sens.

Nous étions en train d'imaginer ce que nous allions faire de la petite fortune que Catherine allait nous envoyer d'Hollywood chaque année par amour et par gratitude quand nous sommes entrés dans l'appartement, où Noé s'apprêtait à se coucher. Il a couru rapidement vers son père, dans les bras duquel il a sauté, avant de me dire : « Tu te caches dans des boîtes aux lettres ! » ce qui a failli faire mourir de rire Nicolas.

« OK qui lui a raconté ça ? ai-je demandé aux deux hommes, qui ont pris un air innocent.

— Tu te caches dans des boîtes aux lettres parce que t'as peur que Maxime soit amoureux de toi, a précisé Noé en riant.

— Je me suis pas cachée *dans* la boîte aux lettres », ai-je dit, comme pour rétablir le peu de dignité qu'il me restait. Noé, qui visiblement n'avait que faire de mon restant de dignité, a haussé les épaules et m'a dit : « Moi je trouve *vraiment* que t'es compliquée pour rien. »

Il y avait quelque chose d'un tantinet humiliant à se faire dire ses quatre vérités par un petit garçon de huit ans et demi. Si au moins il s'était agi d'un adulte, j'aurais pu protester, argumenter, me défendre en ayant recours à toute la logique et la mauvaise foi dont j'étais capable, mais que pouvais-je contre la désarmante candeur d'un enfant ? Noé, du haut de ses huit ans, avait compris ce que bien des hommes (et des femmes) mettent une vie à comprendre.

J'étais compliquée pour rien, ou pour bien peu de chose, et le fait que je sois loin d'être la seule n'avait rien pour me consoler. Je suis allée me coucher en pensant à Maxime, qui avait la grâce de ne pas chercher à être compliqué, et je me suis sentie encore plus stupide de l'avoir fui ainsi, parce que je n'avais pas l'élégance, moi, d'être simple.

« Pourquoi faire simple quand tu peux faire compliqué ? » disait souvent mon père pour se moquer de ma mère, de Josiane ou d'une de ses deux filles. Je l'engueulais toujours, lui rappelant que bon nombre d'hommes étaient eux aussi compliqués et le traitant du même coup de sexiste et de misogyne. Mon père riait et balayait du revers de la main mes remontrances : « Je suis peut-être sexiste mais au moins je suis pas compliqué », disait-il fièrement, sur le même ton qu'il prenait pour déclarer : « Moi les affaires "culturelles", je laisse ça aux bonnes femmes. » Le fait qu'il confonde simplicité et stupidité lui échappait totalement et me forçait à me demander si je ne confondais pas, moi, complexité et intelligence, ce qui ne valait guère mieux.

Je jouais distraitement avec Ti-Gus, qui était couché contre moi sur la couette, les quatre pattes en l'air, et tâchait d'attraper une de mes mains pour la mordre doucement quand mon téléphone m'a avertie que j'avais un courriel. C'était Florian, qui me disait en quelques lignes que la soumission que sa firme avait faite pour un projet de rénovation d'un vieil immeuble du nouveau quartier « à la mode » de la ville avait été acceptée. Il terminait en mentionnant qu'il avait entendu dire que je me cherchais un appartement et me souhaitait bonne chance. Quelques mots prudents sur le printemps, aussi, et un « J'espère que tu vas bien » sincère et sans fioritures.

J'ai posé le téléphone sur la chaise qui me servait de table de chevet et j'ai attendu un peu. Je vais lui répondre dans deux ou trois jours, me disais-je. Lui parler de l'appartement et du printemps, le féliciter pour ce nouveau contrat. Rester sereine et distante. Je m'apprêtais à éteindre la lumière pour la nuit quand l'idée m'est venue que de calculer ainsi mes interventions était loin d'être « simple ». J'ai donc attrapé mon téléphone et j'ai tapé : « Bravo pour le contrat. Very mérité. As-tu déjà eu l'impression que j'étais compliquée pour rien ? »

Deux minutes plus tard, Florian m'écrivait, par texto cette fois : « Who isn't ? » Je lui ai répondu tout de suite. Nous nous sommes envoyé ainsi une vingtaine de messages textes, spontanés et empreints de candeur, qui se sont terminés sur deux « Bonne nuit » et un « xxx » de sa part. Je me suis endormie le cœur étrangement léger : j'avais écrit, tout simplement, ce que j'avais envie d'écrire. Va falloir songer à orienter Noé vers la psychologie, ai-je pensé avant de sombrer dans un sommeil profond et réparateur.

Je me suis réveillée en pleine forme le lendemain matin, prête pour deux rendez-vous qui me semblaient tout à fait emblématiques de ma nouvelle volonté de décider et de prendre mon destin en main : je rencontrais d'abord l'éditeur responsable de mes « biographies » pour lui faire part de mon désir d'écrire quelque chose d'original et je devais ensuite passer voir le jeune couple parfait pour signer mon bail.

C'était Maxime qui m'avait convaincue de rencontrer l'éditeur, en faisant valoir que cela ne m'engageait à rien mais risquait de me donner l'élan dont j'avais besoin. (Il avait fait preuve de beaucoup de délicatesse en utilisant le mot « élan », quand il savait aussi bien que moi que la seule chose qui risquait de me faire bouger après une vie d'inertie professionnelle était un puissant coup de pied au cul.) J'avais regimbé, rouspété, invoqué diverses excuses toutes moins crédibles les unes que les autres et que Maxime s'était appliqué à démonter gentiment.

« Pourquoi tu m'encourages de même ? lui avais-je demandé.

— Parce que je suis pas mal sûr qu'au fond de toi t'as envie qu'on te donne un petit élan.

— Tu veux dire the mother of all coups de pied au cul ? »

Il avait souri. « Je t'encourage aussi parce que, bien égoïstement, je suis curieux de voir ce qui va sortir. »

Je l'avais regardé drôlement, en me demandant quel type de pervers entretenait ce genre de curiosité, mais j'avais tout de même pris rendez-vous avec l'éditeur – principalement, devais-je m'avouer, pour ne pas perdre la face. Ce que Nicolas avait bien sûr tout de suite compris : dès qu'il avait su que je devais enfin rencontrer l'éditeur à ce sujet, il m'avait dit : « J'ai juste hâte de te voir accepter ton prix Goncourt en expliquant que t'as commencé à écrire pour ne pas avoir l'air chicken. » Je lui avais donné une petite claque : le compliment, démesuré, n'effaçait pas l'insulte, très juste.

Mais il était content pour moi et il m'avait laissé sur la table, ce matin-là, une note me souhaitant bonne chance, qu'il avait placée sous une minuscule boîte aux lettres peinte en rouge qu'il avait trouvée je ne savais où. J'ai souri en la mettant dans la poche de mon manteau, et je suis partie à mon rendez-vous.

L'immeuble du centre-ville où la maison d'édition de l'Empire avait ses bureaux était un lieu remarquablement déprimant qui réussissait l'exploit de le rester même lors d'une belle journée de printemps. Je suis montée au dernier étage, où une jeune réceptionniste pimpante que j'ai tout de suite associée à « Billy » m'a fait patienter dans un petit fauteuil qui se voulait sans doute design et qui était surtout très inconfortable.

J'étais nerveuse, et même presque gênée, et je me suis mise à jouer avec mon téléphone pour me donner une contenance et oublier mes angoisses. Un texto de Maxime, qui savait que ma rencontre avait lieu ce matin-là et qui n'était pas au courant que j'avais failli, la veille, me cacher dans une boîte aux lettres pour éviter d'avoir des enfants avec lui, me disait : « Good luck ! C'est peut-être le début d'un temps nouveau… » Son message apparaissait juste sous celui que Florian m'avait envoyé avant que je m'endorme, son « xxx » qui m'avait réchauffé le cœur pendant toute une nuit. Ne savait-il donc pas que les temps nouveaux me faisaient toujours peur ? Probablement, ai-je pensé, et c'était sûrement pour cette raison qu'il avait choisi ces mots.

J'ai regardé par la grande fenêtre qui s'ouvrait sur le ciel derrière la pseudo-« Billy », en fredonnant la chanson de Stéphane Venne, version Star Académie 2003, qui s'était solidement incrustée entre mes deux oreilles à la lecture du texto de Maxime. Le temps nouveau avait débuté pour moi deux mois auparavant, quand Florian m'avait arraché le cœur en me quittant. Peut-être que le moment était venu, effectivement, de transformer cette nouveauté en quelque chose de positif et de joyeux comme le printemps qui brillait dehors. J'ai répondu un petit « On verra bien… » à Maxime et j'ai suivi la fausse « Billy » dans un corridor, en fredonnant toujours les deux seules phrases que je connaissais de la chanson.

« Beau travail », m'a tout de suite dit l'éditeur en désignant le manuscrit déjà presque terminé de la biographie de l'actrice/chanteuse/cultivatrice de lavande. J'avais travaillé régulièrement durant les dernières semaines. Entre deux visites d'appartements décevants, j'installais sur la table de la salle à manger mon ordinateur, à côté de Ti-Mousse qui venait immanquablement se coucher en boule sur les feuilles du « synopsis », et j'écrivais.

« Merci, ai-je dit. C'est pas trop sorcier, faut dire.

— C'est encore drôle. C'est pas tout le monde qui est capable de se mettre dans la peau de quelqu'un d'autre. »

Je l'ai observé un instant. Croyait-il *sincèrement* que les autobiographies manufacturées qui sortaient de son bureau demandaient un tel effort d'écriture ? Probablement pas. Mais il devait aussi dire régulièrement aux animatrices d'émissions de télé qu'il croisait dans les bureaux de l'Empire « Ton show d'hier… un grand moment de tévé », et aux diverses personnalités qui lui confiaient l'histoire de leur vie : « On va faire un *smash* avec ça. » Je me suis donc contentée d'un sourire qui se voulait poli et flatté.

« Faque qu'est-ce que je peux faire pour toi, ma belle ? » Il me faisait un peu penser à mon père, avec son absence de doute et son côté « chagala » qu'on ne trouvait plus chez les hommes de moins de cinquante ans. Il m'avait d'ailleurs déjà avoué avoir une grande admiration pour Bill – sous le couvert du secret, bien sûr, personne dans l'Empire ne devant admettre qu'un producteur extérieur puisse faire quoi que ce soit d'intéressant. Je soupçonnais même les employés de la boîte d'être obligés de nier l'existence de tout ce qui n'était pas produit directement par la grosse machine de l'Empire (émissions, spectacles, livres et vedettes comprises), mais n'ayant pas de preuves, je préférais ne pas m'avancer là-dessus.

« Ben… » Je devais me retenir pour ne pas jouer avec une mèche de mes cheveux, comme une enfant timide. Il va rire de moi, me disais-je, alors que je savais très bien qu'il était absolument impossible que cet homme somme toute décent se moque d'une fille désireuse d'écrire pour elle-même. « Je… » J'hésitais encore, tout emmêlée dans mes puériles angoisses, et j'avais une envie presque incontrôlable de me mettre à chanter très fort : « C'est le début d'un temps nouveau ! La terre est à l'année zérooooo ! »

« Tu viens quand même pas me dire que tu veux arrêter d'écrire pour nous ? a finalement demandé l'éditeur.

— Quoi ? Non ! » J'ai failli ajouter « Quel genre de niaiseuse lâcherait une job qui paye aussi bien et demande aussi peu d'effort intellectuel ? » mais j'ai jugé bon de me taire.

« Parce que t'as l'air toute nerveuse… t'as-tu eu d'autres offres ? » Je ne voyais pas de qui j'aurais pu avoir eu d'autres offres – aucune maison d'édition, à part celle de l'Empire, ne voyait l'intérêt de publier de telles autobiographies. J'ai soudain réalisé que j'étais précieuse aux yeux de cet homme, pour la bonne raison que peu de personnes, au Québec, devaient être heureuses de se contenter d'une vie de *ghost writer*. J'ai repensé à Florian, qui m'appelait Fantômette, et ce souvenir attendrissant m'a donné du courage.

« Non, non, ai-je dit. Je voudrais juste… je veux bien continuer avec les bios, pas de problème mais… mais j'aimerais ça aussi… écrire mes propres affaires.

— Tu veux écrire ta biographie ? »

C'était, me semblait-il, la question la plus incongrue au monde. « Non ! God, non… Non, je voudrais écrire… des livres, des histoires. » Wow. Trente-deux ans et je tremblais comme une fillette en disant à un éditeur : « J'aimerais ça écrire des histoires. » J'ai eu une pensée pour Maxime, qui allait trouver cela très drôle.

« Des affaires originales, tu veux dire ?

— Genre. » Pour une fille qui avait étudié en lettres, j'affichais un vocabulaire absolument épatant.

« Un roman ?

— Moui…

— Ben c'est fantastique ! Est-ce que t'as un manuscrit à me remettre ?

— Non… »

L'éditeur a semblé interloqué, et j'ai pris conscience qu'il y avait en effet quelque chose de plutôt saugrenu dans le fait de se présenter à un rendez-vous dans un état de nervosité avancé pour demander ce qui était, au bout du compte, la permission d'écrire ce que je voulais.

« OK… a dit l'éditeur. Mais t'as commencé à rédiger ? Ça va me faire plaisir de lire ce que t'as.

— Je… » Je n'étais pas capable de lui avouer que je n'avais rien, pas une ligne, pas même un début d'idée. J'étais soudainement submergée par l'absurdité de ma demande, et j'en voulais à Maxime de m'avoir mise dans cette situation ridicule. « Je pourrais t'envoyer une couple de pages… d'ici peu ? » Je patinais allègrement. « Je voudrais juste retravailler ce que j'ai…

— Bien sûr ! Bien sûr ! » Il comprenait enfin ce que je voulais et en était tout content. « Geneviève, ça va me faire *plaisir* de lire ce que t'as. Puis si tu veux publier avec nous, on va te trouver un directeur littéraire dans la boîte avec *plaisir*. » Il insistait sur le mot « plaisir » avec conviction – cela devait faire partie de son jargon professionnel, comme le fait de dire « si *tu* veux publier avec nous », entendant par là que c'était moi qui allais choisir alors que nous savions très bien tous les deux que le dernier mot appartenait, et appartiendrait toujours, à l'Empire. « Retravaille tes affaires le temps que tu veux puis envoie-moi ça. Mon bureau est toujours ouvert pour toi, ma belle. »

Je l'ai quitté en le remerciant chaleureusement, en lui promettant de lui envoyer la fin de la biographie de la cultivatrice de lavande dans des délais enviables et en insinuant que j'allais me mettre à « retravailler » mes écrits personnels le soir même. C'était effectivement le début d'un temps nouveau : j'avais à peaufiner des textes qui n'existaient pas. Debout dans le soleil devant l'immeuble déprimant, j'ai joué avec la petite boîte aux lettres qui était dans ma poche. Maxime, ai-je compris, avait parfaitement manœuvré. Orgueilleuse comme j'étais, je ne pouvais pas ne rien envoyer à l'éditeur. J'allais donc devoir me mettre à écrire.

Je suis arrivée un peu en retard au restaurant de quartier où m'attendait ma mère. J'avais accepté qu'elle m'accompagne à l'appartement du jeune couple parfait, non sans lui avoir fait promettre de bien se tenir et de ne pas hurler « Y a de la vermine ! » avant même d'avoir passé la porte.

Elle était assise à une petite table près de la fenêtre, un livre entre les mains. J'ai mentalement misé sur la biographie d'un moine bouddhiste et je suis entrée. Elle a levé la tête à mon arrivée et m'a spontanément montré la couverture : c'était la biographie d'un sage hindouiste.

« J'avais parié sur un moine bouddhiste, ai-je dit en m'asseyant.

— Ça c'était la semaine dernière. » Elle m'a fait un clin d'œil. Ma mère avait quand même son sens de l'humour. « Alors ? a-t-elle demandé, qu'est-ce qu'on va voir ?

— On va voir ZE appartement, maman. L'appart que j'ai décidé de prendre.

— Mais…

— Non ! Pas de mais ! Et pas de vermine imaginaire et pas de chichis sur le prix. C'est là que je veux vivre. Je l'aime.

— Mais… »

Je l'ai interrompue en lui prenant les mains. « Maman. J'ai trente-deux ans. Je suis capable de prendre mes propres décisions. » C'était un mensonge éhonté et ma mère le savait, mais elle a eu la gentillesse de me faire un sourire. « Je l'aime, maman. Je me sens bien quand je suis là. » C'était déjà plus près de la vérité.

« Ça va être ton premier appartement toute seule depuis…

— … depuis mon appart en haut du fleuriste », ai-je enchaîné. J'avais habité pendant trois ans juste en haut de la boutique d'un fleuriste – un appartement charmant dans lequel Florian avait vécu avec moi avant que je le suive dans son chic condo neuf. J'avais aimé vivre seule – beaucoup même, et je m'étais remémoré avec nostalgie chaque détail de mon petit appartement longtemps après l'avoir quitté. Mais j'étais alors volage et insouciante, je sortais plusieurs soirs par semaine, je voguais d'homme en homme et je chérissais mes rares moments de solitude, qui me faisaient l'effet d'un répit, d'une pause bienfaisante et bienvenue. Aujourd'hui, la solitude me faisait peur, parce qu'elle me rappelait que ce n'était pas moi qui l'avais choisie.

« Ça t'angoisse ? m'a demandé ma mère, qui comme toutes les mères lisait dans les pensées de sa fille.

— Ben oui ça m'angoisse.

— C'est pour ça qu'il faut que tu sois *sûre* que c'est le bon appart puis qu'il y a pas de…

— M'man ! Arrête ! Y a pas de vermine ! Et je suis sûre. Vraiment vraiment sûre. C'est juste qu'il y a une partie de moi qui aurait voulu rester dans le p'tit cocon que je m'étais fait chez Cath et Nico. C'était rassurant puis…

— Oui mais c'est pas bon du tout ça.

— Je sais, m'man ! » Mon Dieu qu'elle avait le don de m'énerver et de me faire parler sur le même ton qu'Audréanne. « Je sais que c'est pas bon mais c'était rassurant pour moi de pas être toute seule et…

— La solitude a plein de beaux avantages, Geneviève. Tu sais ce qui est écrit dans…

— Si tu me cites *Le Prophète* je te fais manger la corbeille à pain, ai-je dit au moment même où le serveur s'approchait.

— Ça se peut-tu parler comme ça à sa mère ? a demandé la mienne au serveur, un jeune garçon qui affichait fièrement son homosexualité et avait dû, ai-je compris au regard qu'il m'a lancé, parler "comme ça" à sa mère à plusieurs reprises.

— Je vais prendre le tartare », ai-je dit en lui faisant un sourire complice. Ma mère ne fréquentant qu'un seul restaurant depuis près de quinze ans, j'en étais venue à connaître la carte par cœur. « Assez relevé. Avec un…

— … verre de syrah ? » a terminé pour moi le serveur. Je lui ai fait oui de la tête.

Il s'est tourné vers ma mère, qui était penchée sur la carte, comme si elle n'avait pas été capable elle aussi de la réciter. J'ai lancé un regard au serveur, qui ne faisait aucun effort pour dissimuler son impatience. « Je vais prendre… a commencé ma mère, sur le ton des gens qui n'ont aucune idée de ce qu'ils vont choisir. Je vais prendre… qu'est-ce que t'as pris Geneviève ?

— Tartare.

— Ah oui hein ? Je vais prendre… » Elle a consulté la carte pendant une bonne minute encore avant d'annoncer qu'elle allait « s'essayer avec le foie de veau », comme si elle ne l'avait encore jamais mangé.

« C'est chouette, ici, hein ? m'a demandé ma mère.

— Tu dois trouver ça rassurant, lui ai-je répondu, un peu trop fière de moi-même, comme si je venais de la remettre solidement à sa place.

— Geneviève, a fait ma mère. J'ai jamais dit quoi que ce soit contre le fait d'être rassurée. Ou contre les habitudes. Je suis une vieille fille, après tout, j'aime mes habitudes. » Je me suis demandé, avec effroi, si j'allais devenir un jour non seulement une vieille fille, mais ce genre de vieille fille trop assumée qui affirmait des choses comme ce que ma mère venait de déclarer. Elle me regardait, une petite étincelle dans l'œil, et j'ai réalisé qu'elle faisait exprès, pour me provoquer, pour me « brasser », comme aurait dit mon père. « Tu vas être bien, toute seule, a-t-elle ajouté. Ça va te faire le plus grand bien. Je suis sûre de ça. »

J'ai haussé les épaules, dans un geste digne d'Audréanne. Je savais qu'elle avait raison – et je savais aussi que, comme plusieurs choses qui finissent par faire « le plus grand bien », ma solitude me serait d'abord douloureuse.

« Tu vas pouvoir te ressourcer », a dit ma mère. Elle avait pour le « ressourcement » une passion sans bornes.

« Je sais, maman. Je sais tout ça. Je sais même que, si ça me fait peur, c'est probablement un signe qu'il faut que je le fasse.

— Ça sera pas si pire, tu sais. »

Je me suis imaginée, seule et un peu soûle, appelant tour à tour Nicolas, Catherine, Maxime, Florian et même Emilio. « Ben non, je sais », ai-je menti. J'ai fait un effort pour me visualiser, seule et sereine cette fois, dans le bel appartement lumineux, retrouvant jour après jour ma tranquillité de cœur et d'esprit, et une certaine lucidité. C'était un scénario beaucoup moins crédible que le premier, mais je parvenais à y croire. J'ai même eu, pour la première fois, hâte d'être enfin confrontée à cette solitude que j'allais devoir apprivoiser.

« Je vais être bien, hein ? » ai-je demandé à ma mère, sur le ton d'une enfant qui veut être rassurée. J'espérais ardemment qu'elle allait accepter de prendre, pour une fois, celui de la maman rassurante.

« Ben oui, ma fille. » Ce n'était pas parfait, mais on n'était pas loin. Je lui ai souri. « Et puis je suis sûre que ça va t'aider à commencer à écrire tes propres affaires », a ajouté ma mère. Était-ce une conspiration ?

Mes amis et mon nouvel amant avaient-ils des rencontres secrètes avec ma mère ?

« J'ai justement rencontré mon éditeur aujourd'hui, lui ai-je dit.

— T'avais des textes à lui remettre ?

— Non… non, c'est ça l'affaire. Je l'ai rencontré pas mal juste pour lui dire que je veux écrire, et comme j'ai été trop chicken pour lui dire que j'avais rien, je lui ai fait accroire que j'avais des textes à lui montrer faque… je suppose qu'il faut que j'écrive. »

Ma mère, devant moi, avait l'air d'être très peu impressionnée par ma logique d'enfer.

« Penses-tu que je suis compliquée pour rien ? » lui ai-je demandé alors que mon verre de vin arrivait.

Elle a haussé les sourcils et penché la tête sur le côté dans un geste presque comique puis m'a fait un doux sourire. « T'as jamais été ben ben simple, Geneviève. Au grand dam de ton père, qui mettait la faute sur moi. » Son sourire s'est élargi. « Moi j'étais pas mal fière de pas avoir fait une enfant simple. »

J'ai fait de grands yeux. C'était la première fois, depuis très, très longtemps, que ma mère me disait qu'elle était, ou même qu'elle avait été, fière de moi. Et c'était parce que je n'étais pas simple.

« Je me souviens, a poursuivi ma mère, tu devais avoir quinze ou seize ans… c'était juste avant que ton père me quitte et… tes petits amis t'appelaient pour sortir le vendredi soir et tu disais toujours oui et après tu venais nous voir, presque en larmes, puis tu nous disais : "Mais ça me tente pas de sortir… je voudrais rester toute seule…" Ton père t'encourageait, évidemment, tu sais comment il est, mais moi ça me brisait le cœur. Je me disais : quand est-ce que ma fille va avoir la force d'être elle-même puis arrêter de se sentir obligée de céder à la pression sociale ? »

Elle a hoché la tête tristement à ce souvenir. Je me rappelais parfaitement ces soirées et l'angoisse dans laquelle elles me plongeaient. Je finissais toujours par sortir, et j'avais en général du plaisir, mais alors que je dansais ou que je buvais de la mauvaise bière en compagnie de mes amis, je pensais à la quiétude de ma chambre et aux livres que j'étais en train de lire, et je ressentais de vifs pincements au cœur qui étaient encore tout frais à ma mémoire.

« Ouin, ai-je dit. Faque ça date pas d'hier mon affaire de compliquée… »

Ma mère a souri. « Les gens trop simples sont pas intéressants.

— Oui mais je veux pas être compliquée pour *rien* tu comprends ? Je veux pas être compliquée juste pour l'être. »

Ma mère a réfléchi un moment et a finalement fait oui de la tête. « Je comprends.

— Tu sais ce que je devrais faire ? ai-je dit.

— Qu'est-ce que tu devrais faire ?

— L'appart est pas disponible avant deux semaines. Pourquoi j'irais pas passer ce temps-là au chalet de papa ? Toute seule ? »

Je me voyais déjà, pure et sereine, passer des heures à regarder la glace fondre puis caler sur le lac, méditer (je n'avais jamais médité, ne serait-ce qu'une seconde), réfléchir constructivement à mon avenir, rester éloignée de toute tentation et apprendre sur moi de belles vérités. J'allais faire une Elizabeth Gilbert de moi-même, mais en moins granole. J'étais bien consciente qu'une décision aussi soudaine et peu réfléchie était exactement le genre de projet qui emballait les filles compliquées pour rien, mais qu'avais-je à perdre ? Au pire je revenais, la queue entre les jambes, m'étaler de tout mon long sur le divan de Catherine et Nicolas.

Mon téléphone a vibré doucement. C'était un texto de Maxime, qui me demandait comment mon meeting s'était passé. Je pouvais voir aussi ceux que Florian m'avait écrits la veille et ces trois petits x qui me troublaient encore. J'ai pensé à ces textes originaux que je n'avais jamais écrits et que je voulais écrire pour des raisons qui m'échappaient toujours, à la voix flûtée de Noé qui me disait que j'étais compliquée pour rien, aux quatre femmes de la pièce de Catherine qui ne faisaient qu'attendre un homme.

« Ça va me faire du bien, ai-je dit à ma mère. Puis si j'ai besoin de conseils sur comment être bien toute seule je peux t'appeler, non ? »

Ma mère a ri un peu. « Absolument. Et c'est rien, deux semaines. Ça va passer comme ça. » Elle a claqué des doigts, et ma décision était prise. Deux semaines de solitude, me disais-je. Une pinotte.

CHAPITRE 12

$\mathcal{L}$e lendemain matin, j'étais au volant de la petite voiture de Nicolas et je filais gaiement entre des champs de boue, sous un ciel sans nuages, vers le «chalet» de mon père. Le fait que son «chalet» n'ait de chalet que ses murs en faux bois rond et une décoration «cabane au Canada» savamment supervisée par Josiane ne nous avait jamais arrêtés : nous étions Québécois, et une maison de campagne s'appelait un chalet, fût-elle palatiale.

Nous avions eu un vrai chalet lorsque j'étais toute petite, sur une île au milieu d'une rivière – une vraie petite cabane «avec pas d'électricité», comme j'aimais le dire fièrement à mes amies, et qui m'avait laissé un souvenir d'un romantisme exacerbé. J'avais pleuré, pioché et boudé quand mon père avait décidé de vendre son «shack» pour s'acheter un beau terrain au bord de l'eau sur lequel il avait fait construire l'énorme hybride entre un chalet suisse et une cabane en bois rond vers lequel je me dirigeais.

J'aurais préféré, pour mon pèlerinage solitaire, le vieux shack avec pas d'électricité. Il y avait quelque chose d'un peu plus crédible à aller se retrouver soi-même au milieu du bois, dans une maison simple et rustique que dans un lieu presque trop aménagé et paysagé, où un écran plasma d'environ douze mètres donnait accès à la moitié des postes de télévision de l'univers. Mais, comme je l'avais expliqué à un Nicolas hilare et dubitatif, il fallait faire avec les moyens du bord.

Mes amis, bien sûr, n'avaient pas accueilli mon projet avec l'enthousiasme et la déférence qu'il me semblait mériter. Nicolas et Catherine m'attendaient la veille avec une bouteille de champagne pour célébrer la signature de mon nouveau bail et avaient d'abord réagi en me demandant si je ne voulais pas plutôt un « bon thé » ou une infusion, pour me mettre tout de suite dans le personnage.

« Parce que tu réalises que c'est un petit personnage, hein ? m'avait demandé Nicolas.

— Non, avais-je répondu sur mon ton d'enfant boudeuse, qui commençait à beaucoup trop ressortir depuis un certain temps.

— Gen… tu fais pas des retraites fermées… c'est le genre d'affaire que Catherine fait. Et on la juge quand elle fait ça.

— Je peux t'entendre, hein, je suis juste à côté de toi ! » s'était indignée Catherine, avant de me proposer de venir avec moi – elle ne voyait pas du tout en quoi cela allait à l'encontre du concept de « retraite solitaire ». Elle était, évidemment, un peu jalouse de mon idée : le projet impliquait une quête de soi, un désir d'introspection, bref c'était un effort concret pour m'améliorer moi-même. Nicolas avait raison : j'étais en plein dans le domaine de mon amie.

« Tu vas passer deux semaines fin seule ? m'avait dit Nicolas, sur un ton qui insinuait que non seulement il n'y croyait pas du tout, mais qu'il trouvait cela plus amusant qu'autre chose.

— Tu pourrais me prendre au sérieux », avais-je répondu, et il avait répliqué par un sourire que j'aurais trouvé charmant en d'autres circonstances et qui disait clairement : « Tu sais qu'il est *absolument* impossible que je te prenne au sérieux, mais tu sais aussi que cela n'enlève rien à toute l'affection que j'ai pour toi. »

Catherine, qui ne pouvait qu'être solidaire d'un tel projet, l'avait fait taire et avait insisté pour que nous nous installions avec une feuille et un crayon afin de rédiger un plan détaillé de ma retraite. « Je vais juste… lire, écrire et réfléchir, avais-je dit.

— Oui mais dans quel ordre ? avait demandé Catherine. Vas-tu te réserver des plages de méditation ? Veux-tu faire du yoga le matin devant le lac ? Veux-tu qu'on te trouve des lectures ciblées ? Qu'est-ce que tu vas manger ? Pas des protéines animales, quand même ? »

J'avais lancé un regard inquiet vers Nicolas qui m'avait fait signe que je pouvais bien me débrouiller toute seule. Noé avait crié, depuis sa chambre : « Ç'a l'air *vraiment* plate, ton idée. » Étant donné qu'il était devenu depuis deux jours MA référence en matière de lucidité psychologique, j'avais résisté à l'envie de l'enguirlander gentiment et plutôt entrepris de lui vanter les mérites de la solitude jusqu'à ce que Nicolas me souffle à l'oreille que je « sonnais comme ma mère ».

J'étais tout de même partie le lendemain, avec en poche mon plan de match élaboré avec Catherine et que je n'avais aucune intention de respecter (j'avais écrit « 7 h à 8 h : yoga et méditation » en sachant très bien qu'il n'y avait pas la moindre chance que je médite ni même que je m'assoie en lotus pour regarder le lac) et, dans le coffre de la voiture, mon ordinateur et aucune bouteille d'alcool. Je m'étais fait la promesse plus ou moins solennelle de ne pas boire, de ne pas ouvrir la télé ou Internet, de ne pas consulter mes courriels et de n'appeler personne.

Maxime, lorsque je lui avais appris la nouvelle par un petit texto laconique, m'avait demandé si je me prenais pour la fille de *Eat Pray Love*, ce qui m'avait vexée parce que j'avais pensé, justement, à la fille de *Eat Pray Love*, qui avait choisi de s'exiler pendant je ne savais trop combien de temps sur une petite île pour réfléchir et «plonger en elle-même». «Tu sais que c'est une fille un peu illuminée qui a déjà passé du temps dans des ashrams et qui trippe sur la méditation depuis des années?» m'avait répondu Maxime malgré le fait que je lui aie assuré que non, je n'avais pas pensé à elle.

Que pouvais-je lui dire? Que j'avais lu ce livre quelques semaines auparavant, au plus creux de ma détresse, et qu'il m'avait fait un bien immense? Que j'avais aimé l'idéalisme éperdu de cette femme trop intense? J'étais bêtement gênée d'être tombée dans le panneau de cette histoire et de sa narratrice et je voulais encore faire croire aux autres (et à moi-même) que l'idée m'appartenait entièrement.

Maxime avait fini par me souhaiter bonne chance, tout en me disant qu'il adorait, lui, passer des semaines tout seul, et je m'étais dit ben oui, c'est sûr, l'homme le plus équilibré du monde doit *adorer* se retrouver à la campagne avec une guitare, une vieille machine à écrire et un chevalet. Il m'irritait, parce qu'il avait un accès dérisoirement facile à cette tranquillité d'esprit que je cherchais frénétiquement à atteindre.

Florian, avec qui j'avais échangé plus de courriels et de textos en deux jours que durant toute notre vie commune (une occurrence qui me faisait dangereusement plaisir et dont je n'avais parlé à personne, de peur de me faire dire ce que je me disais déjà, à savoir: «Ne t'emballe pas»), avait répliqué par un «Je suis sûr que ça va te faire beaucoup de bien» qui m'avait presque autant agacée que l'amour de Maxime pour la solitude. C'est une bonne chose que je parte, avais-je pensé: tout le monde me tape sur les nerfs.

Mon père avait atteint des sommets lorsqu'il était venu la veille me remettre les clefs du «chalet» et avait demandé à Nicolas: «C'est-tu la nouvelle affaire à mode su'l Plateau, ça, de se faire accroire qu'on aime la campagne?» Nicolas, qui jubilait pratiquement, lui avait servi un scotch et les deux hommes avaient commencé à parler comme de fins connaisseurs des « habitudes de vieilles filles des bonnes femmes toutes seules ». Catherine et moi avions dû sortir nous promener avec Noé pour ne pas commettre un parricide doublé d'un cousinicide qui nous auraient valu une belle photo à la une du *Journal de Montréal*.

Mais tout cela ne m'empêchait pas d'être presque fière de moi-même, alors que je roulais dans la campagne tout inondée de soleil. J'avais d'abord allumé la radio en quittant la ville puis je m'étais ressaisie : mon périple allait commencer là, dans la petite voiture toute mangée par la rouille de Nicolas, et j'allais regarder la campagne défiler en silence. Au bout de dix kilomètres, force m'avait été de constater que la campagne, vue d'une autoroute, était plutôt ennuyeuse. Mais je tenais bon, en parlant beaucoup trop à Ti-Gus et Ti-Mousse, qui miaulaient d'ennui dans leurs cages, sur la banquette arrière.

« C'est qui qui va passer deux semaines à la campagne avec maman ? » Miaou ! Miaou ! « C'est qui qui va aller jouer dehors ? » Miaou ! Miaou ! « C'est qui les deux petits minous qui vont respirer le bon air frais ? » Miaou ! Miaou ! « Est-ce qu'on va chasser les souris ? Hein ? Hein les minouzes ? Est-ce qu'on va chasser des souris ? » Silence. Mes deux chats s'étaient lassés avant moi de cette conversation sans queue ni tête, ce dont j'ai tâché de ne pas me formaliser. Je me suis rendu compte que j'étais nerveuse, et je m'en suis voulu.

C'est étrange, me suis-je dit alors que je traversais le centre d'un petit village presque trop bucolique pour avoir l'air vraiment authentique, moi qui ai tant aimé être seule, moi qui ai passé mon adolescence à souhaiter secrètement être laissée à moi-même. C'est à peine si je me souviens comment apprécier la solitude. Je parle à mes chats, parce que je ne sais plus comment vivre dans le silence.

Je savais très bien que ce qui me rendait si fébrile était le fait que je me sois imposé cette solitude. J'avais pourtant passé de longues journées et plusieurs soirées toute seule lorsque je vivais avec Florian. Il travaillait dans un bureau, parfois tard, et moi de la maison. Je m'accommodais alors parfaitement de ces jours tranquilles, écrivant mes biographies, parlant (mais pas compulsivement) aux chats, lisant durant des heures, savourant le subtil plaisir de manger seule, avec un bon livre. Je n'avais pas peur du silence ou de l'absence du regard des autres.

Mais cette solitude imposée me faisait l'effet d'un défi – c'était d'ailleurs le mot qu'avait utilisé Julie Veilleux quand je l'avais appelée pour lui dire que j'allais sauter nos deux prochains rendez-vous. Je lui avais expliqué mon projet avec un enthousiasme qui m'avait frappée, même moi, comme un peu puéril (après tout, je ne partais pas escalader le Kilimandjaro en solo, j'allais passer deux semaines au bord d'un lac en Estrie, on pouvait donc se calmer le pompon).

« Est-ce que tu vois ça comme un défi que tu te donnes ? m'avait demandé Julie de sa belle voix un peu rauque.

— Non ! Ben non, voyons donc ! » J'étais presque insultée que ma psy puisse croire que j'étais assez faible d'esprit pour considérer que deux semaines de solitude constituaient un défi. Mais je m'étais rendu compte, en raccrochant, que c'était exactement la position dans laquelle je m'étais mise. Et mon esprit compétitif, qui ne se manifestait que dans les situations les plus absurdes (du genre : je vais montrer à ma petite sœur de quatorze ans que je suis plus mature qu'elle) s'était mis en branle.

« Maman est un peu ridicule de se donner des défis de même, hein les minouzes ? » J'ai eu droit à un « Miaou » agacé de la part de Ti-Mousse. Parfait, me suis-je dit. Plus un mot d'ici à ce que j'arrive au chalet. Un autre beau défi pour une championne.

Le petit lac était encore gelé et des plaques de neige se mouraient lentement sous les arbres et les galeries. L'endroit avait du charme, même au printemps dont la palette ingrate coloriait tout d'un camaïeu de bruns et de gris plutôt fades. Il s'agissait de ne pas trop regarder vers la maison, qui surplombait orgueilleusement le lac avec ses pignons ouvragés et ses larges balcons de bois foncé. Une girouette en forme de lion, que mon père avait fait forger par un artisan qui avait trouvé sa demande loufoque, grinçait doucement sur le toit.

J'ai monté les marches (d'énormes troncs d'arbres coupés sur la longueur) vers la porte principale, qui s'ouvrait sur la grande salle de séjour, et j'ai posé les cages des chats à l'intérieur. Ils en sont sortis en reniflant prudemment l'espace devant eux puis se sont avancés dans la maison, le museau alerte, l'œil écarquillé et l'air circonspect. Il y avait de quoi l'être : de nombreuses têtes de cervidés nous regardaient depuis les hauts murs et une déconcertante peau d'ours était étalée devant l'immense foyer.

J'avais fait l'amour avec Florian sur cet ours polaire au destin tragiquement décevant et je fixais maintenant la fourrure avec l'impression d'avoir le cœur beaucoup trop gros pour ma cage thoracique. Je me suis dirigée vers elle et je l'ai soulevée, étonnée par son poids, avant d'aller la remiser dans une des petites chambres du premier étage : je ne voulais plus voir, chaque fois que je la regardais, nos corps nus sur la fourrure blanche. En revenant dans la salle de séjour, j'ai fait une grimace à une tête d'orignal qui m'observait, je l'aurais juré, d'un drôle d'air.

Mon père, évidemment, n'avait tué aucune de ces pauvres bêtes. Il était allé à la chasse à plusieurs reprises mais était toujours rentré bredouille : il était un de ces chasseurs qui entrent dans la forêt pour boire du fort, échanger de bonnes blagues bien grasses avec leurs camarades et, accessoirement, tirer sur d'innocents chevreuils. Il nous revenait chaque fois avec d'impossibles histoires de chasse qui me faisaient rire, et je le soupçonnais de n'avoir jamais même déchargé son arme. Il aurait préféré mourir que de l'avouer, mais il était beaucoup trop sensible pour cela.

Les trophées de chasse avaient donc été achetés à des chasseurs plus virils et plus aguerris que lui, et nous pouvions tous remercier Josiane, sans qui des têtes de lion et de zèbre se seraient probablement retrouvées elles aussi sur les murs de la maison. La présence de membres de la faune africaine jurait selon elle avec son concept de «pavillon de chasse/cabane au Canada» qui englobait, par contre, un kayak en écorce de bouleau qui trônait sur le manteau de la gigantesque cheminée, juste en dessous de ses *deux* rames, que Josiane s'obstinait à laisser là malgré nos commentaires et le fait que les deux vrais kayaks qui dormaient dans la remise nous donnent raison.

Elle m'avait envoyé la veille un courriel interminable dans lequel elle faisait pratiquement l'inventaire de tout ce qui se trouvait dans le garde-manger, dans le sous-sol et dans la remise et dont, me disait-elle, je *devais absolument* profiter comme bon me semblait. (Qu'allais-je faire de douze cannes de pois chiches et de trois toboggans? Mystère.) Elle m'expliquait aussi en long et en large comment fonctionnait la gigantesquissime télévision du salon et la plus normalement proportionnée qui se trouvait dans la chambre des maîtres.

Mais les télévisions ne faisaient pas partie de mon beau défi, aussi me suis-je empressée de les débrancher, comme si je risquais d'être incapable de me retenir si jamais je passais devant un téléviseur fonctionnel. J'ai fait de même avec le routeur sans fil (une autre vile tentation) et je suis restée un moment devant un des appareils téléphoniques, en me demandant si je poussais l'intensité jusqu'à tous les débrancher. J'ai fini par laisser tomber, non sans dire à Ti-Mousse, qui passait par là, que j'étais bien capable de me retenir d'appeler qui que ce soit pendant deux semaines. Le fait que j'aie eu instantanément l'impression que le chat me regardait d'un air dubitatif m'a fait l'effet d'un mauvais augure, et j'ai décidé d'aller marcher un peu dehors.

J'ai finalement marché pendant près de trois heures sur les petites routes qui s'étendaient autour du chalet de mon père, croisant sur mon chemin des vieillards, des gens à bicyclette, quelques belles maisons de pierre et plusieurs chevreuils qui levaient placidement la tête en me voyant arriver avant de se remettre à paître tranquillement : la vie de chevreuil en Estrie semblait bien peinarde.

Je pensais à Florian, à Maxime, à mes amis et à ma famille, à ce monde qui m'entourait et à moi dedans et je laissais aller mon esprit où il voulait parce que j'étais curieuse, entre autres, de voir où il me mènerait. J'ai en fait été étonnée, au bout de deux heures, de réaliser que je ne pensais à presque rien. Je marchais sur le gravier des routes et la paille desséchée des champs qui n'avaient pas encore été semés et je regardais le dessin des branches nues sur le ciel et les mouvements rapides et délicats des oreilles des cerfs.

Il avait fallu que je me fasse violence pour penser consciemment à ma situation, ce qui avait contribué à me rendre plutôt de mauvaise humeur : je savais bien qu'il y avait quelque chose de ridicule dans le fait de se forcer à réfléchir quand on peut être simplement bien, et je n'avais pas envie, pour une fois, de me regarder le nombril. Mais il fallait me rendre à l'évidence : j'étais venue m'exiler dans cette belle campagne pour me regarder le nombril, dans l'espoir de cesser d'être obsédée par lui. Un cas intéressant, me suis-je dit, dont il faudra discuter avec mon ami Noé.

Je suis revenue vers la maison en me demandant si je ne devais pas me faire une liste, comme me l'avait recommandé Catherine, qui aurait énuméré mes objectifs pour les deux prochaines semaines. Je trouvais l'exercice plutôt risible, et extrêmement

« catherinesque », mais la bonne vieille approche du « tant qu'à y être » commençait à sembler de plus en plus raisonnable.

Quels auraient été ces objectifs ? Voir clairement en moi-même. Prendre pied – j'avais l'impression, depuis que Florian était parti et peut-être même depuis plus longtemps, de flotter, de me laisser porter par une onde ou un courant d'air qui n'avaient rien de désagréable, bien au contraire, mais qui m'empêchaient de toucher le sol, d'être en contact avec la terre et donc de décider où me mèneraient mes pas. J'étais en apesanteur, j'échappais à la gravité. J'ai pensé au whiskey du capitaine Haddock qui, dans *On a marché sur la lune,* se transformait en boule de liquide lorsque la fusée quittait notre planète. Petite, j'avais été fascinée par cette image et j'enviais la boule légère et libre, qui se moquait des lois de la physique terrienne.

J'ai donc noté sur ma petite liste mentale d'objectifs : renoncer à l'apesanteur. Julie Veilleux fronçait toujours les sourcils lorsque j'utilisais le verbe « renoncer » et ses multiples déclinaisons. « Il faut pas que tu voies ça comme ça », me disait-elle. Et j'étais bien d'accord avec elle. N'y avait-il pas quelque chose de pathétique et d'acharné dans le fait d'être attachée, à trente-deux ans, à un certain état de flottement ? Je ne pouvais m'empêcher de faire un parallèle entre l'apesanteur elle-même et l'état d'un fœtus dans le ventre de sa mère et je commençais à me demander si je n'avais pas plutôt besoin d'une bonne psychanalyse freudienne, histoire de devenir complètement névrosée et nombriliste comme toutes les personnes que je connaissais qui étaient passées par là.

Il faut que j'arrête de trop m'analyser, me suis-je dit en montant l'escalier de troncs d'arbres. Je me suis demandé si Maxime était passé par là, si on devenait serein en étant, pendant un moment, excessivement introspectif. C'était une très mauvaise piste de réflexion : l'image de Maxime et de son beau sourire m'a donné une furieuse envie de lui téléphoner, pour lui parler et surtout pour lui dire : « Achète une couple de bouteilles de vin et voici le chemin jusqu'au chalet. » Le soleil se couchait sur la glace bleutée du lac et j'ai failli défaillir de désir, pour Maxime, pour Florian, pour un homme qui m'aurait fait sortir de moi-même.

Il était 19 h 30 et la maison était déjà plongée dans la pénombre, à part pour quelques taches d'un rose presque violent que le soleil couchant traçait sur la grosse poutre de bois qui traversait la pièce principale. Je l'ai regardé descendre vers l'horizon, attendant que le dernier lumignon rouge ait disparu pour courir à toute vitesse jusqu'à la chambre des maîtres, au troisième étage. Par la grande fenêtre, on voyait encore un minuscule morceau de soleil. Mon père m'avait montré ce « truc » lorsque j'avais douze ou treize ans, et j'avais été émerveillée par cette course contre l'astre et par l'idée que, si nous avions habité une maison de dix mille étages, nous aurions pu faire durer le jour pendant des heures, des années, peut-être pour toujours.

J'ai regardé la ligne des arbres devenir uniformément noire derrière le lac. Le ciel offrait un beau dégradé d'orangés qui passaient au jaune puis au vert avant d'aller rejoindre le bleu profond de la nuit qui avançait lentement au-dessus de la maison. C'est beau, me disais-je, c'est sublimement beau. Mais après dix minutes de sublimement beau, c'est à haute voix, cette fois, que j'ai dit : « Now what ? » Que fait-on de ses soirées, pas de télé, pas de compagnie ? Mes ancêtres s'étaient bercés en se racontant les potins du village au coin du feu, mais je n'avais personne à qui raconter quelque potin que ce soit et je soupçonnais les chats, qui dormaient en boule sur la peau d'un animal non identifié qui couvrait le lit, de ne pas avoir trop de jasette. J'avais un foyer, par contre, et je suis redescendue vers la salle de séjour pour aller me faire un feu, allumant une par une toutes les lumières de la maison, pour mettre de la vie, une illusion de présence.

Si la chambre des maîtres, où j'avais décidé que j'élisais domicile, occupait tout le troisième étage, les chambres du deuxième donnaient sur une longue galerie qui surplombait, elle, la grande salle de séjour. J'ai fermé prudemment la porte de la chambre que j'avais l'habitude de partager avec Florian et je me suis arrêtée devant celle d'Audréanne. On aurait dit une chambre de petite fille, avec un lit à baldaquin entouré de voilages rose clair et, dans un coin, une imposante colonie de toutous et de poupées qui me regardaient tous de leurs yeux brillants.

Je me suis demandé si Audréanne l'avait laissée ainsi parce qu'elle se foutait un peu de l'apparence de cette chambre qu'elle n'habitait qu'à l'occasion, ou plutôt parce qu'une petite fille dormait encore en elle, et que loin du regard de ses pairs elle pouvait la laisser sortir. J'ai allumé, sur le bureau peint en blanc, une lampe carrousel qui s'est mise à tourner doucement, projetant sur les murs roses des silhouettes d'oiseaux bleus et des étoiles filantes. J'ai fait un « Aw » attendri. J'avais envie de rester là des heures et de regarder les formes naïves et tendres défiler sur les murs clairs. Un autre soir, me suis-je dit. Ça sera un projet pour un autre soir.

Je suis descendue faire un grand feu dans l'âtre (une tâche d'une facilité déconcertante, ai-je noté, ce qu'il allait falloir faire remarquer à mon père, qui se comportait chaque fois qu'il faisait un feu comme un astronaute ayant la responsabilité de faire atterrir une fusée, rien de moins). Les chats, qui m'avaient suivie, sont venus s'installer tout près des flammes, leurs petites fourrures luisant dans la lumière, leurs corps parfaitement alanguis dans la chaleur. J'ai repensé à *mon* corps alangui sous celui de Florian et j'ai fait une petite incantation païenne pour chasser ce souvenir – les deux semaines allaient être longues si je les passais à être assaillie par des visions de mon ex et moi faisant l'amour. Tout de même, ai-je pensé en allant me préparer à souper, une bonne baise devant le foyer n'aurait pas fait de tort.

Une heure plus tard, j'avais mangé un demi-filet de porc au sirop d'érable (triste labeur que de ne cuisiner que pour soi!) en lisant les premières pages d'un roman d'un auteur américain que je m'étais apporté et qui me semblait un beau projet de lecture pour qui voulait prendre soin de son âme. J'avais lorgné à au moins vingt reprises vers les magazines féminins de Josiane qui traînaient dans le salon, mais j'avais résisté : des articles tels que « La Wonder Woman démystifiée » et « On fait la guerre aux sucres lents ! » ayant peu à voir, devais-je admettre, avec ma démarche.

« Eh ben », ai-je dit aux chats, qui étaient mous comme des crêpes sous l'effet de la chaleur, en m'assoyant dans un grand fauteuil près du feu. Il était 21 heures, et je considérais sérieusement aller me coucher pour la nuit. J'ai tenu bon jusqu'à 22 heures, heure à laquelle je me suis soudain découvert une passion sans bornes pour le téléjournal, que j'aurais payé pour regarder (une voix ! Un visage ! Une présence ! Et je n'étais là que depuis une demi-journée). Je suis finalement montée à la chambre du troisième. À 3 heures du matin, je descendais dans celle d'Audréanne pour emporter avec moi la lampe carrousel et fermer la porte : les yeux sans âme des oursons et des poupées avaient commencé à hanter mes rêves fragmentés et je me voyais mal revenir en ville, débinée et humiliée, parce que j'avais trop peur de la collection de toutous d'une petite fille.

Les trois premières journées se sont bien déroulées, dans la mesure où elles correspondaient en presque tout à l'image que je m'étais faite d'une moi sereine et tranquille : je marchais durant des heures, appelant les chevreuils que je croisais par leur prénom, je lisais et je cuisinais. Lors de mes longues promenades, je pensais à Florian, dans le but délibéré de m'écœurer moi-même avec son souvenir. Je ressassais les détails de nos moindres conversations, je détaillais mentalement chaque centimètre carré de sa peau, j'évoquais le visage de ses parents que je n'avais pas vus depuis plus d'un an, que je n'allais peut-être jamais revoir.

Mais rien n'y faisait, mes pensées se fondaient systématiquement en un long rêve éveillé dont la mièvrerie m'abasourdissait et me gênait un peu – j'avais presque envie de passer plus vite devant les chevreuils, de peur qu'ils n'entendent ma rêverie et se fassent de moi une idée que je n'aimais pas. C'était toujours la même chose : Florian me revenait, piteux, repenti et éperdu d'amour, et j'acceptais ses excuses avec une magnanimité surnaturelle. L'action changeait de lieu, mais le décor restait bucolique et enchanteur.

Il me revenait sur le mont Royal, que je peuplais pour l'occasion d'innombrables arbres fruitiers en fleurs ; devant le lac, au coucher du soleil, où je l'espérais naïvement chaque fois que je rentrais de mes promenades ; sur le pont de Brooklyn, avec Manhattan en arrière-plan – ce qui n'avait aucun sens mais plaisait à mon cœur assoiffé de romantisme. Le pont des Arts ? Pourquoi pas. Mais c'était déjà fait pour nous deux : nous nous connaissions depuis trois jours à peine et nous nous embrassions jusqu'à en perdre le souffle sur ce pont presque trop propice aux amours. Florian avait-il donc oublié tout cela ?

J'étais rapidement exaspérée par ces rêveries stériles qui, je le savais bien (damnée lucidité !), ne devaient pas se concrétiser. Je devenais fébrile, hors de moi mais pas assez, pas complètement, et je me visualisais me dévissant la tête et la bottant au loin, comme un joueur émérite au soccer.

J'essayais alors de m'imaginer avec Maxime, ou avec n'importe quel autre homme qui n'avait pas le visage et la voix et le corps et la peau et la bouche et les yeux de Florian, mais cela revenait au même : dans ces rêveries, ma relation avec un autre homme ne servait qu'à rendre Florian fou de jalousie pour mieux le reconquérir. J'étais sincèrement impressionnée par la durée que pouvait avoir une peine d'amour et par le refus du cœur de passer à autre chose. Combien de temps allais-je rêver ainsi à l'homme qui m'avait laissée? J'étais absolument incapable d'envisager que cela cesserait un jour – cela m'était aussi inconcevable qu'accepter de me faire amputer les deux jambes ou que me réveiller un matin dans le corps d'un homme.

Je rentrais dans la maison trop grande avec l'envie solide de boire un verre, mais je résistais encore. Je me plongeais plutôt dans de vastes projets culinaires qui avaient deux avantages : m'occuper à autre chose qu'à essayer d'écrire et justifier de nombreux voyages à l'épicerie du village, où je pouvais m'entretenir beaucoup trop longtemps avec une caissière bourrue qui avait à mes yeux le charme formidable d'être une personne humaine.

Comme cette femme avec qui je n'aurais jamais entamé de conversation en d'autres circonstances me semblait fascinante! Je voulais tout savoir d'elle et je trouvais mille excuses, toutes plus mauvaises les unes que les autres, pour prolonger mes interactions avec elle. La météo n'avait pour moi plus de secrets et rien ne m'intéressait autant que l'histoire de cette petite épicerie. La femme me répondait patiemment, imperméable à cette fausse complicité féminine dont je la bombardais, et je repartais en me sentant un peu stupide et en racontant à une Catherine absente, à voix haute dans la voiture, l'échec de mes offensives de charme.

C'est finalement le cinquième jour, en voyant le regard las de la femme de l'épicerie alors qu'elle m'apercevait et en constatant que le congélateur de la cuisine ne fermait pratiquement plus à cause des six tourtières et des près de deux cents raviolis à la courge butternut et à la sauge, tous faits à la main, que j'avais remisés là, que je me suis dit qu'il y avait peut-être quelque chose qui clochait dans mon approche. Je ne sortais plus de la cuisine, à part pour aller acheter des courges et faire le tour des cinq villages voisins à la recherche de sauge. J'avais mis une croix sur mes promenades : j'en revenais trop exaspérée, trop irritée par tant d'introspection. Mais n'était-ce pas là le but de l'exercice ? Je me suis demandé ce soir-là s'il n'y avait pas quelque chose de profondément pathétique et d'assez comique dans le bilan provisoire que je pouvais déjà faire de mon séjour : je m'étais exilée simplement pour constater que j'étais insupportable.

Je ne voyais pas, mais pas du tout, comment qui que ce soit pouvait me supporter et non seulement j'avais envie d'appeler Florian pour lui dire « T'as ben faite ! » avant de raccrocher, mais je voulais me faire carmélite, ou à la rigueur partir refaire ma vie ailleurs, en Irlande peut-être où mon nom de famille était banal et où personne ne me montrerait du doigt en murmurant aux autres : « Surtout pars-la pas sur le dossier de ses petits malheurs, tu vas saigner des tympans dans le temps de le dire. » J'ai failli téléphoner à Nicolas pour lui demander d'être honnête avec moi et de me dire à quel point j'étais LA référence universelle en matière d'insupportabilité chronique, mais je me suis retenue : ce geste narcissique, en lui-même, était déjà assez insupportable comme cela.

« Bon, ai-je dit aux chats après m'être assise avec eux devant le feu qui crépitait dans l'âtre. Il va falloir faire quelque chose. » Je pouvais rebrancher la méga-télévision et m'abrutir avec un film d'action américain ou une telenovela brésilienne. Je pouvais faire de même avec le routeur sans fil et surfer pendant des heures sur le Net à la recherche de divertissements décevants : obèses tombant dans des gâteaux de noces, chatons se chamaillant, furieux gang bangs interraciaux – j'avais l'embarras du choix. Je pouvais appeler Catherine et lui demander de venir me rejoindre. Je pouvais faire deux cents autres raviolis. Ou je pouvais, plus simplement, siffler les restants de whiskey de Bill.

Trois verres plus tard, j'étais confrontée à mon échec – et de très bonne humeur. Je me refusais encore à appeler qui que ce soit ou à envoyer des courriels, mais je dansais devant le foyer en parlant toute seule puis, au bout d'un autre verre, je me suis mise à écrire. Vas-y, me disais-je. Laisse-toi aller. Coule-toi dans chaque phrase. J'enlignais les images glauques et le symbolisme facile et, parce que ce que j'écrivais était trash, j'étais persuadée de faire de la grande littérature. Je suis allée me coucher, soûle et habitée d'une joie mauvaise et malsaine, sans prendre le temps d'allumer la lampe carrousel.

Le constat d'échec du lendemain matin était plus cruel. J'avais un mal de bloc de la hauteur des plafonds et mes écrits de la veille m'ont tout de suite plongée dans un abattement profond : j'étais officiellement, c'était clair, la pire auteure de l'univers. Je n'avais rien à dire de nouveau, même mon fiel puait la banalité, je réussissais à être mièvre alors que j'essayais d'être trash et j'étais, à en juger par le propos de mes mauvais paragraphes, d'une amertume à faire fuir tous les hommes du monde. J'ai rapidement effacé le document et je suis allée prendre un café sur la galerie, devant le lac. L'air frais me faisait du bien et j'ai décidé, dans un ultime effort pour préserver l'idée puérile que je me faisais d'une retraite idéale, d'aller faire un tour de bicyclette. Les vélos de la famille étaient dans la remise, derrière les trois toboggans, et j'ai enfourché celui de Josiane, qui devait valoir plus cher que la voiture de Nicolas.

Je suis revenue une heure plus tard, les jointures gelées, mais débarrassée de mon mal de tête et décidée à écrire, sobrement cette fois. J'ai déjeuné rapidement et je me suis installée sur la table de la salle à manger, face au lac.

J'ai fixé l'écran de l'ordinateur un long moment. Qu'avais-je à dire ? J'avais passé des années à transmettre la parole des autres, et je savais très bien que tout le monde, même les starlettes de téléréalité aux intérêts limités et à l'envergure microscopique, a une histoire à raconter. Tout le monde a vécu quelque chose. Mais je n'avais pas envie d'écrire à propos de moi. J'étais écœurée de moi-même et, étant plus sobre et lucide que la veille, je ne me trouvais plus de grand intérêt. J'ai pensé à Maxime et à ses romans policiers. Il inventait des histoires, lui, il était parfaitement libre. Que pouvais-je donc inventer, moi ? Y avait-il encore une histoire à inventer ? Je me suis souvenue d'un cours de création littéraire, à l'université. Le professeur nous donnait toujours des sujets extrêmement contraignants dont nous nous plaignions sans cesse. Puis, une fois, il nous avait accordé ce que nous réclamions depuis le début : carte blanche. J'avais passé des heures, des soirées entières devant mon vieux Mac, perplexe et angoissée. Sa carte blanche me laissait trop de liberté, et je ne savais plus où aller.

J'ai tout de même écrit toute la journée, ne me levant que pour me faire décongeler des raviolis à la courge, qui étaient franchement bons. J'ai écrit des descriptions du lac et du paysage – je m'astreignais, à chaque heure, à décrire en quelques paragraphes les variations subtiles du jour qui avançait sur la campagne. C'était un exercice un peu tâcheron mais hautement satisfaisant. Je ciselais des phrases, je farfouillais dans le dictionnaire, je m'appliquais sincèrement à trouver des métaphores qui ne soient pas lourdes ou boiteuses, je retrouvais les noms de couleurs et de teintes oubliées – petits efforts que je ne faisais plus depuis longtemps lors de la rédaction de mes biographies.

J'ai essayé d'écrire l'histoire d'une peine d'amour, me souvenant d'un professeur de littérature anglaise qui nous répétait « write what you know » mais qui avait visiblement oublié de mentionner « une fois que vous avez un peu de recul ». Trop proche de ma peine, je produisais une longue litanie qui ressemblait à l'idée que je me faisais des journaux intimes d'Audréanne. J'ai quand même tout conservé – il y avait quelques phrases au milieu de tout ce marasme qui me semblaient bien tournées, ou du moins qui m'avaient apporté une réelle satisfaction lorsque je les avais écrites.

J'ai aussi commencé à rédiger le portrait d'un homme qui était incapable de ne pas dire simplement ce qu'il pensait (mais d'autres l'avaient fait avant moi, et mieux), l'histoire d'un auteur qui se mettait en tête d'écrire la plus grande histoire d'amour de tous les temps (mais qu'allais-je faire ? Écrire, moi, la plus grande histoire d'amour de tous les temps ? Je n'avais même pas été capable de garder la mienne en vie), la description d'une famille ordinaire et dysfonctionnelle (mais si j'avais du plaisir et une certaine aisance à dresser le portrait des personnages, je ne savais pas quoi leur faire faire avec leurs dysfonctions).

Vers 19 h 30, après avoir décrit hargneusement le coucher du soleil en ne faisant plus aucun effort pour me tenir loin des clichés et des lieux communs (« les dernières flammes du jour empourprent le ciel », « l'astre se meurt lentement dans les eaux sombres du lac de la nuit »), j'ai fermé l'ordinateur, et je suis allée me servir un whiskey. Je m'ennuyais à périr et je me trouvais ridicule – cette campagne, ce projet, tout cela me semblait pitoyable. J'étais là depuis six jours seulement et, même si je ne savais plus trop à quoi je m'étais attendue de ce séjour, j'étais passablement certaine que ce n'était pas d'écrire des métaphores merdiques en buvant du whiskey à vingt dollars la gorgée.

J'ai eu envie d'appeler Nicolas, mais j'étais trop de mauvaise humeur pour supporter ses sarcasmes bon enfant. Catherine m'aurait rendue folle, elle aussi, en me parlant de mon processus, d'étapes et de je ne savais trop quelle autre théorie bidon que je n'avais pas envie d'entendre. Alors j'ai pris le téléphone, et j'ai appelé Maxime.

« Allô ? a-t-il répondu avec le ton prudent que prennent tous les Montréalais lorsqu'ils voient sur leur afficheur un code régional autre que le leur.

— C'est Geneviève.

— Ah ben, ah ben…

— Et j'aimerais tout de suite dire que je suis pas soûle. Pas encore. »

J'ai entendu, au bout du fil, le rire tranquille de Maxime. « Comment ça se passe ?

— Ça se passe de la marde, Max. Ça se passe que je m'endure pas quand je suis toute seule et que hier, j'ai demandé à la fille qui travaille au dép c'était quoi son shampooing. Ça se passe que j'écris de la marde et que… » Je me suis arrêtée. J'étais tellement excitée de parler à un être humain autre que la femme de l'épicerie que je m'emportais. « Je… j'avais envie de parler à quelqu'un de groundé.

— C'est moi, ça ?

— Oui, c'est toi, ça.

— Et qu'est-ce que je peux faire pour toi ? » Son ton était doux, posé – c'était le ton que j'aurais voulu avoir.

« C'était pas une bonne idée de venir ici, hein ? lui ai-je demandé.

— Ben… je peux pas parler pour toi, Gen. Ça peut être super cool de passer deux semaines tout seul à la campagne puis de…

— J'ai demandé à la fille du dép c'était quoi son shampooing ! » ai-je répété, pour souligner l'ampleur de mon échec. Maxime a ri doucement. « Je comprends pas, ai-je poursuivi. J'aimais ça être toute seule, avant ! C'était LA chose qui me faisait le plus de bien au monde ! Et là…

— Je peux-tu te dire quelque chose ?

— N'importe quoi, man ! T'as une voix, t'es humain, t'es la chose la plus excitante qui m'est arrivée depuis six jours.

— OK ben… Je comprends pas pourquoi t'exiges ça de toi-même.

— J'exige quoi ?

— Ben… de… » Il cherchait ses mots. « De corres-
pondre exactement à l'idée que tu te fais de ce qu'une
fille devrait faire pour devenir une meilleure personne.
C'est-tu clair, mon affaire ?

— Pas vraiment, mais je comprends…

— Tu viens de te faire domper, câlisse. C'est rough,
c'est plate, c'est raide. Faut que ça passe, c'est tout.
Puis t'es pas *obligée* de le faire passer plus vite. Ça te
tente pas de te donner un break ? »

J'ai fixé le foyer pendant un moment. Je ne voulais
que cela. Me donner un break. Mais n'était-ce pas justement ce que Florian me reprochait ? Mon inaction ?
Le fait que j'avais passé ma vie à me donner un break ?

« Je t'entends spinner, a dit Maxime au bout du fil.
T'as toute ta vie pour devenir la femme proactive que
t'imagines que tu devrais être.

— Eille ! » J'étais un peu outrée qu'il ait su ainsi
me lire.

« Pourquoi tu reviens pas ? a demandé Maxime. Le
chalet va encore être là la semaine prochaine, puis cet
été, puis cet automne quand ça va être maladement
beau avec toutes les couleurs. Donne-toi donc un
break, Gen. »

J'ai raccroché. Le lendemain, après avoir mis dans
une glacière mes tourtières et mes raviolis et m'être
assurée que tout était en place, je repartais pour Montréal. Tant pis pour l'orgueil, me disais-je en faisant
démarrer la petite auto. Il repassera plus tard. Je suis
en break.

CHAPITRE 13

« *C*'est pas cool… » a dit le reflet rieur de Maxime, que me renvoyait un enjoliveur de pneu chromé qu'il tenait devant lui. Nous étions dans un marché aux puces où, apparemment, l'enjoliveur de pneu se vendait au même titre que les armoires canadiennes, les courtepointes et les sets de vaisselle vintage. Je venais de lui raconter l'accueil que m'avaient réservé Nicolas et Catherine à mon retour de ma super retraite, quatre jours plus tôt, et il semblait remettre en question les bonnes intentions de mes amis.

Je n'avais sans doute pas aidé leur cause en avouant à Maxime que je soupçonnais Nicolas d'avoir passé une partie de la semaine à rédiger une liste de gags dont le seul but était de me taquiner et de souligner l'ampleur de mon ridicule. Il se levait de table après les repas en disant : « Excusez-moi, je vais aller faire une petite retraite fermée à la salle de bains » ou s'arrêtait de travailler pour soudain déclarer : « Faudrait que je me ressource moi… » avant de regarder sa montre et d'ajouter : « J'ai cinq minutes… ça devrait être en masse, hein ? » Il avait même coaché Noé, qui m'avait crié, alors que je cognais à la porte de sa chambre pour lui dire de venir souper : « Je fais une retraite ! », me faisant rire et lever les yeux au ciel.

Mon triomphal retour avait eu lieu vers 10 heures du matin et j'avais ouvert la porte en essayant de faire le moins de bruit possible, comme si le moindre son risquait de faire se matérialiser dans l'appartement des personnes autrement absentes. Mais Nicolas était assis à son bureau et il avait eu en me voyant une réaction complexe que j'avais tout de suite interprétée comme une rapide succession d'étonnement (Quoi? Déjà revenue?), de lucidité (J'aurais dû me douter que ça ne serait pas long) et de pure jouissance (Mon Dieu je vais pouvoir rire d'elle pendant des *mois*).

J'avais posé les cages des chats sur le sol et j'avais levé une main autoritaire pour le faire taire, pendant qu'il se trémoussait sur sa chaise. «Gen… come on… Je peux pas… Trop dur de me retenir… je vais… exploser…» Puis il avait semblé penser à quelque chose et s'était ressaisi: «Est-ce que t'es revenue parce qu'il est arrivé un drame?

— Si je te dis non tu vas te mettre à rire de moi?»

Nicolas avait fait semblant de réfléchir puis avait déclaré: «Yup.»

Je l'avais regardé un moment. J'aurais pu être fâchée, ou vexée, ou même blessée mais j'étais surtout terriblement contente de le voir. Il y avait dans les grands yeux bleus de mon ami une telle affection que j'avais dit, sur un ton piteux à souhait: «J'ai viré une brosse avec les fonds de bouteilles de Bill puis je pense que j'ai réussi à m'aliéner la caissière de l'épicerie à force de lui jaser météo pendant des heures.» Devant moi, Nicolas avait eu l'air tellement ravi que je n'avais pu m'empêcher de sourire.

«Je peux y aller? avait-il dit.

— Ben oui… enweye… Shoote.»

Et les moqueries avaient commencé.

«C'est pas cool, a répété Maxime en remettant l'enjoliveur à sa place – et en riant toujours.

— Tu peux ben parler, t'es mort de rire.

— C'est *drôle,* mais c'est pas cool.

— Non, c'est correct, ai-je dit. J'ai besoin de ça. Si j'avais pas Nico pour rire de moi quand je commence à me prendre trop au sérieux, je pourrais…

— … te prendre trop au sérieux?

— On peut rien te cacher. »

Maxime a hoché la tête, compréhensif comme d'habitude. J'étais encore un peu agacée par cette compassion qui émanait de sa personne et semblait ne lui demander aucun effort, mais je commençais à me douter que c'était par envie. J'avais le réflexe de me méfier de cette disposition qui était la sienne comme mon père avait le réflexe de se moquer des gens qui lisaient et allaient au théâtre, parce que lui ne lisait pas et n'y allait pas et qu'il était trop orgueilleux pour avouer qu'il aurait aimé, parfois, élargir ses horizons.

« Le théâââââtre, le théâââââtre, disait-il sur un ton caricaturalement snob, même lorsqu'il parlait de théâtre d'été. C'est pour les "intellos". » Il appuyait sur le mot « intellos » pour souligner son mépris pendant que je soupirais devant tant de puérilité. Et voilà que je faisais de même avec la compassion aisée de Maxime, pour ne pas avoir à m'avouer que j'aurais bien aimé avoir cette grâce qui devait rendre la vie plus facile.

« C'est pas la fin du monde de se prendre *un peu* au sérieux », a dit Maxime, irradiant de bonté et de bienveillance. J'ai regardé vers ses pieds, pour voir s'il ne lévitait pas d'un centimètre ou deux. « Tu penses pas?

— Mais oui je pense que oui… Mais je suis pas mal sûre qu'il y a rien de pire au monde que de se prendre trop au sérieux. Faque je joue safe, tu comprends? Le jour où je serai plus capable de rire de moi-même… »

J'avais été obligée de rire de moi-même à mon retour des Cantons-de-l'Est, d'abord par orgueil, parce que je ne pouvais pas laisser Nicolas le faire tout seul, ensuite parce que, vraiment, il y avait de quoi rire. J'étais partie en quête d'une certaine pureté et j'étais revenue sept jours plus tard, lendemain de veille et amère, en hurlant : « Je suis insupportable et j'ai besoin d'un break. »

Catherine, évidemment, s'était montrée d'une infinie compréhension et avait même manifesté un léger remords dû au fait qu'elle avait oublié de me prévenir que toute quête intérieure, comme tout marathon, comporte un « mur » – une période difficile que les plus vaillants et les plus expérimentés savent traverser, mais qui force les autres à renoncer. N'étant ni vaillante ni expérimentée, j'avais renoncé, et Catherine s'en voulait.

« J'aurais dû te parler du mur… se désolait-elle, pendant que derrière elle Noé faisait tourner un doigt à la hauteur d'une de ses tempes, pour signifier qu'il la trouvait folle. Si seulement je t'avais parlé du mur…

— Si tu m'avais parlé du mur je serais pas partie.

— Mais non, tu serais partie… t'étais toute confiante, toute pleine d'espoir, toute…

— Ça va ! Ça va… » Le souvenir de ma naïve confiance ne faisait qu'augmenter à mes yeux ma déconfiture. Si au moins j'étais partie en disant simplement que j'allais passer quelques jours à la campagne, mais non, il avait fallu que j'érige ce projet en quête spirituelle, moi qui n'avais rien de spirituel, comme se plaisait à me le rappeler Nicolas.

« T'aurais pu me le dire *avant* », lui répétais-je amèrement pendant qu'il se moquait de moi.

Il me prenait alors dans ses bras et me disait que pour rien au monde il n'aurait empêché cette expérience loufoque, ce qui me faisait rire malgré moi. Il avait tout de même fini par m'avouer, alors que nous prenions un verre dans son ancien bar le lendemain de mon retour, qu'il avait lui aussi multiplié les tentatives de « quête » lorsque la mère de Noé était partie.

« J'ai voulu partir en Inde, m'avait-il dit en commandant deux autres verres. En fait je serais parti en Inde si ç'avait pas été de Noé.

— C'est quand même plus punché que d'aller dans le palace de campagne de son père…

— Ça revient au même, Gen. Puis l'Inde… ça pourrait-tu être plus cliché? Je me fais domper, je me cherche, je pars en Inde?»

J'avais réfléchi un moment. C'était effectivement un vieux cliché, et la prémisse de nombreux récits initiatiques (jeune homme déçu par la vie, l'amour ou la société occidentale part pour l'Inde et en revient transformé), mais je comprenais parfaitement la motivation. C'était loin, c'était à l'autre bout du monde, c'était, en fait, un autre monde. Je m'étais mise à m'imaginer, errant dans les rues boueuses de Madras après la mousson, à des milliers de kilomètres de toutes ces attaches qui me faisaient un filet autour du cœur, quand Nicolas avait dit: «Arrête de t'imaginer en Inde, Gen», ce qui m'avait obligée à lui donner une énorme bine sur l'épaule.

«Je pourrais partir en Antarctique, avais-je alors proposé.

— Ou rester ici et faire face à la musique. C'est ça que j'ai fait. C'est sûr que c'est parce que j'avais pas le choix, mais au bout du compte c'était ce que je pouvais faire de mieux.

— Ouin», avais-je dit, peu convaincue. Mais rien ne me convainquait vraiment depuis que Florian était parti. «J'aurais aimé… tu sais. Une solution miracle. Un remède.

— Je sais», avait dit Nicolas. Et nous avions trinqué. Catherine était venue nous rejoindre plus tard après son spectacle, qui avait eu, comme je m'en étais doutée, une critique fort favorable. Ce n'était qu'une critique, mais Catherine était tellement excitée qu'on parle enfin d'une de ses productions qu'elle était aux anges. J'étais fière d'elle, et nous avions passé le reste de la soirée à parler de sa pièce et de son avenir. La toute dernière représentation devait avoir lieu le surlendemain et Catherine souhaitait ardemment la reprendre,

« à Montréal ou en région » – ce à quoi Nicolas n'avait pu s'empêcher de répliquer : « Tu devrais aller donner une couple de shows dans les Cantons-de-l'Est… paraît qu'il y a un gros pool de filles désœuvrées qui seraient sûrement contentes de… » Il n'avait pas pu finir, submergé par une pluie de bines que je lui assénais en riant. Même Catherine riait et je m'étais écriée, faussement éplorée : « Cath ! Si même toi tu te moques de ma quête de spiritualité, qu'est-ce qu'il me reste, hein ?

— Excuse-moi, avait dit Catherine. Je ris… *On* rit mais… »

Et mes deux amis avaient entonné en chœur : « C'est parce qu'on t'aime ! »

« Alors j'ai le droit de rire moi aussi ? » a dit Maxime. Je lui ai lancé un petit regard oblique en m'appliquant à ne pas relever l'insinuation qu'on pouvait entendre dans cette phrase. C'était lui – évidemment – qui avait voulu m'emmener au marché aux puces, pour me changer les idées d'abord mais aussi parce que, comme il l'avait fait valoir, j'avais grand besoin de nouveaux meubles. Le fait que les marchés aux puces, par défi-nition, vendent de tout *sauf* des nouveaux meubles ne l'avait pas arrêté et j'allais pouvoir, selon lui, me créer un nouvel intérieur pour environ quatorze dollars.

« No offense, ai-je dit en me rappelant son appar-tement à lui et ses airs de brocante, mais je suis pas trop certaine que je sois du genre mobilier dispa-rate de seconde main. » J'ai repensé au condo que j'avais habité avec Florian, à ses lignes épurées et ses meubles signés, et je me suis demandé si c'était cela, mon « style ». Florian pensait les espaces, il les com-posait comme d'autres composent une mélodie, une assiette ou une toile. Les appartements où j'avais vécu seule avant de le rencontrer n'avaient jamais eu la belle cohésion du condominium. Ils offraient au coup d'œil un mélange plus ou moins heureux de meubles hérités de mes parents, d'IKEA et de pièces dénichées dans des petites boutiques qui me semblaient alors offrir ce qu'il y avait de plus chic en matière de design et dont les diverses réputations avaient par la suite été systématiquement démolies par Florian.

Catherine avait toujours détesté le décor de notre condo. Elle appréciait, comme tout le monde, la lumière qui entrait par les nombreuses fenêtres savamment situées mais elle était, affirmait-elle, mal à l'aise au milieu de tout ce bois blond et de ces fauteuils sur lesquels on hésitait presque à s'asseoir de peur de les défigurer avec notre médiocre présence. « C'est pas assez sale, chez vous, me disait-elle en passant son doigt sur les comptoirs de pierre immaculée ou le long des murs uniformément blancs. C'est froid. »

Je comprenais ce qu'elle voulait dire, mais par orgueil et par amour pour Florian je la contredisais. Et puis j'aimais ce lieu ruisselant de lumière, j'aimais notre grande chambre et son lit king sans tête de lit. J'aimais l'espace, surtout. Peu importe où l'on posait le regard, tout semblait respirer. C'était, ai-je pensé alors que nous nous promenions entre les stands du marché aux puces, exactement le contraire de chez Maxime. « C'est trop songé », disait Catherine, alors que j'appréciais, moi, cette réflexion, ce souci qui se manifestait dans chaque perspective harmonieuse. Mais ce n'était pas ma réflexion, et je n'avais jamais eu le souci des perspectives avant de rencontrer Florian.

Nous sommes passés devant un vieux secrétaire de bois vernis, dont les flancs et les pattes étaient ornés d'une délicate marqueterie. J'ai passé ma main sur la courbe sensuelle du meuble et je n'ai pu retenir un sourire en sentant sous mes doigts la fermeté du bois clair. J'ai imaginé mon ordinateur placé sur sa tablette ouverte, mes papiers bien rangés dans les espaces pratiqués à cet effet et moi, travaillant sereinement. J'ai levé la tête vers Maxime.

«Pas si pire, non, pour du seconde main?» a-t-il dit.

J'ai hoché la tête, trop orgueilleuse pour lui donner raison aussi rapidement. «Come on, a-t-il poursuivi. Je suis pas ésotérique pour deux cennes, mais des fois c'est vrai qu'il y a des meubles qui nous parlent.

— Comme tout ce qu'il y a chez vous?

— OK, a reconnu Maxime en souriant. J'écoute peut-être un peu trop les vieux meubles quand je me promène dans les marchés aux puces. Mais dis-moi pas que tu te vois pas en train d'écrire là-dessus.»

J'ai timidement regardé le prix du secrétaire. «Quatre cent quatre-vingt-quinze dollars? ai-je murmuré entre mes dents à Maxime, ébahie.

— C'est vraiment une belle pièce.

— Oui mais quatre cent quatre-vingt-quinze *dollars*?

— J'aime beaucoup que t'insistes sur le mot "dollars" comme si c'était ça qui rendait l'affaire scandaleuse. Tu pensais que les prix étaient en quoi, ici, en anciens francs?

— Ça serait moins pire… Je pensais surtout qu'on venait dans les marchés aux puces pour faire des deals.

— Y a plein de deals, a dit Maxime. T'as pas vu au stand là-bas? Quatre enjoliveurs de pneu pour dix dollars, six pour douze.

— Pour ton fameux char à six roues?»

Nous étions en train de rire ainsi à côté du beau secrétaire quand son vendeur, un petit homme qui avait l'air d'avoir environ cent vingt ans et marchait courbé à un angle de quatre-vingt-dix degrés, s'est approché. «Y EST BEAU HAN?» a-t-il hurlé à Maxime. Son ouïe, de toute évidence, avait pris le bord en même temps que la rectitude de sa colonne vertébrale. Maxime lui a souri en faisant oui de la tête.

«On dirait qu'il est tombé dans l'œil de votre épouse! a ajouté le vieux, toujours sans me regarder.

— Elle le trouve un peu cher, a dit Maxime.

— Quoi ? Non ! » J'étais gênée et mal à l'aise comme si Maxime m'avait baissé les culottes devant le vieux vendeur. Mais celui-ci s'est contenté de se tordre le cou et de prendre un air perplexe : il n'avait pas entendu un mot de ce que nous avions dit.

« Y EST UN PEU CHER ! a répété Maxime, pendant que je lui donnais des petites tapes. Quoi ? a-t-il dit tout bas à mon intention. Si tu le veux faut le dealer…

— J'aime pas ça dealer. Ça me gêne.

— T'es ridicule. On est dans un marché aux puces, Gen. Laisse-moi faire.

— Non…

— À moins que tu le veuilles pas. Si tu le veux pas on décâlisse. » Le vieux essayait de nous regarder et surtout de nous entendre et poussait de déchirants soupirs pour nous signifier que nous ne lui rendions pas la vie facile. Maxime m'a regardée, l'air de me dire « Décide-toi » et je me suis tournée vers le secrétaire. Son bois aux reflets blonds et roux brillait gaiement dans le soleil, et je l'ai imaginé dans la petite pièce lumineuse qui allait me servir de bureau, m'invitant quotidiennement au travail. Je me suis dit, bêtement, que j'allais avoir plus de facilité à écrire de belles choses si mon ordinateur reposait sur un beau meuble. Mais j'ai tout de même répondu à Maxime : « Oui mais c'est cher…

— Trop cher ? Tellement cher que tu pourrais pas manger ?

— Non mais…

— C'est pas compliqué, Geneviève : tu le veux ou tu le veux pas ? »

Je lui ai lancé un regard mauvais. Son « C'est pas compliqué » m'insultait un peu, parce qu'il sous-entendait que c'était stupide de trouver tout cela compliqué, alors que Maxime savait très bien que ça l'était pour moi, comme le simple fait de vivre. Il avait raison, cependant : ça n'avait pas à l'être. Je ne souffrais pas d'un grave handicap psychologique, je n'étais pas (complètement) masochiste, j'étais douée d'une intelligence relative et je n'avais aucun besoin de me compliquer la vie pour rien, à part peut-être pour me rendre intéressante. J'ai eu une petite pensée pour Catherine, hurlant dans son verre de vin : « J'haïs les filles fonctionnelles, je veux qui *meurent* ! » et à notre joie de pouvoir nous targuer d'être des filles fuckées et fières de l'être. Nous étions comme mon père et son théâââââtre, nous frimions naïvement, en croyant jeter de la poudre aux yeux des autres, alors que personne ne se leurrait sur nos vraies natures. Peut-être était-il temps de passer à autre chose ? me suis-je demandé avant de hurler, à l'intention de Maxime et du vieux : « OUI JE LE VEUX ! »

Une demi-heure plus tard, le fils du vieux vendeur, qui devait avoir lui-même environ soixante-dix ans, aidait Maxime à installer le secrétaire à l'arrière de la minifourgonnette qu'il avait louée pour l'occasion. (« Faut toujours être préparé quand on va au marché aux puces », m'avait-il expliqué alors que nous faisions la file à la compagnie de location.) Le vieux et lui avaient hurlé des prix pendant une vingtaine de minutes avant de s'entendre pour la somme de deux cent cinquante dollars, ce qui m'avait épatée au-delà des mots.

« C'est la moitié du prix ! » avais-je murmuré à Maxime. J'étais à la fois très impressionnée par ses talents de marchandeur et très gênée pour le vieux, qui à mes yeux venait de perdre deux cent quarante-cinq dollars. Maxime s'était contenté de me faire un clin d'œil et de sortir une énorme palette de billets de vingt (« Faut toujours être préparé »).

« Qu'est-ce que tu fais ? avais-je dit.

— Je te l'offre. C'est mon cadeau de crémaillère.

— Hors de question. »

Devant nous, le vieux attendait, la main tendue à la hauteur de son visage, son bras parallèle à son pauvre corps.

« T'as deux cent cinquante dollars sur toi ? » avait demandé Maxime, ce à quoi je n'avais pu répondre que par une grimace : je n'étais pas venue, moi, préparée.

J'insistais encore pour lui rembourser le meuble, alors qu'il refermait les portes arrière de la mini-fourgonnette. « Regarde, a-t-il dit, sur le même ton qu'il avait pris pour me faire valoir que ce n'était pas compliqué de savoir si je voulais le secrétaire ou non – un ton auquel je commençais à m'habituer, mais qui continuait à m'irriter. Si t'es pour plus être capable de dormir à cause de ça, rembourse-moi. Mais moi, ça me fait plaisir. Vraiment. Si tu veux commencer à écrire pour vrai, autant le faire sur un beau meuble, non ? »

Je n'ai pu retenir un sourire. « C'est littéralement ça que je me suis dit, lui ai-je avoué. Tu me laisses te payer le lunch, d'abord ?

— Oh yes. Y a une binerie de feu sur le bord de la rivière. »

J'avais d'abord hésité avant d'appeler Maxime à mon retour des Cantons-de-l'Est. Moi qui n'avais eu aucun scrupule à lui téléphoner en état d'ébriété pour lui demander, à mots à peine couverts, de venir baiser, j'étais encore un peu gênée d'avoir eu recours à lui, *of all people*, quand j'avais senti le besoin de parler à quelqu'un de stable et de posé. Je trouvais que cela en disait long sur l'idée que je me faisais de mes amis, et aussi sur moi-même : j'avais plus de pudeur quand venait le temps de demander de l'aide, ou du moins un conseil, que lorsque j'avais à me déshabiller.

C'était Catherine qui m'avait encouragée à l'appeler. J'avais eu beau lui rappeler que la dernière fois que j'avais vu Maxime, je m'étais cachée derrière une boîte aux lettres en pensant qu'il était venu s'embusquer pour me faire le premier d'une douzaine d'enfants, elle n'en démordait pas. « J'aime *beaucoup* Maxime, répétait-elle.

— Tu sais que ça aide pas quand tu dis ça?

— J'aime comment toi t'es quand lui est là.

— Encore pire!

— Fais comme tu veux, d'abord… mais aimes-tu mieux avoir *mes* conseils? Parce que si tu veux on peut aller manger puis je peux te suggérer d'autres genres de retraite ou peut-être une thérapie par le rire? Rebirth? Cri primal? À moins que…

— Je vais appeler Maxime. »

Catherine avait souri, coquine et contente. Je la soupçonnais, pour l'avoir vue autour de lui, d'avoir elle-même un petit faible pour Maxime et de faire de la projection en me supposant les mêmes sentiments. Mais après tout, n'avais-je pas au moins un léger faible? Les insinuations de Catherine me rendaient mal à l'aise, mais moi aussi j'aimais « comment moi j'étais quand il était là ». Son aisance et son calme étaient contagieux et je me sentais étrangement tranquille en sa compagnie. Jamais avant, pas toujours après, mais lorsqu'il était là, il me semblait me poser, ne serait-ce que brièvement. J'avais l'impression, en sa présence, de me donner ce « break » dont il parlait.

Je m'étais demandé, l'espace d'un instant paranoïaque, s'il n'avait pas choisi ses mots, calculé son influence et sciemment planté des idées dans le terreau terriblement fertile de mon esprit emmêlé, mais ces réflexions malsaines, avais-je rapidement réalisé, allaient à l'encontre du concept de « se donner un break ». Alors j'avais placé la petite boîte aux lettres rouge que m'avait offerte Nicolas sur la chaise qui me servait de table de chevet, et j'avais appelé Maxime, qui m'avait tout simplement offert de m'emmener à « un de ses marchés aux puces favoris » le week-end suivant. « Tu vas voir, m'avait-il dit. C'est presque un endroit magique. »

Et je n'étais pas loin de le croire, assise à une table de pique-nique sur le bord de la rivière dont les eaux scintillaient au soleil. Un vent tiède qui charriait les odeurs fades et enivrantes du printemps soufflait doucement, et j'ai enlevé mon manteau. Nous avions acheté au petit dépanneur du coin un six-pack de bière commerciale, et Maxime venait de placer devant moi une poutine qui occupait pratiquement la moitié de la table.

« C'est quoi ça ? ai-je demandé en riant.

— Ça, c'est une petite poutine.

— La grosse est comment ? »

Il a désigné une table voisine, où deux obèses aux craques de fesses fièrement exposées étaient attablés devant une masse de poutine qui défiait l'entendement. J'ai fait une moue appréciative pendant que Maxime disposait, à côté de notre « petite » poutine, trois hot dogs.

« All dressed extra mayo ? ai-je demandé autoritairement.

— Oui madame. »

J'ai levé un pouce et j'ai pris une gorgée de bière qui, avec la première bouchée de poutine que je venais d'avaler, formait une combinaison exquise et réjouissante.

« Puis ? » a fait Maxime en souriant triomphalement derrière ses lunettes fumées. Je lui ai répondu par un autre sourire – mon bien-être, enfin, se passait de mots.

« Faque…, ai-je dit au bout d'un moment, j'ai décidé de suivre ton conseil, et de me donner un break. » J'étais toute gênée, comme une petite fille qui avoue son penchant pour un garçon de sa classe.

« C'est vrai ? a répliqué Maxime, l'air content. I'll drink to that. »

Il a levé sa bière et nous avons trinqué. Les hot dogs étaient délicieux, autant sinon plus que la poutine, et j'en étais rendue à me demander si j'avais déjà savouré un meilleur repas. « Et tu fais ça comment ? s'est enquis Maxime.

— Quoi?

— En quoi tu te donnes un break?

— Ben…» Je me tortillais sur mon banc. «C'est comme gênant.

— Tu te masturbes plusieurs fois par jour?

— Pardon?» J'étais presque offensée.

«Tu me dis que c'est gênant…

— C'est gênant parce que… parce que t'es tellement Joe Équilibré que tu vas trouver ça complètement ridicule.

— Essaye-toi donc avant de décider que je vais trouver ça ridicule.

— OK, ben par exemple, j'essaye de pas trop penser quand vient le temps de faire quelque chose.» J'ai revu mentalement notre journée – j'avais trop pensé, justement, à au moins cinquante reprises, même quand était venu le temps de commander les hot dogs. «Je suis pas encore rendue championne, ai-je avoué, mais je travaille là-dessus. Genre hier soir je voulais écrire à mon ex, mais là je me disais: un, est-ce que c'est mieux de pas communiquer avec lui, deux, si je communique avec lui c'est sur quel ton, trois, est-ce que je lui dis directement ce que j'ai envie de lui dire ou je lui dis d'autre chose ou…»

Je me suis arrêtée. Même derrière les lunettes fumées, je devinais le regard presque angoissé de Maxime. «Est-ce que… est-ce que c'est weird que je parle de mon ex?

— Non! Non, pas du tout, a dit Maxime. C'est juste que… est-ce que tu penses toujours comme ça?

— Oui?» Je me tortillais de plus belle. J'étais maintenant doublement gênée, parce que j'avais été assez présomptueuse pour croire que Maxime était dérangé par le fait que je parle de Florian et parce que mon hyperactivité mentale était visiblement trop intense, même aux yeux de l'homme le plus tolérant du monde.

«C'est beaucoup, a finalement dit Maxime.

— Je sais ! C'est pour ça que je travaille là-dessus. Faque maintenant quand va venir le temps de prendre une décision, je vais juste faire ce que j'ai envie de faire, sans me demander ce que j'ai vraiment envie de faire. Là c'est sûr que des fois ça va être un peu compliqué parce que des fois y a des situations où je sais pas exactement ce que j'ai envie de faire mais j'ai réfléchi sur le concept d'improvisation puis je pense que je suis prête à accepter une part d'improvisation dans ma vie. Au pire des pires je me trompe, non ? Ben j'ai décidé que j'ai le droit de me tromper aussi, puis de pas m'en vouloir après. Honnêtement c'est *sûr* que je vais m'en vouloir après, mais mon plan, c'est de pas m'en vouloir.

— Wow, a dit Maxime en enlevant ses lunettes et en me regardant avec un sérieux absolu. Quelle *furieuse* spontanéité. »

Je suis restée interdite un moment, puis j'ai éclaté de rire en me cachant le visage dans les mains.

« WOW ! » a répété Maxime devant moi.

Je me réentendais déblatérer mon plan à peine cohérent et je ne pouvais m'empêcher de rire. « Merci d'avoir eu cette réaction-là, ai-je finalement dit entre deux hoquets.

— Y en avait pas d'autre possible... a répondu Maxime en riant à son tour.

— Je sais que c'était épouvantable mais... c'est vrai sur le fond. Je pense qu'il faut juste que j'ajuste un peu.

— Un *peu* ? »

Je lui ai lancé une frite qui l'a manqué d'environ un mètre et qui a été attrapée au vol par une mouette. « Est-ce que tu comprends au moins ce que je veux dire ? ai-je demandé.

— Ben oui. Ben oui je comprends.

— Je suis sûre qu'il y a des filles pires que moi.

— Je peux te confirmer qu'il y a des filles pires que toi. Des gars aussi.

— Bon. C'est pas nécessairement une excuse, mais quand même. »

J'ai réfléchi en terminant mon fabuleux hot dog que j'avais, au bout du compte, très bien fait de prendre all dressed avec extra mayo. « Mon ex me donnait pas vraiment de break, ai-je dit finalement.

— Dans quel sens?

— Il me poussait beaucoup… Je pense pas que c'était une mauvaise chose. C'était… *C'est* quelqu'un d'assez intolérant mais y est intolérant envers les bonnes affaires. Je veux dire : les affaires envers lesquelles c'est bon d'être intolérant. Tu comprends?

— Oui… mais je suis plus du bord de la tolérance.

— C'est encore drôle. Je pense que t'es pas super tolérant envers la complexité excessive. Genre oui je veux le secrétaire mais je sais pas si je suis sûre que j'assume que je le veux…

— OK, c'est vrai, a dit Maxime en souriant. On a tous nos allergies, non? Toi? Envers quoi tu serais intolérante?

— Est-ce que je gagne la palme d'or de la psychologie à cinq cennes ET de l'évidence si je dis "envers moi-même"? »

Maxime m'a souri. « Ça se change, tu sais.

— Oui, je suppose mais… d'un coup que je deviens trop tolérante envers moi-même puis que je me transforme en gros mollusque pas de volonté? Déjà que j'ai pas énormément de volonté puis que…

— Encore une fois : quelle *furieuse* spontanéité. »

Je me suis mise à rire et je l'ai regardé. Il n'avait pas remis ses lunettes et ses yeux brillaient d'un éclat presque doré dans la lumière du soleil. J'ai alors fait quelque chose qui, selon mes standards, était d'une spontanéité débridée : je lui ai pris la main et je lui ai demandé : « Est-ce que t'accepterais de lire les affaires que j'ai écrites ces derniers jours? Juste… pour me dire ce que t'en penses? »

« Tu lui as demandé ça? a répété Catherine pour la troisième fois, une lueur lubrique dans l'œil. C'est…

c'est presque comme si t'avais accepté de te mettre toute nue devant lui.

— Je me *suis* mise toute nue devant lui au moins dix fois, Cath.

— Oui c'est vrai.

— Et c'était pas mal moins tough que de lui envoyer mes textes.

— Je comprends. Je suis mille fois plus stressée avant de monter sur un stage pour jouer un de mes textes qu'avant de me mettre toute nue devant un gars. »

Je l'ai regardée d'un air entendu : Catherine n'avait aucune pudeur physique, ce qui enlevait toute pertinence à ce qu'elle venait de dire. Elle était plus stressée à l'idée de choisir quel poste de télévision regarder qu'à celle de se promener toute nue devant n'importe quel inconnu. J'avais toujours aimé et admiré ce côté d'elle – elle n'était pas complexée, du moins pas à l'égard de son corps, qui ne correspondait en rien aux normes de beauté du moment. Elle était ronde, voluptueuse et tout en chair et, alors que d'innombrables femmes plus minces qu'elle passaient leur vie à la diète et à tenter de cacher leurs courbes aux regards, Catherine exposait joyeusement ses charmes généreux.

Elle a tout de suite compris mon air et s'est contentée d'y répondre par un sourire coquet avant d'ajouter : « N'empêche. Méchant move pareil de ta part.

— Je sais. Mais tu penses pas que c'est un peu louche comme constat ? Qu'on soit plus à l'aise de se montrer les boules que de partager nos vies intérieures ?

— Pas pantoute. C'est autrement plus intime, si tu veux mon avis. »

Elle avait raison. C'était précisément pour cela que j'avais regretté ma demande environ trois nano-secondes après l'avoir formulée à Maxime au bord de la rivière. Je savais déjà qu'il n'allait pas me talonner pour que je lui envoie les textes en question, mais j'étais aussi bien consciente d'être trop orgueilleuse pour faire semblant de rien et ne jamais rien lui transmettre. Et puis je voulais son avis. Je voulais savoir si je perdais mon temps en vains espoirs et si je ne ferais pas mieux de me contenter des biographies de pseudo-vedettes qui me demandaient, après tout, peu d'investissement, presque pas d'efforts et une implication minimale. Pour quelqu'un qui voulait se donner un break, l'écriture d'autobiographies d'actrices de téléromans était un job de rêve.

J'avais donc envoyé à Maxime quelques textes que j'avais choisis après avoir tergiversé pendant une demi-journée, en leur joignant un courriel presque aussi long qu'eux dans lequel je lui demandais d'être doux mais sincère, de me dire la vérité mais de l'enrober de mille délicatesses. Je poursuivais en m'excusant d'avance pour la médiocrité de mes textes, et en m'excusant de m'excuser – bref, j'étais d'une furieuse spontanéité. Maxime avait répondu à mon mail par un petit mot concis et charmant : « Je serai la délicatesse incarnée xx. »

« Quand est-ce qu'il est supposé te revenir ? » m'a demandé Catherine, en m'aidant à refermer ma valise. Je devais emménager le lendemain matin dans mon nouvel appartement, une activité qui promettait d'être interminable et très peu écologique : j'avais environ douze déplacements à faire, devant ramasser mon vieux lit chez mon père, une commande chez IKEA et une autre dans un magasin d'électroménagers, sans oublier les quelques meubles chinés au marché aux puces qui étaient toujours chez Maxime.

« Demain, ai-je répondu. Entre deux boîtes. » Maxime avait promis de m'aider, tout comme Emilio, qui n'avait rien de mieux à faire et avait été attiré par la promesse de bière et de pizzas gratuites. Nicolas et Catherine, qui avaient des engagements durant la journée, devaient passer dans leurs moments libres et même ma mère m'avait menacée de s'en mêler, ce qui m'angoissait plus qu'autre chose.

« Je peux pas croire que tu vas partir… » a dit Catherine. J'ai levé la tête vers elle, m'attendant à une réaction beaucoup trop émotive. Comme de fait, Catherine avait les yeux pleins d'eau.

« Je m'en vais à trois coins de rue, Cath.

— Cinq coins de rue.

— Et c'était un set up de marde. Ça fait deux mois que Nico travaille dans la cuisine, ç'a pas de bon sens.

— Oui mais on a eu du fun, non ? »

J'ai revu mentalement un court montage de mes semaines passées chez mes amis – moi, en pantalon mou et en chandail de coton ouaté, ne faisant qu'un avec le divan. Puis avec des vêtements de plus en plus « rigides », et des sourires de plus en plus fréquents. Je voyais aussi nos repas, avec Catherine, Nicolas et Noé, avec Emilio, avec mon père et ma sœur, avec Maxime. J'avais l'impression d'avoir habité là durant des années. On pouvait dire ce qu'on voulait, on ne s'ennuyait pas, en peine d'amour – il y avait eu, dans mon petit univers, mille chamboulements durant ces deux mois. « Oui, ai-je dit à Catherine. On a eu du fun. » Et j'étais presque émue, à cause de la nature humaine, qui était si bien faite, et de mes amis qui avaient été tellement généreux qu'ils me permettaient de dire, en parlant de la période la plus sombre de ma vie, que oui, on avait eu du fun.

Catherine a poussé un petit gémissement et est venue se vautrer dans mes bras. Elle pleurait, et je riais.

« C'est beaucoup trop intense. *Beaucoup* trop intense. »

Noé et Nicolas sont entrés au même moment et Nicolas s'est arrêté devant la scène, un sourire amusé sur les lèvres. « Est-ce qu'elle pleure ? » m'a-t-il demandé. Je lui ai répondu en faisant un oui de la tête, le menton toujours enfoui dans la chevelure de Catherine.

« Pourquoi tu pleures, Cath ? a demandé Noé.

— Elle pleure parce que je m'en vais demain, ai-je expliqué.

— Moi aussi je suis triste ! » Noé a couru vers nous et nous a enlacées toutes les deux du mieux qu'il le pouvait avec ses petits bras, redoublant les pleurs de Catherine.

« C'est beaucoup, mais beaucoup trop intense, a dit Nicolas à son tour.

— Ben oui mais c'est Cath, lui ai-je dit. Enweye, viens donc toi aussi.

— Non !

— P'pa, viens-t'en ! a crié Noé, qui avait la tête bien enfouie sous nos quatre seins.

— C'est ridicule, a maugréé Nicolas en s'approchant de nous. C'est complètement ridicule. » Mais il nous a enlacés à son tour et nous sommes restés là, jusqu'à ce que les larmes de Catherine se transforment en rire.

Il était près de 18 heures, le lendemain, quand Maxime et Emilio ont placé le secrétaire de bois dans ce qui était maintenant mon bureau. C'était le dernier gros voyage – l'appartement avait l'air d'un campement provisoire, mais il était enfin habitable et, grâce au soleil de fin de journée qui entrait par les nombreuses fenêtres, chaleureux.

J'avais passé une partie de l'avant-midi à tourner autour de Maxime comme un petit animal inquiet jusqu'à ce qu'il ait pitié de moi et me dise : « J'ai lu tes textes, Gen. Et je sais pas ce que t'attends.

— C'étaient pas des bons textes, pourquoi tu dis ça ?

— Parce que t'écris bien. Et si ça c'est pas des bons textes, les bons textes vont être *malades*. » Je l'avais regardé un moment, partagée entre le désir d'en savoir plus et l'envie de rester sur cette belle note. Je le soupçonnais évidemment de mentir, ou du moins d'exagérer, mais j'étais tellement contente, tellement libérée d'avoir enfin fait lire mes textes à quelqu'un que j'avais exécuté une petite danse dans l'appartement encore vide, pendant qu'Emilio entrait avec un énorme tapis roulé sur son épaule. « On en reparlera plus tard si tu veux », m'avait dit Maxime. Et j'avais hoché la tête, mais je me rendais compte que cela m'importait peu : j'avais fait lire mes textes, ils existaient enfin en dehors de moi-même.

« Quand toi tu veux », avais-je répondu à Maxime, en poursuivant ma petite danse. Emilio avait posé le tapis et s'était joint à moi pour une très inélégante chorégraphie d'inspiration bollywoodienne.

Le jeune couple parfait était passé nous voir un peu plus tard pour s'assurer que tout était à mon goût – qu'aurais-je pu dire ? Les murs avaient été fraîchement repeints, les moulures de bois décapées et la cuisine et la salle de bains nettoyées, aurait-on dit, avec une brosse à dents. Quel genre de propriétaires manifestaient autant de zèle quand venait le temps d'accueillir une nouvelle locataire ?

« C'est louche, m'avait dit Maxime en riant. Trop parfait... C'est suspect. Excellente prémisse pour mon prochain roman, par contre. » J'avais haussé les épaules, pendant qu'Emilio développait l'idée – il s'était mis en tête de devenir lui aussi auteur de romans policiers, et avait passé la journée à tester des idées auprès de Maxime. « C'est dix personnes sur une île, OK, Massimo ? Et ils ont tous quelque chose à se reprocher et là ils meurent tous un par un... »

Maxime m'avait regardée. « Il me niaise-tu ?

— Je pense pas... »

Mais il en fallait plus pour décourager Emilio, qui avait poursuivi son offensive auprès de Maxime en déclinant à peu près tout ce qu'Agatha Christie avait écrit. Maxime jouait le jeu, suggérant des idées qu'Emilio refusait systématiquement.

« C'est un jeune étranger d'allégeance communiste qui...

— Ça c'est très bon! disait Emilio.

— … qui est trouvé mort dans son bain.

— Non très mauvais, Massimo, très très mauvais.»

Ils avaient continué ainsi toute la journée, ne s'arrêtant que pour avoir des discussions politiques aussi enflammées qu'absurdes, Maxime contredisant toujours Emilio sur tout et se plaisant à jouer l'avocat du diable. Emilio, dont le rapport à la logique était extrêmement relatif, s'emmêlait complètement, finissait par se contredire lui-même, se fâchait et terminait en criant: «Il faut s'indigner, OK? Il faut toujours s'indigner! Moi yé suis venu ici avec dans mes bagages un t-shirt et mon indignation. Tout le reste peut partir, mais yé garde mon t-shirt, et yé garde mon indignation!

— Là-dessus on est d'accord, mon Émile. À l'indignation! disait Maxime, et ils trinquaient en riant. Et à ton t-shirt.» Et ils retrinquaient.

Ils trinquaient encore quand nous sommes allés nous asseoir sur le balcon, où un minuscule mobilier de jardin avait été placé par le jeune couple parfait, en cadeau de bienvenue («Suuuuuuper louche», avait dit Maxime). Le gros érable qui allait me protéger de son ombre durant l'été était déjà rempli de bourgeons.

«C'est cool, hein? ai-je dit.

— C'est un méchant beau spot, a confirmé Maxime.

— C'est très grand, a fait remarquer Emilio.

— Penses-y même pas.

— On fait un deal, Yénebiéb. Moi j'y pense pas, mais toi tu y penses.»

Il m'a fait un petit clin d'œil. Il riait, mais je savais qu'il était un peu sérieux. Il avait tellement emmerdé le propriétaire de l'immeuble où il vivait que ce dernier avait entrepris de le mettre à la porte et y était finalement parvenu, au bout d'une mini-saga judiciaire dont nous connaissions les moindres détails et qui faisait dire à Emilio que la justice canadienne était pourrie et partiale, contrairement à celle de son pays qui, à l'écouter, punissait les contrevenants en leur envoyant des fleurs et en leur érigeant des statues.

« Sérieux, lui a dit Maxime, tu vas faire quoi ? Il te met dehors dans combien de temps ?

— *Dos meses…* a répondu Emilio.

— T'as un plan ?

— Non. Mais j'ai toujours confiance dans la vie, par exemple. » Il a fermé les yeux et a souri dans le soleil qui passait encore entre les branches de l'érable. Maxime a levé la tête vers moi, l'air de demander si Emilio était sérieux et j'ai fait signe que oui, ce à quoi il a répondu par une moue admirative, et en donnant une grande tape dans le dos d'Emilio. « T'es pas mal hot, mon Émile.

— *Sí.* Peut-être même trop *caliente* pour cette ville.

— Tu vas partir ? » ai-je demandé, alarmée. La vie sans Emilio aurait manqué, littéralement, d'une épice essentielle.

« Yé sais pas, a dit Emilio. Ça va faire bientôt deux ans que yé suis ici… Il y a plein de places dans le monde où yé veux aller…

— Mais Noé aurait trop de peine !

— Ah, Noé… Yé vais revenir. Et quand il va être grand il va venir avec moi. On va aller faire des révolutions un peu partout. »

Je l'ai pris par les épaules et je lui ai donné un gros baiser sur une joue. Il s'est levé environ une demi heure plus tard, jugeant par l'oblique des rayons du soleil qu'il était soudain en retard pour un rendez-vous galant. « Une jeune étudiante en anthropologie, a-t-il dit en lançant à Maxime des regards suggestifs.

— Tu dois pas avoir à travailler fort fort pour pogner des jeunes étudiantes en anthropo, toi… c'est quasiment pas fair », lui ai-je dit. Emilio a ri de bon cœur et il nous a quittés, en me promettant de revenir la semaine suivante pour ma pendaison de crémaillère, qui n'était en fait qu'une excuse pour boire du vin avec mes amis.

« C'est un ostie de bon gars, a dit Maxime alors que nous le regardions disparaître au coin de la rue. Pourquoi Catherine a rien voulu savoir ?

— Catherine a comme une petite manie de rien vouloir savoir… Le moindrement qu'une histoire pourrait marcher, ça arrête de l'intéresser. »

Maxime a hoché la tête, en fin connaisseur. « Ce genre de fille-là, hein ?

— Un peu. Ça va sûrement te surprendre, mais elle est un peu addict au pathos et au drama.

— J'aurais jamais imaginé, a dit Maxime en souriant. Mais je l'aurais vue faire un boutte avec Émile, moi.

— Peut-être… » Je me suis arrêtée, ne voulant pas médire à propos de mon amie.

« Qu'est-ce que t'allais dire ?

— Ben… C'est pas cool mais… si Emilio finit par se décider à partir… mettons que ça se pourrait que Catherine considère soudainement la chose. » Je m'en voulais de parler ainsi, mais je savais très bien que Catherine aurait été la première à l'admettre. Elle se moquait de son cœur avide de drame et déplorait, quand elle était soûle, son incapacité à rêver d'un amour stable et serein. « À l'âge que j'ai, disait-elle… C'était drôle à vingt ans mais là… j'ai pris un mauvais pli, Gen. Faut qu'on me repasse ! » Et elle éclatait de son grand rire parfois triste.

« On est pas simples, hein ? ai-je dit à Maxime.

— Non. Non, puis c'est ben correct de même. À quelle heure Cath et Nico s'en viennent ?

— Pas avant huit heures. Ils vont juste passer pour un p'tit drink avant d'aller coucher Noé. »

Maxime a regardé l'heure sur son téléphone. « Il est juste sept heures … »

Je lui ai fait un petit sourire. Il m'a prise par les mains et m'a entraînée dans le grand salon, au milieu duquel il n'y avait qu'un tapis persan, cadeau de ma mère. La lumière entrait encore dans la pièce, molle et dorée comme du beurre, et Maxime a pris mon visage dans ses mains et m'a regardée de son air trop intense. Et j'ai senti quelque chose, comme un choc sourd et profond qui n'avait pour une fois pas lieu dans mon bas-ventre mais un peu plus haut, juste sous mon sein gauche.

CHAPITRE 14

$\mathcal{L}$e printemps me souriait. À moi, Geneviève Creighan, personnellement. J'en étais convaincue – j'avais une pêche d'enfer qui aurait pu faire peur au soleil si celui-ci n'avait pas été aussi content pour moi. J'étais une *survivor* et l'astre du jour – je le voyais bien à sa manière de darder ses gros rayons printaniers juste sur moi – était fier, pour ne pas dire admiratif. J'avais essuyé une peine d'amour, traîné au-dessus de ma pauvre tête de sombres nuages pluvieux pendant des mois, mais voilà que grâce à ma formidable résilience, je souriais de nouveau dans la lumière pâle de mai.

N'y avait-il pas en effet de quoi être fière? De quoi être heureuse d'être contente (ou contente d'être heureuse)? J'avais trouvé un nouvel appartement, ce que je célébrais le soir même en pendant une crémaillère qui serait, avais-je déjà décidé, mémorable. Quelques amis proches, ma famille, mes deux cent cinquante raviolis à la courge (preuve qu'on peut transformer sa peine en or, ou du moins en délicieuses pâtes) et beaucoup de bon vin. De la joie et de l'insouciance. J'avais commencé à écrire pour moi (en fait, je n'avais pas écrit une ligne depuis celles que j'avais montrées à Maxime, mais il y avait eu un commencement, une ouverture, un début, certainement assez pour fêter).

Et mon cœur disloqué se remettait tranquillement. Je pouvais presque le sentir se replacer dans ma poitrine, reprendre ses dimensions normales après des mois d'enflure démesurée. Il ne me faisait plus mal aux côtes, il ne prenait plus toute la place dans mon thorax, compressant mon estomac, mes intestins, mon pauvre foie maltraité et mes autres organes qui avaient, aurait-on dit, cessé d'exister pendant tout ce temps. Je m'étonnais parfois de le voir se recoller ainsi et je m'attendrissais devant des morceaux de lui que j'avais oubliés depuis longtemps ou que je ne connaissais pas encore. Sa géographie avait changé et je me faisais à l'idée, peu à peu, qu'il ne serait plus jamais le même.

Il porterait pour toujours les stigmates de mon amour déçu et se gonflait encore, quelques fois par jour, mais surtout la nuit lorsque je dormais seule, quand le souvenir du visage de Florian refaisait surface. C'était une peine diffuse et de plus en plus abstraite, dans la mesure où je ne savais si je souffrais de l'absence de Florian ou simplement par réflexe. J'avais par moments l'impression fugitive d'être complètement guérie, d'être passée outre ma peine mais cela ne durait jamais longtemps et me laissait toujours avec un étrange sentiment de culpabilité, comme si en délaissant ma douleur je trahissais quelque chose. Je n'aurais su dire ce que c'était – mon amour? Ma peine? Mon cœur d'avant?

Une bonne question, me suis-je dit, pour Julie Veilleux, vers le bureau de laquelle je me dirigeais d'un pas léger. J'avais failli l'appeler pour lui dire que ma visite était probablement inutile, que personne n'avait besoin de voir son psy par une si belle journée de printemps, surtout pas une queen de la résilience telle que moi, mais je m'étais ravisée : tant de confiance frisait l'arrogance, ça devait être mauvais signe. Et puis j'avais envie, bien égocentriquement, de parler à quelqu'un de ces remous qui m'agitaient le cœur et l'âme.

Je savais qu'il y avait plusieurs raisons extérieures à cette nouvelle pêche d'enfer. Je n'étais pas dupe : j'aurais voulu croire que cet optimisme débridé (et à la limite suspect, me chuchotait une petite voix aigre que je faisais taire abruptement) n'était dû qu'à ma force de caractère, mais je savais qu'il était aidé, porté même, par la générosité de mes amis, par ce bête phénomène météorologique qu'est le printemps et qui prend toujours chez nous des proportions extraordinaires, par les trois verres de vin que j'avais pris au lunch et, je devais bien me l'avouer, par Maxime.

Il avait su s'immiscer dans ma vie, ce sournois jeune homme au sourire irrésistible, sans même que je le voie venir. Alors que je répandais larmes et morve sur le divan de Catherine et Nicolas, il se frayait un chemin par je ne sais trop quelle ouverture que seul lui avait su voir en moi, qui me croyais close à tout jamais, emmurée dans ma peine et ma déchéance. Je pensais alors au vers de Leonard Cohen, « There is a crack in everything, that's how the light gets in » et j'entonnais sa belle mélodie à voix haute, dans les rues printanières. Cette « crack », cette faille en moi me semblait alors infiniment précieuse et j'étais tout émue par cette extravagance de la nature humaine, qui fait que l'on guérit en partie grâce à sa fragilité.

L'importance que prenait peu à peu Maxime dans ma vie était un fait que je n'acceptais que depuis quelques jours et dont je ne parlais à personne, à part aux chats. Je n'étais pas amoureuse, mais Maxime et ses yeux limpides étaient là, dans la nouvelle géographie de ce cœur que j'apprenais à connaître. Son image, lorsque je l'évoquais, me faisait l'effet d'une couverture aussi chaude que légère. Je me disais que c'était dû à l'état quasi permanent d'euphorie sexuelle dans lequel ses visites me laissaient mais je savais bien, depuis le jour où il m'avait aidée à emménager avec Emilio, qu'il y avait autre chose.

Et je prévoyais demander à Julie Veilleux, qui allait immanquablement me répondre que ce n'était pas à elle de répondre à cela, si je pouvais ne pas chercher à savoir quelle était cette autre chose, pas tout de suite, pas pour le moment, alors que le soleil brillait et que j'avais l'impression d'émerger de ma chrysalide, plus libre et plus fragile que jamais.

« T'as l'air en pleine forme, m'a dit Julie en m'accueillant dans son bureau, dont venait tout juste de sortir une jeune femme en larmes.

— Tu trouves ? » lui ai-je demandé coquettement. Elle avait l'air, elle, de revenir d'un séjour d'un mois à Cuba, ou de quelques heures dans une cabine de bronzage.

« Absolument, a confirmé Julie avec un sourire aussi radieux que fluorescent pendant que je m'installais dans le fauteuil maintenant familier. C'est pas la même fille que j'ai vue entrer ici il y a un mois et demi. »

J'ai fait un « Aw… » de midinette qui m'a frappée comme étant extrêmement ridicule.

« Faut que t'apprennes à accepter les compliments, Geneviève. Et puis c'est pas gratuit. C'est vrai et c'est important que tu sois consciente de tes progrès. La première fois que t'es venue ici, t'étais toute en miettes, t'étais mal à l'aise puis t'avais de la misère à être dans la vérité. »

J'ai failli répéter, sur un ton méchamment ironique : « Être dans la vérité, vraiment ? » Après tous ces rendez-vous, je ne savais toujours pas ce qui me sciait le plus chez Julie Veilleux : ses ongles en acrylique ou son usage de formules telles que « être dans la vérité ». Elle avait, cela dit, tout à fait raison, et j'ai soudain eu l'impression de rougir.

« J'étais pas si pire que ça… » ai-je dit en repensant avec une gêne profonde au fait que j'avais, pendant un bout de temps, pris le parti de mentir à ma psy pour avoir l'air, n'ayons pas peur des mots, moins « loser ».

« OK, c'est pas vrai, j'*étais* si pire que ça. Mais tu m'as beaucoup aidée.

— Non. *Tu* t'es aidée.

— Tu sais quoi ? Je crois pas pantoute à ça. Je comprends pourquoi tu me le dis, puis je comprends que c'est important que je sous-estime pas le rôle que j'ai moi-même joué dans mon cheminement… » J'ai fait une très courte pause, le temps d'assimiler le fait que je venais de dire, sans ironie aucune, « cheminement », puis j'ai poursuivi : « … mais honnêtement je sais que si ça va mieux, c'est à quatre-vingt-dix-neuf pour cent grâce à mes amis, à toi, à…

— Tu peux dire son nom, tu sais. » Je lui avais déjà parlé de Maxime, me tortillant chaque fois comme une ado timorée. Je lui en parlais parce que je me disais qu'il *fallait* que je lui en parle mais cela me dérangeait au plus haut point. Je ne voulais pas mettre de mots sur ce que je vivais avec Maxime, je ne voulais pas, surtout, ancrer notre relation dans une quelconque réalité en la décrivant platement à ma psychologue.

« Maxime », ai-je maugréé.

Devant moi, Julie n'a pu retenir un petit rire. « Est-ce que tu veux qu'on parle de pourquoi t'es pas capable de parler de lui ?

— Non ?

— OK. »

Comme chaque fois que Julie me donnait raison sur quelque chose ou se pliait à une de mes demandes, je suis restée surprise. Elle m'avait expliqué au moins dix fois qu'elle n'était pas là pour me soutirer des informations que je ne voulais pas révéler, mais je n'arrivais toujours pas à la croire, ce qui visiblement l'amusait beaucoup.

« De quoi t'aimerais parler, alors ?

— Ben… du fait que ça va comme bien et que je trouve ça limite bizarre ? »

Julie a fait un grand sourire, comme si je venais de lui faire un cadeau : c'était un sujet qui semblait lui plaire. «Veux-tu commencer par définir "bizarre" pour moi ?

— *Limite* bizarre », ai-je précisé, comme si la nuance était d'une importance capitale. Julie a hoché la tête pour me signifier qu'elle avait entendu, mais a continué à me regarder d'un air inquisiteur. «Je dis ça parce que… parce que je pense qu'une partie de moi s'attendait un peu à jamais aller mieux ?» J'avais la fâcheuse tendance, lorsque je parlais de moi, à m'exprimer comme Audréanne et à finir toutes mes phrases affirmatives par des points d'interrogation. Un dossier sur lequel Julie et moi nous étions déjà longuement penchées, pour conclure, à mon grand dam, que cette pudeur que j'affichais à grands coups de points d'interrogation mal placés était en fait plutôt affectée : j'avais peur d'avoir l'air ridicule, aussi je jouais à la midinette insécure pour aller au-devant du jugement potentiellement négatif des autres. C'était assez lamentable, un constat qui d'ailleurs ne changeait rien à mon attitude : les points d'interrogation surgissaient encore.

Julie, qui s'était sans doute résignée à cette petite comédie, n'a pas bronché. J'ai donc poursuivi, sur le même ton : «Et… j'ai comme peur de dire que ça va mieux parce qu'une partie de moi pense que ça va pas durer et que…

— Je t'arrête tout de suite, a dit Julie. Cette "partie de toi" dont tu parles… c'est quoi ?»

J'ai fait un «Awfff» de découragement et j'ai failli dire «A-t-on besoin d'être à ce point introspective ?» mais j'ai préféré y aller d'un : «C'est la partie prudente, je suppose. Un peu parano…

— Celle qui préfère prévoir que ça va aller mal plutôt que d'espérer que ça va aller bien ?»

J'ai réfléchi à ce que Julie venait de dire et j'ai fait une petite moue appréciative. «C'est en plein ça, ai-je dit, avant d'ajouter : est donc ben niaiseuse, cette partie-là !» ce qui a fait rire Julie. «Les gens sont compliqués, hein ?

— Une chance ! s'est exclamée Julie. Sinon je ferais plus une cenne. »

J'ai ri à mon tour. J'avais envie de lui proposer d'aller prendre un verre, de m'asseoir avec elle sur une des terrasses regorgeant d'une clientèle ivre de printemps, et de parler d'elle, pour une fois.

Je suis sortie de son bureau avec ma pêche intacte et même magnifiée, en me demandant si Julie Veilleux n'était pas une boosteuse de moral professionnelle plutôt qu'une simple psy. Elle m'avait dit plusieurs banalités que j'avais besoin d'entendre (« Ça se peut que ça aille un peu moins bien à un moment donné, mais c'est correct, faut que tu te donnes le temps ») et, comme toujours, une ou deux évidences qui m'avaient sidérée par leur profondeur (« T'es pas obligée de constamment penser au bonheur pour le vivre. Au contraire… »). Elle m'avait fait parler de mes craintes et de cette petite partie de moi officiellement sur-nommée « la niaiseuse », qui ne pouvait s'empêcher de s'attendre à ce qu'une tonne de briques lui tombe sur la tête de peur d'être, justement, la fille qui n'avait pas vu venir la tonne de briques qui lui était tombée sur la tête.

Nous avions aussi parlé de la nature cruelle et fascinante de la peine d'amour et du fait que l'on pleure d'abord la perte d'une personne, puis la perte de l'amour même et finalement la perte de la peine qui est, au bout de la route, tout ce qui nous reste de cet amour perdu.

Je n'avais pour ma part pas cessé d'aimer Florian, et mes rêveries éveillées tournoyaient encore toutes autour de l'idée de son retour, mais je n'étais plus certaine de l'attendre *vraiment* et cette résignation me laissait surprise et triste. Déjà ? avais-je envie de dire. Et je ne savais plus si j'étais infidèle envers Florian, envers le souvenir de nous deux ou envers cette peine qui avait été ma plus proche compagne durant de longues semaines.

J'avais demandé, trois jours plus tôt, à Nicolas et Emilio d'aller chez Florian chercher les meubles que j'y avais encore. J'avais échangé, depuis quelques semaines, plusieurs courriels et textos avec celui qui était devenu mon ex, mais j'avais peur de le voir, de perdre mes moyens et mon fragile équilibre. J'avais peur, en me retrouvant devant son visage tant aimé et si familier, de ne plus ressentir envers Maxime cet élan qui me faisait tant de bien. Nicolas et Emilio s'étaient exécutés gentiment et étaient revenus en me disant que Florian s'était enquis de moi, un fait que j'avais choisi d'ignorer. Je ne leur avais pas demandé, non plus, si la crisse de hipster était dans les parages ou si sa présence se faisait sentir dans ce condo qui avait été si longtemps ma maison.

Mais lorsque j'avais réalisé qu'il me manquait toujours mes couteaux de cuisine et mon imprimante, j'avais été vivement contente : j'avais encore un lien avec Florian, encore un pied dans sa vie – c'était un pied dérisoire mais il me semblait immensément précieux, à tel point qu'il m'avait fait un peu peur et que j'avais fini par écrire à Florian pour lui demander quand je pouvais passer les ramasser et lui rendre ses clefs que j'avais toujours et qui brûlaient le fond de ma poche de manteau.

« Quand tu veux, avait-il répondu. Je place tout ça pour toi dans l'entrée, tu n'auras qu'à laisser les clefs sur le comptoir. » J'avais failli pleurer en lisant ces mots qui disaient, avec une clarté terrible, que tout était bel et bien fini entre nous. Florian avait-il eu de la peine lui aussi en les écrivant ? Je le connaissais assez pour deviner qu'il avait longuement réfléchi à sa formulation pour arrêter son choix sur celle-là parce qu'elle était la seule qui était parfaitement honnête : tout était fini, il était maintenant temps de cesser de se faire des accroires.

J'avais fait lire le petit mot à Catherine qui m'avait regardée avec une moue triste et m'avait enlacée pendant qu'à côté d'elle Noé disait : « En tout cas t'auras jamais besoin de nous redonner nos clefs à nous, Gen », sur un ton presque chevaleresque.

« Tu vas y aller quand ? » m'avait demandé Catherine. J'étais passée chez elle, juste avant de me rendre chez Julie Veilleux, pour un lunch bien arrosé et pour donner ma commande à Nicolas, qui m'avait promis qu'il s'occuperait du vin et des drinks pour ma pendaison de crémaillère.

« Demain, avais-je dit. Ça va être fait. » J'avais pensé y aller en sortant de chez la psy, pour que la pendaison de crémaillère soit un véritable recommencement, avec Florian et notre histoire bien derrière moi et mes couteaux de cuisine sur mon nouveau comptoir. Mais j'étais un peu lâche et je refusais de jeter la moindre ombre sur cette journée ensoleillée et sur ma pêche d'enfer.

« Je vais venir avec toi », m'avait promis Catherine, et j'avais acquiescé, avant de m'en aller de mon pas léger. Demain, me répétais-je. Aujourd'hui, tout sera fête, ivresse et promesse de renouveau.

L'ivresse, en tout cas, était au rendez-vous. Nous étions une quinzaine dans la grande pièce double située à l'avant de mon appartement, à placoter et à boire dans le soleil, sur le tapis que Maxime et moi avions joyeusement baptisé une semaine plus tôt. Mes parents étaient là, ainsi que Josiane et Audréanne, qui trouvait que mon appartement, mon quartier et même ma vie étaient ce qu'il y avait de plus « full cool » au monde. « Genre c'est *sûr* que dès que j'ai dix-huit ans je viens vivre sur le Plateau ? » avait-elle déjà dit à au moins vingt reprises, ce qui donnait l'occasion à mon père de la faire enrager en lui répétant qu'il lui paierait un beau condo donnant sur la station de métro Montmorency à sa majorité. Ma mère les regardait faire en souriant avec tolérance et en observant d'un air inquiet le string rose qui dépassait du jeans d'Audréanne : ce nouveau format de jeune femme la déconcertait visiblement au plus haut point.

Bien installés derrière le comptoir de la cuisine qui s'ouvrait sur la grande pièce, Emilio et Nicolas shakaient des cocktails impossibles (Baileys, vodka et crème de menthe pour Nicolas, tequila, mélasse et pulpe de mangue pour Emilio) que personne ne voulait vraiment boire après y avoir goûté et qui s'accumulaient sur le comptoir. Le jeune couple parfait que formaient les deux propriétaires, d'une politesse qui ne devait pas toujours les servir, en sirotait chacun un en faisant des moues appréciatives peu crédibles.

« Dans combien de temps tu penses qu'Emilio va commencer à cruiser la femme ? m'a demandé Catherine.

— C'est déjà commencé, ai-je répliqué en lui indiquant du menton Emilio, qui chantait à la jeune femme parfaite les vertus morales et politiques de son pays.

— Est-ce qu'il pense ce qu'il dit ? a demandé ma mère en s'approchant de nous avec son demi-verre de vin dans une main.

— J'aurais tendance à penser que oui, lui ai-je répondu. En fait, je pense qu'il veut tellement y croire qu'il y croit.

— Oh ben ça, a dit ma mère. Ça sera ni le premier ni le dernier à se convaincre que ses désirs sont des réalités, hein, les filles ? »

Catherine et moi l'avons regardée d'un air étonné. Nous étions toutes les deux pleinement conscientes d'avoir passé une grande partie de nos vies à nous convaincre que nous étions épanouies alors que nous ne l'étions qu'à moitié, mais il me semblait inconcevable que ma mère, qui portait sa sérénité comme un flambeau, admette ainsi qu'elle doutait parfois de sa sincérité.

« Ça doit être quelque chose de générationnel, a finalement ajouté ma mère, nous confirmant par le fait même que son commentaire ne s'adressait qu'à nous, et surtout pas à elle.

— Parce que ça vous est jamais arrivé, à vous ? » a demandé Catherine. J'ai tendu un bras derrière elle pour lui pincer une fesse, ce qui l'a fait sursauter démesurément.

Ma mère, évidemment, a répondu par un « Mais non » tout suintant de paix intérieure et d'un abus de lectures sur l'art du zen. J'ai repincé une fesse de Catherine avant qu'elle ne décide de poursuivre son argumentation et j'ai choisi de faire diversion en faisant remarquer que le charme d'Emilio, malhonnête ou pas, opérait. La jeune femme parfaite, les yeux brillants et les joues rosies par l'alcool, était tout sourire et elle posait à Emilio mille questions enjouées sur sa fascinante culture. Nous les avons observés un moment, jusqu'à ce que ma mère déclare, avec un petit sourire entendu : « Oui ben… on s'est déjà toutes fait avoir par un beau parleur, non ? » À l'autre bout de la pièce, mon père était en pleine offensive de charme auprès de Maxime et de deux autres de mes amis, qui étaient visiblement séduits par la verve et la bonne humeur contagieuse du bonhomme.

J'ai donné une petite tape complice dans le dos de ma mère et je suis allée les rejoindre. C'était la première fois depuis « les événements » que je revoyais certains de mes amis. Pendant deux mois, mon univers s'était résumé à Catherine et Nicolas, puis à Maxime. J'étais contente de retrouver d'autres visages et surtout d'avoir attendu avant de les voir. Ils me regardaient maintenant comme si j'étais une survivante et semblaient tous contents de me retrouver dans un bel appartement, l'air en forme et presque complètement remise.

« Fais-toi pas d'accroires, avais-je dit à François, un vieil ami du cégep. J'ai passé des semaines en linge mou, dans une bulle de morve.

— Mais ça paraît pas, avait-il répondu. T'es… t'es radieuse ! » Et j'avais roucoulé comme une fillette. Fait un peu déconcertant, aussi : plusieurs de ces amis, après m'avoir embrassée et s'être enquis de mon état et de mon cœur, me disaient d'emblée qu'ils n'avaient jamais vraiment aimé Florian. Trop froid, trop en contrôle, trop arrogant, m'expliquaient-ils pendant que mon père en remettait, en imitant très approximativement son accent.

J'avais quitté cette conversation rapidement pour aller me chercher un Baileys-vodka-crème de menthe : elle me rendait trop triste et m'insultait presque. Les gens croyaient-ils sincèrement bien faire en insistant pour me dire que cette personne que j'avais tant aimée et que j'aimais encore n'en valait pas la peine ? Sans doute. Mais je leur en voulais un peu, principalement parce qu'ils me donnaient envie, d'abord et avant tout, de défendre Florian. Maxime était venu me rejoindre près du bar et m'avait mis une main discrète dans le bas du dos, me demandant d'un regard si ça allait. Sa sollicitude, sa compréhension et sa délicatesse m'avaient fait tellement plaisir que j'avais failli l'embrasser. Mais je m'étais retenue, craignant les commentaires de mon père, et je m'étais contentée de le regarder avec un tel sourire que ma mère, deux minutes plus tard, me demandait de lui présenter mon nouvel amant.

Mon nouvel amant, qui riait maintenant à gorge déployée des blagues bien grasses de mon père. « Man, ton père est *extraordinaire*, m'a-t-il dit quand je me suis approchée.

— Oui je sais… il a cet effet-là sur les hommes dans la trentaine. » Je me suis tout de suite tournée vers mon père. « Et s'il te plaît, fais pas de joke sur l'effet que t'as sur les femmes dans la trentaine, OK ? Maintenant que je suis rendue à cet âge-là, c'est un peu creepy. » Mon père a fait une mimique fort exagérée de quelqu'un qui est arrêté en pleine lancée, redoublant les rires de Maxime et de François. J'ai souri moi aussi et j'ai résisté, pour la dixième fois de la soirée, à l'envie de me coller contre le corps de Maxime.

C'était un élan pourtant parfaitement naturel – je me sentais presque physiologiquement attirée vers ce corps, vers ces bras qu'il aurait mis, je le savais, autour de moi. Mais je n'avais pas le courage d'officialiser devant mes proches une relation qui pour moi n'en était pas encore une, et une démonstration publique d'affection et de tendresse me faisait plus peur que de reconnaître que nous couchions ensemble, ce que presque tous les invités présents savaient de toute manière.

« Y est cute, ton nouveau chum », m'a dit Audréanne alors que nous regardions le soleil se coucher depuis le balcon.

Elle n'avait pas terminé sa phrase que j'avais répliqué : « C'est pas mon chum ! » avec une telle vivacité qu'Audréanne a presque sursauté.

« Ben là relaxe ? C'est ta mère qui m'a dit que c'était ton chum ? »

J'ai lancé un regard courroucé vers ma mère, qui riait avec notre père et Josiane sur le divan du salon. « C'est pas exactement mon chum, ai-je repris en me calmant. C'est plutôt comme…

— Un fuck friend ? a demandé Audréanne le plus naturellement du monde.

— Oh my GOD, comment tu connais ce mot-là ?

— D'abord c'est deux mots ? Puis j'ai quatorze ans ? »

Je l'ai observée un moment, avec son petit visage encore enfantin plus fardé que le mien. « Tant que tu me demandes pas une cigarette, ai-je dit.

— Ark, c'est full dégueu les smokes… Y a un super hot gars dans ma classe qui voulait sortir avec moi mais il fume faque j'étais comme I don't think so ?

— Donc comme ça t'as recommencé à voir d'autres gars ?

— Ben là toi aussi ! »

— Oui oui, c'était pas un reproche… » Je lui ai souri. Elle avait l'air dur, avec ses yeux lourdement maquillés de noir. « Comment ça se passe quand tu revoies l'autre…

— William ? Y est *totalement* nowhere. Il m'a demandé de ressortir avec lui puis j'étais genre "Euh… non ?". »

Son « Euh… non ? » était un condensé de mépris et d'outrage comme j'en avais rarement entendu, et je n'ai pu m'empêcher de rire. « Écoute, ai-je dit. Bravo. T'es forte. Pas mal plus que moi.

— Tu dirais pas non à Florian, toi ? »

J'ai pris une gorgée de vin et j'ai repensé à tous ces scénarios naïfs que j'avais brodés autour du thème du retour de Florian et à la fin desquels je ne lui disais jamais « Euh… non ? », ni même « Peut-être », ni même « Donne-moi deux minutes pour y penser ». Audréanne me regardait, un peu déconcertée.

« Parce que ton nouveau whatever ce que c'est, a-t-elle dit en désignant Maxime, est vraiment plus cool que Florian. » J'ai regardé vers l'intérieur de l'appartement. Maxime était assis sur le sol avec Emilio et ils jouaient tous les deux de la guitare pendant que Catherine chantait n'importe quoi et que la jeune femme parfaite, qui commençait à l'être de moins en moins, tapait dans ses mains avec abandon. « Genre qu'il joue de la guitare ? » a souligné Audréanne, pour donner du poids à son affirmation. J'ai failli faire valoir que Florian jouait magnifiquement du clavecin, mais quelque chose me disait que l'argument aurait eu très peu de poids auprès d'une jeune adolescente.

« Il est cool, ai-je dit. Ça pour être cool, y est cool. » Je l'ai observé un moment, il venait de poser sa guitare et riait maintenant avec Catherine. « C'est un bon gars. Un vrai bon gars. » À côté de moi, Audréanne calait ce qui restait de mon verre de vin. « Eille ! Qu'est-ce que tu fais, jeune fille ?

— Ben là ! J'ai…

— Quatorze ans, oui je sais. Mais si tu veux pouvoir revenir me voir ça serait peut-être bon que p'pa puis Josiane pensent pas que je te fais boire.

— Je vais pouvoir venir te voir ?

— Ben oui. Tu viendras faire ton tour quand tu seras en ville.

— Est-ce que je peux amener mes amies ? »

J'ai eu une vision fort alarmante d'un groupe de jeunes filles en fleur piaillant dans mon salon et lâchant de stridents « Oh my GOD ! » à chaque deux phrases.

« On verra », ai-je dit à Audréanne, en me levant pour rentrer. Le soleil était couché derrière les buildings d'en face et il commençait à faire frais. À l'intérieur, les gens que j'aimais parlaient et riaient ensemble et j'ai respiré très fort, comme si j'avais pu aspirer ce sentiment de plénitude qui m'envahissait et qui, je le savais, ne durerait pas. J'aurais voulu les garder là, Noé et le petit garçon du jeune couple parfait jouant avec le chat, mes parents devisant aimablement, Nicolas riant avec de vieux amis, Maxime et Emilio discutant dans un coin avec Catherine. Je ne voulais plus que le temps avance, je voulais que plus rien ne change : j'avais vécu trop de bouleversements en quelques mois et je rêvais maintenant au statu quo, à l'immobilité des choses, à la tranquillité de l'âme.

Maxime, depuis le fond de la pièce, a levé son verre à mon intention. Je suis allée le rejoindre et j'ai mis, cette fois, mes bras autour de sa taille. Il a d'abord eu l'air absolument surpris, puis ravi, et il s'est contenté de m'enlacer doucement, sans en mettre trop. J'ai jeté un regard autour de nous mais, à part Nicolas qui m'a fait un petit sourire en haussant les sourcils, personne n'a bronché. Tout le monde a déjà compris, me suis-je dit, et ils attendent simplement que je comprenne à mon tour.

Je me suis réveillée le lendemain matin un peu étonnée de ne pas avoir trop mal à la tête à la suite de l'ingestion excessive que j'avais faite des immondes cocktails d'Emilio et Nicolas. J'ai agité la tête une fois, deux fois, pour bien m'assurer de l'absence de toute céphalée et j'ai attrapé Ti-Gus, qui dormait et a émis un « Mrrrrou ? » avant de se mettre à ronronner diligemment. Mes invités étaient partis par vagues successives – les derniers départs étaient d'ailleurs plutôt vagues, je me souvenais d'avoir éclaté de rire avec Catherine alors que nous nous disions pour la vingtième fois au moins : « Je t'appelle demain, OK ? » Elle s'en allait avec Emilio, Nicolas étant parti beaucoup plus tôt avec Noé, et nous nous faisions l'une l'autre de ridicules clins d'œil, comme de vraies vieilles filles tout épatées à l'idée qu'elles vont s'envoyer en l'air le soir même.

Et c'était exactement ce que j'avais fait avec Maxime. Nous nous étions envoyés en l'air longuement, intensément et très très sensuellement jusqu'à ce que je m'endorme contre sa poitrine, en regardant par la fenêtre le ciel bleuir doucement. Je refusais encore d'appeler ce que nous faisions « faire l'amour », mais j'avais eu l'impression, malgré l'ivresse qui se dissipait petit à petit, que peu importe ce que nous avions fait, nous l'avions fait profondément. C'était le mot qui me tournait dans la tête alors que je sombrais dans un sommeil lourd et sans rêves.

Maxime était parti très tôt, me réveillant à peine pour me dire qu'il avait une réunion avec un éditeur et qu'il m'appellerait plus tard. J'avais gémi quelque chose d'incohérent et je m'étais rendormie jusqu'à, ai-je constaté en regardant mon petit réveil, onze heures.

« Une vraie ado », ai-je dit à Ti-Gus, qui pétrissait amoureusement mon épaule. J'étais contente que Maxime soit parti. J'avais toujours aimé me réveiller seule, même lorsque je vivais avec Florian, même aux débuts exaltants de nos amours. Le matin (ou ce qui en restait dans ce cas) était mon domaine, mon royaume, mon lieu de paresse. Je me suis étirée voluptueusement en me demandant ce que j'allais faire de cette journée, puis je me suis souvenue que je devais passer ramasser mes couteaux et abandonner mes clefs chez Florian. J'aurais pu attendre, bien sûr. Je n'avais aucun besoin de fileter des poissons ou de hacher des tartares d'ici la fin de la semaine et même mes pulsions meurtrières envers la crisse de hipster s'étaient estompées : mes couteaux, en bref, auraient pu attendre dans les tiroirs de Florian pendant des jours encore. Mais je voulais en finir, je voulais passer à autre chose, je voulais que toutes les pages soient tournées. J'ai déjeuné rapidement, j'ai pris une douche et je suis partie.

Mon nouvel appartement n'était pas loin de mon ancienne maison et, quelques minutes plus tard, je tournais sur la rue trop familière. Il faisait gris, mais le gros lilas qui poussait sous nos fenêtres était en fleurs et son odeur m'a frappée avant même que je me sois approchée de la maison. J'ai pensé que je n'avais pas appelé Catherine et je me suis convaincue que c'était parce que je voulais lui laisser passer la matinée dans les bras basanés d'Emilio.

Je me suis arrêtée devant l'escalier qui menait à notre porte. Quand allais-je arrêter de dire « notre » en pensant à ce lieu ? L'idée m'est venue qu'il était peut-être devenu le « leur » et j'ai failli rebrousser chemin, ou me cacher derrière un arbre et téléphoner à Florian pour m'assurer de ne pas faire de mauvaise rencontre. Il était, lui, au travail, mais qu'en était-il d'une réceptionniste aspirante comédienne ? Je ne connaissais pas les horaires des réceptionnistes aspirantes comédiennes. J'ai songé à téléphoner à Catherine qui, en tant que serveuse et comédienne pas-encore-complètement-établie-mais-plus-tout-à-fait-aspirante, devait avoir une idée plus précise de la chose. Mais elle serait accourue, quitte à traîner Emilio avec elle, et je n'étais pas prête à ça.

J'ai finalement décidé de sonner tout simplement et d'improviser si jamais la crisse de hipster venait m'ouvrir. Bonjour je suis témoin de Jéhovah? essayais-je en gravissant les marches. Je vends des chocolats pour mon école? Je suis à la recherche de la fabuleuse jeune femme qui vivait ici auparavant? Mauvais plans, la crisse de hipster sachant évidemment de quoi j'avais l'air et qui j'étais. Salut, peux-tu juste me laisser rentrer le temps que je récupère mes couteaux avant de te les planter dans le dos? C'était, me suis-je dit en sonnant, la meilleure option.

J'ai compté les secondes en suivant les battements tonitruants de mon cœur et j'allais sortir ma clef quand la porte s'est ouverte sur Florian, mon ex, mon amour, qui dans la lumière grise de ce jour pluvieux m'a semblé irradier d'un éclat solaire.

Je suis restée interdite tellement longtemps qu'il a fini par dire: «Allô?» avec un demi-sourire amusé.

«Qu'est-ce que tu fais ici? ai-je réussi à articuler.

— J'habite ici?

— Oui mais… T'es pas au bureau? T'es toujours au bureau.»

Florian m'a souri. «Tu m'as écrit que tu comptais passer. Je voulais te voir.»

J'ai ouvert la bouche pour dire: «Je t'ai écrit pour m'assurer que personne ne soit là», mais était-ce seulement vrai? C'était ce dont je m'étais convaincue en envoyant mon courriel laconique à Florian, mais n'espérais-je pas, au fond, le voir? J'ai fait une petite grimace, puis quelque chose qui, je l'espérais, ressemblait à un sourire.

«Entre, a dit Florian. J'ai tous tes trucs.»

Je l'ai suivi dans l'appartement clair et spacieux. Je ne savais pas trop où regarder. J'avais peur de poser les yeux sur un objet qui aurait évoqué la présence de la crisse de hipster ou, pire encore, notre passé à nous deux. La familiarité des lieux était étrange et troublante. J'avais nettoyé ces meubles, je m'étais cogné le petit orteil contre ce coin, j'avais dévalé cet escalier, fait l'amour sur ce sofa.

« Ça va ? m'a demandé Florian.

— Oui, ça va. » Puis j'ai ajouté : « C'est fucking weird », parce que c'était vrai, et que c'était tout ce qui me venait en tête.

Florian a ri un peu. « Tu veux un café ?

— Non, non non. Je resterai pas longtemps.

— Un verre de vin ?

— Non… Je me suis couchée super tard hier et…

— Et ça t'a déjà empêchée ? »

Oh ! Les sournoises griffes de la familiarité ! ai-je pensé. C'était si facile de tomber dans l'aisance, dans les commentaires entendus et les pointes affectueuses que s'envoient les gens qui se connaissent bien. Et c'est ce que j'ai fait : je me suis laissée tomber dans l'aisance, avec un soulagement mêlé de volupté qui me faisait un bien immense. J'ai parlé à Florian de mon appartement, de ma crémaillère et du jeune couple parfait, que je caricaturais avec verve dans le but unique de faire rire Florian, ce qui fonctionnait à merveille. Il y avait quelque chose de presque grisant à le faire rire ainsi, à parler avec désinvolture de cette nouvelle vie dans laquelle il n'était plus. Et, fait surprenant, c'était très facile.

« T'as l'air bien, m'a dit Florian en me servant un deuxième verre de vin.

— Je… je sais ? ai-je répondu, étonnée de le dire autant que de le penser.

— Je suis content pour toi. » Je l'ai regardé un moment. J'ai eu, pendant une fugitive seconde, l'irrépressible envie de me jeter sur lui pour le couvrir de caresses et de baisers. Il a soutenu mon regard un instant puis a baissé les yeux. Ses longs cils se dessinaient parfaitement sur ses pommettes. Avait-il lu dans mes pensées ? Avait-il aperçu l'éclair de mon désir ? Sans doute.

« Ç'a pas été facile, ai-je dit pour meubler le silence. C'est encore un peu tough par bouttes. »

Florian a levé les yeux vers moi. Il voulait parler, je le voyais bien. Il a hésité et a fini par dire : « Je suis… *tellement* désolé » et son visage s'est comme ouvert, révélant pendant quelques secondes une fragilité que je ne lui connaissais pas.

« C'est correct », ai-je dit. Et je me suis surprise à le penser réellement.

« Non, c'est…

— Non. C'est correct, Florian. » Cette fragilité passagère que j'avais vue danser sur son visage m'avait donné l'impression d'être plus forte, ce qui suffisait à me convaincre que je l'étais. « Je veux pas tomber dans la psycho-pop, ai-je ajouté, mais… ça m'a fait comprendre des choses. J'oserais même dire que ça m'a fait… cheminer ? »

J'ai attendu, pour mesurer sur mon ex l'effet comique de ce verbe que nous n'avions jamais utilisé autrement qu'avec ironie et cynisme. Mais Florian ne riait pas. Il s'est contenté de me dire « Vraiment ? » sur un ton si dubitatif que je n'ai pu m'empêcher de répondre : « Oui, Florian. Il y a une vie après toi, tu sais. »

J'ai eu tout de suite envie de m'excuser, mais je me suis retenue. J'étais un peu fière de moi et je ne voulais pas tout gâcher avec mon réflexe de bonne fille sage.

« Fair enough, a finalement dit Florian.

— J'ai commencé à écrire, aussi. Mes propres affaires. » C'était une exagération monumentale, considérant que je n'avais produit, à ce jour, que les quelques textes peu convaincants que j'avais fait lire à Maxime.

« Vraiment ? a répété Florian.

— OK ça va faire les doutes ! »

Florian a hésité un moment, cherchant probablement à voir si j'étais véritablement insultée mais il me connaissait, lui aussi, comme le fond de sa poche et il s'est mis à rire de bon cœur.

« *Prosit !* m'a-t-il dit en levant son verre. T'es contente ?

— Je suis super contente.» Et histoire d'en mettre un peu j'ai précisé que mon éditeur était intéressé par ce que j'étais en train d'écrire, ce qui n'était techniquement pas faux et a eu l'air de rudement impressionner Florian. Il n'a pas changé, ai-je pensé. Il lui faut l'intérêt d'un éditeur ou la promesse d'un patron pour croire en quelque chose.

«J'en reviens pas, a-t-il dit, et j'ai senti qu'il me regardait d'un autre œil.

— Ta confiance en moi m'émeut beaucoup, Florian.»

Il a souri et a voulu me verser un autre verre, mais j'ai prétendu devoir partir. Je voulais m'en aller sur cette bonne note, sur ce regard presque admiratif que j'avais entrevu et qui m'avait rendue violemment heureuse. Je réalisais que j'avais passé toutes ces années à chercher son approbation et j'avais besoin de réfléchir à cela. Je spinnais déjà, me disant que c'était normal de vouloir l'approbation de l'être aimé puis, du même souffle, que c'était absolument pathétique.

«Faut que j'y aille», ai-je répété à Florian, pressée de partir avant de commencer à spinner à voix haute. Un autre verre de vin aurait aussi été particulièrement périlleux – je n'avais pas oublié notre dernière rencontre et mes pleurs avinés. «J'ai un lunch avec Nico.» J'avais failli dire «avec un ami» sur un ton explicite, dans le but exclusif de le rendre un peu jaloux, mais cette pitoyable manœuvre aurait terni, me semblait-il, une visite jusque-là exemplaire. Je suis donc sortie la tête haute, avec mes couteaux et mon imprimante, et je suis entrée dans le taxi qui m'attendait devant la porte en faisant un sourire radieux à Florian. Il m'avait dit, en m'embrassant: «Je suis vraiment fier de toi, Geneviève», ce que j'avais trouvé d'une incommensurable suffisance, mais qui m'avait fait, je ne pouvais que me l'avouer, terriblement plaisir.

J'ai tout de suite appelé Catherine, qui a répondu avec sa petite voix piteuse de lendemain de veille.

« Allôôôôôô ?

— Yo ! Qu'est-ce que tu fais ?

— Argh ! a crié Catherine. Trop d'énergie ! Comment ça, qu'est-ce que je fais ? Je cuve mon vin puis ma honte.

— Ben voyons.

— Gen, j'ai encore fourré avec Emilio.

— Je sais, dude. C'était écrit dans ta face quand t'es partie de chez nous.

— Aw… je me souviens même pas d'être partie de chez vous… j'étais soûle, hein ?

— Yup. » Au bout du fil, Catherine a fait quelques petits gémissements d'apitoiement. « Arrête donc, ai-je dit. Tout le monde aime Emilio. Puis du bon cul, c'est du bon cul, non ?

— Mmmm…

— Viens donc cuver ton vin chez nous, il me reste des boîtes à défaire.

— Mnon. Trop mal à la tête.

— J'ai de la vodka et du Clamato…

— Mnon !

— Puis je sors de chez Florian puis il était là.

— Quoi ? »

Une demi-heure plus tard, Catherine était avachie sur mon divan, un bloody ceasar à la main, et elle me regardait défaire mes boîtes en répétant : « Je peux pas *croire* que t'es allée sans moi.

— Je savais que tu serais lendemain de veille.

— Oh me semble… » Elle m'a lancé un regard suspicieux et pénétrant qui lui donnait l'air d'une gitane. « Anyway ça s'est… *super* bien passé.

— Je suis sûre que tu savais qu'il serait là.

— Non, ai-je semi-menti. Mais c'est pas ça qui est important… Cath j'étais… j'étais cool, j'étais en contrôle, j'étais drôle… Écoute, il a eu l'air *impressionné*. À plusieurs reprises. Florian. Peux-tu croire ? »

Je me suis tournée vers Catherine, qui me regardait toujours de son air de gitane et qui a finalement dit : « Oh boy. T'es tellement dans le trouble.

— De quoi tu parles ? J'étais smooth… pas froide et distante, mais… J'étais moi-même puis on parlait comme des amis, pas comme un gars qui a brisé le cœur d'une fille puis la fille qui s'est fait briser le cœur. Tu sais de quoi je me suis rendu compte ? Tout ce temps-là, toutes ces années-là, j'ai cherché l'approbation de Florian. Et puis là, juste au moment où je la cherche plus parce que bon, y est plus dans ma vie, je la trouve. En partie ou whatever mais quand même. Là c'est sûr que je me suis demandé si c'était pas pathétique, mais non, hein ? C'est pas pathétique. C'est normal. »

Je parlais très vite, sans même attendre que Catherine ait le temps de répondre à mes questions, qui de toute manière ne s'adressaient qu'à moi. Je me suis arrêtée, consciente soudain d'être surexcitée, et j'ai regardé Catherine, qui a redit : « T'es *tellement* dans le trouble.

— OK, ta gueule. Viens m'aider à défaire des livres. »

Catherine a passé le reste de l'après-midi à répéter que j'étais dans le trouble, pendant que je classais les livres dans ma bibliothèque, devant le beau secrétaire de bois. Je la laissais dire et je riais avec désinvolture, mais ce soir-là, quand Maxime m'a appelée, j'ai fermé mon téléphone d'un petit geste irrité et je suis allée me coucher, un tourbillon entre les deux oreilles.

CHAPITRE 15

« Elle est dans le trouble. Pense ce que tu veux, moi je te le dis : elle est dans le trouble. » Quand Catherine avait une idée entre les oreilles, il était impossible de l'en faire démordre et surtout de l'empêcher de la propager à tout vent. Elle radotait sur ce trouble dans lequel elle me croyait depuis deux semaines et même Nicolas, je le voyais bien à ses roulements d'yeux exagérés, n'en pouvait plus.

« Elle est *pas* dans le trouble, a dit Nicolas. Hein Gen ? On a encore passé une super soirée avec Max, hier... tu dis n'importe quoi, Cath.

— Je dis pas n'importe quoi. Et j'ai un instinct de *feu* vous saurez. »

Nicolas et moi nous sommes regardés avec de gros yeux : Catherine avait fort probablement l'instinct le plus inefficace de la planète, à tel point que nous nous basions généralement sur ses « feelings » pour prendre des décisions, dans la mesure où, la plupart du temps, c'était exactement l'inverse qui se produisait. Ce qui n'empêchait pas notre amie d'évoquer son instinct à tout propos, surtout auprès de ceux qui ne la connaissaient pas trop bien et pouvaient être leurrés par ses airs de diseuse de bonne aventure.

« Est-ce que tu crois encore vraiment que t'as de l'instinct ou tu dis juste ça pour la forme ? lui a demandé Nicolas, recevant par le fait même une formidable claque derrière la tête.

— J'ai un instinct de *feu*, a répété Catherine. Puis Gen est dans le trouble.

— Tu sais, lui ai-je dit, le simple fait que ton instinct te dise ça me rassure beaucoup.

— Je comprends ! » a lâché Nicolas, avant de se tasser rapidement pour éviter une autre claque. Nous étions en route vers un petit bar de la rue Saint-Laurent, où Maxime et quelques autres poètes avaient organisé un lancement collectif de leurs œuvres. Une preuve supplémentaire, me disais-je, que je n'étais pas dans le trouble. Après ma nuit de déni suivant mon passage chez Florian, j'avais rappelé Maxime, lui expliquant que je n'avais pas répondu la veille parce que j'étais épuisée et que je dormais déjà, ce qu'il avait bien sûr parfaitement compris. Nous nous étions revus le jour même et nos fréquentations s'étaient poursuivies, simples, agréables et légères, comme mon amant.

Il venait chez moi, j'allais chez lui, nous nous promenions sur le mont Royal et prenions des verres dans les petits bars qui pullulaient à son pied, nous allions manger chez Catherine et Nicolas, qui avaient la délicatesse de ne pas nous inviter en tant que couple mais individuellement, ce qui revenait au même mais suffisait à calmer mes restants de scrupules. Ceux-ci s'effritaient d'ailleurs de plus en plus, et je m'étais surprise à attraper la main de Maxime alors que nous marchions ou à l'embrasser spontanément lorsqu'il disait quelque chose qui me faisait rire. Il était toujours démesurément surpris *et* ravi par ces démonstrations mais restait, lui, sur ses gardes.

« Penses-tu qu'on sort ensemble ? avais-je demandé à Nicolas quelques jours plus tôt, alors qu'il m'aidait à installer ma laveuse et ma sécheuse.

— Me niaises-tu ? avait répondu d'une voix caverneuse Nicolas, qui avait la tête dans le tambour de la sécheuse. T'as quoi, treize ans ?

— Et demi ! » avais-je répliqué en imitant une adolescente pointilleuse. Mais au bout d'une minute, alors que j'apportais une bière à Nicolas, je lui redemandais : « Sérieux, on sort-tu ensemble ? »

Nicolas s'était redressé et m'avait pris la bière des mains. « Gen, je sais même pas par où commencer pour te dire à quel point c'est mongol comme question.

— Mais oui mais c'est parce qu'à plein de niveaux c'est *comme* si on sortait ensemble mais... Mais je pense pas que je suis encore complètement en amour puis... Ça fait trois mois que je suis séparée je peux pas avoir un nouveau chum puis... »

Devant moi, Nicolas avait fait une grimace tellement drôle pour signifier son ahurissement devant ma stupidité et son désarroi d'être pris dans une telle conversation que j'avais éclaté de rire. « OK OK... mais... penses-tu qu'il est en amour avec moi, lui ? »

Nicolas avait plongé la tête dans la sécheuse et avait crié « HELP ! », aussi avais-je abandonné mes questions, pour le moment du moins. Je me doutais bien que Maxime était « en amour ». Je le voyais dans ses gestes, ses regards, ses sourires et ses attentions, sa manière, justement, de « faire l'amour ». J'avais beau tenir à mon vocable désinvolte, nous ne baisions plus depuis longtemps, nous faisions l'amour.

Et je frémissais chaque fois qu'il me regardait un peu longuement de son air trop intense ou que je devinais, sur le bord de ses lèvres, des paroles qu'il ne disait pas. Un soir, alors que nous faisions l'amour, il avait dit, en me regardant bien droit dans les yeux : « Je... je t'aime beaucoup Geneviève » et j'avais ressenti un violent coup au cœur que je n'avais pas su interpréter. Était-ce de la joie ? De la réciprocité ? De l'angoisse ? Le moment était assez malvenu pour débattre et Maxime, de toute manière, n'avait pas attendu de réponse : nous étions occupés à autre chose. Je m'étais endormie en repensant à ce « beaucoup » atténuateur qu'il avait ajouté par pudeur ou par prudence et à l'absurdité de la situation. Devais-je lui revenir là-dessus ? S'attendait-il à une conversation ? Était-il normal de se poser ce genre de questions à *trente-deux ans* ? (Nicolas avait répondu un ferme « non » à cette dernière interrogation.)

Seule Julie Veilleux semblait me comprendre – elle me répétait qu'après ce qui venait de m'arriver il était normal que j'aie de la difficulté à décoder mes propres émotions et surtout que je sois d'une pusillanimité excessive. « La peur brouille pas mal de signaux, tu sais », m'avait-elle dit – une autre belle vérité que j'avais inscrite au tableau des évidences qui me flabbergastaient. J'étais sortie de son bureau toute suintante de reconnaissance envers cette belle compréhension de sa part pour réaliser qu'une autre personne me comprenait sans doute beaucoup mieux que moi-même : Maxime.

Il ne posait, lui, jamais de questions et ne semblait s'attendre à absolument rien de moi, ce qui me faisait dire qu'il était soit d'une habileté diabolique, soit d'une empathie frisant le surnaturel. (Une autre piste de réflexion avait été proposée par Nicolas : « Y est peut-être juste moins fou que toi » qui, si elle me plaisait peu, méritait qu'on s'y arrête.) À l'abri sous le couvert de sa douce tolérance, je pouvais donc me faire accroire que rien ne changerait, que tout allait continuer à flotter sur cette mer d'huile dont j'allais pouvoir ignorer les profondeurs longtemps encore.

« Trouble ! » criait Catherine lorsque je lui faisais part de ce souhait. Elle avait pris l'habitude, depuis que je lui avais raconté mes « retrouvailles » avec Florian, de crier « trouble » chaque fois que je mentionnais quoi que ce soit se rapportant à ma vie sentimentale. Pourtant, je n'avais pas revu Florian. Je n'étais pas devenue folle, je n'avais pas monté ma tente sous le grand lilas dans l'espoir de l'apercevoir sortant ses vidanges ou revenant du dépanneur. Je ne cessais de répéter cela à Catherine, mais elle se contentait de me fixer de son œil de diseuse de bonne aventure et de crier «trouble!» ou d'invoquer son fameux instinct de feu. Je faisais alors semblant de l'ignorer.

Je ne lui avais pas dit, bien sûr, que j'*avais* appelé Florian le surlendemain de mon passage chez lui. J'avais répété le message que j'allais lui laisser pendant des heures, jusqu'à ce que chaque mot devienne complètement vide de sens, puis je m'étais lancée. Je ne voulais pas envoyer un courriel ou un texto, je voulais montrer ma belle aisance en laissant un beau message vocal cool, drôle et relax, ce que j'avais réussi, me semblait-il, haut la main. «Salut, c'est Gen… je voulais juste te dire… je suis partie vite l'autre jour parce que j'avais mon rendez-vous mais j'étais contente de te voir, puis de voir qu'on était encore capables de rire ensemble. Ça m'a fait vraiment plaisir. Faque… écoute… à une prochaine, puis prends soin de toi d'ici là!» Sincérité, détachement bien dosé, tout y était. Je m'étais même abstenue de faire de l'humour pour ne pas avoir l'air de m'en servir comme d'un paravent.

Mais voilà: Florian ne m'avait jamais répondu. Je n'avais pas eu de courriel, pas de texto, pas de message vocal cool, drôle et relax. J'avais été légèrement piquée, mais moins que je l'aurais cru, et j'avais pris le parti de l'indifférence. Au moins je n'ai pas tout gâché avec un message sirupeux ou larmoyant, me disais-je. L'honneur est sauf. Mais je revoyais parfois ses longs cils se dessiner sur ses pommettes et je soupirais intérieurement, en prenant ces fugitifs désirs pour les derniers soubresauts de mon amour agonisant.

Je n'avais donc aucune difficulté à être sincère quand je martelais à Catherine que non, je n'étais pas dans le trouble. Mais c'était la première fois depuis deux semaines que nous nous retrouvions seuls tous les trois, et elle avait tenu, alors que nous nous rendions au lancement de Maxime, à faire à Nicolas un exposé de la situation. « On n'a pas débriefé tous les trois ensemble, expliquait-elle.

— C'est parce qu'on a pas *besoin* de débriefer, ai-je répété pour la sixième fois depuis que nous avions quitté l'appartement.

— Par contre on pourrait se faire plaisir et débriefer sur le dossier toi puis Emilio ? a proposé Nicolas.

— Y a rien à débriefer, a dit Catherine, sur le ton d'une enfant boudeuse. Anyway il s'en retourne dans une couple de mois. » Emilio, en effet, avait épuisé ses ressources judiciaires pour rester au pays et préférait le quitter avant de se faire déporter cavalièrement, une idée qui l'insultait au plus haut point. (« Je refuse d'être un prisonnier politique », scandait-il, sans que personne ne comprenne en quoi cela aurait fait de lui un prisonnier politique.)

« Et j'aimerais que vous commenciez pas à dire que je vais tomber amoureuse de lui juste avant qu'il s'en aille justement parce qu'il s'en va, OK ? » a prévenu Catherine. Nicolas et moi avons fait de vives protestations d'innocence, comme si *jamais* une telle idée n'aurait pu nous traverser l'esprit. « Anyway, j'ai un autre plan », a-t-elle ajouté.

Le mot « plan », dans la bouche de Catherine, était rarement de bon augure. « On peut savoir ce que c'est ? a prudemment demandé Nicolas.

— Tout à l'heure. On ira manger après le lancement puis je vous expliquerai ça.

— Ben là, tu peux pas nous en parler tout de suite ?

— Non, tout à l'heure. C'est un plan qui mérite qu'on soit assis et que votre écoute soit optimale. »

J'ai lancé un petit regard inquiet à Nicolas, qui a répliqué par une grimace angoissée.

« Je *sais* que vous êtes en train de faire des faces angoissées dans mon dos ! a dit Catherine, qui nous devançait de quelques pas. Vous voyez ? Instinct de feu ! »

Le lancement était un ramassis de tout ce qu'il y avait de plus hip à Montréal – des gens qui devaient écouter Arcade Fire avant même que le groupe existe et qui avaient tous beaucoup d'amis à Williamsburg. J'avais aperçu Maxime en entrant, qui discutait avec une fille au look tellement ironique qu'on aurait dit un costume. Il m'avait fait un sourire rempli de chaleur avant de poser une main sur l'épaule de la fille et de s'avancer vers moi. Des gens l'arrêtaient, à qui il parlait aimablement – bises aux filles, claques dans le dos et affectueuses accolades aux garçons : Maxime avait *beaucoup* d'amis et, fait peu surprenant, tout le monde semblait l'adorer et rechercher sa compagnie.

Mais c'était vers moi qu'il venait, ce qui m'avait remplie d'une fierté de petite fille. Il me paraissait, aussi, encore plus sexy que d'habitude dans son t-shirt blanc et son jeans, et je m'étais dit que c'était sans doute à cause de l'attention qu'on lui portait : force m'était d'avouer, malgré tous mes principes, que peu de choses rendaient un homme plus désirable que le regard de plusieurs autres femmes sur lui. Était-ce ce qui m'avait poussée à l'embrasser, ainsi, devant tous ces gens qui le connaissaient ? Probablement. J'avais pensé, en passant ma langue sur ses lèvres, qu'un peu plus et je faisais pipi autour de lui pour délimiter mon territoire, mais cela m'importait peu : j'étais contente de l'embrasser, de sentir ses bras autour de moi et de le laisser me présenter à des dizaines de personnes dont je ne retenais pas les noms.

Catherine et Nicolas parlaient déjà à d'autres personnes et j'avais connu un petit moment de panique lorsque j'avais aperçu, de dos, une femme blonde aux cheveux courts qui aurait très bien pu s'avérer être la crisse de hispter, qui aurait été tout à fait à sa place dans ce lancement. Mais c'était une autre femme, une poétesse que Maxime s'était empressé de me présenter et dont je m'étais empressée d'acheter le recueil. « Faut que vous achetiez, nous avait dit Maxime alors que nous arrivions. C'est pas mal à soir qu'on va faire nos plus grosses ventes.» Nous achetions donc compulsivement, fourrant nos exemplaires dans l'énorme sac de jute que traînait toujours Catherine et qui commençait à ressembler au cabas d'un bouquiniste.

«Je pourrais pas publier mes pièces dans ta maison d'édition? a demandé Catherine à Maxime quand nous nous sommes finalement trouvé deux places au bar, que nous avons occupées à quatre.

— Je pense qu'ils font juste de la poésie mais je peux te présenter l'éditeur, a répondu Maxime en désignant un jeune homme qui ne devait pas avoir trente ans et qui discutait vivement à l'autre bout de la pièce bondée.

— J'aimerais beaucoup ça, a dit Catherine.

— C'est pas des gros tirages, tu sais.

— Man, tu sais-tu devant quel genre de crowd je suis habituée de jouer? C'est beau si on a trente personnes dans nos salles.

— C'est à peu près mon lectorat, a dit Maxime et ils ont ri tous les deux en trinquant.

— Tu penses que t'aurais continué si t'avais pas eu du succès avec tes polars? lui a demandé Catherine.

— C'est sûr. Tu lâches pas, toi, non?

— Non… mais ça me tente souvent. Ça me tente souvent de mettre une croix sur toutes les osties d'auditions puis… je sais pas, ouvrir ma boutique de cupcakes ou n'importe quelle autre niaiserie du genre dont on n'a pas besoin.

— Personne aime les cupcakes, a dit Nicolas.

— J'*haïs* les cupcakes, ai-je ajouté.

— J'ai jamais compris *qui* achetait assez de cupcakes pour justifier toutes ces boutiques-là, a spécifié Maxime.

— Arrêtez de chier sur mon back-up plan! a crié Catherine, et nous avons tous éclaté de rire.

— D'une certaine manière, ai-je fait valoir, ce que j'écris pour vivre, mes autobiographies, c'est comme l'équivalent littéraire des cupcakes. C'est pas vraiment bon, on comprend pas qui lit ça mais ils continuent d'en vendre.

— Intéressant… a dit Nicolas. Y est peut-être temps que tu te mettes à quelque chose de plus nutritif.

— Tofu mou ? a proposé Catherine.

— Je serais plus du genre tartiflette, ai-je dit. Looooove the tartiflette. Des patates, du vin, des lardons puis du fromage. C'est pas raffiné, c'est sans prétention, mais crisse que c'est réjouissant.

— Alors, go for it ! a fait Maxime. Écris une tartiflette. »

Je lui ai fait un sourire. J'avais écrit, beaucoup même, dans les deux dernières semaines, et j'avais pris l'habitude de lui envoyer mes textes. Il me faisait des commentaires toujours constructifs et invariablement encourageants, ce qui à la limite m'inquiétait un peu. Je l'accusais alors d'avoir un parti pris et il me jurait que non et je faisais semblant de le croire. J'écrivais de longues descriptions de lieux, de personnages, je croquais des scènes et des moments mais je ne racontais pas d'histoires. « Comment tu fais pour inventer des histoires ? » demandais-je à Maxime, sur un ton caricaturalement naïf pour cacher la véritable naïveté de ma question. « Elles finissent par venir », me répondait-il, et je lui en voulais un peu, parce que pour lui tout paraissait si simple.

Il m'avait proposé d'essayer des nouvelles : « T'es super bonne pour capter un mood, une ambiance… des fois y en faut pas beaucoup plus pour une nouvelle réussie » et je jouais depuis quelque temps avec cette idée. Mais je ne pouvais m'empêcher, dès que j'ouvrais mon ordinateur pour écrire autre chose que la biographie d'un jeune Gaspésien venu à Montréal sur le pouce pour participer à un concours de chanson et devenu, depuis, la coqueluche du Québec, de me sentir comme à l'université, lorsque le professeur de création littéraire nous avait donné carte blanche.

Et puis une bonne nouvelle n'avait rien d'une tartiflette. Une bonne nouvelle, du moins celles que moi j'aimais, était un petit objet parfaitement ciselé, travaillé avec minutie et un souci du détail qu'on ne trouvait certainement pas dans la grosse tartiflette cochonne et peu subtile. J'allais faire part de cette réflexion à mes amis quand je me suis dit que la métaphore culinaire commençait à être drôlement usée, et surtout, que j'avais faim.

« On va manger ? ai-je proposé.

— De la tartiflette ?

— N'importe quoi… Max, tu fais quoi ? »

Maxime, évidemment, accompagnait un groupe d'amis et de collègues dans un club social espagnol qui, à deux portes d'où nous nous trouvions, servait des plats typiques dans une ambiance qui redéfinissait le mot « décontracté ». « Ça vous tente ? » nous a-t-il demandé. Nous avons tous acquiescé joyeusement et, deux verres plus tard, nous étions assis dans le grand club, un litre de vin rouge devant nous qui promettait une soirée du tonnerre et un réveil difficile. Maxime butinait de table en table pendant que nous prenions ce douzième apéro de la soirée au son des mélodies andalouses qu'égrenait sur une estrade de fortune un guitariste édenté.

« So, a dit Nicolas à l'intention de Catherine. C'est quoi ton plan ? »

Près de nous, un groupe de jeunes hipsters qui parlaient anglais et français en même temps se disputaient aimablement à propos de la politique culturelle de l'arrondissement. Catherine leur a lancé un regard suspicieux.

« Cath, lui ai-je dit. À moins que ton plan implique l'interdiction des subventions aux arts de la rue dans le quadrilatère dans lequel on est présentement, je pense pas que tu vas les intéresser. »

Elle m'a fait une petite grimace, mais a tout de même avancé la tête vers nous. « OK, a-t-elle dit. Alors. »

Puis elle a fait une pause. « Comme vous le savez, j'ai trente-quatre ans. » Une autre pause. Attendait-elle une réponse ? Dans le doute, Nicolas et moi avons jugé bon d'opiner du bonnet. « Et j'ai pas de chum », a continué Catherine, avant de s'arrêter de nouveau. Comme elle ne poursuivait pas, je l'ai encouragée d'un hochement de tête, ce qui n'a pas paru suffire. J'ai donné un coup de coude à Nicolas, qui a semblé se réveiller et a dit : « Oui !... Je veux dire : non ! Non t'as pas de chum. » Catherine, visiblement satisfaite, allait poursuivre quand Maxime est venu s'asseoir.

« Non ! » ai-je crié en même temps que Nicolas. Toute influence extérieure risquait de prolonger les délais, et nous commencions à avoir rudement hâte d'en arriver au punch. Maxime a haussé les sourcils et est resté mi-debout, mi-assis, une main sur la nappe de plastique. « Euh…

— C'est correct, a dit Catherine. T'as le droit d'entendre. J'explique mon plan aux amis.

— Quel plan ? » a demandé Maxime, alors que Nicolas et moi lui faisions de grands signes pour qu'il se taise et se contente d'écouter. Mais Catherine, toujours généreuse avec son auditoire, a recommencé du début. « Alors… » a-t-elle repris, avant de faire une très prévisible pause. J'ai soupiré, et je nous ai versé à chacun un gros verre de vin opaque.

Dix minutes plus tard, Maxime nous avait rattrapés et nous étions revenus à : « J'ai pas de chum. » Tout le monde avait validé cette information avec moult hochements de tête, j'avais servi encore plus de vin, nous étions prêts pour la suite.

« Et bon… a repris Catherine. Comme vous le savez… En tout cas, comme Gen puis Nico le savent, j'ai jamais été sûre si je voulais avoir des enfants.

— OK… a fait Maxime, dont la patience ne semblait pas connaître de limites.

— Genre que oui j'aimerais ça, mais est-ce que j'en veux pour vrai ? Pas sûre. »

Elle s'est arrêtée de nouveau. J'ai failli dire que nous savions tout cela depuis des lustres, mais j'aurais risqué par là de causer des délais supplémentaires, aussi me suis-je tue en me contentant de faire signe au serveur pour qu'il apporte un autre litre de vin.

« Parce que évidemment, y a Noé qui joue un super gros rôle dans ma vie.

— Évidemment », a dit Maxime, à qui j'ai donné un petit coup de coude. Il valait mieux nous en tenir à des hochements de tête et d'occasionnelles onomatopées : tout dialogue pouvait prolonger le processus.

« Mais je sais que Noé est pas mon fils à moi, et que si jamais Nico se fait une blonde ou moi un chum puis qu'on vit plus ensemble…

— Ben voyons ! s'est écrié Nicolas. T'es comme sa mère, à cet enfant-là… » Il a fait une pause lui aussi. « D'ailleurs faudrait tout de suite que je commence à mettre du cash de côté pour sa future psychanalyse mais Cath… même si on habite plus dans le même appart tu vas encore jouer un rôle important dans sa vie… j'espère que tu sais ça, non ?

— Mais oui, mon loup… » Elle lui a frotté affectueusement un bras, et Maxime et moi avons échangé un sourire attendri. « Mais reste que c'est pas mon fils à moi… » Elle s'est arrêtée, et il nous a fallu à tous quelques secondes pour comprendre que notre approbation était de nouveau requise. « Donc, a dit Catherine, une fois assurée que nous suivions. Je me suis posé la question : est-ce que je veux vraiment un enfant à moi ? »

Elle nous regardait avec de grands yeux, les paumes tournées vers le ciel. C'était une comédienne formidable, tout de même, et je me suis demandé, pour la millième fois depuis que je la connaissais, qu'est-ce qui s'interposait entre elle et un beau rôle. Elle nous dévisageait tour à tour tous les trois et je pouvais sentir que Maxime et Nicolas s'interrogeaient frénétiquement sur ce qui était attendu d'eux. Une réponse ? Un encouragement ? Un frémissement devant tant de suspense ?

« Eh bien la réponse… a fait Catherine, puis elle s'est arrêtée.

— Cath, c'est interminable ! a crié Nicolas comme un homme au bord de la crise de nerfs. C'est inter-fuckin-minable ! Veux-tu juste cracher le morceau ! T'en veux-tu un flo ou t'en veux pas ?

— Ben oui j'en veux un », a déclaré Catherine avant de se reculer sur sa chaise et de se croiser les bras. Elle était fière d'elle : elle avait réussi à provoquer exac-tement la réaction qu'elle voulait, c'est-à-dire rendre au moins un de ses interlocuteurs complètement fou.

« Faque tu veux un flo », a dit Maxime, qui semblait être le seul à avoir remarqué que faire tant d'esbroufe pour si peu était un brin étrange. Il ne connaissait pas Catherine comme nous – elle était capable de faire de l'esbroufe en commandant un café. Mais je me suis souvenue qu'elle avait annoncé qu'elle avait un « plan » et, jusque-là, pas l'ombre d'un plan.

« Oui, a confirmé Catherine. Je veux un enfant. » Elle nous a regardés à tour de rôle, s'attendant, je le savais, à ce qu'on l'encourage et la supplie un peu. Mais Nicolas la fixait d'un air buté, aussi ai-je décidé de me sacrifier.

« Parfait, ai-je dit calmement. Et… ton plan ?

— Ben voilà. J'ai trente-quatre ans… »

Une pause. Trois hochements de tête, dont deux particulièrement excédés.

« … et j'ai pas de chum… »

En réentendant cela, et donc en comprenant que nous allions tout recommencer depuis le début, Nicolas a poussé un grand hurlement qui m'a fait pouffer de rire au travers de ma gorgée de vin, qui s'est répandue dans un spray bourgogne sur la nappe en plastique et les avant-bras de Maxime. Les hipsters de la table d'à côté, qui avaient tous sursauté en entendant le cri de Nicolas, nous regardaient comme si nous étions des énergumènes : on pouvait difficilement les blâmer.

« Catherine ! a soufflé Nicolas, hagard. Je… » Il a cherché autour de lui, d'un regard fou, quelque chose à quoi s'accrocher, et a finalement attrapé son verre de vin qu'il a calé d'un coup. Même Catherine riait.

« Sérieux, Cath, ai-je dit. Faut que t'aies pitié de nous.

— Ben… c'est pas inintéressant… a dit Maxime en riant et en s'essuyant les avant-bras.

— OK, a déclaré Catherine, magnanime et généreuse. Je vous fais un résumé de la situation. » Elle s'est tournée vers Nicolas, qui faisait mine de trembler comme une feuille en se versant un autre verre de vin. « Un *vrai* résumé. Voilà : j'ai trente-quatre ans, j'ai pas de chum et pas exactement de prospect de chum et je veux un enfant. Et je suis pas prête à mettre tout mon cash sur un gars hypothétique qui va-tu venir va-tu pas venir, je le sais pas. Puis je veux pas me retrouver à quarante-deux ans en me disant : Fuck, y est trop tard. Donc… » Elle n'a pu résister au plaisir de faire une autre pause.

« Donc… a répété Maxime pour l'encourager – il avait l'air d'un petit enfant à qui on raconte une histoire remplie de mystères.

— Donc, a repris Catherine, j'ai décidé de faire un bébé toute seule. »

Il y a eu autour de la table un silence absolu. Je me suis tournée d'abord vers Maxime, qui me regardait l'air de se demander s'il devait rire, puis vers Nicolas, qui s'était arrêté alors qu'il allait prendre une gorgée de vin. « Oh boy », a-t-il marmonné dans son verre, qui restait figé sous son nez. J'ai eu le temps de me faire la réflexion totalement absurde que, si nous avions été dans une sitcom, le moment aurait été venu d'aller à la pause. Mais Nicolas avait toujours le nez dans son verre, Maxime regardait prudemment de lui à moi puis de moi à lui : nous n'allions pas à la pause et quelqu'un devait parler. J'y suis donc allée d'un courageux toussotement, auquel j'ai ajouté un : « Un bébé toute seule ? » à peine audible.

« Absolument », a dit Catherine, avant de lancer un *grazie* à l'intention du serveur qui venait de nous apporter un autre litre de vin – je lui avais répété au moins dix fois depuis notre arrivée que « merci » en espagnol se disait *gracias*, mais rien n'y faisait : elle tenait dur comme fer à son *grazie*, qui semblait lui donner l'impression d'être terriblement sensuelle. Elle a regardé le serveur s'éloigner puis a poursuivi, en s'adressant à moi : « D'ailleurs tu viens avec moi à la clinique de fertilité la semaine prochaine.

— Je… moi ? » J'ai regardé autour de moi, juste pour être certaine que son invitation ne s'adressait pas à une personne invisible et proche de ma tête que je n'aurais peut-être pas encore vue.

« Oui, toi. Nic va trop me niaiser. J'ai besoin de quelqu'un qui va me supporter à cent pour cent.

— Et… euh… c'est moi, ça ?

— Oui ma chérie. » Catherine avait une manière assez sournoise de faire faire aux autres ce qu'elle voulait : elle se mettait à agir comme si nos doutes et nos objections n'existaient pas. Fait intéressant, cela fonctionnait généralement beaucoup mieux auprès des hommes. J'avais d'ailleurs essayé de l'émuler à plusieurs reprises mais, soit par manque de conviction, soit par manque de khôl avec lequel me maquiller de pénétrants yeux de gitane, j'avais essuyé de cuisants échecs. Florian, mon principal cobaye, me disait simplement, l'air plus amusé qu'autre chose : « Es-tu en train d'essayer de faire comme Catherine ? », ce qui déboulonnait instantanément le peu de crédibilité que je m'étais convaincue d'avoir.

« Je sais que c'est une grosse nouvelle à digérer, a admis Catherine en s'adressant cette fois surtout à Nicolas, qui n'avait pas bougé d'un poil, mais c'est tout réfléchi, puis c'est décidé. Je suis super contente de ma décision. Super excitée. »

Les yeux de Nicolas se sont lentement déplacés vers moi : nous savions tous les deux que, lorsque Catherine déclarait avec un aplomb en apparence inébranlable qu'elle était « super contente » et « super excitée » d'avoir pris une décision X, c'était qu'elle était en proie à un doute intense. La pensée magique était son domaine, son terrain de jeu et son arme la plus précieuse : elle était persuadée qu'en le voulant vraiment on pouvait convaincre n'importe qui de n'importe quoi, à commencer par soi-même.

Maxime, qui connaissait moins bien Catherine que nous, a pris la parole : «C'est… intéressant, a-t-il dit, mais est-ce que t'as… en fait je suis sûr que t'as *beaucoup* réfléchi… aux nombreux enjeux… mais…» Il patinait frénétiquement, le pauvre : Catherine avait entrepris de le fixer avec une intensité qui, je le voyais bien, lui faisait un peu peur. J'ai décidé de venir à sa rescousse.

«Cath, ai-je dit. Je t'aime puis je veux que tout ce que tu veux t'arrive mais… un bébé ? Toute seule ?

— Je serai pas toute seule, vous allez être là.»

J'ai eu une vision d'une grande maison de campagne transformée en commune, dans laquelle nous aurions vécu tous ensemble, partageant les tâches domestiques et nous relayant pour nous occuper de nos nombreux enfants. Il y avait quelque chose de charmant dans cette image, lorsqu'on la contemplait de très très loin et qu'on ne cherchait surtout pas à voir le terrifiant envers de la médaille, et je me suis dit que Catherine avait dû miser beaucoup sur cette projection aussi idyllique qu'irréaliste.

«Oui, ai-je dit, mais…» Mais quoi ? Que pouvais-je ajouter ? Que je n'étais pas certaine que l'idée de faire un bébé toute seule soit particulièrement saine ? Que cela m'inquiétait pour Catherine *et* pour le bébé à venir ? J'étais presque étonnée de réaliser à quel point j'étais traditionaliste. N'avais-je pas, en les personnes de Nicolas et Noé, un exemple flagrant de cellule familiale non conforme mais tout de même fonctionnelle ? J'allais faire part de cela à Catherine quand Nicolas est intervenu : «C'est-tu à cause d'un film ou d'une télésérie que t'as vu récemment ça ? Genre qu'il y avait un personnage qui faisait un bébé toute seule puis ça t'a donné l'idée ? »

Je l'ai trouvé courageux, et tout à fait lucide : il avait fort probablement raison, ce qui m'a tout de suite été confirmé par la réaction de Catherine, qui a eu l'air outrée et démasquée en même temps.

« Absolument pas ! a-t-elle crié sur un ton beaucoup trop strident. Puis anyway, j'ai demandé à Noé s'il trouverait ça le fun, lui, d'avoir un petit cousin puis il a dit que ça serait malade puis que je serais une super bonne mère.

— Noé a *huit ans* ! a souligné Nicolas.

— Parle pas contre Noé, lui ai-je dit. C'est ma référence en matière de psychologie.

— De toute manière, a crié Catherine, c'est réglé. Je suis décidée. C'est pas comme si ma carrière était tellement en feu anyway, non ?

— Attends, a dit Maxime. Si ta carrière était en feu, tu mettrais le projet de bébé sur le hold ?

— Ben… oui. Une couple d'années au moins, je suppose.

— Fais pas de bébé. »

Sous la nappe, j'ai pris une des mains de Nicolas pour me sentir un peu moins seule devant la tempête qui risquait de se déchaîner sur Maxime d'une minute à l'autre. Mais Catherine s'est contentée de s'éclaircir la gorge et de demander à Maxime : « Pardon ? » Elle voulait clairement dire : « Comment oses-tu ? » mais il y avait quelque chose d'autre dans son ton – elle était curieuse.

« C'est pas de mes affaires, a dit Maxime, mais moi me semble qu'un enfant, tu fais ça si tout ton être a envie de faire ça. Tu places pas la conception d'un être humain dans ton plan de carrière ! Ç'a aucun sens.

— Sais-tu combien d'hommes et de femmes font exactement ça ? » lui ai-je demandé. J'étais lâche : je voulais m'attirer les bonnes grâces de Catherine au cas où la tempête finirait par se déchaîner.

« Des milliers, a répondu Maxime, je sais. Mais pas du monde comme toi, Catherine. T'es tout entière, toute à fleur de peau. Toi tu fais un enfant parce que les ovaires vont t'exploser, parce que tu rêves à ça la nuit… pas parce que t'attends ton big break. Si t'en voulais vraiment un, tu le ferais même si Mike Leigh venait de t'appeler pour un rôle. » Catherine et lui avaient souvent parlé de leur passion commune pour ce réalisateur britannique.

« Ben là quand même, a fait Nicolas.

— Ouin, ai-je renchéri.

— OK, a dit Maxime, j'exagère peut-être un peu. Si Mike Leigh t'appelle, vends ta mère puis vas-y. Mais tu comprends ce que je veux dire, non ?

— Je comprends très bien, a répondu Catherine. Mais je pense que toi tu peux pas comprendre ce que c'est que d'être une fille de presque trente-cinq ans qui a pas de chum et pas de grand projet et qui se couche le soir en se disant : si je continue de même je vais me retrouver à quarante-cinq ans à la même câlisse de place puis là il va être réellement trop tard. »

Maxime l'a regardée un long moment, digérant ce qu'elle venait de dire. « J'avais pas pensé à ça de même », a-t-il finalement admis. Il a fait un petit sourire contrit : « Scuse-moi. »

Catherine, que six ans de vie commune avec un triple médaillé d'or en obstination avaient habituée à des confrontations autrement plus musclées, est restée interdite. « That's it ? a-t-elle demandé, limite déçue.

— Oui, a renchéri Nicolas, that's it ? Je pensais que t'allais m'aider à m'objecter… »

Catherine s'est tournée vers lui. « Nico… s'il te plaît… commence pas, OK ? »

Et le triple médaillé d'or en obstination, qui avait été frappé lui aussi par la sincérité de l'argumentaire de Catherine, s'est résigné à la prendre par les épaules et à lui dire, sur un ton infiniment las mais tout aussi tendre : « OK, Cath. OK. Si c'est ça que tu veux, si c'est vraiment vraiment ça que tu veux… on va être là pour toi. Hein ?

— Ben oui, ai-je dit.

— C'est vrai ? » a demandé Catherine, en nous regardant tous les deux tour à tour. Elle avait les yeux pleins d'eau.

« T'as été là pour moi en crisse quand la mère de Noé est partie. Puis… on a pas peur de ça, un projet complètement absurde, nous autres.

— Non, on a pas peur de ça », a répété Catherine.

J'ai levé mon verre en signe d'approbation. Nicolas et Catherine ont fait de même, puis Maxime. J'étais un peu sonnée : comment étions-nous passés du doute absolu à l'adoption soudaine de ce projet farfelu ? Maxime souriait, étonné lui aussi, et Nicolas caressait affectueusement le dos de sa cousine. Je l'ai regardée dans les yeux en trinquant avec elle. J'étais fière de mon amie : elle avait eu le courage de dire ces vilains mots que taisaient trop souvent les femmes seules de notre âge, à savoir « J'ai peur » et « Je n'y crois plus assez », sans toutefois avoir l'air défaite, ou le moindrement vaincue. « On a plus les vieilles filles qu'on avait », lui ai-je dit avec un clin d'œil. Elle s'est levée et penchée par-dessus la table pour me prendre par la tête, et me donner un gros baiser sur le front qui m'a fait rire comme une enfant.

« Excusez-moi ! a crié Catherine au serveur. On prendrait une grosse paella valencienne, ici. Et plus de vino ! *Grazie !* »

Nicolas et Maxime ont échangé un coup d'œil en riant et en se frottant le visage dans une parodie de découragement.

« Alors tu vas venir avec moi à la clinique ? m'a demandé Catherine.

— Ben oui…

— On va avoir l'air de deux lesbiennes qui veulent faire un bébé ! »

Elle semblait tellement enchantée que je n'ai pas voulu la contredire, aussi y suis-je allée d'un «Yéééé!» accompagné de deux poings levés pour signifier mon enthousiasme à l'idée d'avoir l'air d'une lesbienne désireuse de concevoir avec sa partenaire. Pourquoi pas, me suis-je dit.

«Ça te ferait un bon sujet de nouvelle, m'a lancé Maxime en riant.

— Oui! Oui! a crié Catherine. Tu pourrais écrire plein de nouvelles qui seraient comme la chronique de mon projet de bébé.

— T'aimerais ça, hein?

— Oui! a répété mon amie, en tapant des mains. On appellerait ça *Les Chroniques de Catherine*. Puis si ça marche on pourrait faire une série web ou même une série télé ou…

— Cath, a dit Nicolas. On a déjà entériné *un* projet déficient aujourd'hui. Je pense que c'est assez.

— OK. Oui. OK.

— Puis en passant, t'aurais pas pu juste nous shooter: "J'veux faire un bébé" plutôt que de nous traîner ça pendant…» Il a regardé sa montre. «… *quarante* minutes?

— J'aurais pu, a dit Catherine. Mais est-ce qu'on aurait eu autant de fun?»

Nous sommes sortis du club social quelques heures plus tard, remplis comme des outres et passablement soûls, en riant et en cherchant des noms de bébé. Maxime était resté avec ses amis poètes, non sans m'avoir embrassée longuement et promis de m'appeler le lendemain. «Tu vois que je suis pas dans le trouble?» ai-je dit à Catherine. Elle n'a pas répondu, trop contente de crier des prénoms d'enfant dans l'air du soir.

C'était, comme l'avait subtilement mentionné Nicolas, un projet complètement déficient, mais son adoption et le vin rouge nous avaient mis sur un high que ne faisait qu'accentuer la fraîcheur de la brise. J'ai pensé que ce devait être le même genre de high que ressentent ceux qui décident, sur un coup de tête, de partir escalader le mont Everest, ou qui s'achètent des billets aller simple pour Guangdong en se disant : « On verra rendu là-bas. » Catherine allait faire un bébé, nous allions l'aider, l'entourer et l'assister – c'était au moins aussi extraordinaire et téméraire que de partir pour l'inconnu sans billet de retour. Nous nous sommes laissés à un coin de rue près de nos deux appartements en nous embrassant très fort, comme de futurs frères de cordée, et en nous répétant avec beaucoup trop d'emphase à quel point nous étions chanceux de nous avoir.

Je n'étais pas dans le trouble, me disais-je en marchant les quelques mètres qui me séparaient de chez moi. Au contraire, en fait : j'avais des amis excentriques et trop intenses, mais qui vibraient d'un désir de vivre merveilleux. Tellement merveilleux, même, qu'il m'avait permis de retrouver le mien, d'apprendre – ou de réapprendre – à me tenir debout toute seule, avec juste ce qu'il fallait d'aide et de soutien de la part d'un homme comme Maxime. J'allais carrément me mettre à gambader pour traverser la rue quand j'ai aperçu, dans les marches qui menaient à ma porte, Florian.

« Qu'est-ce que tu fais ici ? lui ai-je demandé.

— Je veux que tu reviennes. »

CHAPITRE 16

J'avais imaginé mille fois le retour de Florian. Cette phrase, « Je veux que tu reviennes », il me l'avait dite d'autant de manières, sous une infinité de cieux évoqués au gré de mes rêveries. Son ton changeait mais ses mots restaient les mêmes : « Je veux que tu reviennes. » Tantôt suppliant, tantôt chevaleresque, le Florian de mes fantasmes me surprenait chaque fois – il m'attendait au détour d'une rue, dans un café connu de nous seuls, sur la terrasse d'un restaurant qui n'existait pas encore mais avait l'avantage de posséder une vue troublante et propice aux retrouvailles amoureuses. Il ne me laissait pas le temps de parler et me chavirait avec son intensité et sa sincérité – il se jetait à mes pieds, contrit, follement épris et magnifiquement repentant.

Bref, il faisait exactement ce qu'il venait tout juste de faire. N'aurais-je pas dû être prête ? Trois mois de rêveries intensives n'auraient-ils pas été censés m'avoir préparée à ce moment tant attendu ? Évidemment, non.

Je suis restée figée au beau milieu de la rue, foudroyée par l'émotion, et ma seule pensée était : « Je ne veux pas que ça arrive. » C'était trop. C'était trop et je n'étais pas prête, et comme une enfant soudain terrifiée par un père Noël dont elle a pourtant rêvé durant une année entière, j'avais envie de partir en courant. C'est d'ailleurs probablement ce que j'aurais fait si mes jambes n'avaient pas été réduites à deux tubes de chiffons et si je n'avais pas eu la nette sensation que j'allais m'évanouir d'une seconde à l'autre. Fait déconcertant : je me suis mise à penser à Maxime. Moi qui venais de me dire, dans un élan de joie, que je me tenais enfin debout toute seule, j'avais peur de tomber et j'aurais voulu m'appuyer sur un homme qui n'était pas celui qui s'avançait vers moi.

Voyant sans doute que j'allais me trouver mal, Florian s'était levé et s'approchait de moi. Il portait un jeans et une chemise claire sous un pull avec un col en V – j'ai eu le temps de me dire, alors qu'il avançait, qu'il était habillé comme un Français. J'ai tendu un bras vers lui, sans trop savoir si c'était pour l'empêcher de s'approcher encore plus ou pour me retenir afin de ne pas tomber, et une de ses mains a attrapé la mienne. Une main chaude et volontaire qui a serré la mienne avant de la porter contre sa poitrine et de la presser très fort. J'ai finalement levé le visage vers lui – ses yeux bleus me regardaient avec une candeur absolue : j'avais l'impression de le voir pour la première fois, ou du moins pour la première fois depuis longtemps. J'ai senti mes genoux fléchir doucement et je me suis assise sur le rebord du trottoir.

Florian est resté debout un moment puis s'est assis à côté de moi – je sentais son regard sur moi, mais je fixais un point indéfini sur l'asphalte. Avait-il vraiment dit « Je veux que tu reviennes » ? me demandais-je. Était-il sincèrement repentant ? Je suis restée ainsi pendant quelques secondes qui m'ont semblé une éternité – j'aurais voulu ne plus jamais bouger, ne plus jamais parler et peut-être me coucher là, sur le trottoir bien solide et bien tangible, pour me réveiller le lendemain dans mon lit avec le sentiment étrange d'avoir fait un rêve trop réaliste.

« Geneviève », a murmuré Florian à côté de moi.
Je me suis finalement tournée, et je l'ai regardé. Ses
grandes jambes repliées, ses bras sur ses genoux, sa
tête inclinée vers moi et ses yeux qui me donnaient
accès à son âme, à son cœur, à toutes ces entités qui faisaient de lui cet être unique et complexe que je croyais
connaître par cœur et qui venait de me jeter par terre,
littéralement. « Est-ce que t'as compris ce que j'ai dit ? »

Non, ai-je eu envie de répondre, j'ai compris que tu
m'avais demandé l'heure et c'est pour ça que j'ai failli
perdre connaissance. Je l'ai fixé un instant – je crois
que j'essayais de communiquer télépathiquement avec
lui, ce qui aurait été beaucoup plus simple. Aide-moi,
le suppliais-je. Dis quelque chose.

Et alors, miracle, Florian m'a entendue. Il a soupiré et s'est mis à parler. Il m'a d'abord appris qu'il
avait passé les deux dernières semaines seul chez lui.
Que lors de mon passage pour ramasser les derniers
vestiges de notre vie commune il avait été ébranlé au-
delà des mots.

« Tu es partie dans ton taxi, m'a-t-il dit, et j'ai réalisé : j'aime cette femme. C'était… en tout cas ça semblait parfaitement simple. J'étais debout comme un
con sur le pas de la porte et je regardais cette évidence
en face et je voyais pas de façon de la contourner, tu
comprends ? C'était tout ce que je voyais. »

Je ne disais toujours rien. J'avais replié mes jambes
contre moi et je les entourais de mes bras. La tête sur
mes genoux, je l'écoutais, presque en position fœtale.
Lui avait cessé de me regarder, il contemplait tour à tour
le bitume et le ciel et ne cessait de parler. Fidèle à lui-
même, il avait réfléchi, très longuement, avant de venir
me voir. Il savait ce qu'il voulait me dire et comment il
voulait me le dire. Cette rigueur, à une étape de sa vie où
tout ne pouvait qu'être désordonné et dérangé, m'aurait
normalement irritée, mais je le trouvais étrangement
touchant, avec ses mèches blondes qui lui tombaient
sur le front et son besoin de clarté, de limpidité.

« C'est pour ça que j'ai pas répondu à ton téléphone, a-t-il poursuivi. Je voulais… je voulais savoir quoi te dire. Je me suis dit que c'était peut-être juste le fait de te revoir et de t'avoir trouvée… *tellement* belle ! » Il s'est tourné vers moi, encore tout étonné, visiblement, de m'avoir trouvée « *tellement* belle ». « Et forte. Et remplie de… de volonté puis d'appétit puis de… » Il a terminé sa phrase en allemand.

« Tu m'as perdue, Florian. J'ai jamais réussi à comprendre l'allemand comme il faut, remember ? » C'étaient les premiers mots que je lui adressais.

Il a fait un sourire qui m'a semblé être ce qu'il y avait de plus beau au monde puis a dit : « J'ai retrouvé ce jour-là la femme dont j'étais tombé amoureux. Depuis un certain temps, tu étais… comme résignée ou passive ou… j'avais l'impression que tu étais éteinte. Et là, je sais pas ce qui est arrivé, mais on aurait dit que t'avais été rallumée. »

Je me suis passé les mains sur le visage. Ainsi donc j'avais vu juste : Florian m'avait laissée parce que je n'avais plus assez de drive et maintenant que je l'avais retrouvée, grâce à d'autres et à moi, qui avais réussi à tirer de ma peine quelque chose de positif, il me revenait. Les mains toujours sur le visage, je me suis mise à rire d'un rire presque mauvais. J'étais surprise de voir à quelle vitesse mon trouble s'était transformé en colère, mais de cela j'étais certaine : j'étais en tabarnak.

« Finalement, ai-je dit, tu viens ici pour me féliciter d'avoir été une bonne petite fille et d'être enfin à ta hauteur.

— Non… Geneviève.

— T'es venu me faire l'honneur de me reprendre. » Je sentais un incommensurable flot de mauvaise foi monter en moi, et je n'avais aucune intention de le retenir. Au contraire, je le nourrissais de ma rancœur, de ma peine, de ma rage – mon Dieu, ai-je pensé, comment se fait-il que personne n'ait vu à quel point j'étais encore blessée et fâchée ? Comment se fait-il que moi je n'aie rien vu ?

« Est-ce que tu réalises à quel point ce que t'es en train de faire est arrogant et prétentieux ? Tu m'attends devant chez nous, à une heure du matin, pour m'annoncer que, parce que j'ai repris confiance en moi, je t'intéresse de nouveau. Ben j'ai des p'tites nouvelles pour toi, mon chéri : Fuck. You. » Je me suis levée. Je n'étais pas loin de jubiler et j'aurais voulu passer le reste de la nuit à lui crier « Fuck you ».

« Et for the record, oui j'ai été rallumée. Et pas par toi tu sauras. Par quelqu'un d'autre. » J'ai instantanément regretté mes paroles. Pas à cause de Florian, qui venait lui aussi de se lever et avait l'air d'un Presto à la veille d'exploser, mais pour Maxime, qui ne méritait certainement pas d'être traîné dans toute cette histoire et d'être ainsi utilisé dans le but d'assouvir mon désir de blesser mon ex. J'en ai ressenti une vive culpabilité qui a redoublé ma colère contre Florian. « Il fallait absolument que tu me fasses sentir que si tu revenais, c'était parce que je l'avais mérité, hein ? Pas de chance que tu viennes ici puis que tu me dises : "J'ai fait une erreur." Ça t'aurait brûlé la gueule, d'admettre ça ? »

Je me suis arrêtée. Je n'étais pas à court d'idées, mais je n'avais plus de souffle : je haletais comme quelqu'un qui vient de terminer un jogging intensif. Les mains sur les hanches, je regardais Florian avec un air de défi – j'avais même vaguement envie de me battre. « Veux-tu bien me dire quel genre de malade réalise qu'il est encore en amour avec la fille qu'il a laissée et passe *deux* semaines à réfléchir à son speech et à ses motivations avant de venir lui parler ? ai-je finalement réussi à dire. Quel genre de freak est pas capable d'agir avant d'avoir justifié, dans sa tête à lui, sa décision ?

— Mais MOI ! a crié Florian. MOI ! »

J'ai reculé d'un pas, épatée par tant de véhémence de la part de Florian, qui ne criait jamais. Il avait l'air, lui aussi, dans tous ses états. « Moi je suis comme ça, OK ? a-t-il poursuivi. Je suis désolé de pas être intense et spontané et… » – il a ajouté un mot en allemand – « … comme tes merveilleux amis mais moi, je vis mes tempêtes… ici. » Il a posé une main sur son cœur. « Pas… » Il a fait un geste vague indiquant les alentours, la rue, la ville au complet. « … Là. Et fais pas comme si t'étais surprise et offensée, Geneviève. Tu me connais. Tu me connais mieux que personne. »

Nous sommes restés debout l'un en face de l'autre, dans la rue tranquille et déserte. Les mots et les idées se bousculaient dans ma tête dans un formidable désordre qui battait contre mes tympans. « Tu peux pas agir comme ça, ai-je dit. Tu peux pas rationaliser des affaires de même et surtout venir m'expliquer ton ostie de raisonnement. J'embarque pas là-dedans, OK ? J'embarque pas. Là-dedans. »

J'étais hors de moi. Je me suis tout de même fait la réflexion que, si j'étais à ce point outrée, c'était entre autres parce que dans mes rêveries, dans mes pauvres fantasmes usés jusqu'à la corde, Florian me revenait en pleurant, en suppliant et en s'autoflagellant – certainement pas en m'exposant tranquillement son cheminement. J'ai fait un geste comme si je voulais effacer ce qui restait entre lui et moi, et j'ai commencé à monter les marches menant à la porte. Je n'avais plus rien à dire, ou plutôt, je n'avais plus d'énergie pour dire quoi que ce soit, et j'avais peur de fondre en larmes.

Mais je n'avais pas atteint la deuxième marche que Florian m'attrapait par le bras et me tirait vers lui. « Arrête ! » ai-je eu le temps de crier. Mais sa bouche était déjà sur la mienne, ses mains sur mon visage et mes bras à moi, qui savaient bien mieux que moi ce que j'attendais depuis tout ce temps, entouraient son corps. Il y avait quelque chose de terriblement excitant à redécouvrir ces lèvres, cette langue et ces bras que je connaissais intimement mais que je goûtais, me semblait-il, pour la première fois. Aussi me suis-je laissée tomber, tête et cœur les premiers, dans cette familiarité renouvelée. Je voulais me fondre en lui et que lui se fonde en moi – c'était douloureux, et c'était exquis.

Et Florian tenait mon visage et mes cheveux entre ses mains, il m'embrassait avec une intensité dont je me souvenais, mais que je n'avais pas ressentie depuis longtemps, du moins pas entre ses bras à lui. C'est cette pensée qui m'a fait sortir de mon corps presque en extase, et je me suis vue, éperdue dans les bras de Florian et je me suis dit, clairement : « Qu'est-ce que tu fais, Geneviève ? » Nos lèvres s'étaient détachées et j'entendais son souffle alors qu'il embrassait mes cheveux, ma tempe, mon visage qu'il ne lâchait pas.

« Attends, ai-je dit, attends… » J'étais debout sur la pointe des pieds pour me hisser plus près de lui et j'ai reposé les talons au sol. Nous étions toujours enlacés, mais mon visage était maintenant appuyé sur sa poitrine – j'entendais son cœur battre sourdement et très très fort. « C'est… non… non. » J'ai levé la tête vers lui. Dans ses yeux bleus se mélangeaient le désir, la soif et quelque chose qui ressemblait à une vive douleur : il n'avait pas prévu, ai-je songé, que cela puisse s'arrêter, et il était désemparé.

« Je t'aime, a-t-il murmuré. Je t'aime je t'aime je t'aime je t'aime… »

Il aurait sans doute continué si je n'avais pas crié : « Tais-toi ! », le faisant reculer d'un pas. Il me tenait encore, mais par les mains seulement et je les ai dégagées d'un coup sec. « T'es parti, Florian, tu m'as… tu m'as fendue en deux, tu m'as arraché le cœur tu… est-ce que t'as une idée de ce que tu m'as fait vivre ? » Il me semblait soudain primordial qu'il soit mis au courant de la peine que j'avais eue. « Tu m'as… jetée. Toi. Pour… » La crisse de hipster m'est revenue à l'esprit. « Ta blonde est où ?

— Fini… C'est fini, Geneviève. Y avait juste toi.

— Mais non y avait pas juste moi ! Y avait elle ! Y avait beaucoup elle ! Je l'ai vue, tu te souviens ? Elle était pas mal réelle à mon goût !

— Elle est partie. C'était une erreur. »

Je n'étais pas sûre si par « erreur » il faisait référence à la crisse de hipster, pour laquelle je me découvrais subitement une certaine solidarité, ou au fait de m'avoir laissée. « Florian tu peux pas… » Tu peux pas quoi ? Je ne savais même pas comment terminer ma phrase. Me laisser et me reprendre ? Jouer ainsi avec des cœurs ? Avoir le beurre et l'argent du beurre ? M'avoir fait tant de peine et t'en tirer indemne ? Je ne savais plus si je voulais être vengée, entendre des excuses ou simplement tout oublier.

« Tu peux pas », me suis-je contentée de redire. Chaque parole, chaque syllabe me coûtait un effort immense. Il a fait un pas vers moi mais j'ai levé une main, cette fois assez autoritaire pour l'empêcher de s'avancer.

« Geneviève…

— Tu m'as… détruite, Florian. DÉTRUITE, est-ce que tu comprends ? »

Je me frappais la poitrine en le regardant fixement – je pouvais le voir se débattre avec ce mot, « détruite ». Il était tellement beau, tellement tout ce que j'avais aimé pendant des années et attendu pendant des mois que j'ai failli me jeter dans ses bras et tomber dans l'oubli de son étreinte, mais ma peur, ai-je réalisé, était plus grande encore que mon désir.

« Je peux pas me permettre ça, ai-je dit en faisant un geste allant de lui à moi.

— Mais je t'aime.

— Qu'est-ce que tu pensais, Florian ? Que t'avais juste à te présenter ici après m'avoir fait endurer des mois de… de torture puis à me dire "Je t'aime" pour que je revienne ? Parce que t'es so fucking hot ? »

Il a cligné des yeux et j'ai compris que c'était, justement, ce qu'il croyait.

« Va-t'en, OK ? VA-T'EN ! » J'étais à deux cheveux de la crise d'hystérie.

« Je veux pas m'en aller, Geneviève.

— Bon ben reste là d'abord. » J'ai monté les marches en courant. « Et suis-moi pas, OK ? Je te jure j'appelle la police si tu me suis. » Le ridicule absolu de ma phrase m'a frappée. La police ? ai-je eu la présence d'esprit de me dire et, pendant une brève et surréaliste seconde, j'ai failli me mettre à rire. Mais j'étais trop occupée à chercher frénétiquement mes clefs dans mon sac à main – je sentais la présence de Florian derrière moi et je n'étais pas loin de paniquer. Je savais que s'il montait, s'il se rendait jusqu'à moi, j'allais être incapable, avec la pitoyable volonté qu'il me restait, de résister. Je me suis retournée. Il était toujours en bas des marches et me dévorait des yeux, comme s'il avait pu me faire revenir vers lui avec la simple force magnétique de son regard. J'ai hésité un moment, puis j'ai fait non de la tête et j'ai ouvert la porte.

« Geneviève. »

J'ai fait un pas pour entrer et j'ai porté, involontairement, une main à ma poitrine : le cœur me faisait mal.

« Je vais t'attendre, a dit Florian. Tu sais où me trouver. Je vais t'attendre. »

Je l'ai regardé pendant une seconde encore, et j'ai fermé la porte.

J'ai titubé jusque dans ma chambre, où je me suis effondrée sur le lit, entre les deux chats. Couchée sur le dos, j'ai d'abord tenté de retrouver mon souffle, puis mes idées, puis un rythme cardiaque normal, mais rien n'y faisait. J'avais l'impression que Florian aller sonner d'une minute à l'autre et l'attente de cette sonnerie me mettait dans un état de fébrilité insupportable, aussi ai-je fini par me lever pour me diriger vers les fenêtres d'en avant, mais la rue et les marches étaient désertes : Florian n'était plus là. Évidemment, ai-je pensé. Je lui ai demandé de s'en aller, il s'en va. Et ma pensée suivante a été : il a dit qu'il allait attendre, il va attendre.

Un peu calmée, je suis retournée vers la chambre, où je me suis déshabillée cette fois avant de me glisser sous les draps. J'avais pensé, l'espace d'une seconde, sortir par-derrière pour aller chez Catherine et Nicolas, mais l'idée de marcher, ne serait-ce que quelques coins de rue, m'épuisait. Et la naïve en moi espérait trouver ses propres réponses. Demain, me suis-je dit. Demain je vais voir clair.

J'ai capitulé un peu avant l'aube. Je n'allais pas dormir, c'était évident, et si je continuais à fixer le plafond encore longtemps, je risquais d'y forer un trou avec l'intensité de mon regard, puis de défoncer le toit et peut-être même la couche d'ozone. Maxime avait appelé vers trois heures du matin et j'avais failli pleurer en voyant son nom sur l'afficheur. Il devait sortir d'un bar et voulait me voir – j'avais l'impression, moi, qu'il appartenait à une autre vie, que la soirée de la veille, dans le club espagnol, avait eu lieu des siècles auparavant. J'avais laissé sonner, et été presque soulagée lorsqu'il n'avait pas laissé de message.

J'ai attrapé Ti-Mousse, qui a poussé un petit «Mraw» agacé, et je suis allée me poster à la fenêtre. Le jour se levait lentement. Tout était bleu et gris et seuls quelques bruits se faisaient entendre dans la ruelle : une chatte en chaleur, une poubelle tirée par un boulanger rentré à l'aube pour préparer les croissants du café d'en bas, un autobus en service de nuit qui redémarrait après s'être immobilisé quelques secondes à peine à un arrêt où personne n'était monté. Je respirais dans le cou du chat, qui ronronnait, ses deux petites pattes avant s'agitant mollement au rythme des ronrons.

J'ai essayé de lire en moi, un exercice qui devient rapidement absurde lorsqu'on le pratique trop consciemment. J'étais irritée, physiquement irritée même, de ne pas avoir de réponses, de ne pas voir clair en moi-même. Florian est revenu, me répétais-je, je devrais défaillir d'extase, de jubilation et de joie ! Mais j'étais plongée dans une angoisse qui m'oppressait et me laissait triste et confuse. J'ai pensé à lui, qui devait être debout dans son condo, qui attendait sans doute un signe de moi et qui devait, surtout, ne rien comprendre à mon attitude. Ou comprenait-il ? J'ai espéré, dans l'aube bleue, qu'il comprenne.

« Qu'est-ce que je vais faire, ai-je dit tout bas dans la fourrure du chat, qu'est-ce que je vais faire ? » J'étais tout étonnée de ne pas avoir le réflexe de simplement courir vers cet homme que j'avais tant attendu – je n'avais pas prévu l'ampleur de ma peur. J'avais sous-estimé, aussi, la profondeur de ma blessure. Contente et guillerette de la voir presque guérie en surface, je contemplais depuis quelque temps la longue cicatrice sans penser qu'elle masquait une plaie profonde, un traumatisme. Le retour de Florian, l'intensité de ce que j'avais ressenti en pressant mes lèvres sur les siennes m'avaient révélé toute ma fragilité et la grande précarité de mon état. J'étais, en un mot, terrifiée.

J'ai finalement posé le chat sur le sol en me demandant ce que j'allais maintenant faire, dans le sens le plus strict du terme : prendre une douche ? Lire un peu ? Faire un petit jogging ? Le sommeil était hors de question – il me semblait qu'il le resterait d'ailleurs à tout jamais.

Un premier rayon de soleil est entré dans la chambre, tombant directement sur le lit, sur ces draps dans lesquels Maxime avait dormi quelques jours plus tôt. J'ai poussé un gémissement douloureux à l'idée de cet autre homme dans ma vie et je me suis frotté vigoureusement le visage, comme si cela pouvait effacer quoi que ce soit – mes doutes, ma culpabilité, ma peur.

Je me suis assise au pied du lit, dans un rayon de soleil pâle. La situation était pourtant simple : j'avais une décision à prendre. Mais j'étais paralysée et j'ai regardé autour de moi, comme s'il était possible que je découvre un indice, un signe, quelque chose qui m'aurait au moins indiqué le chemin à prendre, qui aurait stimulé une amorce de réflexion. Seuls les chats dormaient, pelotonnés l'un contre l'autre, et je les ai brassés brusquement, juste pour les déranger, parce que leur sommeil paisible m'insultait.

La situation sombrait indéniablement dans le ridicule : je commençais à jalouser mes chats parce qu'ils n'avaient pas à faire face au retour de leur ex. J'ai regardé le réveille-matin, qui indiquait 5 h 22, et me suis demandé pendant combien de temps encore j'allais me faire accroire que j'étais capable de gérer mon angoisse toute seule. Que j'aurais voulu être forte et autonome ! Que j'aurais souhaité pouvoir lire en moi-même et débattre calmement de mes options sans l'aide de personne ! J'ai regardé vers le réveil de nouveau : 5 h 24. J'avais tout de même tenu un peu plus de trois heures. J'ai poussé un soupir déchirant qui a fait sursauter les chats qui venaient de se rendormir et j'ai fait ce que je savais que j'allais faire depuis des heures déjà : je suis partie chez Catherine et Nicolas.

J'ai entrouvert la porte de l'appartement le plus silencieusement que j'ai pu. Tout le monde, évidemment, dormait encore. Il régnait dans la grande pièce un aimable désordre qui m'a tout de suite donné envie, dans l'état où j'étais, de revenir y vivre. Pauvre imbécile, me disais-je, qui t'étais convaincue d'avoir repris toutes tes forces. J'avais envie d'être maternée, conseillée et encouragée – une partie de moi se serait fort bien accommodée de se faire dire carrément quoi faire par ses amis.

Je me suis plantée au milieu de la grande pièce, hésitant devant le corridor entre la porte de Nicolas et celle de Catherine. Avais-je besoin de cynisme ou de réconfort ? De me faire dire mes quatre vérités ou de me faire bercer et épauler dans mon déni ? J'ai opté pour la porte de Catherine, qui allait sans doute se faire un plaisir de me rappeler qu'elle avait vu venir tout cela, mais qui allait ensuite – du moins je l'espérais – me couvrir d'empathie et de compassion.

J'ai frappé trois petits coups à la porte, préférant ne pas ouvrir pour découvrir Emilio dans son plus simple appareil ou, pire encore, entre les jambes de mon amie, mais la chambre est restée silencieuse. J'ai frappé de nouveau, un peu plus fort, puis une dernière fois, très fort, ce qui a provoqué une série de bruits de froissements complexes comme si quelqu'un se tournait, se retournait puis se re-retournait dans les draps. La voix de Catherine m'est enfin parvenue : « Noé y est même pas six heures… va réveiller ton père ! »

J'ai entrouvert la porte, provoquant une autre symphonie de froissements et un « Noé… » geignard et excédé. L'idée m'est venue que mes amis, eux, n'avaient certainement pas bénéficié comme moi d'un puissant choc nerveux pour leur permettre de cuver les litres de gros vin rouge que nous avions éclusés au club social.

« Catherine, ai-je murmuré, c'est moi ! »

J'ai entendu un « Gnn ? » déboussolé et j'ai finalement ouvert la porte toute grande. Catherine, assise dans son lit et tenant contre elle un drap, avait un œil fermé et tentait de me voir de l'autre, ce qui résultait en une grimace qui m'a instantanément fait rire. « Dude ? Qu'est-ce que tu fais ici ? Y est quelle heure ? » Elle s'est débattue avec les draps pour attraper un réveille-matin qui traînait sur le sol et vérifier qu'il était bien six heures du matin. « Ça va ? » Elle frottait son œil et semblait empêtrée dans un sommeil d'une rare profondeur. Je me suis approchée et je suis allée m'asseoir au pied de son lit.

« Cath… Florian est revenu.

— Gnn ?

— Florian est revenu. Il m'attendait dans les marches hier quand je suis rentrée chez nous. »

J'ai pensé, pendant une brève seconde, que Catherine ne m'avait pas entendue. Elle est restée figée, la bouche entrouverte puis a dit : « Oh my God.

— Oui.

— Oh my God ! »

— Oui.

— OH MY GOD!

— OK Cath, va falloir changer de disque.

— Oh my… Je le savais! Je le savais tellement! Vous avez fourré? Avez-vous fourré? Vous avez tellement fourré.

— Non! Non. Pas fourré.

— Pour *vrai*? a demandé Catherine, totalement incrédule.

— Crisse Cath, le gars m'a brisé le cœur… j'étais quand même pas pour lui sauter dessus parce qu'il me faisait l'honneur de revenir, non?

— Wow. T'es bonne…»

Elle avait l'air sincèrement impressionnée, et j'ai soudain eu honte de mon pitoyable mensonge. «Honnêtement c'est juste parce que j'avais la chienne.

— Quoi?

— J'aurais probablement couché avec si j'avais pas eu… On s'est embrassés…

— Je le savais! Je le savais qu'il s'était passé au moins quelque chose! Oh my God Gen je savais que t'étais dans le trouble! J'ai un instinct de *feu*!»

Je lui ai fait un petit sourire en coin, sans répondre. Elle a continué à ânonner des «Oh my God» pendant un moment, puis a semblé se calmer. «OK… OK… Faque vous vous êtes embrassés puis…

— Puis je sais pas, j'ai pensé à Maxime, j'ai… j'ai surtout eu *peur*, Cath.

— Ben t'as ben faite! Crisse il pensait quoi, le tabarnak? Qu'il pouvait te briser le cœur de même puis qu'il avait juste à se pointer chez vous avec sa belle tite face et à te demander de revenir pour que tu reviennes?

— En fait il pensait *exactement* ça.

— Gros crisse de cave.

— Oui mais l'affaire c'est que moi aussi je pensais ça, tu comprends? Ça fait des mois que je fantasme sur son retour et dans mes fantasmes je reviens! Oh boy j'ai-tu fait une gaffe?

— Non ! Non, my God… Self-respect, girl, self-respect !

— Ouin…

— La seule autre option, a dit Catherine, ç'aurait été de coucher avec, mais genre you fuck him into oblivion puis après tu l'envoies chier avant de le retourner chez eux avec la queue entre les deux jambes. Ça ç'aurait été hot.

— Pas sûre, Cath… »

Elle a hoché la tête pensivement. « Peut-être. Anyway… Faque raconte-moi tout. Tout tout tout. »

Et pendant qu'elle s'habillait, choisissant des vêtements dans un tas qui occupait en permanence un coin de sa chambre et semblait connaître un roulement perpétuel, je lui ai raconté ma nuit. Elle m'interrompait aux quinze secondes, comme une bonne amie de fille sait le faire, se renseignant sur l'oblique d'un regard, l'intonation d'une voix, le degré de pression d'une étreinte.

Je n'ai omis aucun détail, ni l'appel de Maxime, ni les « Je t'aime » de Florian, ni mon immense confusion. Je voulais que Catherine ait toutes les informations, mais pourquoi, dur à dire. Espérais-je vraiment qu'elle allait me dire quoi faire ? Mon amie trop intense qui avait décidé de faire un bébé toute seule ?

« Faque qu'est-ce qu'on fait ? » a-t-elle demandé lorsque j'ai eu fini. Il devait être rendu près de sept heures – j'avais parlé très longtemps. Son « on » m'a touchée – d'emblée, Catherine considérait que mes problèmes étaient les siens – et, malheureusement, vice versa. Je lui ai souri.

« Je sais pas… J'ai aucune ostie d'idée. »

Catherine a réfléchi puis a semblé, elle, avoir une idée. « On va aller réveiller Nico », a-t-elle déclaré.

Nous avons traversé le corridor à pas de loup, ne voulant surtout pas alerter Noé, qui par miracle dormait encore. J'allais cogner à la porte de Nicolas quand Catherine m'a devancée, se contentant de l'ouvrir toute grande.

« Ben là, ai-je murmuré, un peu de respect pour son intimité ! »

Catherine m'a regardée, mi-étonnée, mi-amusée, comme si j'avais évoqué quelque chose de parfaitement farfelu, puis elle est allée réveiller son cousin avec toute la délicatesse dont elle était capable, c'est-à-dire : très peu.

« Quoi ? Quoi ? QUOI ? VA-T'EN ! a gémi Nicolas avant de se cacher la tête sous trois oreillers. Dodooooo ! a dit sa voix au travers des nombreuses couches de duvet.

— Réveille-toi ! » a répété Catherine en tirant de toutes ses forces sur les oreillers. Elle a jeté un coup d'œil vers la table de chevet et aurait sans doute attrapé le verre d'eau qui s'y trouvait pour le lui lancer si je ne l'avais pas saisi à temps pour le placer hors de sa portée.

« Dude ! a finalement crié Nicolas. Sérieux ! » Il a émergé d'entre les oreillers et la couette, hirsute et fripé – il ressemblait à un oisillon à peine sorti de sa coquille. Il m'a aperçue, a mis un temps pour assimiler la situation puis a résumé son état d'esprit par : « What the fuck ?

— Florian est passé chez Gen hier soir. Il veut qu'a revienne. Pas fourré, mais necké, a élégamment résumé Catherine.

— Woh woh woh, a dit Nicolas en se redressant péniblement. Quoi ?

— Florian est passé chez Gen hier soir, a répété Catherine. Pas fourré mais…

— Oui, ça va, j'ai compris ! Mais… Gen ? Qu'est-ce… ?

— Perds pas ton temps, ai-je dit, j'ai pas de réponses moi non plus. Pourquoi tu penses que je suis arrivée ici à six heures ? Quand j'ai pas de réponses je me fais toujours accroire que vous allez en avoir pour moi.

— Oui, c'est une drôle d'idée, ça, a dit Nicolas.

— Je sais, mais… help ? »

Nicolas s'est frotté énergiquement le visage et la tête, puis a cherché quelque chose sur sa table de chevet. Je lui ai tendu le verre d'eau que j'avais placé sur une commode.

« Est-ce que quelqu'un pourrait rendre hommage à mon instinct de feu ? a crié Catherine, n'y tenant plus.

— Ça fait combien de fois qu'elle t'en parle ? m'a demandé Nicolas.

— Oh, j'ai arrêté de compter… N'empêche.

— N'empêche, a reconnu mon ami. Faque qu'est-ce qui s'est passé ? »

Je lui ai fait un bref résumé pendant qu'il enfilait un pantalon de jogging et un t-shirt, ne négligeant pas les éléments qui me semblaient essentiels à une compréhension complète de la situation et de mon état.

« Bon, a dit Nicolas. Penses-tu… penses-tu qu'il va te relancer ?

— C'est Florian, ai-je répondu. Il va attendre.

— Attendre quoi ?

— Ben que je revienne !

— Tu vas quand même pas retourner avec ? s'est écriée Catherine, alarmée.

— Ben là !… » ai-je dit. Elle avait parlé avec une telle spontanéité que j'étais presque gênée de répondre – et j'ai réalisé que la question pour moi n'avait jamais été de savoir si j'allais oui ou non retourner auprès de Florian, mais *comment*. Catherine, devant moi, a eu l'air un peu mal à l'aise, dans la mesure où Catherine pouvait être mal à l'aise, et elle a baissé les yeux.

« Puis Maxime ? » a demandé Nicolas.

Au nom de Maxime, je me suis effondrée au pied du lit. L'idée de Maxime, le simple fait de l'évoquer, de savoir qu'il existait quelque part, m'était insupportable. Elle me dérangeait pour mille raisons, principalement parce qu'elle m'empêchait de me concentrer sur l'autre aspect du problème, à savoir : qu'est-ce que je fais avec Florian ? J'ai gémi quelque chose dans la couette de Nicolas puis je me suis tournée vers eux.

« C'est-tu si important que ça ? ai-je demandé. Je veux dire… je sais même pas si je sors avec. Je sors-tu avec ?

— Ah non ! a soupiré Nicolas, qui n'en pouvait plus de cette discussion stérile.

— Mais arrête ! ai-je dit. Ça fait une ostie de différence, je te signale.

— Comment tu te sens ? a demandé Catherine.

— Je me sens comme si j'y avais joué dans le dos… » J'ai regardé vers Nicolas. « Ce qui voudrait dire que je sors avec, non ?

— OK, a dit Nicolas d'un ton décidé. Si on est pour ré-ré-ré-ré-avoir cette conversation-là, je vais avoir besoin d'un bucket de café. Enweyez dans cuisine. »

Nous l'avons suivi obligeamment vers la cuisine, où Catherine et lui se sont affairés à la préparation d'un petit-déjeuner. J'ai réalisé que j'étais affamée et je les ai regardés faire en mangeant un vieux bagel et en me lamentant sur mon sort. Noé, alerté par le bruit, est sorti de sa chambre. Il portait un petit bas de pyjama et ses cheveux blonds formaient des pics incongrus et adorables sur sa tête. Il a nous a regardés un moment, incrédule.

« Comment ça tout le monde est levé avant moi ? » a-t-il demandé. Il était presque déçu : une de ses grandes joies, la fin de semaine, consistait à réveiller son père et sa tante.

« On avait faim », a expliqué Nicolas, ce qui a paru faire l'affaire. Noé a tourné les talons et s'est dirigé vers sa chambre en criant : « Je veux un bol de yogourt ! »

Nicolas s'est mis à préparer le bol en question : un mélange de yogourt au café, de pépites de chocolat, de bananes et de granola sucré – l'équivalent pour enfant d'une crème Budwig. « Tu sais ce qui est *vraiment* inquiétant ? a-t-il dit en mélangeant l'épaisse mixture. C'est que Catherine avait raison. L'instinct de Catherine était correct.

— J'ai un instinct de *feu*, a répété Catherine.

— C'est le monde à l'envers, a poursuivi Nicolas, sans l'écouter. Bizarro world. Qu'est-ce qu'on va devenir si on peut plus se fier aux instincts immanquablement dans le champ de Catherine ? »

Je les ai laissés se battre amicalement dans la cuisine pour aller porter à Noé son yogourt. Il était rendu dans le salon, où il s'appliquait à recréer un abordage avec deux énormes vaisseaux en Lego (un spatial et un naval, mais de telles questions techniques pouvaient-elles vraiment arrêter un petit garçon de huit ans ?). Je me suis assise sur le divan, lieu familier et, ai-je réalisé, bien-aimé de ma déchéance, et Noé est venu me rejoindre.

« Qu'est-ce que tu penses de Florian, toi ?

— Florian ?

— Tu sais, mon amoureux.

— C'est pas Maxime ton amoureux ? »

Il engloutissait son yogourt tout en me parlant – la conversation semblait pour lui d'une banalité absolue, et elle devait l'être : que sont les déboires amoureux d'une trentenaire à côté d'un furieux abordage entre la Perle noire et l'Étoile noire ? Bien peu de chose.

« Maxime est super cool, a déclaré Noé en posant sur la table son bol déjà vide. Il connaît *tous* les trucs pour tuer les boss dans Zelda.

— Oui mais Florian ? » ai-je répété.

Noé a haussé les épaules. « Maxime m'a montré comment faire de la musique avec des verres de vin. » Je les ai revus, assis par terre tous les deux devant la petite table du salon, faire glisser leurs doigts sur le pourtour de coupes plus ou moins vides jusqu'à ce que la vibration produise une note légère et flûtée. Florian n'avait jamais cherché à entrer en relation avec Noé, qui lui faisait l'effet, m'avait-il toujours semblé, d'un petit animal familier. « Puis juste une chose aussi, a dit Noé. Maxime il joue de la guitare. » Encore une fois, je me suis abstenue d'évoquer la grande maîtrise du clavecin de Florian.

Nicolas et Catherine sont venus nous rejoindre, avec un grand plateau embaumant le café et le pain grillé. « Es-tu en train d'essayer d'avoir un son de cloche de la part de Noé ? m'a demandé Nicolas, un peu découragé.

— Non !… Peut-être… un peu ? »

Il a levé les yeux au ciel et hoché la tête d'un air indulgent, pendant que Catherine me tendait un café. « As-tu dormi ? m'a-t-elle demandé.

— Pas une seconde.

— Veux-tu aller te coucher un peu ?

— Impossible. » J'ai repensé à Florian, à sa colère de la veille, à sa virulence inhabituelle quand il m'avait crié : « Moi ! Moi je suis comme ça, OK ? » et j'ai ressenti une bouffée d'amour pour cette personne entière et fragile. Le fait qu'il ne montre jamais sa fragilité mais qu'il la laisse transparaître devant moi me touchait et m'attendrissait – nous savions l'un de l'autre des choses que personne d'autre ne savait, n'était-ce pas là un lien sacré qui méritait d'être chéri et cultivé ? Je me suis laissée tomber à moitié sur le divan. « Je suis confuuuuuuse… comment ça je suis confuse ?

— Parce que ce gars-là t'a brisé le cœur, peut-être ? a suggéré Nicolas. Gen, je te l'aurais jamais dit mais j'aurais été tellement déçu que tu retombes dans ses bras au moindre claquement de doigts…

— C'est gentil Nico mais c'est pas exactement mon orgueil ou mes scrupules qui m'ont arrêtée. J'avais *très* envie de four… » J'ai lancé un regard vers Noé, qui manipulait un bonhomme Lego/pirate/squelette en faisant des « Arrrrrgh… arrrrrgh… ». « … De jouer avec lui, ai-je poursuivi.

— Je pense que ç'aurait été un jeu dangereux, a dit Nicolas sur le même ton plein de sous-entendus que j'avais employé.

— Oui mais j'attendais juste ça ! Ça fait des mois que j'attends juste ça ! C'est comme… » Je me suis passé les mains sur le visage. « Je suis pas capable de penser… » ai-je gémi en les regardant d'un air désespéré qui voulait clairement dire : « Pouvez-vous s'il vous plaît penser pour moi ? »

Catherine s'est relevé les manches et a poussé un soupir volontaire. « OK, a-t-elle dit, mettons qu'il y a pas de Maxime dans le décor. Tu fais quoi ?

— Ben… c'est sûr que ça serait moins compliqué…

— Donc t'hésites. Entre les deux.

— Non ! Je… » Je me suis arrêtée. Hésitais-je entre les deux ? Florian était pour moi tant de choses. Il était mon amoureux, mon complice, mes souvenirs. Il était aussi la plus grande blessure de ma vie. Lorsque je pensais à Maxime, je ne voyais que son sourire dans le soleil. « C'est plus compliqué que ça, ai-je ajouté.

— Quand même, a dit Catherine en s'adressant à Nicolas. Faut que le beau Max ait fait pas mal de points en très peu de temps pour qu'il soit un facteur dans le débat, non ?

— C'est un ostie de bon gars, Gen, a fait Nicolas. Puis on se fera pas d'accroires, on sait tous qu'il est en amour avec toi faque…

— Faque quoi ? Je fais quoi ? Je vais quand même pas l'appeler pour lui dire que mon ex est revenu puis que j'ai furieusement necké avec ? On a jamais dit qu'on sortait ensemble ! For all I know il a peut-être passé la nuit avec une poétesse du Mile End, lui ! »

Catherine et Nicolas, peu impressionnés par ma mauvaise foi, m'ont dévisagée d'un air patient mais pas dupe, comme un professeur regarde un cancre qui essaie de cacher sa gaffe. Je n'étais moi-même pas dupe, aussi ai-je fait un geste voulant dire de laisser tomber.

Catherine allait insister quand Emilio a fait son entrée – il y avait longtemps déjà qu'il ne faisait même plus mine de frapper.

« Holaaaaa », a-t-il lancé doucement, avant de s'arrêter, un peu surpris de nous voir dans le salon.

Noé a levé la tête joyeusement vers lui. « On va être prêts pour l'abordage ! » Emilio l'avait gardé la veille et semblait très au courant de la situation explosive entre les deux vaisseaux de Lego. Il est venu vers nous, traînant sur le plancher ses grosses pantoufles en pattes d'ours, et s'est pris un toast avant de s'asseoir.

« Qu'est-ce que vous faites là ? a-t-il demandé. À l'heure que vous êtes rentrés j'étais sûr que vous alliez être tous couchés encore… yé venais voir mon *amigo*…

— Geneviève nous a réveillés à six heures, a dit Catherine.

— *¿Porqué?*

— Mon… ex est comme revenu, ai-je expliqué. Il veut que je revienne avec.

— *¡Maravilloso!* Bravo, *querida*.

— Oui mais y a Maxime.

— Ah, *sí*… » Emilio a paru réfléchir. « Mais tu voulais que ton ex il revienne, non ? » Il s'est mis à pleurnicher en m'imitant : « Mais yé veux qu'il revienne ! Mais yé l'aime ! » Devant lui, Catherine et Nicolas croulaient de rire.

« OK, ça va, ai-je dit, ne pouvant retenir un sourire moi aussi.

— Moi yé dis : retourne avec ton ex, a poursuivi Emilio. Tu sais ce que ton cœur veut, non ? »

J'étais presque gênée de répondre que non, mais j'étais surtout très contente d'avoir enfin trouvé un appui. « Bon, ai-je dit. Emilio pense que je devrais retourner avec Florian, lui.

— Emilio pense aussi que c'est une bonne idée de demander du chômage quand t'es immigrant illégal, a fait remarquer Nicolas.

— En tant que citoyen du monde yé suis légal où yé veux ! » a scandé Emilio.

J'ai soupiré en me servant un autre café : on n'était guère plus avancés.

Nous avons discuté de mon pitoyable dilemme encore longtemps, pendant que sur la table à café les pirates des Caraïbes résistaient vaillamment aux assauts des Stormtroopers. Mais c'était peine perdue et, au bout d'une heure, les deux équipages s'entremêlaient allègrement selon une logique que seul Noé semblait comprendre.

Rendue bien au-delà de la fatigue, j'oscillais entre des moments de pure extase et des épisodes d'apitoiement sordide. « Florian est revenu », redisais-je sans cesse, encore éberluée par sa présence, la veille, dans les marches de mon escalier. Je repensais à son regard, à l'intensité de ses « Je t'aime » et aux frissons qui m'avaient parcouru le corps alors qu'il me tenait dans ses bras, et j'étais convaincue, pendant quelques secondes, de tenir ma réponse : nous étions faits l'un pour l'autre, non ? Mais l'image de Maxime, de son sourire lumineux et de sa sensualité charnelle et bien terre à terre me revenait et j'avais envie de pleurer tellement je ne voyais plus clair.

J'étais consternée : n'avais-je pas gagné le droit d'être heureuse, de jouir de ce revirement de situation ? J'avais eu tant de peine, j'avais tant attendu ce moment, ne pouvais-je le savourer ? Alors je répétais à mes amis : « J'ai eu trop de peine quand Florian est parti… puis c'était trop intense hier soir… mais on est faits pour être ensemble, non ? » Et ils me regardaient d'un air désolé et se contentaient de me rappeler combien ils aimaient Maxime.

Vers 9 h 30, lorsque mon téléphone s'est mis à vibrer, nous l'avons tous observé. C'était Maxime, qui appelait bien sûr pour me dire bonjour, pour me raconter sa soirée, pour savoir ce que je faisais aujourd'hui. Nous étions ridicules, penchés tous les cinq au-dessus de la table à café, à regarder d'un air affligé le petit appareil qui vibrait joyeusement.

« Ayayay… a soupiré Emilio, en voyant qui appelait.

— Ayayay ! » a répété Noé.

Et je ne pouvais qu'acquiescer. « Ayayay, ai-je dit. Aya-fucking-yay. »

CHAPITRE 17

Je feuilletais un exemplaire vieux d'un an d'un magazine à potins, dans lequel une jeune comédienne dont j'avais déjà écrit l'autobiographie nous apprenait, « en primeur », « qu'avoir un enfant ça change une vie », quand Catherine est revenue s'asseoir.

« Elle sait pas combien de temps ça peut prendre encore », a-t-elle dit en imitant le ton nasillard qui devait être celui de la réceptionniste. Nous étions à la clinique de fertilité où Catherine avait sa première rencontre avec le médecin qui devait faire d'elle, si tout allait bien, une maman. Je lui ai montré l'article du magazine. « Ben là, c'est ben évident que ça change une vie ! s'est-elle écriée. Ça m'énarve assez les filles qui disent ça comme si elles pensaient nous apprendre quelque chose...

— Je veux juste que tu sois prévenue, ai-je dit. Si c'est rendu que c'est écrit dans des publications sérieuses...

— Ça va, ça va... » Elle m'a enlevé le magazine des mains et l'a lancé sur une petite table devant nous, entre un vieil exemplaire d'une revue médicale et une pile de dépliants sur les ressources offertes aux couples « reproductively challenged ». Elle était visiblement stressée, comme la plupart des gens qui nous entouraient – des couples plus ou moins jeunes qui avaient l'air inquiets et, me semblait-il, un peu gênés. J'ai passé une main sur une de ses cuisses, et elle m'a fait son fameux petit sourire courageux.

« Penses-tu qu'ils vont me donner le choix pour le donneur de sperme ?

— Quoi ?

— Tu sais que je suis ouverte d'esprit mais… penses-tu que je peux choisir de quel genre de gars vient le sperme pour le bébé ? »

J'ai regardé Catherine avec une mine qui devait être passablement interdite : je n'avais pas le début du commencement d'une réponse à ce genre de question. « Tu t'es pas renseignée ? » ai-je demandé. À sa place, j'aurais déjà consulté des centaines de sites internet et des dizaines de livres, j'aurais fait des appels et probablement assisté à des conférences. Mais je connaissais mon amie, et je savais que, pour elle, tant que le cœur y était, tout le reste n'était que détails. C'était toujours la même chose : elle s'emballait pour un projet, fonçait, puis paniquait quand elle réalisait qu'il lui manquait plusieurs informations essentielles – elle était du genre à s'acheter une voiture sans s'attarder au fait qu'elle n'avait pas de permis de conduire.

« C'est pour ça qu'on est ici, Gen. Pour se renseigner !

— Oui mais t'as pas lu des affaires ? Je sais pas, moi, sur Internet… il doit ben y avoir vingt mille forums qui discutent de ça, non ? » J'ai fait une petite grimace un peu navrée : je n'étais vraiment d'aucune aide. « Me semble que tu dois pouvoir choisir le genre de père que ton flo va avoir, non ? Logiquement…

— En quoi ça serait plus logique que l'inverse ? a demandé Catherine.

— Mais je sais pas, moi ! » La logique, me semblait-il, avait pris le bord depuis un bon bout de temps, mais je me suis abstenue de partager cette réflexion avec Catherine, me contentant de lui caresser les cheveux. Une femme assise en face de nous, qui tordait nerveusement la main de son mari, m'a fait un sourire complice. Elle devait penser, comme l'avait prévu Catherine, que nous étions un couple gai cherchant à faire un enfant. J'ai tourné la tête vers mon amie, qui se rongeait les ongles et avait l'air au bord des larmes, et je l'ai prise par le cou pour lui donner un bisou sur une joue. J'aurais voulu être sa blonde, sa femme, sa partenaire, pour qu'elle ait l'impression d'être un peu moins seule.

« Ça va, minou ? lui ai-je demandé.

— Ça va… J'avais pas pensé que je serais stressée de même…

— C'est normal.

— Non mais je pensais que mon idée était faite, tu comprends ? Ça fait des semaines que je pense à ça, mais là… c'est comme… concret…

— Tu vas pas sortir d'ici enceinte, Cath… Vois ça comme une séance d'information.

— Non, je sais, mais…

— Aimes-tu mieux qu'on s'en aille ?

— Non ! Non, on s'en va pas. »

Nous sommes restées silencieuses un moment. J'ai attrapé un petit dépliant dans un présentoir qui m'a appris que non seulement on pouvait choisir le donneur mais que cela pouvait se faire sur Internet. Je l'ai tendu à Catherine. La chose me semblait éminemment étrange, tout droit sortie d'un film de science-fiction. « Regarde ça », ai-je dit.

Elle a parcouru le dépliant. « Wow… c'est comme…

— De la science-fiction ? ai-je proposé.

— Oui… Je suis juste pas sûre si c'est de la cool science-fiction genre *Star Trek* ou de la scary science-fiction genre Philip K. Dick…

— C'est vraiment *Star Trek* ta définition de cool science-fiction ?

— Tu comprends ce que je veux dire !

— Oui, oui, je suppose. » Et c'était vrai : je comprenais. Par contre je n'avais aucune réponse constructive à sa question. « Je sais pas, ai-je dit. On est quand même pas dans *The Matrix* mais c'est sûr qu'il y a un élément un peu… je sais pas… » Je cherchais le mot. Je n'étais pas choquée par le concept en soi, juste un peu dépassée par tant de modernité. « Étonnant ? Mais Cath… t'as choisi de faire un bébé toute seule. D'emblée le projet est un peu étonnant.

— Je sais.

— T'es sûre que tu veux faire ça ? » Je devais lui avoir posé la question au moins vingt fois depuis deux jours, et elle commençait à manquer sérieusement de patience.

« Oui je suis sûre, Gen. Anyway, c'est pas mal moins mongol comme projet que de domper Maxime pour Florian.

— OK primo : j'aimerais que tu notes que c'est pas moi qui ai mis le sujet sur le tapis et deuzio : je sors *pas* avec Maxime ! »

Catherine a levé les yeux au ciel et s'est renfoncée dans sa chaise. J'avais passé les dernières quarante-huit heures à abrutir tout le monde avec mes angoisses et mes lamentations – et à trouver mille stratagèmes pour éviter et Maxime et Florian. Deux jours seulement s'étaient écoulés depuis le retour miraculeux et décontenançant de ce dernier, mais j'avais réussi à faire au moins cent fois le tour de la question. Je changeais d'idée et d'opinion comme une girouette et je semblais être devenue physiologiquement incapable de comprendre quelque chose sans qu'on ait à me l'expliquer une vingtaine de fois. Du coup, je répétais sans cesse les mêmes questions à mes amis qui me répondaient dans un crescendo d'impatience que je pouvais difficilement leur reprocher.

J'avais passé la journée de l'avant-veille chez eux, à les tarabuster avec mille et une questions jusqu'à ce qu'ils m'obligent à rentrer chez moi me coucher durant quelques heures, ce que j'avais fini par accepter. Ils voulaient la paix et je m'étais naïvement persuadée, moi, que j'allais voir plus clair en moi-même à mon réveil, ce qui bien sûr n'avait pas été le cas. J'avais tout de même rappelé Maxime, les doigts croisés dans l'espoir de tomber sur son répondeur – ce n'était pas tant que je mentais mieux aux boîtes vocales, mais je préférais ne pas avoir à entendre, au bout du fil, l'autre personne ne pas me croire. Évidemment, Maxime avait répondu et j'avais entrepris de lui expliquer que je ne filais pas, mélange de lendemain de veille et de fatigue et que j'allais passer un petit week-end «tranquilos». («Tranquilos?» avait répété Catherine, qui était venue me rejoindre après ma sieste, et je lui avais fait signe que je ne comprenais pas, moi non plus, d'où me venait cette expression absurde.) Je ne savais pas si Maxime faisait mine de me croire ou s'il était simplement plus convaincant que moi lorsqu'il mentait, mais j'avais raccroché avec le sourire, en me sentant un peu soulagée.

«C'est vrai qu'il y a rien de plus soulageant que de repousser ses problèmes à plus tard, hein? avait dit Catherine, ce à quoi j'avais répondu par un "Mmm" bien senti. Tu vas faire quoi quand il va t'appeler lundi?

— MMMM!» avais-je répété.

Elle m'avait regardée en souriant. «Tu penses que tu vas avoir ta réponse, lundi, hein?»

Ne trouvant plus rien à dire, j'étais allée m'asseoir sur le lit avec un des chats dans les bras. Catherine m'avait observée puis avait hoché la tête avec pitié avant de lancer: «Enweye. Tu t'en reviens chez nous, t'es trop ridicule.»

Deux ou douze verres de vin plus tard, l'ivresse aidant, je déclarais avec emphase que je devais bien être une des femmes les plus choyées du monde puisque deux hommes merveilleux étaient épris de moi.

«T'es *insupportable*», m'avait dit Catherine. Et j'étais tout à fait d'accord, mais je ne pouvais m'empêcher de m'extasier devant cette chance que j'avais et devant l'ironie du sort qui faisait que je ne pouvais pas la savourer.

«It was the best of times, it was the worst of times», ne cessais-je de répéter dans mon verre de vin, en me trouvant profonde et perspicace.

J'avais passé le lendemain dans le même état d'indécision totale, allant jusqu'à me proposer d'appeler Julie Veilleux et de la sommer de me donner une réponse claire et tranchée. J'avais par contre cessé de harceler Catherine et Nicolas, me contentant d'écrire un peu n'importe quoi et de parler aux chats, à tel point que vers dix-huit heures Catherine me téléphonait, inquiète: «On t'a pas entendue chialer de la journée alors on se disait: "Soit elle est morte, soit elle a pris une décision." Puis comme il nous semblait plus plausible que tu sois morte que t'aies pris une décision, on se faisait du mauvais sang.» J'avais ri jaune, mais je m'étais fait la promesse de ne pas piper mot de mon dilemme le lendemain après-midi, à la clinique de fertilité. Ce que j'aurais peut-être réussi à faire si Catherine n'avait pas ouvert la porte elle-même, faisant en sorte que je rongeais maintenant mon frein à côté d'elle, qui gardait les yeux obstinément rivés sur son dépliant.

«À part de ça, ai-je finalement dit, j'ai pas décidé que j'allais domper Maxime ou whatever.

— Non, ça m'aurait étonnée, a dit Catherine, sans lever la tête.

— Mon père pense que je devrais juste les domper tous les deux. Mais c'est un peu absurde, dans la mesure où…

— Ton père?

— Oui… j'ai appelé mon père ce matin.

— Pour lui demander conseil.» Catherine avait posé son dépliant et me regardait avec un petit sourire.

« Moui…

— T'es vraiment désespérée, hein ? Si c'est rendu que t'appelles Bill pour des conseils sentimentaux c'est que vraiment…

— Ça va ! »

Catherine riait de bon cœur. Avoir su, ai-je pensé, je lui aurais changé les idées avec mes petits problèmes beaucoup plus tôt.

« Et Bill t'a conseillé de les domper tous les deux ?

— Oui. Ses mots exacts.

— C'est pas fou, a dit Catherine. Anyway, qui a besoin d'un homme, hein ? »

Elle m'a fait un clin d'œil en agitant devant moi le fascicule intitulé « Trouver un donneur : une approche simple et personnalisée » et, au même moment, le docteur l'a appelée.

Nous sommes entrées dans le petit bureau sans âme, où un médecin en chemise nous a fait signe de nous asseoir devant lui. Il a farfouillé dans une pile de papiers sur son bureau et a levé la tête en demandant : « Madame Saroyan ?

— C'est moi, a dit Catherine, qui s'était transformée en jeune fille timorée.

— Et vous êtes la conjointe ? m'a demandé le médecin.

— Non non, juste une amie. Je l'accompagne. »

Le médecin a hoché la tête. « Donc on veut faire un bébé toute seule ?

— Eh oui, a dit Catherine. Vous savez ce que c'est, trente-quatre ans, pas de chum puis tout d'un coup on se dit, woh, je vais-tu avoir quarante ans demain, moi ? » Je l'ai regardée d'un air inquiet : d'où sortait ce mauvais numéro de stand-up ? Le médecin, évidemment, ne riait pas, aussi Catherine a senti le besoin de poursuivre. « Je sais pas si sur les formulaires y a la description "célibataire trop intense", mais… c'est moi ! » Elle a hésité et j'ai failli lui dire : « Please, ajoute pas "Ta daaaaa !" » mais elle avait déjà les mains de chaque côté du visage et lançait, sur un ton qui oscillait entre la bonne humeur et la stridence : « Ta daaaaaaa !

— Oui… a fait le médecin, qui devait, après tout, avoir l'habitude des célibataires trop intenses. La première étape, madame Saroyan, ça va être de déterminer vos besoins puis de s'assurer que vous avez toute l'information nécessaire pour prendre une décision satisfaisante. »

J'ai observé son visage rondouillet, ses yeux bleus et sa barbe blanche qui lui donnait un air de bon grand-papa et je me suis dit que c'était une bonne entrée en matière. Il avait l'air un peu las et pas particulièrement enthousiaste à l'idée de faire d'une autre célibataire trop intense une maman, mais il connaissait visiblement son affaire. Catherine, par contre, semblait être d'un autre avis.

« Ma décision est prise, a-t-elle dit.

— Il y a plusieurs étapes décisionnelles dans un projet comme celui-là, madame Saroyan. Vous en avez franchi une, puis on va étudier la prochaine ensemble.

— Je comprends pas », a dit Catherine, sur un ton résolument buté. Elle avait la faculté inexplicable de devenir carrément stupide quand elle ne voulait pas comprendre quelque chose.

« Je veux dire par là que la décision de faire un enfant seule, sans figure paternelle, comporte plusieurs enjeux. On va les regarder ensemble et ça va vous donner un portrait global qui va vous permettre de prendre une décision.

— Mais j'ai pris ma décision », a répété Catherine. À côté d'elle, j'ai levé les yeux au ciel, pendant que le médecin se dérhumait. Il va commencer à parler sur le ton trop patient des gens qui sont en fait vraiment impatients, ai-je pensé.

Comme de fait, il avait l'air de s'adresser à un enfant un peu turbulent quand il a dit : « Je comprends très bien ce que vous me dites, madame Saroyan. Mais moi je suis ici pour vous aider dans votre démarche jusqu'à la décision finale.»

Catherine s'est tournée vers moi: «Qu'est-ce qu'il comprend pas?

— Parle-moi pas devant lui comme si y était pas là, ai-je marmonné tout bas, entre mes dents, comme s'il était possible que le docteur, qui était situé à environ un mètre de nous, ne m'entende pas.

— Je veux faire un bébé, a dit Catherine, au docteur cette fois. Je. Veux. Faire. Un. Bébé.»

Je me suis mis une main sur le visage. J'étais gênée, comme si mon enfant venait d'être impertinent avec quelqu'un.

«Et j'ai peut-être pas de chum ou de mari mais je suis pas toute seule, je suis super bien entourée, et j'ai pensé à mon affaire. Puis ça me ferait ben plaisir de prendre ça cool et de pas m'énerver docteur, mais vous savez encore mieux que moi que j'ai pas vingt-cinq ans pour y penser, moi.

— Je comprends très bien ça, madame Saroyan. Mais c'est une grosse décision et…

— Diriez-vous ça à un homme? a crié Catherine pendant que je murmurais "Oh boy…" en m'écrasant dans mon fauteuil en cuirette.

— Oui, a répondu le docteur. S'il y avait des cas, dans ma pratique, d'hommes célibataires voulant faire des bébés tout seul, je leur tiendrais le même discours. Mais…

— Parce que mon cousin élève son fils tout seul figurez-vous donc et il se fait pas courir après par des docteurs qui lui disent qu'il faut qu'il soit accompagné dans son processus décisionnel!»

J'ai mis une main sur le bras de Catherine, alors que le médecin laissait échapper un «Bon» qui indiquait clairement qu'il était arrivé au bout de ses réserves de patience. J'ai jeté un coup d'œil à ses deux mains, pour m'assurer qu'il n'était pas en train d'appuyer sur un bouton qui actionnerait une trappe se trouvant sous le fauteuil de Catherine, comme Mr. Burns dans les *Simpsons.*

« Je suis sûr que votre cousin est un père admirable », a-t-il dit, sur un ton qui laissait entendre exactement le contraire. J'ai froncé les sourcils : il commençait à avoir le jugement un peu trop facile à mon goût. « Mais avez-vous pensé à ce que ça représente d'élever un enfant qui ne pourra pas bénéficier d'une figure paternelle ? »

J'ai essayé d'imaginer mon enfance si je n'avais pas eu de figure paternelle. D'un côté, la figure de Bill, certes peu recommandable, mais de l'autre, une enfance en tête à tête avec ma mère. J'ai ressenti une bouffée d'affection pour mon père.

« Il ne faut pas sous-estimer l'impact que peut avoir l'absence de figure paternelle, a renchéri le docteur.

— Mon père est parti quand j'avais deux ans, monsieur, alors je sais très bien ce que c'est que de pas avoir de figure paternelle, figurez-vous donc ! » a crié Catherine.

Le médecin, devant elle, a levé un sourcil. Son expression était d'une transparence absolue : il se retenait à deux mains pour ne pas dire : « Et on voit très bien ce que ça donne ! » Catherine, trop occupée à avoir l'air outrée, n'a pas semblé décoder ce haussement de sourcil, aussi est-ce moi qui me suis avancée sur mon fauteuil.

« Excusez-moi, ai-je dit, mais c'est quand même pas nous qui allons vous apprendre qu'il y a beaucoup de mères monoparentales qui font une job extraordinaire…

— Ouais ! s'est exclamée Catherine, contente que je m'implique enfin.

— Vous avez parfaitement raison, a dit le docteur, mais votre affirmation n'enlève rien au fait qu'une figure paternelle…

— Ben y a pas de figure paternelle ! l'a interrompu Catherine. OK ? Y en a pas, parce que j'ai pas de chum, puis que je vais certainement pas faire un flo avec le premier cave venu juste pour que les gens comme vous soient rassurés en voyant qu'il y a une figure paternelle dans le décor !

— On devrait s'en aller… ai-je suggéré.

— Non, on s'en va pas ! Si on s'en va on va y donner raison parce qu'on va avoir l'air de deux hystériques qui dans le fond étaient même pas sûres de leur affaire. Je m'en vais pas, docteur. » Elle s'est mise à parler plus calmement. « Et j'aimerais ça, maintenant, si vous pouviez m'expliquer c'est quoi le processus pour une fille qui a pris la ferme décision de faire un enfant toute seule. Merci. » J'ai failli me mettre à applaudir doucement d'abord, puis de plus en plus fort pour terminer le tout debout en criant des « BRAVO ! » comme dans une fin de film avec Robin Williams.

Nous sommes sorties de la clinique près d'une heure plus tard. Le gros sac de jute de Catherine était rempli de dépliants et de littérature clinique et nous avions enfin des réponses. Nous étions surtout extrêmement, voire exagérément pompées.

« Tu y as-tu dit, ou tu y as pas dit ! criais-je alors que nous marchions en direction du métro.

— Y as-tu vu la *face* quand je lui ai parlé du premier cave venu ?

— All right ! » Et nous nous donnions un ridicule high five – le docteur, en fait, n'avait pas bronché quand Catherine avait parlé du premier cave venu, à part peut-être pour pousser un léger soupir de lassitude. Mais nous étions remplies d'une saine fureur féministe et peu nous importait qu'elle soit justifiée ou non. Le docteur, me disais-je, n'avait pas vraiment tort, et je trouvais moi-même que le projet de Catherine frisait la démence. Mais il me semblait qu'il fallait bien du courage pour entamer une telle démarche, et que la femme célibataire, en général, méritait d'être respectée beaucoup plus qu'elle ne l'était. De cela j'étais certaine : le docteur n'aurait pas parlé de la même manière à un homme. Il lui aurait laissé entendre que le projet était ambitieux, peut-être même trop, mais sans jamais l'infantiliser.

« Oh God, a dit Catherine. Penses-tu que là il va tellement m'haïr qu'il va genre… faire exprès pour me donner le sperme d'un gros cave ?

— Ou *son* sperme.

— Ewwwwwww ! Penses-tu qu'il peut faire ça ?

— Non, Cath. Je suis pas mal sûre qu'il peut pas faire ça.

— Oh mon Dieu… dans quoi je m'embarque, Gen ?

— Je sais pas…

— Moi non plus… » Elle m'a regardée, les yeux brillants. « Mais je m'embarque.

— Oui, ma chérie d'amour. Tu t'embarques.

— J'ai pas besoin d'attendre après un homme, moi !

— Non madame.

— On a pas besoin d'homme, hein ? Hein ?

— Ben non, Cath. Ben non. » Entendait-elle le doute dans ma voix ? J'entendais, moi, la vulnérabilité dans ses deux « Hein ? », dans son besoin d'être rassurée. J'étais toujours déchirée par cette conversation. Il était facile, avec plusieurs verres dans le nez, de crier avec conviction que nous n'avions pas besoin d'homme dans notre vie mais à jeun, en sortant d'une clinique de fertilité, c'était plus complexe. Une partie de moi voulait passionnément y croire – je pensais alors à ma mère et à sa formidable autarcie –, mais une autre partie se demandait s'il n'y avait pas quelque chose d'un peu illusoire à hurler ainsi que nous étions parfaitement autonomes. Était-ce si mal d'avoir besoin d'un homme ? La vraie force ne consistait-elle pas à simplement l'admettre ? Je me suis demandé si deux gars, quelque part, étaient en train de se poser les mêmes questions à propos des femmes.

J'ai eu une pensée pour Maxime, avec qui j'aurais pu avoir ce genre de conversation. Il aurait ri de ces angoisses un peu futiles, de ce spinnage excessif, mais il aurait proposé des réponses et des pistes de réflexion et nous aurions discuté longuement, glissant sur la nature de l'homme et de la femme qui nous fascinait tous les deux. Il ne m'avait pas encore appelée et à ma plus grande honte j'avais été presque déçue, vers midi, quand j'avais constaté que ma boîte vocale restait vide. Je m'étais attendue à un appel dès le matin (après tout, seul mon week-end devait être «tranquilos») et je me trouvais, à près de seize heures, bêtement vexée parce que cet appel, qui m'aurait mise dans l'embarras (que lui aurais-je dit? Quel prétexte aurais-je pu inventer pour ne pas le voir, ma décision n'étant toujours pas prise?), ne venait pas. Pas fort, me suis-je dit en repensant à cela. Vraiment, vraiment pas fort.

«Veux-tu venir à la maison prendre un verre de drink?» ai-je proposé à Catherine. Je ne voulais pas être seule avec mes pensées d'enfant gâtée.

«Yeah!» a crié Catherine. Elle a regardé sa montre. «On a rendez-vous avec Nic à son bar à six heures. Ça nous laisse le temps pour une petite bouteille de la victoire!»

Je n'étais pas trop certaine de quelle victoire elle voulait parler, mais j'ai tout de même déclaré triomphalement: «Je paye le champagne!»

Catherine venait de hurler pour la troisième fois «Girl power!» en brandissant la bouteille de champagne quand nous sommes arrivées devant chez moi. «Eille, c'est pas ta sœur, ça?» a-t-elle dit en désignant l'autre côté de la rue, où Audréanne, en effet, marchait avec un garçon de son âge.

«Audré! a crié Catherine. Girl power!»

Ma sœur s'est retournée et, visiblement soulagée de nous apercevoir, a traversé la rue pour venir vers nous. «Girl quoi? a-t-elle demandé en s'approchant.

— Girl power! a répété Catherine pendant que je levais les yeux au ciel le plus ostensiblement possible.

— Rapport, girl power?

— Girl power, a repris Catherine. Les Spice Girls?

— Les *quoi*?»

J'ai pouffé de rire. «Espérais-tu vraiment avoir l'air cool en mentionnant les Spice Girls devant une floune de quatorze ans? ai-je demandé à Catherine, qui a fait une petite moue renfrognée.

— Heu… c'est parce que j'ai *quinze* ans?» m'a corrigée Audréanne, qui semblait vaguement paniquée. Elle m'indiquait du coin de l'œil le jeune et très joli garçon qui l'accompagnait.

«Oui, quinze ans, scuse-moi. Tu sais comment c'est pour les vieilles switches de mon âge, quatorze, quinze, c'est tout pareil.» Ah, les inévitables blagues de vieilles que je me sentais toujours obligée de faire devant les jeunes de l'âge d'Audréanne. Un classique qui n'avait jamais fait rire personne. «Qu'est-ce que tu fais dans le coin? ai-je lancé pour changer de sujet.

— On cherchait ton appart, a expliqué Audréanne. Mais tous les buildings sont pareils ici puis je me souvenais plus de ton numéro de porte?»

Je l'ai observée un instant. Il y avait quelque chose d'altéré chez elle, et je soupçonnais la présence du beau garçon d'en être la cause. Ses yeux brillaient et semblaient incapables de se fixer au même endroit plus d'une seconde et toutes ses phrases se terminaient sur une note un peu plus aiguë que d'habitude, ce qui n'était pas peu dire. Elle riait, aussi, à tout propos, mais ne me présentait pas le jeune homme, qui restait planté là avec l'air un peu gauche des ados de son âge.

«Salut, ai-je dit. Moi c'est Geneviève. La vieille sœur d'Audréanne.» Encore une blague de vieille. Un vrai feu roulant, ai-je pensé.

«Félix-Antoine», a dit le jeune homme en me donnant une bonne poignée de main.

Bien que ce soit parfaitement évident, j'ai failli demander à Audréanne s'il s'agissait de son chum, histoire de faire avancer un peu la conversation, mais je me suis souvenue qu'il en fallait beaucoup moins que cela pour mortifier une jeune adolescente de « quinze » ans, aussi me suis-je tue. C'était compter sans la Spice Girl de service qui, brandissant toujours sa bouteille de champagne à côté de moi, a demandé : « C'est ton chum ? » en ajoutant, comble du comble, une sorte de claquement de langue qui impliquait mille choses tout aussi déconcertantes pour une fille de l'âge d'Audréanne, à savoir les secrets, le sexe et la présence dans sa vie d'une personne aussi RPR et nowhere que Catherine.

Devant nous, Félix-Antoine s'est contenté de fixer le sol pendant qu'Audréanne riait trop fort, les joues et le front cramoisis. « Voulez-vous venir voir l'appart ? » ai-je dit. Puis, dans un élan désespéré pour les convaincre que ma coolitude n'était nullement affectée par mon association avec Catherine, j'ai ajouté : « Je vous offre un p'tit verre de champagne. » Un stratagème ridicule qui a cependant fait son effet : Audréanne s'est tournée vers Félix-Antoine, les yeux plus-que-brillants, l'air de chercher sur son beau visage si *ma* coolitude ne déteignait pas un peu sur la sienne.

« Vous allez à la même école ? ai-je demandé en les précédant dans les escaliers.

— Non, a expliqué Audréanne. F-A va à la poly… » Puis, n'y tenant plus : « Y est en secondaire cinq ? On s'est rencontrés à la piscine ? » La piscine du centre sportif du quartier, m'avait expliqué Josiane, était le haut lieu de rencontre des jeunes. Intéressante génération, avais-je songé, qui flirte en maillot de bain. J'aurais préféré mourir, à cet âge-là, que de me présenter devant mes camarades de classe avec quelque chose de moins couvrant qu'un jeans et une chemise indienne.

Félix-Antoine, avons-nous rapidement appris après nous être installés dans le salon, jouait au football (« Le

football avec les pieds ou celui avec les épaulettes ? »
a demandé Catherine, provoquant une autre série de
roulements d'yeux de la part d'Audréanne), voulait
aller au cégep l'année suivante en sciences humaines,
allait travailler durant l'été pour la compagnie de pay-
sagement de sa mère et avait, ô miracle, ô joie, ô coolitude infinie, presque dix-sept ans. Il était surtout très
beau, à tel point qu'au bout de deux verres de champagne Catherine s'est mise à le draguer. « On revient
de chez le docteur, a-t-elle dit en lui lançant son regard
qu'elle croyait irrésistible. J'ai décidé que j'allais faire
un bébé toute seule. »

Après m'être assurée qu'Audréanne n'allait pas
s'évanouir, je me suis retournée, sidérée, vers Catherine : qui, dans l'*univers*, pouvait considérer qu'une
telle information puisse intéresser, voire titiller un
jeune homme de seize ans et demi ? Félix-Antoine, poli
et bien élevé comme on les aime, s'est contenté d'un
haussement de sourcils plutôt neutre.

« Max est pas ici ? a finalement demandé Audréanne,
qui aurait probablement préféré parler de physique
quantique plutôt que d'insémination artificielle avec
une célibataire de trente-quatre ans.

— Max ? » ai-je répété. Je savais très bien de qui elle
parlait, mais j'ignorais qu'elle en était rendue avec lui
au stade du petit surnom.

« C'est son chum, a-t-elle dit à Félix-Antoine. Le
gars dont je te parlais qui joue de la guitare puis qui
écrit des romans super dark ? »

J'ai lancé un regard vers Catherine : depuis quand
les romans de « Max » étaient-ils « super dark » ?
Depuis, visiblement, qu'il était devenu une étape de
plus dans la visite guidée de tout ce qu'il y avait de
cool dans la vie d'Audréanne. Mais Catherine avait le
nez dans sa coupe de champagne.

« On vit pas ensemble, ai-je expliqué avant
d'ajouter, sans trop savoir pourquoi, mais de toute
façon… Florian est revenu.

— Ben là! a crié Audréanne.

— Comment ça ben là?

— Ben… Max est comme beaucoup plus cool?»

J'ai entendu Catherine, à côté de moi, pouffer dans sa coupe. «Regarde, ai-je dit, c'est pas réglé, anyway.

— Quoi, t'as genre, deux chums en même temps?

— Non!» me suis-je écriée, un peu scandalisée. Mais je voyais bien que l'idée semblait *extrêmement* cool aux yeux d'Audréanne. Non seulement sa sœur vivait en ville et servait du champagne à des ados, mais elle était vaguement polygame. Elle a regardé Félix-Antoine avec ses yeux remplis d'étoiles et celui-ci, qui pour un garçon de son âge manifestait vraiment peu d'intérêt pour la polygamie, lui a souri doucement avant de lui donner un baiser sur le front. C'était d'une adorabilité à donner des caries.

Ils sont partis environ une demi-heure plus tard, étant attendus dans leurs maisons respectives et voulant sans doute s'accorder une bonne séance de furieux necking adolescent avant de rentrer chez eux. Félix-Antoine l'attendait sur le trottoir quand Audréanne m'a attrapé une main et m'a dit: «Y est hot, han? Y est full hot?» Elle souriait tellement que j'avais peur que ses joues se fendent. Une partie de moi avait encore envie de la contredire, ou de faire valoir que, moi aussi, j'avais accès non pas à un mais à *deux* gars full hot, mais force m'était d'avouer que Félix-Antoine était, oui, très hot. Il était beau, il était charmant, il était poli et s'exprimait bien et, surtout, il semblait sincèrement aimer Audréanne.

«C'est une belle prise, ai-je reconnu.

— Oh, Geneviève… je l'aime *tellement*!» Elle avait presque l'air de souffrir. Je me suis souvenue de mon adolescence, de l'intensité de chaque sentiment, et je me suis dit qu'elle devait, en fait, souffrir. Délicieuse, enivrante souffrance des amours adolescentes – qui n'était pas loin, ai-je pensé, de ce que j'avais éprouvé dans les bras de Florian trois nuits plus tôt. J'ai ressenti une pointe de jalousie mesquine à l'égard de ma petite sœur, qui vivait tout cela pleinement, sans se poser mille questions pour venir tout gâcher.

« Tu penses pas que tu devrais lui dire quel âge t'as pour de vrai ? ai-je dit, un peu pour être désagréable.

— NON ! a répondu Audréanne, horrifiée. Je veux pas le perdre, Gen ? Je pense que c'est the one ?

— The one ?

— Oui ! » Elle irradiait d'amour, de cet amour immense et irrationnel qui submerge les très jeunes gens ou les adultes un peu instables. Félix-Antoine lui aurait demandé de se couper un doigt ou de se prostituer qu'elle l'aurait fait allègrement – mais Félix-Antoine ne semblait pas du genre à abuser des jeunes filles éperdues, et je me suis dit que ma petite sœur était bien chanceuse. « Parles-en pas à papa, OK ?

— Non non non. » Notre père, ai-je songé, allait instinctivement détester ce jeune homme parfait et bien élevé. « Promis. Bye, Audré.

— Bye ! » Elle s'est jetée dans mes bras, me donnant un énorme câlin. Son amour embrassait le monde entier – elle devait, le soir, étreindre ses oreillers et couvrir ses cahiers d'école de cœurs colorés. Je l'ai regardée dévaler légèrement les escaliers et aller se lover dans les bras sains et musclés de Félix-Antoine et je suis rentrée dans l'appartement, où Catherine était en train d'ouvrir une bouteille de blanc.

« Qu'est-ce que tu fais ?

— Ben là, a-t-elle dit. Y est juste cinq heures et quart puis les jeunes ont tout bu. »

Je n'ai pu retenir un sourire devant tant de mauvaise foi – elle avait dû boire à elle seule les trois quarts de la bouteille. J'ai tout de même attrapé deux verres vides et je les ai placés devant nous. « Beau p'tit gars, hein ?

— OK, va *vraiment* falloir que t'arrêtes de parler comme une matante quand y a des jeunes en ta présence, a dit Catherine.

— C'est plus fort que moi!… Mais sérieux… Méchant beau p'tit gars, non?

— Ben oui! C'est insupportable!

— Oh, come on. C'est super cute.

— C'est super cute, a dit Catherine en nous versant à chacune une piscine de vin, mais c'est insupportable.

— Ouais, je sais. C'est fucking insupportable. » Nous avons trinqué, amères et contentes de partager notre amertume.

« Penses-tu qu'ils couchent ensemble? m'a demandé Catherine.

— Je sais pas… Pas encore je pense. Mais elle m'a dit qu'il était "the one".

— J'avais cet âge-là la première fois que… » Elle a refait le petit claquement de langue évocateur qui avait mortifié Audréanne un peu plus tôt. « Mais oh boy, c'était pas avec "the one". » Nous connaissions tous l'histoire de la première fois de Catherine, un événement extrêmement cocasse dont le déroulement semblait s'altérer chaque fois qu'elle nous le racontait et qui impliquait un divan dans un sous-sol, une chanson de Francis Martin et, évidemment, une éjaculation précoce.

Elle a pris une immense gorgée de vin avant de faire un « Pffff » presque tonitruant. « Calvaire, a-t-elle dit. J'ai trente-quatre ans puis j'endure des docteurs misogynes pendant que ta p'tite sœur s'envoie en l'air avec un p'tit gars parfait. C'est insupportable!

— Je suis contente pour elle, ai-je dit sans attendre le regard de Catherine, qui m'indiquait qu'elle savait très bien que je mentais plein mon casque, comme aurait dit mon père. Mais quand même… on est là comme deux épaisses, toi avec ton doc puis moi avec mes angoisses et mes indécisions de marde, puis elle est épanouie… C'est une ado, crisse, elle est supposée être pas capable de s'assumer, insécure puis mal dans sa peau!

— Rappelle-moi on a quel âge au juste? Parce que je trouve que ça nous décrit pas mal bien, ce que tu viens de dire. »

Je me suis mise à rire, et nous avons trinqué une fois de plus. « Enweye, a dit Catherine. Faut qu'on aille retrouver Nico. »

Nicolas nous attendait sur la terrasse du bar, qu'un beau soleil avait remplie d'une foule surexcitée et déjà un peu ivre. « Ça va les girls ? » a-t-il dit en nous voyant arriver bras dessus, bras dessous.

« On est en *feu*, a répondu Catherine.

— Je n'en espérais pas moins… On fait toujours un bébé ?

— On fait toujours un bébé. Marie ! a crié Catherine à l'intention de la serveuse. On va prendre une bouteille de blanc, s'il te plaît. Chardonnay ? »

Nicolas m'a regardée en articulant « Est-tu soûle ? » et je lui ai répondu en indiquant d'une main « Un peu ». Il a souri. « Comment ça s'est passé ? nous a-t-il demandé.

— MALADE », a crié Catherine. Et il n'en fallait pas plus pour la partir. Dans sa bouche, notre après-midi s'est transformé en une épopée féministe aux innombrables rebondissements. Elle imitait le docteur, exagérait ses réactions – j'ai cru, pendant quelques minutes, que son compte rendu allait se terminer par le récit d'une bataille épique ayant eu lieu dans le bureau du médecin et dont elle serait sortie en brandissant victorieusement un flacon de sperme. Nicolas l'écoutait en riant et en me lançant de temps en temps des petits regards pour que je valide certaines informations particulièrement improbables telles que : « Je te jure, Nico, le doc *chiait dans ses culottes.* »

« Puis qu'est-ce que vous avez fait après ? a demandé Nicolas, quand au bout d'une heure et d'une bouteille de vin Catherine s'est enfin tue.

— On est allées chez nous, ai-je dit. Ma petite sœur est passée. Avec son nouveau chum.

— Ah oui, hein ?

— Yup. Pendant que nous on court les cliniques de fertilité puis on se demande quoi faire de nos vies comme des ados attardées, ben ma sœur, qui devrait être une ado attardée, file le parfait amour. On a décidé que c'était insupportable.

— Ben justement… a dit Nicolas.

— Quoi?

— J'ai rencontré quelqu'un.» Il avait l'air presque timide et, à voir le regard inquiet qu'il posait sur sa cousine, un peu craintif.

Avec raison d'ailleurs – après les quelques secondes nécessaires à la digestion de cette nouvelle, Catherine a hurlé : «TU ME NIAISES?

— Non…

— Mais c'est INSUPPORTABLE!»

Tout le monde nous regardait, un fait auquel des années d'amitié avec une personne aussi exubérante et fière de l'être que Catherine m'avaient habituée, mais qui semblait toujours ennuyer un peu Nicolas. «Ciboire, a-t-il dit. C'est quand même pas le boutte de la marde, Cath, je te dis juste que j'ai rencontré quelqu'un. C'est pour ça que je voulais vous voir.

— Elle est où? a demandé Catherine, en jetant des regards assassins autour de nous.

— Elle est pas ici… je voulais vous en parler avant de vous la présenter… Calvaire j'ai ben faite, hein?»

J'ai hoché la tête avec vigueur. J'étais, cela dit, moi aussi assez jalouse. Catherine et moi avions tenu pour acquis, depuis longtemps déjà, que Nicolas resterait un éternel célibataire à notre service. J'avais bien sûr beaucoup moins à perdre que Catherine, qui risquait de voir son coloc la quitter pour de bon. Plus de Nicolas, plus de Noé, et cet improbable bébé qui s'en venait – le timing était terrible pour elle et je la voyais faire de gros efforts pour ne pas trop avoir l'air d'une enfant gâtée en ramenant tout cela à elle-même ou en faisant une crise de larmes.

« C'est… c'est sérieux ? » a-t-elle demandé. Elle connaissait déjà la réponse. Depuis le départ de la mère de Noé, Nicolas ne lui avait jamais présenté qui que ce soit. Il collectionnait les aventures d'un soir mais ne s'engageait pas et n'avait surtout jamais utilisé les mots : « J'ai rencontré quelqu'un. »

« Oui, je pense que c'est pas mal sérieux, a confirmé Nicolas. Ça fait une couple de fois qu'on se voit… je voulais pas vous en parler, justement, avant d'être sûr…

— C'est qui ?

— Elle s'appelle Susan.

— *Susan* ? a répété Catherine, comme si Nicolas avait dit "Nosferatu" ou "Kiki le Clown".

— Oui », a répondu Nicolas. Il a semblé hésiter puis a ajouté : « Elle a quarante-huit ans. »

Catherine et moi sommes restées bouche bée. J'ai tout de même réussi à regarder vers elle, pour m'assurer qu'elle ne tombe pas littéralement en bas de sa chaise, puis je me suis tournée vers Nicolas. « Quarante-huit ? ai-je répété, incrédule.

— Ben oui je sais… ça l'air vieux comme ça, mais elle est super en forme. Elle est… elle est vraiment super. Elle a une petite boulangerie à côté d'ici et…

— Oh my God, a dit Catherine, c'est la madame de la boulangerie granole ? »

J'ai visualisé la boutique où on vendait un pain dense et fait avec quelque chose comme douze mille grains entiers, et la femme qui y travaillait, une anglophone au français impeccable et qui n'avait pas du tout l'air, effectivement, d'avoir quarante-huit ans.

« Mais… quand ? a demandé Catherine. Comment ? Quand ? »

Nicolas s'est donc mis à nous raconter sa rencontre avec Susan. C'était pour moi une chose étrange de l'entendre ainsi parler de son cœur avec une réserve et une pudeur que je ne lui connaissais pas. Nous n'étions pas encore amis du temps de la mère de Noé, aussi m'étais-je faite à l'idée, absurde, que Nicolas et l'amour étaient incompatibles. Pourtant, c'était bien ce qui avait éclos entre Susan et lui. C'était elle, nous a-t-il expliqué, qui l'avait abordé un matin. Il passait tous les jours devant sa boutique en se rendant à l'école de Noé et en en revenant, et elle lui avait finalement adressé la parole. Ils avaient échangé quelques badineries d'abord, puis étaient allés prendre un café, puis un verre, puis un souper. Il était attiré par cette belle femme sans complexes, elle par ce jeune homme de douze ans son cadet qui la faisait rire – une histoire, somme toute, des plus banales.

Mais Catherine semblait ne rien trouver de banal là-dedans. Elle égrenait les « Mais j'en reviens pas, Nico, j'en reviens pas » et, à en croire ses grands yeux écarquillés et ses gestes emphatiques, elle n'en revenait véritablement pas. J'attendais le moment où, un verre de trop aidant, elle allait enfin dire : « Puis moi là-dedans ? » mais Nicolas est allé au-devant de cette triste question en lui prenant la main alors qu'elle venait d'enligner trois ou quatre « J'en reviens pas » et en disant : « Je m'en vais pas *nulle part*, Cath. Susan a deux filles, moi j'ai Noé, on va voir ce que ça va donner de se fréquenter comme ça mais je m'en vais pas nulle part, OK ? Je reste à la maison, avec toi. »

Je les écoutais, émue par ce sens du devoir qu'avait Nicolas. Je n'avais jamais pensé, depuis que je les connaissais, au fait qu'ils devaient sûrement sentir une responsabilité l'un envers l'autre, et que ça ne devait pas toujours être simple. Catherine, en entendant Nicolas, a hoché la tête comme une brave petite fille et a poussé un « Wow… » presque douloureux.

« J'aimerais ça vous la présenter », a dit Nicolas. Il nous demandait la permission, ce qui était extrêmement flatteur, et très touchant. Catherine a fait oui de la tête pendant que je disais : « Ben oui, bien sûr… est-ce que je peux dire que j'en reviens pas moi non plus ?

— Hé, a dit Nicolas. Moi-même j'en reviens pas.

— Noé est au courant ?

— Non, pas encore. Bientôt, si tout va bien. » Il souriait. Sans être dans l'état de béatitude presque violente de ma sœur, il n'était pas loin d'être radieux.

« Câlisse, ai-je dit, tout le monde est radieux.

— Je suis pas radieuse ! a maugréé Catherine.

— Non, ça c'est vrai. Merci, minoune. » Nous nous sommes pris la main comme un vieux couple.

« T'es quand même pas exactement à plaindre, m'a dit Nicolas. T'as pris une décision ?

— Non. Non et à partir de maintenant, je fais du déni. Je décide de rien. Ma sœur de quatorze ans est plus fonctionnelle en amour que moi, les femmes de quarante-huit ans angoissent pas à l'idée de sortir avec des gars de trente-six ans… Clairement tout le monde est plus apte que moi à gérer leurs affaires de cœur alors fuck that. À moins qu'Audréanne ou Susan me disent quoi faire, moi je décide de rien.

— Ça va peut-être être compliqué, a dit Nicolas.

— Comment ça ? »

Il a désigné le trottoir, sur lequel s'avançait Maxime, beau et souriant dans le soleil de fin de journée. Je me suis tournée vers Nicolas en prenant mon air le plus courroucé, mais celui-ci m'a rapidement fait signe qu'il n'avait rien à voir là-dedans. J'ai donc pivoté sur ma chaise de nouveau et j'ai regardé Maxime s'en venir vers moi. Il n'était pas encore arrivé à notre hauteur que je me suis rendu compte que moi aussi je souriais.

CHAPITRE 18

Le téléphone a sonné alors que je mettais le point final à l'autobiographie du jeune Gaspésien qui avait conquis les baby-boomeuses de la province avec sa voix d'or et son air inoffensif. Constatant que c'était Catherine, j'ai répondu avec un petit « Mmm » maussade, sur le ton qui m'était devenu habituel depuis bientôt une semaine.

« Vingt heures ce soir au resto c'est beau pour toi ? a demandé Catherine.

— Mmm.

— Je peux venir te rejoindre chez vous, comme ça on va arriver ensemble…

— Mmm.

— Six heures et demie chez vous ?

— Mmm.

— J'apporte de la vodka, OK ?

— Mmm. »

La patience de Catherine m'épatait sincèrement, et j'en étais venue à me demander si j'étais aussi bougonne que je prétendais l'être ou si je testais simplement ses limites. Une semaine s'était écoulée depuis le retour de Florian. Sept jours à peine, ce qui est très peu sur l'échelle de toute une vie, mais absolument interminable quand on les passe dans le déni, la mauvaise foi et un vague dégoût de soi-même.

J'ai regardé les fleurs posées sur le dessus du secrétaire, un opulent bouquet de pivoines d'un rose orangé qui me donnait envie de manger des abricots et qui embaumait depuis quatre jours. Elles étaient de Florian, qui connaissait mes goûts mieux que personne et me les avait fait parvenir avec une petite note sur laquelle il avait écrit : « Elles m'ont fait penser à toi. Ton vieil amant xxxx. » C'était une drôle de signature, mais depuis que j'avais reçu les fleurs j'écoutais en boucle la chanson de Jacques Brel en pleurant et en me convainquant que Florian était mon destin. « De l'aube claire jusqu'à la fin du jour, je t'aime encore tu sais, je t'aimeeeeeee », se lamentaient mes haut-parleurs.

Je traînais les fleurs avec moi de pièce en pièce, elles veillaient sur mon sommeil la nuit, m'accompagnaient dans la cuisine lors des repas et trônaient sur le secrétaire de bois blond sur lequel je passais des heures à écrire chaque jour. Le meuble de Maxime, les fleurs de Florian – j'étais tout à fait consciente qu'il y avait quelque chose d'incroyablement malsain dans ce décor que je m'imposais, mais je persistais, refusant de suivre les conseils de Nicolas, qui me suggérait d'aller travailler dans le salon, loin du secrétaire et des pivoines. Je ne voulais pas les quitter, espérant une réponse d'eux – je fixais et respirais les fleurs si belles en leur demandant si Florian était bien ce que je voulais, si mes hésitations étaient réelles ou le fruit de mon insécurité chronique, si j'allais être capable de retrouver le bonheur et la tranquillité d'esprit auprès de cet homme qui me les avait enlevés en me quittant.

Puis je m'attardais au secrétaire, passant ma main sur son bois doux et solide en attendant, je crois, une révélation ou une illumination – quelque chose d'extérieur à moi-même qui allait me donner la conviction que je ne faisais pas une gaffe en retournant vers

Florian, que Maxime n'était qu'une belle histoire de passage et que je n'allais rien regretter.

Je ne lui avais pas parlé depuis ce jour sur la terrasse du bar à Nico, où il nous avait croisés par hasard et s'était assis avec nous le temps de quelques verres. J'avais été absolument déstabilisée par sa présence et je m'étais laissé embrasser parce que je ne pouvais pas faire autrement – mais quand ses lèvres s'étaient appuyées sur les miennes et que j'avais senti, sur ma bouche, la pointe légère de sa langue, j'avais eu tellement envie de lui que j'avais lancé un regard inquiet autour de moi, pour m'assurer que mon désir n'était pas visible de tous.

Il avait deviné, bien sûr, mon malaise, allant jusqu'à me demander discrètement si ça allait. J'avais répondu que oui, mais que bof, que j'étais fatiguée puis dans le jus puis que bof – bref j'avais baragouiné mille choses insensées qu'il avait toutes interprétées correctement : j'étais mal à l'aise, je ne voulais pas qu'il soit là et j'étais beaucoup, mais beaucoup trop pleutre pour lui dire ce qui se passait vraiment. Lui qui avait été jusque-là d'une patience olympique avec moi n'avait pour une fois pas fait trop d'efforts pour cacher le fait qu'il me trouvait plutôt chiante. Il était parti rapidement, en me disant de l'appeler si je voulais.

« Non ! Toi, appelle-moi », avais-je dit, dans un paroxysme de paresse et de lâcheté. Il m'avait regardée d'un air irrité et, j'en étais certaine, déçu. J'avais par la suite pressé Nicolas de questions, lui demandant si c'était lui qui avait tout raconté à Maxime, mais il s'était contenté de me répondre : « Max est intelligent, Gen. Puis sensible. Il sait pas exactement ce qui se passe mais il voit bien que t'es toute… » Il avait imité, sur sa chaise, la gestuelle maladroite et angoissante d'une jeune fille trop centrée sur elle-même. « … Puis que tu veux rien savoir de lui dire pourquoi. Faque mettons que ça se peut que ça le fasse pas tripper à l'os. »

Et comme j'étais blessée et de mauvaise foi, j'avais répondu quelque chose pour signifier qu'il n'avait pas le droit de s'attendre à quoi que ce soit de moi, que je ne lui devais rien de toute manière. J'aurais même extrapolé si le regard de Nicolas, devant moi, ne m'avait pas indiqué qu'il y avait des limites au-delà desquelles l'égocentrisme n'avait plus rien, mais vraiment plus rien, de charmant.

Maxime avait tout de même appelé dans les jours qui avaient suivi, me laissant deux messages vocaux et quelques textos qui encombraient mon téléphone et que j'écoutais ou lisais plusieurs fois par jour dans l'attente, là aussi, d'une réponse. Il était très correct, ne jouait pas la froideur exagérée, me disait qu'il pensait à moi et de l'appeler, si j'en avais envie. « Si t'en a envie seulement, disait-il sur un des messages. OK ? Pas d'appels parce que tu te sens obligée, Gen. On vaut plus que ça. »

« On vaut plus que ça », répétais-je sur un ton geignard en faisant des grimaces à mon téléphone. Son commentaire me vexait, pour la très bonne raison que je savais qu'il était juste.

Même Julie Veilleux avait trouvé le moyen de me taper sur les nerfs. J'aurais voulu qu'elle me comprenne, qu'elle sorte de son soutien-gorge DD une bouteille de vodka et m'en serve un verre en disant : « C'est vrai que c'est d'la marde, ton affaire, prends donc un drink puis fais-moi le plaisir de te plaindre pendant une heure. »

Mais elle avait plutôt choisi de me dire, sur un ton patient et un peu doucereux à mon goût, que la meilleure chose à faire, selon elle, était de parler candidement à Florian et à Maxime, de leur expliquer à tous les deux ma situation, d'être « honnête et vraie, envers eux et envers moi-même ». J'avais quitté son bureau en ânonnant, toujours sur le même ton geignard, « Sois honnête et vraie ». Ça commençait à devenir une habitude : il s'agissait qu'on me dise quelque chose de pertinent pour que je le répète sur un ton désagréable. «Une brillante technique d'autodéfense», avait fait remarquer Nicolas, avec une ironie non dissimulée qui lui avait valu un «Mmmm» plein de rancœur.

Sa patience s'usait et même celle de Catherine, pourtant à toute épreuve, commençait à s'émousser. «Me semble que c'est pas compliqué, ciboire! me disait-elle. T'en choisis un!» Et je restais incapable de lui expliquer que je savais très bien que ce n'était pas compliqué mais que cela n'enlevait rien au fait que pour mille raisons tout aussi simples que banales, j'étais terrifiée. J'étais paralysée par la peur – par plusieurs peurs en fait. Celles d'avoir mal de nouveau, de voir Florian partir une fois de plus, de me tromper, de regretter, de perdre ce fragile équilibre que je croyais avoir trouvé. Elles étaient multiples, plus ou moins abstraites et me hantaient la nuit alors que je cherchais dans la fourrure de mes chats un peu de réconfort, à défaut d'y trouver des réponses.

J'attendais une illumination, un signe divin qui ne venait pas et que j'aurais voulu lire dans les nuages qui se déplaçaient devant ma fenêtre et que je pouvais regarder pendant des heures, le menton dans les mains, les coudes sur mon secrétaire, tout enveloppée dans l'odeur des pivoines.

C'était exactement ce que j'étais en train de faire, depuis une bonne heure au moins, quand mon téléphone a sonné de nouveau. J'ai regardé avec méfiance le petit appareil – c'était ma mère.

«Mmmallô», ai-je répondu. En tant que figure maternelle, elle avait droit à un peu plus de décorum qu'un simple «Mmm».

«Geneviève?

— Mmmoui.

— Comment tu vas?» J'entendais dans sa voix un sincère effort pour être remplie de compassion, à défaut d'une véritable empathie.

« Ça va, ça va », ai-je dit, agacée par mon propre ton. Intéressant, ai-je pensé. J'entre dans une phase où je ne peux plus me supporter moi-même. Je me trouvais futile, égocentrique et ennuyeuse, et n'ayant aucune volonté de faire quoi que ce soit de proactif afin de régler cela, je ne pouvais que me blâmer et me haïr mollement.

Ma mère a hésité un moment. Elle devait se demander si je m'attendais à ce qu'elle me parle de mon dilemme ou, pire encore, me conseille. Elle a finalement toussoté un peu avant de dire : « Voudrais-tu venir au théâtre avec moi ce soir ? J'ai deux billets et je me suis dit que ça pourrait nous faire une belle sortie. »

Ses efforts maladroits pour « connecter » avec moi me touchaient toujours et j'ai soudain regretté de ne pouvoir lui dire oui. J'aurais été bien, me semblait-il, dans la bulle éphémère d'une œuvre théâtrale et j'aurais pu ensuite aller manger avec ma mère et me reposer le cœur en lui parlant de tout autre chose que de mes hésitations pendant qu'elle aurait commandé son demi-verre de vin.

« Je peux pas, ai-je répondu sur un ton tellement désolé qu'il m'a frappée moi-même comme étant exagéré. Je mange avec Catherine puis Nicolas, qui nous présente sa nouvelle blonde. C'est important pour lui.

— Je comprends, je comprends, a tout de suite répliqué ma mère, qui était sans doute soulagée.

— Mais j'aurais vraiment aimé ça, lui ai-je dit. Ça m'aurait changé les idées. »

Il y a eu un silence. Ma phrase laissait entendre qu'il aurait été souhaitable que j'entretienne d'autres idées, donc que celles qui me préoccupaient présentement me dérangeaient, donc que j'avais quelque chose sur le cœur, donc qu'il fallait peut-être en parler. J'ai éprouvé pour ma mère une vague de pitié. « On se reprendra, ai-je dit. C'était quoi la pièce ? »

J'ai pratiquement senti le téléphone se ramollir sous l'effet du soulagement de mon interlocutrice. Elle m'a parlé pendant quelques minutes de la pièce

et de ses artisans, une œuvre qui faisait hurler Catherine depuis des semaines déjà pour la simple raison
qu'elle avait auditionné sans succès pour un des rôles
secondaires.

« Tu sais, a déclaré ma mère, qui devait se dire
qu'elle était aussi bien d'en finir avec ce sujet qu'elle
ne pouvait tout de même pas occulter complètement,
tu peux prendre tout le temps que tu veux. Tu peux
dire à ces deux hommes-là que t'as besoin de temps
pour *toi*. » Le fameux temps pour soi. Le crack-cocaïne
de ma mère.

« M'man… je peux pas dire à *deux* gars d'attendre
après moi.

— Pourquoi pas ?

— Ben là ! Qui suis-je pour demander à *deux* gars
de se mettre sur le hold pendant que je pense à mes
affaires ?

— T'es la femme qu'ils aiment.

— Non ! Non ! Quelle horreur… dis pas ça… » J'ai
posé le front sur le clavier de mon ordinateur.

« Comment ça quelle horreur ? a demandé ma
mère.

— Trop de responsabilités, maman, beaucoup trop
de responsabilités ! Tu dois ben comprendre ça, non ? »
Je restais persuadée que l'autarcie de ma mère, que sa
prédilection pour le célibat et la solitude étaient moti-
vées, en partie du moins, par un violent désir de fuir
toutes les responsabilités qui viennent avec le couple
– avec l'amour des autres.

« Mon Dieu, ma p'tite fille… tu trouves ça si dur
que ça de te laisser aimer ?

— J'ai pas dit ça… puis de toute façon… toi aussi,
non ? »

Je m'attendais à ce que ma mère proteste ferme-
ment, mais elle n'a pas hésité une seule seconde avant
de me dire : « Mais oui. J'ai toujours trouvé ça étouf-
fant mais c'est pas quelque chose dont je suis fière,
Geneviève. »

J'étais sciée. Une admission de faiblesse ? De la part de ma mère ? J'ai fait un petit « Hmm » semi-interrogatif pour l'encourager à poursuivre.

« J'ai appris à accepter ça, a-t-elle dit. Je suis faite de même, et je me prends comme je suis mais… mais pas toi ma poupoune. »

Ma poupoune ? Même durant mon enfance, ma mère ne m'avait jamais donné de petits surnoms de ce genre. J'ai regardé machinalement l'afficheur de mon téléphone, pour m'assurer que je parlais bien à Madeleine Beauregard, ma génitrice.

« Ton père… a poursuivi ma mère, ton père a ben des défauts mais il sait se laisser aimer, lui. » Elle a ri. « Peut-être un peu trop. Puis tu tiens de lui aussi. Et à ce niveau-là, j'aurais espéré que ça soit à lui que tu ressembles. »

J'étais trop ahurie par tant de confidences et par mon nouveau statut de « poupoune » pour me concentrer sur mon problème. « Mais maman… pourquoi… pourquoi toi t'as jamais…

— Oh, parce que moi je suis vraiment mieux de même, a-t-elle répondu, sans la moindre trace d'amertume. Puis je suis rendue bien trop rigide. Et c'est correct ! C'est correct. » Elle était, c'était évident, parfaitement sincère. « Mais toi t'es pas comme ça. Puis attends pas de devenir rigide toi aussi parce que là tu vas te retrouver pognée là-dedans et tu seras pas heureuse comme ça. Pas toi. »

J'ai regardé autour de moi, dans l'espoir futile que mon père ou Catherine se soient matérialisés dans la pièce afin que je puisse m'étonner avec quelqu'un. Il n'y avait que Ti-Gus, qui me fixait depuis le bras du fauteuil sur lequel il était couché, et à qui j'ai fait un air ébahi, histoire de partager mon choc avec une présence quelconque.

« Cela dit, a poursuivi ma mère, tu pourrais t'accorder un p'tit bout de temps. Un p'tit break. Si ces gars-là sont pas capables d'attendre, ils valent peut-être pas la peine que tu te mettes dans cet état-là, non ?

— M'man! ai-je finalement dit. C'est comme *trop* de sagesse!

— Est-ce que c'est de l'"ironie", ça?» Je pouvais entendre les guillemets qu'elle mettait autour du mot «ironie», comme s'il s'agissait d'une invention moderne en laquelle elle ne croyait pas.

«Non… Non, c'est pas de l'ironie. T'as raison, c'est tout. Puis je…

— Puis t'en reviens pas, hein?» Elle avait un petit ton moqueur – surprendre sa fille semblait beaucoup l'amuser.

«Honnêtement je suis un peu étonnée. Pas dans le mauvais sens.

— Ça va. Alors tu vas leur parler?

— Non! Non, parce que même si je sais que c'est la bonne chose à faire j'ai absolument aucun guts.

— Tu vois que t'es la fille à ton père», a dit ma mère, ou l'extraterrestre coquin qui avait enlevé et remplacé ma mère. J'ai ri – c'était bien envoyé.

«Sérieux, ai-je ajouté avant de raccrocher, j'aimerais vraiment ça le théâtre un de ces quatre.

— Je te rappelle alors. Bonne chance, ma fille.

— Mouin. Merci, maman.»

J'ai posé l'appareil, un peu décontenancée par cette conversation pour moi surréaliste. Quelqu'un avait-il kidnappé ma mère? Était-elle enfin tombée, après tant d'années de lectures, sur un moine bouddhiste dont les conseils avaient une application dans la vie réelle? Mon père lui avait-il parlé? Il continuait à me dire, lui, de mettre une croix sur ces deux hommes et de me trouver «un beau p'tit gars qui a les pieds bien sur terre puis qui aime le golf», ce qui m'avait rapidement fait comprendre qu'il cherchait d'abord et avant tout un gendre idéal pour lui, et ensuite un chum pour moi.

J'allais téléphoner à mon père pour lui demander s'il avait d'autres exigences pour son futur gendre quand Catherine est entrée.

« Helloooooooo ? l'ai-je entendue dire prudemment depuis l'entrée.

— J'arrive ! ai-je crié. J'arrive j'arrive j'arrive. »

Je me suis dirigée vers le devant de l'appartement. Catherine, qui devait se trouver très drôle, était encore dehors et n'avait passé qu'un bras dans l'embrasure de la porte – un bras qui brandissait, à défaut d'un bouclier, une bouteille de vodka.

« Bon, ça va, ai-je grommelé en attrapant la bouteille. Je suis pas si pire que ça. »

La tête de Catherine est apparue lentement, à un angle un peu ridicule qui m'a fait sourire. « Au moins tes cours de mime vont t'avoir servi à quelque chose », ai-je dit. Son visage s'est transformé en une mimique grotesque de pierrot déçu, et elle est entrée.

« Comment tu vas ? a-t-elle demandé.

— Écoute… je viens de parler à ma mère et… elle m'a comme dit plein de choses qui faisaient beaucoup de sens.

— Oh boy. Vas-tu commencer le tai-chi dans le parc ? Gen, il faut que tu me préviennes si tu penses à commencer le tai-chi dans le parc parce qu'il va falloir que je me prépare psychologiquement à avoir une personne âgée comme meilleure amie.

— Je vais pas faire de tai-fucking-chi… Inquiète-toi pas. Mais… elle m'a demandé pourquoi j'avais tant de misère à me laisser aimer puis… »

Catherine s'est mise à téter le goulot de la bouteille de vodka en criant : « Must. Be. Drunk. To survive un autre épisode de cette ostie de conversation ! ARGH !

— OK ! OK ! C'est beau ! » J'essayais d'avoir l'air offensé mais je riais. J'ai ouvert la bouteille et je nous ai préparé deux martinis. « Tu sais que t'es mieux d'en profiter, hein ? Finis les jolis cocktails quand tu porteras le miracle de la vie en toi.

— Une femme enceinte peut prendre un verre de temps en temps… a tenté Catherine en me regardant comme un enfant qui attend qu'un adulte confirme que ce qu'il vient de dire et qu'il souhaite ardemment est bien réel.

— Je sais pas trop, Cath. Certainement pas des martinis de huit onces, en tout cas.

— Aw… precious… » Elle s'est mise à caresser son verre. « Je pense que c'est un sacrifice qui en vaut la peine, a-t-elle ajouté.

— Tu *penses*? » L'idée que Catherine puisse mener ce projet à bien m'était encore tellement absurde que je me permettais de parler de tout cela à la blague, sans trop prendre au sérieux ses commentaires et ses inquiétudes. Elle a haussé les épaules en prenant une grande gorgée de son cocktail, et je me suis dit que pour elle aussi tout cela devait être voilé d'absurdité. « Es-tu nerveuse? lui ai-je demandé.

— Pourquoi, pour le bébé?

— Non… de rencontrer la blonde de Nico.

— Je deale même pas avec le mot "blonde", Gen…

— Moi je suis nerveuse. D'un coup qu'on l'aime pas?

— D'un coup qu'il l'aime trop? » Catherine me regardait – elle attendait visiblement une réponse. J'ai fait le tour du grand comptoir et je suis allée la prendre dans mes bras.

« Il s'en ira pas, Cath.

— Y aurait le droit de s'en aller! Y est quand même pas pour passer sa vie avec sa cousine vieille fille…

— Dis pas ça… » J'ai donné un bisou dans ses cheveux épais. « Tu seras pas vieille fille…

— Je suis pas mal partie pour ça, Gen.

— Ben voyons!

— C'est moi qui vas aller faire du tai-chi dans le parc.

— Arrête donc. Il faudrait juste que toi aussi tu te laisses aimer, tu penses pas? » Catherine m'a lancé un regard tellement découragé que je me suis mise à rire. « C'est pas fou, comme théorie, ai-je poursuivi. C'est pas comme si ça te faisait exactement bander quand un gars te court après, Cath. » J'ai failli enligner la longue et pathétique litanie des hommes que Catherine avait éconduits sous prétexte qu'ils étaient « trop collants », « trop roses », « trop moumounes » et, mon préféré : « trop disponibles », et dont Emilio constituait le dernier maillon.

« Quand le bon va arriver, s'il arrive, je vais le savoir, a dit Catherine. Me semble qu'on doit le savoir, non ?

— Moi, ce que je voudrais savoir, c'est qu'est-ce qui te fait croire que je suis la bonne personne pour répondre à cette question considérant les circonstances ces temps-ci… »

Catherine a ri à son tour et nous avons fini nos martinis en discutant de la théorie de ma mère et de nos pauvres cœurs confus. « Tu sais, a dit mon amie alors que je tentais sans succès de l'empêcher de refaire deux autres cocktails, c'est peut-être une des dernières fois qu'on se retrouve comme ça – célibataires toutes les deux, sans enfants, moi qui vis avec mon cousin puis son fils… Peut-être que dans une couple de mois, que dans un an, ça sera plus jamais pareil.

— Peut-être que ça va être mieux ? ai-je proposé, en tentant d'insuffler à mon ton un optimisme que je ne possédais absolument pas.

— Peut-être », a répondu Catherine. Et nous nous sommes tues un moment, comme si nous ne voulions pas effaroucher notre fragile confiance en l'avenir avec de vaines paroles.

« Allez, ai-je finalement dit à Catherine en lui enlevant le shaker des mains. Nico puis Susan vont nous attendre. »

Nous sommes entrées dans le restaurant bondé en courant et criant comme deux fillettes. Il pleuvait des cordes et nous avions traversé la rue à toute allure avec, dans le cas de Catherine, un sac en plastique d'origine douteuse sur la tête. « Je fais des p'tits frisous quand j'ai les cheveux mouillés », a-t-elle expliqué au maître d'hôtel qui lorgnait son sac d'un air dédaigneux. Il a levé les yeux vers ses cheveux déjà on ne peut plus frisottés avant de lui faire un sourire poli et de nous indiquer notre table. Le restaurant était plein, animé par une faune qui se la jouait très bohème et y parvenait plus ou moins bien. On parlait fort, on riait encore plus fort, on commandait ostensiblement plus de vin et on se reconnaissait de table en table.

J'ai aperçu, tout au fond, Nicolas qui nous faisait de grands signes. Il semblait à la fois nerveux, excité et content, ce qui lui donnait l'air d'avoir environ dix ans de moins. Je me suis tournée pour voir si Catherine me suivait, mais elle s'était arrêtée à une table où elle avait quelques connaissances. J'ai poursuivi ma route vers mon vieil ami et sa nouvelle flamme qui me souriait calmement. C'était une belle femme, qui réussissait à première vue l'incroyable exploit de « rocker » un look granole à son âge. Pas de maquillage, une simple chemise en soie brute, ses cheveux gris remontés en un chignon un peu défait et une impressionnante collection de fins bracelets argentés aux poignets suffisaient à lui donner une allure du tonnerre. Elle s'est levée pour me tendre la main quand je suis arrivée en me disant : « Enchantée. Moi, c'est Susan » – et j'étais séduite.

J'étais aussi persuadée que Catherine, elle, serait hérissée par cette femme qui était cool, simple et visiblement très fonctionnelle : toutes choses que Catherine n'était pas et que, par réaction, elle honnissait. Je l'observais donc avec appréhension alors qu'elle faisait la bise à Nicolas et s'installait à côté de moi – elle n'avait pas encore regardé Susan et était, je le savais, extrêmement nerveuse. Je lui ai mis une main sur la cuisse et elle a fini par se tourner vers celle qu'elle devait percevoir comme sa rivale, comme celle qui allait lui ravir son meilleur ami, son presque frère.

« Salut Catherine, a dit Susan. Je suis vraiment contente de vous rencontrer. Contente et… un peu nerveuse. »

Oh come on, ai-je eu envie de dire, tu n'as pas dû être nerveuse depuis ta première lecture de la Bhagavad Gita en 1975. Mais cette fausse confession a semblé mollifier un peu Catherine qui a fait un «Ah oui?» content et teinté d'orgueil avant d'avouer: «Moi aussi.» J'ai senti, à presque deux mètres de distance, Nicolas se détendre considérablement.

«Faque comme ça vous êtes un couple?» a demandé Catherine en les regardant tour à tour. Il y avait un avantage indéniable à avoir quelqu'un de totalement dénué de délicatesse dans son entourage: on ne tournait pas autour du pot. Susan et Nicolas ont ri coquettement, comme les amoureux qu'ils étaient, et c'est Susan, cette fois, qui a entrepris de nous raconter leur rencontre. Ils s'interrompaient, se faisaient rire, terminaient les phrases de l'autre, et j'observais Nicolas, un nouveau Nicolas que je n'avais jamais connu, dont le cynisme et le je-m'en-foutisme avaient été complètement annihilés par l'amour.

J'avais envie d'attraper Catherine par le bras et de la traîner avec moi aux toilettes pour savoir si, elle aussi, elle trouvait cela touchant au-delà des mots. C'était beau à voir, et dans mon grand égocentrisme, je me suis demandé si je dégageais la même candeur heureuse auprès de Florian ou de Maxime.

Lorsque Susan s'est excusée pour aller aux toilettes, Nicolas, soudain possédé par l'esprit d'une jeune adolescente, s'est penché vers nous en enlignant des «Pis? Pis? Pis?» remplis d'espoir.

«Elle est super, ai-je dit.

— Ouais. Pas mal, a ajouté Catherine, avec un petit sourire qui signifiait qu'elle était en fait parfaitement d'accord avec moi. Mais… elle a pas dit un mot sur votre différence d'âge.

— Te serais-tu attendue deux secondes qu'un homme qui a douze ans de plus que sa blonde mentionne leur différence d'âge? ai-je demandé.

— Non, a répondu Catherine. Mais… tsé…

— Non je sais pas, ai-je menti. Honte à toi, mon amie. » Devant moi, Nicolas me regardait avec une telle reconnaissance que j'ai eu envie de rire.

« Je pense que je vais la présenter à Noé », a-t-il dit.

Catherine restant muette, j'ai senti le besoin d'intervenir : « Je pense que Noé va beaucoup l'aimer. Hein Cath ? » ai-je ajouté en lui donnant un petit coup de coude.

Catherine a soupiré avant de jeter un regard furtif vers les toilettes. Constatant que Susan n'était pas encore sur le chemin du retour, elle s'est penchée sur la table et a déclaré, très rapidement : « Oui je pense que Noé va l'aimer, mais Nico je sais que je peux pas te demander ça mais en même temps c'est la seule affaire à laquelle je pense faque je suis aussi bien de te le demander : tu vas pas m'abandonner hein ? »

Nicolas lui a pris une main. « *Ça* c'est ma Catherine. Trop émotive, préoccupée juste par elle et incapable de filtrer ses pensées. » Il parlait avec une affection évidente. « Toi puis moi c'est pour la vie, sister. Inquiète-toi pas.

— OK alors, a dit Catherine. J'aime beaucoup Susan. »

Le reste du souper s'est déroulé dans une ambiance charmante et décontractée – nous apprenions à connaître Susan, elle faisait la découverte de l'univers de son amoureux. Catherine lui envoyait des petites pointes qu'elle encaissait avec grâce, au sujet de sa modération (« Ben voyons. Qui c'est qui boit juste trois verres de vin en une soirée ? C'est pas normal. C'est même suspect, Susan ! ») ou de ses origines (« Je me disais bien que tu devais venir de Vancouver. Ils réussissent bien leurs granoles, là-bas… »). Nicolas riait et lui passait une main discrète dans le dos – il n'était pas encore assez à l'aise, de toute évidence, pour l'embrasser devant nous.

La soirée s'est un peu gâtée au dessert, alors que Susan m'a demandé : « Et puis toi, Geneviève ? Il paraît que tu as vécu un véritable roller coaster émotif ces derniers temps?» Il ne m'en fallait pas plus. J'ai mis de côté mon sticky toffee pudding et mon calvados et j'ai commencé à raconter mon histoire à Susan avec beaucoup, mais beaucoup de détails. J'étais bien consciente de parler trop et d'être en cela encouragée par les nombreuses bouteilles de vin dont Susan n'avait bu que trois verres, mais j'étais incapable de m'arrêter, malgré les regards d'abord subtils de Catherine et de Nicolas, qui en sont venus, vers la fin, aux coups de coude et aux «Si toi tu la fais pas taire moi je prends le vieux sac de plastique que t'avais sur les cheveux en arrivant puis j'y attache autour de la face».

Seule Susan, trop polie et pas encore assez intime avec moi, m'écoutait patiemment, ses grands yeux verts empreints d'une empathie qui m'encourageait à m'épancher. Je lui parlais de Florian, de Maxime, et surtout de moi en un long flot ininterrompu de paroles.

«… Puis Florian… c'est comme Florian. C'est mon amour, c'est mon vieil amant, c'est l'homme que je connais depuis toujours ben pas vraiment depuis toujours, mais tu comprends ce que je veux dire, puis c'est le gars qui a le plus de drive que je connais même que des fois c'est un peu trop de drive mais comme moi j'ai pas exactement de drive ça me fait vraiment du bien en tout cas je pense… en fait je suis pas mal sûre, ça c'est des affaires que j'essaie de mieux comprendre en voyant une psy, pas que je sois du genre à tripper sur les psys, bien au contraire, mais là je pense que j'avais vraiment besoin de voir clair puis de mieux lire en moi-même, je sais c'est un peu granole comme expression mais hé hé hé, tu dois rien avoir contre les expressions granoles, hein? Puis en même temps Maxime c'est un peu comme si c'était un psy sans en être un, genre que près de lui j'ai souvent l'impression de comprendre des choses par rapport à moi-même mais je me dis que c'est peut-être parce que comme on se connaît pas encore bien je suis plus spontanée avec lui parce que je suis pas pognée dans les réflexes qui viennent avec l'intimité quoique je suis pas sûre que je croie à cette théorie-là, mais en même temps ce qui est sûr c'est que c'est un gars ultra-cool et il m'inspire confiance, la preuve je lui fais lire des textes que j'écris et que je ferais lire à personne puis il les commente puis ça me fait du bien mais ça dans le fond c'est peut-être juste narcissique puis oh my God le sexe est *malade* mais le sexe est bon aussi avec Florian, en fait peut-être même meilleur en fait ça se compare pas puis… l'affaire c'est que je suis terrifiée tu comprends? Te-rri-fiée parce que j'ai peur d'avoir mal puis de faire une gaffe puis y a une grosse partie de moi qui a pas envie de prendre une décision qui veut juste partir en courant puis oublier tout ça écoute c'est pas possible l'autre soir j'ai sérieusement considéré prendre un taxi jusqu'à l'aéroport puis sauter dans le premier avion qui partait, je veux dire : *qui* fait ça à part des illuminées dans des films? Surtout qu'à l'âge que j'ai, ben pas que je sois vieille ou rien mais quand même… »

C'est vers ce moment-là que Catherine m'a mis une main sur la bouche et a dit : « OK Geneviève, si tu dis *un* mot de plus, je te sors physiquement d'ici. » J'ai protesté avec véhémence à travers sa main. « SORS DE TON CORPS, GEN ! a crié Catherine. Prends une grande respiration, sors de ton corps, visualise ce que tu es en train de faire depuis une demi-heure puis demande-toi si tu veux être cette fille-là. » Coincée par les bras étonnamment forts de Catherine, je me suis prêtée à l'exercice de visualisation qu'elle me demandait de faire. Ce n'était pas, c'est le moins qu'on puisse dire, extrêmement valorisant. J'ai mis une main sur celle de Catherine pour qu'elle me libère. « Tu vas arrêter de parler? » a-t-elle demandé sur un ton rempli de menace. J'ai fait oui de la tête et elle m'a lentement libérée. J'en ai profité pour attraper mon calvados, que j'ai calé d'un coup pendant que Nicolas faisait signe au serveur d'en apporter d'autres.

« Scusez-moi, ai-je dit. Les fils se sont touchés. »

J'étais gênée, et je m'en voulais d'avoir ainsi gâché un repas aussi agréable. Mais Susan m'a pris une main et m'a dit, en me fixant toujours de son regard limpide : « Surtout ne t'en veux pas. Il y a une tempête dans ton cœur et dans ta tête, c'est normal que ça ressorte parfois par ta bouche. Mais si je peux te donner un conseil… Tu peux prendre la décision que tu veux. Tu peux en choisir un, ou aucun, ou décider de ne pas choisir pour le moment. Mais peu importe ce que tu fais, par respect pour ces deux hommes-là que tu as l'air d'aimer et de respecter, il faut que tu leur dises. »

C'était, en substance, ce que m'avaient dit mes amis et mes parents à plusieurs reprises. Mais le ton calme et posé de Susan, l'effet du calvados et de la légère hyperventilation provoquée par mon trop long monologue ont suffi, ce soir-là, à me convaincre de ce que je savais déjà. Il fallait que je parle à Florian et à Maxime. J'ai choisi d'attendre le lendemain, une décision dont je me suis félicitée dès mon réveil. Il était dix heures, j'avais un peu mal à la tête mais je savais que je ne voulais plus attendre. J'ai avalé un café et j'ai envoyé un texto à Maxime, lui écrivant que j'avais grand besoin d'une omelette de Gaspar. Quinze minutes plus tard, il me répondait pour me dire qu'il m'attendait là-bas.

Gaspar, que j'avais revu à plusieurs reprises depuis notre rencontre par un matin glacial de février, m'a accueillie avec le très léger haussement de sourcil qu'il réservait aux amis et aux intimes. Je l'ai salué silencieusement et je suis allée m'asseoir en face de Maxime, qui lisait à notre table habituelle. Il portait une veste de laine par-dessus son t-shirt et je me suis demandé combien d'hommes, sur cette terre, étaient capables de rendre une vieille veste de laine sexy. Je devais être devant un des seuls.

« Merci d'être là, lui ai-je dit.

— Grosse soirée hier ?

— On a rencontré la blonde de Nico… Wow. Je suis même pas habituée à dire ça encore.

— C'est cool pour lui », a lancé Maxime, un peu machinalement, mais avec sincérité. Gaspar, à qui je n'avais plus besoin d'adresser la parole depuis que j'étais devenue une « régulière », m'a apporté un allongé avec du lait froid. J'ai failli le prendre par la main pour lui demander de rester avec nous, de nous chanter une chanson de son pays ou simplement de nous lire la météo dans le journal qui traînait sur la table d'à côté, mais il s'était déjà éclipsé comme une ombre et je me suis retrouvée face au regard intense et lucide de Maxime.

« Bon, a-t-il repris patiemment. Qu'est-ce qui se passe ? » Ses yeux limpides me fixaient avec une tristesse évidente et, me semblait-il, une candeur presque enfantine. J'ai pensé, pour la première fois de ma vie, que je confondais depuis trop longtemps déjà candeur et absence de cynisme et j'ai eu un peu honte de moi. J'ai hésité un instant, puis j'ai mentalement compté jusqu'à trois – il était inutile, ridicule et même carrément insultant de retarder encore le moment des confessions.

« Mon ex est revenu », ai-je annoncé. J'avais les yeux rivés sur ceux de Maxime et je me suis dit que je devais le regarder beaucoup trop intensément moi aussi mais je voulais voir sa réaction, je voulais lire, sur son visage, ses sentiments, afin de les traiter le mieux possible. Il n'a pas semblé choqué ou blessé – il a hoché imperceptiblement la tête pour m'encourager à continuer. J'ai toussoté bêtement, alors que je n'avais aucun chat dans la gorge, et j'ai poursuivi. « En fait il est venu me voir et il m'a dit qu'il voulait que moi je revienne. Ça fait une semaine et depuis une semaine je me torture parce que je sais pas quoi faire… » J'ai grimacé légèrement : avais-je le droit de me plaindre ainsi ? Ou plutôt, ce qui était pire : de chercher à être plainte ? Je me torturais, oui, mais c'était tant pis pour moi, et aucune personne saine d'esprit n'aurait eu l'idée de me plaindre.

« Veux-tu retourner avec lui ? a demandé Maxime.

— C'est pas simple de même, Max. Je sais que pour toi tout est simple, mais… j'ai pas… j'ai pas ta grâce, moi. Je…

— Geneviève. Ça se peut pas que tu saches pas si tu l'aimes encore. »

Une partie de moi, très mesquine mais très présente, a eu envie de dire : « Eille, tu pourrais en laisser passer une, toi ! » mais je savais trop bien qu'il n'avait pas à en laisser passer une, qu'il en avait déjà laissé passer assez. Je me suis souvenue que la complexité inutile l'irritait et je me suis dit que nous n'étions pas faits, au fond, pour être ensemble.

« Oui je l'aime encore, ai-je avoué. Mais il s'est passé quelque chose avec toi puis là je sais que tu vas trouver ce que je dis insupportable parce que je suis sûre que pour toi tout est clair, mais dans ma tête à moi c'était pas clair. C'est toujours pas clair. Je… j'aime ça être avec toi puis je suis très consciente qu'on faisait plus que juste… you know, mais en même temps on a jamais défini…

— T'as vraiment besoin qu'une définition soit énoncée pour comprendre la nature d'une relation dans laquelle t'es toi-même ? » Il disait cela sans agressivité. Il était sincèrement étonné et même, sous la légère colère que je sentais pointer, un peu attendri par tant de maladresse.

« Ben oui, ai-je répondu, abruptement. Je suis comme ça. »

Maxime a hoché la tête – un hochement qui signifiait clairement qu'il n'en revenait pas d'être tombé sur un être aussi inutilement complexe. « Écoute, a-t-il dit. C'est pas compliqué. Moi j'aime ça être avec toi, je suis bien avec toi puis j'aurais aimé ça faire un boutte avec toi. C'est simple de même. Mais tu le sais déjà, ça, de toute façon. »

J'ai failli faire valoir qu'il ne me l'avait jamais dit textuellement, mais j'ai pensé qu'il ne servait à rien de l'insulter davantage.

« J'aurais peut-être dû être plus clair, a poursuivi Maxime, mais… mais tu te remettais de ton affaire puis… » Il a fait un petit sourire triste. « Je voulais pas t'effaroucher. »

Un silence pesant s'est installé. Il regardait vers la rue, et j'ai pensé, pendant quelques secondes, qu'il allait pleurer. Mais il s'est tourné vers moi et a demandé : « Faque t'es ici pourquoi ? Tu retournes avec ton ex ?

— Mais je sais pas !

— Tu me niaises-tu ?

— Mais c'est plus compliqué que ça, OK ? Il m'a brisé le cœur ! Tu penses pas que ça me fait peur de retourner avec ?

— Geneviève, je comprends ça parfaitement, mais en quoi ça me concerne, rendu là ?

— Comment ça en quoi ça te concerne ? Me semble que c'est la moindre des choses de te mettre au courant, non ? » J'ai compris que j'étais venue pour lui dire que je ne pouvais plus le voir. Qu'avais-je espéré jusque-là ? Que j'allais pouvoir bénéficier d'un impossible statu quo pendant quelque temps ? Que tout allait s'arranger magiquement, sans que j'aie de décision à prendre ? « Je suis désolée, ai-je ajouté.

— T'es désolée de quoi ?

— Ben de tout ça, de… j'aurais peut-être pas dû m'embarquer, j'aurais dû… J'étais toute mêlée puis je suis encore câlissement mêlée mais j'ai passé six ans avec Florian puis là c'est toute de ma faute…

— C'est toute de ta faute ? a répété Maxime, incrédule. En quoi c'est de ta faute ? » Il était maintenant passablement exaspéré. « Je sais pas ce qui a pu t'arriver dans ta vie pour que tu t'en veuilles toujours comme ça, Geneviève. En fait, je pense même pas que tu t'en veux, mais plutôt que tu penses qu'il faut que tu t'en veuilles et… ça me dépasse.»

Je l'ai fixé sans rien dire. Je trouvais qu'il était terriblement méchant, et présomptueux. J'ai vu, du coin de l'œil, Gaspar s'approcher avec son omelette et faire demi-tour en sentant la tension entre nous deux.

«Je comprends pas, a répété Maxime.

— Ben moi je comprends pas ce qui peut t'intéresser chez une fille aussi déficiente et insécure, d'abord!

— Oh come on!» Maxime a laissé tomber ses deux mains sur la table. Je voyais bien qu'il trouvait ma phrase complètement stupide et je savais qu'il avait raison. Mais j'étais trop orgueilleuse pour me rétracter, aussi me suis-je contentée de le dévisager avec un air buté qui n'était pas sans rappeler celui que pouvait prendre Audréanne lorsqu'elle était contrariée. «T'es plus intelligente que ça, Gen, a dit Maxime.

— Non! Non, OK? Je suis *pas* plus bright que ça. Je suis de même, OK? Arrête d'essayer de voir quelque chose de plus, c'est épuisant! Moi tout ce que je veux dans vie, c'est qu'on prenne soin de moi puis qu'on me laisse tranquille.

— C'est pas vrai ça. C'est pas ça que tu veux.

— Eille tu te prends pour qui toi?

— Je me prends pour personne, je te dis juste que je sais que tu veux ben plus que ça! C'est tout!»

Il avait haussé le ton. Je me suis levée, toute frémissante d'indignation et j'ai eu le temps de dire: «Tu me connais même pas» avant de m'en aller en faisant un gros effort pour ne pas pleurer. Je suis sortie en claquant la porte et ne me suis arrêtée que deux coins de rue plus loin, pour reprendre mon souffle et me répéter, comme un mantra, que j'avais bien fait. Je me sentais terriblement mal. C'était un malaise diffus et sans visage, qui émanait du fait que je savais que je venais d'agir avec la maturité et la classe d'une adolescente mal élevée. Mais j'étais excitée, aussi. J'avais l'impression de m'être enfin prise en main, de m'être libérée de quelque chose, d'avoir agi maladroitement peut-être, mais d'avoir agi tout de même. J'ai regardé l'heure. Il était 11 h 30 et nous étions samedi. Florian devait être chez lui.

J'ai couru les quelques pâtés de maisons qui me séparaient de mon ancienne demeure, ne me remettant à marcher qu'à une centaine de mètres du condo pour ne pas arriver à bout de souffle et en nage. Je ne savais pas ce que j'allais dire à Florian – je n'avais pas cessé d'avoir peur, mais j'étais habitée par un désir de bouger ou plutôt de faire bouger les choses. Tant pis pour le décorum, me disais-je, en repensant aux pointes purement méchantes que j'avais lancées à Maxime. Je me répétais qu'il m'avait provoquée, qu'il avait agi, lui aussi, comme un cuistre en prétendant me connaître mieux que moi-même. Il se trompait. Florian me connaissait mieux que moi-même. Florian devant la porte duquel je me tenais maintenant.

J'ai sonné, en priant pour qu'il soit là – s'il ne répond pas, ai-je songé, je n'aurai pas le courage d'attendre, et peut-être pas non plus celui de revenir. J'ai rapidement entendu des pas à l'intérieur, et la porte s'est ouverte.

Florian était là, beau comme le jour dans un vieux t-shirt blanc et un jeans qui devait avoir, je le savais, au moins dix ans. Les yeux levés vers lui, je cherchais quelque chose à dire, mais rien ne venait. Florian entendait-il les battements de mon cœur? Je les sentais, moi, se calmer doucement, comme si ce cœur qui s'était trop agité depuis des mois retrouvait enfin sa place, sa forme et son volume. J'ai fait un petit sourire, et Florian, qui avait le soleil dans le visage, a levé les yeux vers le ciel avant de sourire, lui aussi, comme s'il venait de me reconnaître. Il a tendu un bras vers moi et je me suis agrippée à son t-shirt, puis à son cou et à sa bouche.

«Je suis là, ai-je dit.

— Oui. Oui. T'es là.»

CHAPITRE 19

Toutes les fenêtres des deux appartements étaient grandes ouvertes, laissant entrer une brise presque tiède qui, longtemps après le coucher du soleil, ne parvenait pas à nous rafraîchir. Noé courait de l'appartement d'Emilio au sien, traversant le corridor en criant : « C'est comme si on habitait sur tout l'étage ! Est-ce qu'on va rester comme ça ? C'est comme si on avait un *château* ! » Personne n'avait encore osé lui dire que la raison de cette grosse fête était, en fait, le départ d'Emilio, dont le bail n'avait évidemment pas été renouvelé et qui devait partir le lendemain, le 1er juillet. Noé croyait que son ami cubain déménageait tout simplement, et nous n'avions pas le cœur de le contredire.

Le fait qu'Emilio ait mené jusque-là une vie d'une frugalité presque caricaturale avait grandement aidé à ses préparatifs de départ : quelques boîtes à peine s'entassaient dans une pièce et son lit, un vieux matelas posé à même le sol, allait être abandonné sur place, comme la petite table à café dont il se servait pour écrire ses lettres et dessiner ses tracts pseudo-communistes. « T'as pas de meubles de salon ? Un divan ? Un fauteuil ? Quelque chose ? » lui avais-je demandé en l'aidant à ranger dans une boîte son impressionnante collection de livres qu'il traînait avec lui de pays en pays.

« Pas besoin, m'avait-il répondu avec un petit sourire triste. Mon salon était chez Nico et Catarina. » Il avait tout essayé, dans les mois précédents, pour rester un peu plus longtemps encore. Mais son bail était échu, la menace d'une déportation imminente planait, et il avait choisi de couper court à tout cela et de partir. « Yé vais commencer par Nueva York, nous avait-il dit. C'est pas loin, vous allez venir me voir. Et les *Americanos* ils sont plus relax avec les immigrants sans papiers.

— En fait, avait dit Nicolas, ils sont vraiment, mais vraiment pires. » Et ils avaient débattu une dernière fois, avec un plaisir évident et partagé. Emilio savait que Nicolas avait raison, mais il devait ne pas vouloir partir sans une dernière discussion stérile et beaucoup trop animée avec son ami. Catherine et moi les avions regardés faire, un peu émues, en nous demandant une fois de plus comment Noé allait réagir à l'annonce de ce départ. Emilio voulait lui apprendre lui-même la triste nouvelle, mais il repoussait sans cesse le moment des adieux et, maintenant qu'il était venu, il hésitait encore, tentant de se donner du courage en enfilant les rasades de tequila.

« Pas tout de suite, m'a-t-il dit pour la quinzième fois de la soirée en me passant la bouteille. Un peu plus tard.

— Ton autobus part dans huit heures », ai-je fait remarquer. Il partait en bus le lendemain à l'aube, et Nicolas s'était engagé à aller lui porter ses quelques boîtes dès qu'il aurait une adresse à New York. Une perspective qui les enchantait, Nicolas rêvant de remplir sa petite auto de livres en espagnol et Emilio lui promettant de l'emmener voir des combats de coqs « avec mes deux cousins qui font la loi dans Spanish Harlem ». Catherine et moi menacions d'aller les rejoindre pour gâcher leur trip de gars, et ils faisaient semblant d'être horrifiés à cette idée, mais Emilio, nous le savions tous, aurait aimé faire découvrir à Catherine les bodegas de ce quartier qu'il connaissait bien, pour l'avoir habité durant une de ses nombreuses autres vies.

Il a hoché la tête un peu tristement en regardant Noé passer en courant une fois de plus. Nous étions assis dans les marches qui menaient aux autres étages, et les deux appartements, devenus un seul « château », étaient remplis de la rumeur joyeuse et de moins en moins cohérente de dizaines d'amis venus souligner le départ d'Emilio. C'était une faune extrêmement éclectique, composée d'amis à nous, de connaissances plus ou moins proches, de musiciens manouches qu'Emilio avait rencontrés la veille dans un bar et convaincus de venir faire un tour, au grand dam de Nicolas et moi qui honnissions la musique manouche, et des anciennes conquêtes d'Emilio (qui allaient de la productrice de cinéma à laquelle Catherine était en train de faire un numéro de charme à la jeune étudiante en anthropologie qui était venue avec son nouveau copain, un jeune étudiant en sociologie).

« Yé dis ça avec mon cœur, Yénébieb : vous allez me manquer.

— Nous aussi tu vas nous manquer, l'Émile. » Il était assis sur une marche plus basse que la mienne et je l'ai enlacé en posant mon menton sur sa tête.

« T'essaies de séduire ma copine avant de partir ? » a demandé Florian en venant s'asseoir près de nous. Emilio a tout de suite retiré son bras, qui entourait un de mes genoux.

« *No ! No !* Floriano, *no !*

— Il te taquine, ai-je dit.

— Personne me comprend quand je les taquine, a déploré Florian.

— C'est parce que tu es imposant, Floriano. *Espantoso.*

— *Espantoso ?* ai-je demandé.

— Épeurant, a traduit Florian, qui parlait ou au pire baragouinait à peu près toutes les langues européennes. Tu penses vraiment que je suis épeurant?

— C'est la prestance. L'allure », a dit Emilio en se levant péniblement. Il commençait à tituber. « Tu vois, moi yé fais peur à personne. » Il a caracolé doucement jusque dans l'appartement de Catherine et Nicolas.

« J'ai de la prestance? m'a demandé Florian.

— Beaucoup », ai-je répondu avant de l'embrasser longuement.

Nous avions passé les dernières semaines dans une bulle de luxure et d'adoration mutuelle qui m'avait rappelé, en partie, les premières journées de nos amours, alors que nous déambulions dans Paris sans rien voir de ses splendeurs, nos deux regards accrochés l'un à l'autre et nos mains baladeuses se promenant sans cesse sur nos corps qui me semblaient alors perpétuellement électrifiés.

Les jours qui avaient suivi mon retour chez Florian s'étaient déroulés dans la même extase cotonneuse, qui me donnait l'impression de ne rien discerner qui soit extérieur à nous et aux frontières de notre lit. Je disais déjà « notre » – nous avions réadopté le « nous » à une vitesse qui avait fait hurler Catherine lorsque, au bout d'une semaine, j'avais finalement émergé de « notre » bulle exquise pour aller faire à mes amis un compte rendu plus détaillé que les quelques informations laconiques que j'avais daigné leur envoyer jusque-là par message texte.

Étais-je consciente alors que mon refus presque obstiné de les voir ou de les appeler découlait directement du fait que je craignais non pas leur jugement mais de voir se refléter dans leurs yeux mes propres inquiétudes? Fort probablement. Mais le visage de Florian, l'excitation grisante de nos retrouvailles (et les orgasmes multiples qui en résultaient) suffisaient à me convaincre qu'il en était autrement, que si je ne voyais plus personne ce n'était que pour me consacrer à cet incroyable revirement de situation et à cet amour dans lequel j'allais mettre, cette fois, toute mon énergie.

Je ne quittais le condo de Florian que pour aller nourrir mes chats. Et quand, au bout de quatre jours, j'ai déclaré que Ti-Gus et Ti-Mousse se sentaient trop abandonnés, c'est Florian qui est venu camper chez moi. Notre passion, de toute manière, se satisfaisait de peu : un matelas, un téléphone pour commander de quoi manger et du champagne, que nous buvions béatement en nous répétant que c'était ce que nous méritions.

Lorsque nous ne faisions pas l'amour, nous parlions. Assis dans les draps froissés et humides, nous parlions de nous, de nos projets futurs, de l'atrocité d'une vie vécue l'un sans l'autre. Chose étrange, c'était Florian qui m'avait parlé le premier de ces mois durant lesquels je l'avais cru parti pour toujours. Fidèle à lui-même, il considérait qu'il « fallait » que nous discutions de cette tumultueuse époque, et je n'avais pu que reconnaître qu'il avait raison. Mais j'aurais été parfaitement à l'aise, moi, de vivre encore dans le déni. J'avais failli, le lendemain de nos retrouvailles, lui raconter ma peine et ma déchéance mais je ne voulais pas gâcher ces heures ensoleillées avec le souvenir de mes mois de sombre détresse. Je ne voulais pas laisser s'écouler les énormes vasques de ressentiment que j'avais accumulées en moi au cours de cette période.

Elles s'étaient pourtant déversées avec une force presque cataclysmique le soir où, en posant sur la table de la cuisine la commande de sushis qui venait d'être livrée, Florian m'avait demandé de lui parler de ce que j'avais vécu loin de lui.

« Non… avais-je répondu. Pas tout de suite, OK ? On est bien là, on vient de se retrouver, Florian… » J'avais évoqué cette excuse à quelques reprises déjà durant les journées précédentes et il avait semblé d'accord : nous allions disposer d'une vie entière pour décortiquer ces quelques semaines, pourquoi le faire maintenant, alors que nos corps et nos cœurs criaient leur joie d'être enfin réunis?

« Je sais… avait cependant répondu Florian, mais je veux pas… je veux pas que tu enfouisses des choses en toi. Je sais que je t'ai blessée Geneviève… » J'avais essayé, une fois de plus, de ne pas remarquer qu'il me disait souvent être bien conscient de m'avoir blessée sur un ton désolé, sans jamais toutefois me demander pardon.

« C'est correct », avais-je menti.

Devant moi, Florian avait levé un sourcil incrédule. Il aurait pu sembler présomptueux, ainsi, à s'inquiéter des dommages que l'absence de sa précieuse personne m'avaient causés, mais sa curiosité et son empathie étaient bien réelles. Je le connaissais assez pour savoir qu'il était incapable de machiavélisme et je ne doutais absolument pas de la sincérité de son amour. Il me parlait en me prenant le visage, en me couvrant de baisers et de caresses, et ses grands yeux bleus me regardaient avec une candeur qui ne cessait de me bouleverser.

« Florian, avais-je finalement dit. Ç'a été… ç'a été de l'ostie de marde. »

Il avait souri. « Mais encore ?

— Mais *encore* ? » Je m'étais demandé, l'espace de quelques secondes, si j'y allais doucement ou si j'ouvrais carrément les vannes. Son « Mais encore » m'avait donné la réponse. « Tu m'as brisé le cœur Florian. Tu… t'es parti avec une autre fille, tu m'as *abandonnée* parce que tu trouvais que je ne méritais plus ton amour, tu…

— C'est pas vrai. J'ai jamais trouvé ça.

— Bon ! Bon ben explique-toi, alors. Parce que… parce que pendant que je me morfondais dans mon linge mou avec les cheveux sales puis des pichets de vodka-mûre-crevette…

— De *quoi* ?

— Je t'expliquerai plus tard. Mais… peux-tu… peux-tu juste *essayer* de comprendre comment je me suis sentie ? »

Il avait baissé les yeux sans rien dire, et je m'étais enfin fâchée.

« Tu pourrais pas t'excuser, peut-être ? Tu m'as fait sentir comme une *merde* ! Toi ! La personne à qui je faisais le plus confiance au monde, tu m'as fait sentir comme si je valais rien !

— J'ai jamais voulu te faire mal…

— Mais je m'en câlisse que tu aies jamais voulu me faire mal, tu m'*as* fait mal ! Il a fallu que j'aille voir une psy, que je me remette en question, que… » Je m'étais tue. Je venais de réaliser que, comme je l'avais appréhendé il y avait de cela plusieurs mois, cette remise en question à laquelle le départ de Florian m'avait contrainte avait été, au bout du compte, une des meilleures choses qui m'étaient arrivées. Il y avait eu ce « travail sur moi-même », horrible expression qu'affectionnait Julie Veilleux et qui me donnait de l'urticaire mais qui décrivait bien cet étrange et narcissique processus que j'avais entamé avec elle. Il y avait eu l'écriture, pour ce que ça valait. Il y avait eu Maxime.

« J'ai fait une erreur, avait dit Florian, profitant de mon silence. J'ai pensé que… je sais pas ce que j'ai pensé. Je sais pas si j'ai été aveuglé par le quotidien, si j'ai pensé que je ne t'aimais plus parce que j'avais arrêté d'être émerveillé… » Il avait levé une main pour me signifier de le laisser finir en voyant que j'allais protester. « Et si je t'ai fait croire, de quelque manière que ce soit, que c'était de ta faute à toi si j'avais arrêté de te voir comme ça… ça c'est mon erreur. C'est moi qui avais cessé de te voir, Geneviève. »

J'avais ouvert la bouche pour lui dire qu'il devait quand même être assez intelligent et sensible pour comprendre qu'une femme qui se fait laisser cherche d'abord et avant tout la faute en elle-même. Mais ce n'était pas une discussion que je voulais avoir, pas là, pas avec lui. J'avais eu une pensée pour Maxime, qui aurait eu à ce sujet plus d'une opinion. Maxime dont je me promettais de ne plus jamais mentionner l'existence à Florian, non pas pour ne pas lui faire mal mais pour ne pas avoir à me torturer inutilement, moi, en pensant à lui.

Nous avions continué à parler comme cela durant la soirée – j'avais raconté à Florian mes déboires, les amis qui étaient venus me chercher, les heures passées en position fœtale sur un divan qui devait encore avoir la mémoire de mes formes, mon absurde séjour au chalet de mon père, ma très, très lente remontée vers la lumière.

J'avais l'impression de parler de quelqu'un d'autre et plus j'avançais dans mon récit, plus je me rendais compte que l'omission de Maxime et du rôle qu'il avait joué dans ma rémission en faisait une histoire qui n'était pas vraiment la mienne. Ce qui, perversement, me rendait la tâche plus facile – j'étais devenue une conteuse, je pouvais me détacher juste assez de cette personne dont je narrais l'expérience pour être capable de le faire sans avoir mal et, surtout, sans trop en vouloir à Florian. J'étais toujours consciente du fait que même après avoir dit « J'ai fait une erreur » il n'avait pas ajouté « Excuse-moi », mais je ne lui en tenais plus rigueur, ou plutôt je ne voulais plus lui en tenir rigueur, ce qui pour le moment revenait au même.

Lorsque Catherine, quelques jours plus tard, m'avait demandé comment s'étaient passées nos retrouvailles, j'avais d'abord omis de lui parler de cette discussion, voulant croire probablement que mon amie ne la considérerait pas comme primordiale. Je m'étais étendue sur mon bonheur, sur notre « connexion » plus forte que jamais, sur le sexe qui avait pris une dimension nouvelle et tellement délicieuse que je passais mes journées dans un état de voluptueuse torpeur. Mais c'était compter sans Catherine, qui m'avait interrompue pour me demander : « Il s'est-tu excusé au moins ? Il a-tu comme pleuré toutes les larmes de son corps en se fouettant avec du fil barbelé ? Il se donne-tu un coup de poing sur la gueule tous les matins en se levant ?

— Oui, oui, avais-je dit, évasive et peu crédible. C'est sûr qu'il est désolé.

— Mais est-ce qu'il a *dit* qu'il est désolé ? »

J'avais regardé Catherine d'un air découragé. J'étais incapable de lui mentir, et j'aurais voulu qu'elle ne relève pas ce « détail » parce que je voulais qu'il reste, justement, un détail.

« C'est quand même incroyable », avait dit Catherine. Mais elle n'avait pas poursuivi, ce qui m'avait soulagée, mais aussi inquiétée. Voyait-elle en moi une cause désespérée ? Étais-je devenue une imbécile heureuse ? Je m'étais dit que oui, peut-être, mais qu'une sotte béatitude valait certes mieux que les affres de l'angoisse que j'avais traversées les mois précédents. Catherine, croyant sans doute la même chose, s'était contentée de me fixer de ses yeux lucides et m'avait donné une tape sur l'épaule.

Elle avait gardé à l'égard de Florian une certaine distance qui me blessait un peu mais qu'elle avait, force m'était de l'avouer, toujours eue. Je pouvais donc me dire que rien n'avait changé ou, mieux encore, que tout était redevenu comme avant. Et c'est justement sur le même ton qu'elle avait depuis plus de six ans qu'elle a crié, en venant s'asseoir près de nous dans l'escalier : « Ben là, get a room !

— Y avait presque pas de langue ! ai-je dit.

— Je sais mais j'ai pas de chum puis je suis amère.

— L'amertume attire pas les mouches, a fait valoir Florian.

— Ouin ? C'est quoi qui attire les grands schleus ? Juste que je le sache pour pas en dégager trop trop…

— L'élégance et la retenue, a dit Florian.

— Donc je suis safe? a demandé Catherine en souriant.

— So safe.» Ils ont ri, et Catherine a frappé son verre de margarita contre la coupe de Florian. Il y avait sous leurs taquineries un fond de vérité qui n'échappait à personne, mais ils étaient retombés dans leurs vieilles habitudes et s'accommodaient l'un de l'autre, par amour pour moi. Un bras toujours autour de Florian, j'ai mis une main sur l'épaule de Catherine. C'est dans cette pose que nous a trouvés mon père, qui gravissait les marches en soufflant beaucoup trop.

«Calvaire, a-t-il dit en apercevant Catherine. Ça vous tente pas de faire installer un ascenseur?

— On est au deuxième étage, Bill.

— PFFFIOU! Salut ma belle fille.» Il s'est penché pour m'embrasser, et a fait de même avec Catherine, avant de tendre la main machinalement à Florian. Il avait exprimé sa déception avec sa caractéristique subtilité lorsque je lui avais annoncé notre réunion, accueillant la nouvelle avec un «Ah ouin, hein?» tellement découragé qu'il m'aurait fait rire en d'autres circonstances. Mais j'avais moi-même tergiversé durant tant de temps, j'avais eu si peur de faire une erreur que, maintenant que j'avais plongé les yeux fermés et décidé d'assumer mon *alea jacta est*, je ne supportais pas de voir ou d'entendre chez les autres le moindre doute, à plus forte raison si ces autres étaient des gens que j'aimais et dont l'opinion comptait pour moi (constatation étrange et déconcertante, avais-je eu la présence d'esprit de remarquer, que l'opinion d'un être aussi absurde que Bill compte pour moi).

J'avais tout de même accepté d'aller souper chez mon père, la semaine précédente, à l'invitation de Josiane qui, il fallait lui donner ça, contrebalançait avec sa délicatesse et son sincère désir de faire plaisir la brusque franchise de Bill. Nous nous étions donc rendus dans la McMansion de Laval-sur-le-Lac et j'avais réalisé, en traversant le terrain beaucoup trop paysagé qui menait à la porte d'entrée, que j'étais épouvantablement stressée. J'avais l'impression d'avoir quinze ans et de présenter à mes parents mon premier chum – le fait que j'aie passé six ans avec Florian et que mon père le connaisse très bien n'aidait en rien : il me fallait le faire accepter *de nouveau*, après ce qu'il m'avait fait.

Julie Veilleux, si je n'avais pas lâchement annulé nos deux derniers rendez-vous, m'aurait sans doute fait remarquer que, si cela m'angoissait tant, c'était peut-être parce que j'avais de la difficulté, moi, à l'accepter *de nouveau*, mais je n'avais pas vu Julie Veilleux et pour des raisons évidentes, je m'en félicitais.

C'était Audréanne qui était venue nous ouvrir et elle avait, à mon grand étonnement, spontanément embrassé Florian. Elle était pimpante, primesautière même, et j'avais vite repéré la source de tant de joie pétillante : Félix-Antoine était là lui aussi, un peu mal à l'aise dans l'immense salon. Nous étions sortis prendre l'apéro sur la terrasse qui faisait face à la rivière, et pendant que Josiane régalait les « garçons », comme elle les appelait, d'anecdotes ronflantes ayant pour cadre le Carrefour Laval, mon père m'avait dit : « Ça se peut-tu. Mes deux filles avec des osties de têtes carrées.

— Têtes carrées ça veut dire anglos, papa.

— Tu comprends ce que je veux dire. Des gars straights comme des barres de fer.

— C'est des *bons* gars, papa. » Je regardais Audréanne, qui semblait reliée chirurgicalement au bras droit de Félix-Antoine, et je me disais que, si son amour me paraissait dangereusement intense, je ne l'avais jamais vue épanouie à ce point.

« Je sais, avait répondu mon père. Mais ton autre gars aussi c'était un bon gars.

— Parle pas de l'autre gars, p'pa.

— C'était plus un gars dans mon genre, il me semble. »

Mon père vivait dans un monde dans lequel il projetait l'image d'un homme simple et sympathique, à l'habileté sociale aussi flagrante que naturelle. Je ne voulais pas trop le contredire mais j'avais rectifié le tir, par respect pour Maxime. « Tu peux pas être *moins* le même genre de gars que lui, papa. Mais on parle pas de lui, OK ?

— Tu regrettes-tu ?

— P'PA !

— Josiane m'avait dit de pas te parler de ça.

— Ça te tente pas d'écouter ce que te dit ta femme, des fois ? »

Il avait émis un « Mnagh… » dubitatif et rempli de sous-entendus qui m'avait fait rire. « Ta mère aussi m'avait conseillé de pas t'achaler avec ça.

— Bon !

— Si je passais ma vie à écouter ce que ces deux femmes-là me disent, Geneviève, je passerais mes journées à lire la Prophétie de Karim Je-sais-pas-qui en me faisant checker la prostate. Mais si toi tu me le demandes, je vas me fermer la trappe.

— Ben je te le demande. » Je l'avais regardé en souriant. « Mais fais-toi donc checker la prostate de temps en temps. »

Il avait tenu parole tout au long de la soirée et s'appliquait encore à ne pas me décevoir. Mais si mon père était capable, au prix d'héroïques efforts, de se fermer « la trappe », il lui était absolument impossible de ne pas s'exprimer à grands coups de faces et d'airs qui, là aussi, m'auraient fait rire en d'autres circonstances. Florian, qui n'était pas dupe, avait depuis longtemps cessé de tenter de plaire à mon père. Il se résignait à être poli et à faire semblant de ne pas remarquer, lui non plus, les nombreuses simagrées de Bill.

C'est pourquoi ce soir-là, dans les marches achalandées de l'appartement de Catherine et Nicolas, je l'ai regardé prendre élégamment la main machinale que lui tendait mon père en me répétant, pour la millième fois, que l'indifférence teintée d'agacement que celui-ci manifestait à son égard n'avait pas d'importance.

« Y a-tu à boire ? a demandé Bill à Catherine.

— Oh, oui, a répondu mon amie. Faites un p'tit tour puis vous allez tomber sur une bouteille de quelque chose c'est pas mal sûr. J'en reviens pas que vous soyez venu, Bill.

— Ça me fait plaisir, ma belle. Je l'aime ben ton latino… t'es pas trop triste qu'il parte ?

— Non, a menti Catherine. Pourquoi ?

— Ben je sais pas, Geneviève m'avait dit que vous… » Il a fait un geste d'une vulgarité absolue qui a fait couiner Catherine et rire Florian. Catherine s'est tournée vers moi, outrée, et je n'ai pu que faire un sourire piteux – il m'arrivait encore d'avoir des moments d'absence et de confier à mon père certaines choses qui ne pouvaient pas se répéter, sans me souvenir qu'il répétait toujours, mais toujours tout, à commencer par ce qui ne devait pas l'être.

« Oups ? ai-je dit en battant des paupières pour me faire pardonner.

— T'es vraiment conne, hein ?

— OK ben moi je vais aller me chercher un drink… a fait Bill, en feignant d'être très mal à l'aise, un état qu'il ignorait totalement.

— Je vous suis, a déclaré Florian. Il y a du whiskey dans la cuisine du côté de chez Catherine. Ça vous dit ? » C'était un petit effort, qui m'a touchée et blessée à la fois. J'aurais souhaité que Florian n'ait pas à s'abaisser à cela.

« Tu bois pas du schnaps, toi ?

— En fait je bois du vin blanc, a répondu Florian en montrant son verre.

— C't'un drink de pitoune, le vin blanc.

— Voulez-vous que je vous montre où est le whiskey, oui ou non ?

— Ouin. » Mon père a lancé à Florian un regard méfiant. « OK. »

Ils sont partis tous les deux, m'enlevant du même coup un poids énorme du cœur. J'ai soupiré en m'appuyant contre le mur du corridor.

« C'est encore le grand amour entre ces deux-là ? a demandé Catherine.

— Oui puis pas de chance que le bonhomme fasse trop d'efforts, hein ?

— C'est pas si grave, minoune.

— Ouais, je sais… mais on dirait que ça me fait plus chier qu'avant. » J'ai jeté un coup d'œil oblique vers Catherine. Je m'en voulais d'avoir dit cela – allait-elle comprendre que si je réagissais aujourd'hui plus mal qu'autrefois à la méfiance de mon père envers mon amoureux c'était peut-être parce que j'étais, moi aussi, devenue méfiante ?

Catherine m'a mis une main sur la cuisse : « Tu sais, Gen, c'est normal qu'on se pose tous des questions. Puis c'est normal que *tu* t'en poses. »

Je suis restée interdite – la perspicacité n'ayant jamais été le fort de Catherine, elle m'épatait toujours lorsque je la retrouvais chez elle. J'allais parler quand Nicolas est venu s'asseoir près de nous. « Ton père est en train de cruiser ma blonde, m'a-t-il dit.

— Est-ce que ça vaut la peine que quelqu'un fasse valoir que c'est peut-être parce qu'elle a l'âge de sa blonde à lui ? a demandé Catherine, se méritant instantanément un faux coup de poing sur l'épaule.

— En fait elle a six ans de plus que Josiane », ai-je précisé, en me cabrant pour recevoir, à mon tour, mon faux coup de poing. Taquiner Nicolas à propos de l'âge de Susan était devenu, depuis quelques semaines déjà, une pratique acceptable. Ils vivaient tous les deux cette différence d'âge avec une telle aisance que nous pouvions nous permettre des petits commentaires, qui n'enlevaient rien, d'ailleurs, à l'affection réelle que nous avions pour Susan.

Je me suis fait la réflexion que j'étais loin, moi, d'être assez confiante en mon amour pour que les commentaires négatifs à son sujet ne m'atteignent pas. Une pensée qui m'a fait une peine immense, presque démesurée, et qui m'a donné envie d'aller chercher Florian et de filer en douce avec lui. Tout allait tellement mieux lorsque nous étions seuls ensemble, dans le nid douillet et accueillant de notre lit et de nos promesses d'amour infini. J'ai attrapé la bouteille de tequila qu'Emilio avait laissée là et j'en ai pris une bonne rasade.

«De quoi on parle? a demandé Nicolas en attrapant la bouteille à son tour.

— De Gen qui a de la misère à dealer avec le fait qu'elle se pose encore des petites questions», a répondu Catherine d'un air entendu.

Nicolas a fait un grand «Aaaahh…» et ils ont échangé un regard qui m'a fait comprendre qu'ils avaient, évidemment, beaucoup parlé de cela, et qu'ils n'attendaient que le moment propice pour en discuter avec moi.

«C'est un piège, ai-je dit. Vous m'avez coincée.

— Ton chum est pogné dans une discussion politique avec Emilio puis un étudiant en socio, on en a pour un boutte, a dit Nicolas en me mettant une main sur l'épaule pour me retenir si jamais l'envie de fuir s'était fait sentir (elle se faisait sentir). T'as le droit de te poser des questions, Gen.

— Je me pose pas de questions! Mais je vois toutes vos faces autour de moi qui s'en posent puis…» Je me suis arrêtée. Nicolas et Catherine avaient tous les deux croisé les bras et me dévisageaient avec leur air qui voulait dire qu'ils ne croyaient pas un mot de ce que j'avançais. «Vous me faites chier, ai-je maugréé, piteusement.

— Ça c'est un bon argument dans une conversation, a dit Nicolas.

— Crisse! J'ai le droit de me poser des questions, non? Puis à part de ça je me "pose pas de questions". Je… j'ai des réflexions.

— T'as des "réflexions".

— Ben oui, je pense à toutes sortes d'affaires, puis me semble que c'est normal, non ? C'est absolument normal quand on retourne avec un gars après une rupture d'avoir beaucoup de réflexions ! OK ?

— Moi j'ai aucun problème avec ça, a dit Nicolas. Mais… » Il a regardé vers Catherine, comme pour savoir s'il avait l'autorisation de continuer.

« Mais quoi ? ai-je crié. Dis-le donc, ce que vous voulez me dire.

— Ben… *Toi* t'as l'air d'avoir un problème avec ça.

— De quoi tu parles ?

— Gen, a fait Catherine. T'as passé les dernières semaines soit à nous dire que tout allait parfaitement absolument totalement maladement bien, soit à nous crier par la tête que c'est ben correct que tu te poses deux trois questions. Y a pas vraiment de… sérénité ?

— Oh parce que t'as une opinion sur la sérénité, toi, astheure.

— Celle des autres, oui », a répondu Catherine, me faisant sourire malgré mon état qui n'était pas loin de la panique. J'ai repris la bouteille des mains de Nicolas. Je réagissais, j'en étais consciente, beaucoup trop vivement.

« Pourquoi ça te met tellement à l'envers ? m'a demandé Nicolas. Avec tout ce que t'as vécu, c'est juste normal que tu te sentes un peu frileuse, tu penses pas ?

— Mais je veux pas me sentir frileuse ! Avec tout ce que j'ai vécu, justement, me semble que je serais en droit de savoir ce que je veux, non ? D'être *sûre* de ce que je veux ? » Je me suis arrêtée, surprise par mes propres paroles – j'ai failli me mettre une main sur la bouche comme un personnage qui se surprend à trop parler dans un film pour enfants. À côté de moi, Catherine a fait un petit « Aw… » et m'a enlacée. Je me suis dégagée de son étreinte d'un geste brusque. « Arrêtez ça… c'est pas ça que je voulais dire c'est… crisse on dirait que c'est juste quand je vous vois ou quand je vois mon père que je me pose des questions… si vous aviez pas l'air aussi bête aussi…

— OK, faudrait peut-être pas nous faire porter le fardeau de la faute? a suggéré doucement Nicolas.

— Non, mais… on peut pas dire que vous avez été les plus gros cheerleaders dans ce dossier-là. Crisse quand ce gars-là est parti j'étais une loque humaine, si y a deux personnes qui le savent c'est bien vous, non? Puis là il revient et tout le monde est comme "Iiiii, pas sûr"… c'est quand même hallucinant!

— Je peux-tu dire quelque chose de vraiment désagréable? a tenté Nicolas.

— Non?

— Je vais quand même le dire, OK? Si t'étais sûre de ton affaire, Gen, tu te câlisserais éperdument de ce qu'on peut penser.

— Mais je m'en câlisse! Ça me fait de la peine parce que je vous aime, c'est tout… » J'ai observé mes amis échanger un autre regard dans lequel je pouvais très bien lire qu'ils se demandaient s'ils allaient poursuivre. «Quoi? Quoi? Qu'est-ce qu'il y a *encore*?»

Ils ont soupiré tous les deux puis Catherine s'est relevé les cheveux en chignon comme si elle s'apprêtait à accomplir une tâche ardue. «Il y a qu'on te croit pas, Geneviève. T'as juste pas l'air bien.

— J'ai pas l'air bien autour de vous parce que vous me faites sentir de même! » ai-je crié. J'avais envie de pleurer. J'ai repensé aux semaines précédentes, aux heures exquises et grisantes passées dans les bras de Florian, enveloppée chaudement dans l'écharpe rassurante de son regard bleu et dans ma foi en son amour. Il m'était arrivé, à quelques reprises depuis nos retrouvailles, de me demander si je n'exagérais pas en faisant porter tout le fardeau de la faute à mes amis et à leurs doutes à eux. C'était, je le savais, extrêmement pratique et presque trop facile. Mais le confort et la certitude que je retrouvais auprès de Florian, lorsque nous parlions, nus dans la pénombre, durant des heures, me confirmaient que j'avais raison de penser ainsi.

« On veut pas te faire sentir "de même", a dit Nicolas. On veut juste que tu sois bien.

— Mais je suis bien ! » Mon ton était indéniablement strident. Je me suis tue, les yeux rivés sur mes genoux pour ne pas voir les regards qu'échangeaient mes amis. « C'est quoi ? ai-je finalement dit. Ç'a-tu un rapport avec Maxime ? C'est-tu parce que vous aimiez plus Maxime puis que là vous le voyez encore puis que…

— Maxime a rien à voir là-dedans ! a dit Nicolas. Y est déçu mais il se remet… il part pour Londres demain pour un espèce de congrès d'auteurs… Il fait pas pitié, Gen. »

J'ai eu le réflexe ridicule de me demander pourquoi Maxime ne m'avait pas mise au courant de ce départ. « Je sais qu'il fait pas pitié, ai-je dit, mais… c'est quoi d'abord ? C'est quoi qui vous dérange tant ?

— C'est de pas savoir ce qui toi te dérange ! a dit Catherine. On le voit que t'es pas ben puis… c'est peut-être pas grand-chose, c'est peut-être super normal, mais tu nous parles plus !

— Peut-être parce que j'ai pas envie d'avoir des conversations de même ?

— Mais pourquoi ? Pourquoi ? T'as peur de quoi ? »

Le ton avait monté et il était, évidemment, hors de question que je réponde à Catherine. D'abord parce que ma « peur », admettant que j'avais peur, était confuse et sans contours. C'était quelque chose de l'ordre du pressentiment que je n'éprouvais que lorsque je n'étais plus seule avec Florian et qui émanait, me répétais-je, du fait que j'étais encore fragile, et que j'interprétais comme un mauvais augure les doutes de mes amis.

« T'as-tu peur qu'il te trompe encore ? a demandé Catherine.

— Quoi ? Non ! Il m'a jamais trompée, anyway ! On était plus ensemble quand il a commencé à… » Je me suis arrêtée, réalisant à quel point j'étais risible dans ma véhémence. « Il m'a pas trompée, OK ? ai-je répété plus calmement. Puis si ce que vous voulez savoir c'est si j'ai peur qu'il se remette à regarder ailleurs ou à revoir "Billy" ben la réponse est non. » Je cherchais mes mots. « Pour *vrai*. Je le sais, OK ? Je le *sens*.

— Je doute pas de ça, a dit Catherine.

— Bon ben ça te tente pas d'être contente pour moi ? On est ben contents pour toi quand tu décides de faire un bébé, non ? » C'était un peu mesquin de ma part. Les démarches de Catherine avançaient toujours, ce qui l'enchantait mais aussi la terrorisait. Elle persistait cependant, surtout pour des bonnes raisons, et je m'étais fait jusque-là un devoir de la soutenir moralement. Elle a hoché la tête d'un air blessé, accusant le coup, mais a eu la grâce de ne pas relever ma mesquinerie.

« T'as raison, a dit Nicolas en me prenant par les épaules. T'as raison, Gen. Puis on est contents pour toi. C'est peut-être juste parce qu'on a passé des mois à te ramasser à la petite cuiller qu'on est un peu trop protecteurs. On devrait pas. »

J'ai fait un « Mmm » en guise de réponse. Il mentait pour être conciliant, je le savais, et cette capitulation me blessait autant qu'elle faisait mon affaire. « Je vais aller chercher Flo, ai-je finalement déclaré. Avant qu'il se fasse tatouer la face de Che Guevara dans le front. » Je me suis levée sans regarder mes amis et je suis partie à la recherche de mon amour.

J'avais eu l'intention, en les quittant, de partir avec Florian pour retrouver le confort de notre solitude à deux. J'étais épuisée par la conversation que je venais d'avoir, et surtout, toute chamboulée de m'être presque chicanée avec ces deux personnes avec qui je ne me chicanais jamais. Mais lorsque j'ai trouvé Florian qui riait et buvait avec Emilio et quelques autres personnes, j'ai été tellement rassérénée par son sourire et sa présence que j'ai accepté de m'asseoir avec eux pour prendre un verre. Puis deux, puis quatre.

Ça ne peut qu'être le grand amour, le vrai, me disais-je : près de lui, mes soucis s'évaporent. Je regardais aller et venir mon père et me répétais que ce n'était pas si grave, après tout, qu'il n'aime pas cet homme merveilleux que moi j'aimais. Même la froideur de Noé envers Florian ne me touchait presque plus. J'avais été frappée, lorsqu'ils s'étaient revus, par l'attitude un peu timide que Noé avait envers lui. Je me souvenais de ses petits bras autour du cou de Maxime, de son rire flûté qui résonnait souvent auprès de lui et qui ne se faisait pas entendre lorsqu'il était avec Florian. C'est parce que Florian est un adulte, un vrai, me suis-je dit en voyant Noé le contourner prudemment pour aller se lover dans les bras d'Emilio, cet éternel adolescent. Et cela me suffisait, parce que le bras de Florian était sur mes épaules et que j'avais retrouvé, contre lui, mes certitudes.

Nous sommes partis très tard, non sans avoir couché Catherine qui, dans un état d'ébriété avancé, s'était mise à pleurer en criant : « Mais je l'aiiiiiiime Emilio, je l'aiiiiiiiiiiiime. » Fidèle à elle-même, elle se mettait à aimer lorsque l'amour devenait impossible. Elle criait encore « Je l'aiiiiiiiime » pendant que je lui enlevais en riant son jeans pour qu'elle puisse dormir un peu mieux.

« Mais non, tu l'aimes pas, avais-je dit.

— Toi non plus tu l'aimes pas », avait-elle baragouiné en se débattant avec son chandail. Je ne savais pas exactement ce qu'elle voulait dire, mais je m'étais bien gardée de lui poser la question et j'avais quitté la chambre. Quinze minutes plus tard, Florian et moi étions partis.

« Ça s'est bien passé, non ? ai-je demandé alors que nous marchions vers chez moi.

— Oui. Mais j'aime mieux être tout seul avec toi.

— Moi aussi.

— On devrait être toujours juste tous les deux ensemble », a dit Florian en m'embrassant dans le cou.

J'ai fait un petit oui, mais il y avait quelque chose dans cette phrase qui m'emplissait d'une tristesse indéfinie, qui elle-même me faisait de la peine.

Les chats m'ont accueillie avec deux petits « Mrou ? » optimistes qui se sont vite transformés en regards sombres quand ils ont aperçu Florian. « Hé que vous espériez que maman reste célibataire pour toujours, hein ? leur ai-je dit en leur prodiguant moult câlins. Ça vous tenterait pas d'être contents pour maman ? Mmm ? Mmm ? » Mes « Mmm ? » allaient devenir carrément insistants, aussi me suis-je arrêtée. Avais-je un tel besoin d'être rassurée que même l'aval de mes chats, en plus de celui de mes amis, me semblait essentiel ? Je suis allée rejoindre Florian dans la chambre en soupirant.

Il tenait un petit paquet de feuilles – un texte que j'avais écrit avant nos retrouvailles et que je lui avais fait lire, dans mon désir de lui montrer que oui, j'avais accompli quelque chose. « J'avais oublié de t'en parler, m'a-t-il dit. Je l'ai lu. »

Je lui avais remis le texte quelques jours plus tôt et m'étais convaincue, à la suite de son silence, qu'il n'avait simplement pas eu le temps de le lire. Je me suis soudain sentie très vulnérable. « On en parlera demain », ai-je lancé sur un ton que j'espérais désinvolte. J'étais fatiguée, un peu soûle et j'avais en fait une peur presque irrationnelle de son jugement. Florian, après tout, m'avait encouragée à écrire durant des années. Qu'il aime ou non ce que j'avais produit, il ne pouvait qu'être content de voir que j'étais passée à l'acte, non ? Je me répétais cette question creuse comme un mantra alors qu'il déboutonnait sa chemise en relisant la dernière page.

J'ai repensé machinalement au texte qu'il tenait. Je l'avais écrit en quelques jours – c'était une description, un peu fastidieuse peut-être mais dont j'étais plutôt fière, d'une scène dans un bar un samedi après-midi. J'y dressais le portrait de réguliers, de la faune de passage, des barmaids affairées. Je parlais de la lumière qui entrait par les fenêtres et de la brise printanière qui traversait l'établissement. Il ne se passait pas grand-chose – une rencontre était évoquée à la fin –, mais il me semblait avoir su capturer quelque chose et surtout, avoir réussi là ce que je cherchais à faire. Je me souvenais de la vive satisfaction qui avait accompagné le point final.

« C'est pas mal, a dit Florian.

— Pas mal. » J'essayais de paraître détendue et même distante, une attitude affectée dont j'étais presque trop consciente, qui me blessait dans mon orgueil et dans mon amour : qui sent le besoin de maquiller ses émotions devant l'homme qui l'aime ? Aussi ai-je fait un geste pour signifier à Florian de laisser tomber.

Mais il a poursuivi. « Oui, c'est pas mal. C'est… ça manque sûrement de relief, ou de texture… je connais pas les termes techniques… mais c'est bien écrit.

— Qu'est-ce que tu veux dire "ça manque de relief" ?

— C'est un peu flat, a-t-il lâché. À mon goût à moi. » Il a souri et s'est approché pour me prendre dans ses bras. Je n'avais pas envie de son étreinte mais je me suis laissée aller, et l'odeur de sa peau m'a fait du bien. J'ai fermé les yeux, en espérant qu'il ne parle plus. « Anyway… l'important c'est que tu écrives, non ? Who cares si c'est mon style ou pas.

— Ben là…

— Hé, a-t-il ajouté en levant mon menton et en me regardant dans les yeux. Tu vas écrire mille autres pages. Des livres. Des romans-fleuves. C'est juste un début, ça. »

J'avais envie de lui dire que j'aimais, moi, ce début. Mais ses lèvres étaient déjà sur les miennes, et elles apportaient avec leur douce chaleur la certitude et le réconfort dont j'avais tant besoin.

Je me suis réveillée très tard le lendemain matin, avec un chat entre les jambes et un autre à moitié sur mon épaule. Florian était parti beaucoup plus tôt, et Ti-Gus et Ti-Mousse s'étaient réappropriés triomphalement ce qu'ils considéraient comme leur territoire, à savoir ma personne. J'ai passé une main endormie dans la fourrure de Ti-Gus et je me suis retournée délicatement sur le côté pour ne pas trop les déranger. Par la fenêtre, je pouvais voir un ciel gris et lourd qui faisait parfaitement mon affaire – c'était un ciel idéal pour être lendemain de veille chez soi, et ne pas se sentir coupable de végéter durant une journée entière.

J'ai pensé à Emilio, qui devait déjà être rendu loin, et à Catherine, qui allait bientôt se réveiller et passer les trois prochaines semaines, j'en étais certaine, à déplorer la perte de ce grand amour. La conversation que j'avais eue avec Nicolas et elle me revenait, plus pénible encore que les relents d'alcool et le mal de tête. J'ai donné un bisou sur la petite tête chaude du chat et je me suis levée péniblement.

Florian avait laissé, sur le comptoir de la cuisine, un mot dans lequel il me disait qu'il m'aimait et qu'il allait s'occuper du souper du soir, un souper « juste pour toi et moi ». Il terminait avec « bonne écriture ». C'était sa manière de m'encourager, mais elle m'a fait l'effet, ce matin-là, d'une incitation d'autant plus sournoise qu'elle était mielleuse. J'ai préparé du café en ronchonnant, et en me demandant s'il était trop tôt pour appeler Nicolas. Je ne lui avais pas vraiment reparlé, la veille, après notre discussion, et cela m'avait laissé une impression triste et désagréable que je voulais effacer en entendant sa voix et son rire. Et si mes retrouvailles avec Florian signifiaient qu'une distance allait s'installer entre mes amis et moi ? J'ai paniqué un moment à cette idée, avant de me dire que j'étais de toute évidence beaucoup trop fébrile à cause du lendemain de veille, et que je ferais mieux d'attendre d'avoir enfilé au moins deux cafés avant d'appeler qui que ce soit. Mais je n'avais pas eu le temps de me servir le premier que mon téléphone sonnait. C'était Florian.

« Hé, a-t-il dit doucement. Je te réveille ?

— Non… je me faisais un café.

— Chanceuse. Je suis au bureau depuis huit heures ce matin. Tu fais quoi aujourd'hui ?

— Sais pas… » J'ai regardé le ciel gris. « Ça s'en-ligne pour un marathon de *30 Rock* ou quelque chose du genre.

— Tu devrais écrire.

— Je… » J'ai eu envie de raccrocher. « Peut-être, ai-je plutôt dit. Je vais aller prendre mon café, OK ?

— OK. Je vais être chez toi vers six heures. Juste toi et moi, *meine Liebe*.

— OK. Je t'aime. » J'ai refermé l'appareil et me suis avancée pour regarder par la fenêtre, où je suis restée jusqu'à ce que l'odeur de café brûlé me ramène près du poêle. Florian avait une manière de me traiter « aux petits oignons », comme aurait dit ma mère, qui m'exaspérait et me ravissait à la fois. Je me suis sou-venue de ce que je lui avais reproché lors de notre dîner catastrophique peu après notre rupture, à savoir qu'il me traitait comme une enfant. Il le faisait encore, en m'encourageant patiemment à écrire comme on encourage un enfant à apprendre ses leçons. Et je ne savais plus si c'était une attitude qui me vexait en elle-même ou parce que, quelque part, elle soulignait le fait que c'était ce que je recherchais, que je voulais être infantilisée, quitte à me faire dire sur un ton mielleux que si mon texte n'était pas bon ce n'était pas grave, parce que j'allais en faire un meilleur plus tard, comme une grande.

J'ai apporté mon café dans mon bureau, déserté depuis le retour de Florian, et je l'ai posé sur le secré-taire. Je n'avais rien écrit après avoir terminé la bio-graphie du jeune prodige gaspésien et j'attendais une nouvelle commande de mon éditeur, qui attendait, lui, des textes originaux. J'ai joué brièvement avec l'idée d'écrire, mais le simple fait que Florian m'ait encouragée à le faire m'a enlevé toute volonté – j'aurais eu l'impression d'être manipulée, ce qui était ridicule mais suffisant pour m'empêcher de m'exécuter. J'ai fini par ouvrir l'ordinateur, mais dans le seul but d'y insérer un DVD de *30 Rock*. J'ai fait un sourire content aux personnages en les apercevant sur le petit écran, et j'ai entrepris de ranger quelques livres.

C'est en soulevant une anthologie de la poésie française, que j'avais ressortie pour lire à Florian un poème d'Apollinaire dont je m'étais soûlée après son départ, que j'ai trouvé un autre exemplaire de la nouvelle dont nous avions parlé la veille. Il était annoté dans les marges et il m'a fallu quelques secondes pour réaliser qu'il s'agissait de l'écriture de Maxime. Je lui avais envoyé le même texte, des semaines plus tôt, et il m'avait remis cette copie commentée que je n'avais pas pris le temps de regarder dans la foulée des événements qui avaient suivi.

Presque toutes les marges étaient couvertes de texte. Il s'agissait d'observations, de remarques, parfois de conseils. J'ai commencé à les lire debout, puis je me suis assise au petit secrétaire, et j'ai arrêté le son du DVD qui jouait toujours dans l'ordinateur. Maxime n'avait pas tout aimé, mais ses bémols étaient ouverts et ses conseils pertinents et tendres. Ils étaient entrecoupés, surtout, d'encouragements d'une évidente sincérité, qui prenaient plutôt la forme de commentaires tels que «Wow. Méchante belle ligne» ou «Quel beau flash je suis jaloux xxxx».

Il avait écrit, au verso de la dernière page: «C'est MAGNIFIQUE. Ai-je mentionné que j'étais jaloux? Deux-trois affaires que j'ai pas comprises – j'ai hâte qu'on en jase. Tu as dû tripper comme une démone en écrivant ça, hein? Ça paraît xxxxxx.»

Je suis restée assise, le texte sur les genoux, les yeux fixés sur les six x qui terminaient le dernier commentaire de Maxime. Je ne sais pas combien de temps je suis restée là mais au bout d'un moment je me suis levée, remplie enfin de cette certitude absolue que je cherchais depuis des semaines, et j'ai dit tout haut : « Oh fuck. »

CHAPITRE 20

« *O*h fuck », ai-je répété à au moins dix reprises. Moi qui avais passé des journées entières à attendre une illumination en me disant qu'il n'y avait rien de plus stérile puisque les *illuminations n'existent pas,* j'étais enfin illuminée. J'étais, en fait, submergée de lumière, j'avais les yeux grands ouverts, immensément ouverts, infiniment ouverts et je voyais avec une clarté qui me paralysait et s'accompagnait d'une question maintenant évidente : comment avais-je pu être à ce point aveugle ? J'étais éberluée par ma propre bêtise, à tel point que j'étais incapable de faire quoi que ce soit, sauf me tenir debout avec un paquet de feuilles dans les mains en répétant « Oh fuck ».

J'ai finalement baissé les yeux vers les pages qui se froissaient entre mes doigts et les six baisers que Maxime y avait tracés. C'est lui, me suis-je dit. C'était lui tout ce temps-là. Et je me suis mise à rire. Je riais en relisant certains commentaires de Maxime, en observant la courbe de ses a et son usage excessif, vraiment, des x au lieu de bisous. Je riais parce qu'il m'avait fallu ces quelques mots tracés au stylo sur un vieux texte pour comprendre l'évidence, cette évidence que je n'avais su voir, que je n'avais voulu voir malgré mille indices qui s'étaient sournoisement répartis au cours des dernières semaines.

Je n'étais pas tant touchée parce que Maxime avait aimé mon texte – ou du moins l'avait mieux aimé que Florian –, j'étais bouleversée parce que ses commentaires s'adressaient à *moi*, à moi vraiment, à cette Geneviève Creighan que je commençais (enfin!) à connaître et que Florian, lui, ne connaissait pas. Je repensais à ces semaines passées près de Maxime, à son visage souriant, à ses regards trop intenses dans le café de Gaspar, au marché aux puces, derrière une pinte de bière dans la lumière tamisée du bar à Nico. Il me voyait, me suis-je dit. Il me voyait tout ce temps-là.

Et moi j'avais été bien, je m'étais épanouie dans ce regard sincère et bon, mais j'étais tellement préoccupée par ma petite personne que je n'avais pas su voir ce qui était devant moi. Maxime et son aisance, sa grâce naturelle, et son sens de l'humour qui me procurait un vif plaisir parce que je le trouvais intelligent et spirituel. Maxime qui m'avait tapé sur les nerfs à force d'être aussi doué pour la vie quand j'avais, moi, de la difficulté à l'endurer. Maxime que j'avais traité comme une goujate la dernière fois que je l'avais vu.

Je me suis rassise en émettant un dernier «Oh fuck» et j'ai attrapé mon téléphone sur lequel j'ai commencé à composer machinalement le numéro de Catherine. Puis je me suis arrêtée. J'ai regardé le chat, qui faisait un de ses deux cent cinquante roupillons quotidiens sur le petit fauteuil placé près de la fenêtre et j'ai dit: «Maman est capable de faire ça toute seule comme une grande, hein? Pour une fois?» Ti-Mousse a entrouvert un œil et s'est passé une patte sur le museau. «C'est tout? ai-je demandé. J'ai juste droit à ça?» Un mouvement d'oreille, à peine perceptible, m'a confirmé que notre conversation s'arrêterait bien là et que, oui, j'allais devoir poursuivre mon cheminement toute seule, sans même l'aide de mon placide minet.

C'était une bonne chose – c'était une chose, me disais-je même, essentielle. J'avais passé les derniers mois à m'appuyer sur mes amis et les dernières années à dépendre en grande partie de Florian. La veille encore, alors que je me répétais comme un mantra que tout allait bien dans mon couple, que j'étais épanouie comme jamais et exactement à ma place, je fondais mes certitudes sur Florian, sur son visage et sa chaleur, sur son attitude lorsque nous étions seuls. Et je nourrissais mes inquiétudes et mes doutes avec ceux de Catherine et de Nicolas.

Non, vraiment, il était temps de penser seule, d'agir seule, et de m'ausculter le cœur sans l'aide de personne. J'ai ressenti une sorte de vertige à cette idée pourtant banale et j'ai failli adresser de nouveau la parole au chat. J'avais tellement l'habitude d'attendre les conseils des autres et de me laisser guider par leurs opinions que je me retrouvais, à trente-deux ans, presque handicapée, ou à tout le moins en sérieuse perte d'autonomie. Était-ce normal? Encore une fois, j'ai eu envie d'appeler quelqu'un, de demander à une autre personne son opinion afin de forger la mienne à partir de cet avis extérieur.

Je tenais toujours le texte annoté par Maxime – là aussi, j'avais demandé l'avis de quelqu'un d'autre, là aussi j'avais voulu savoir ce que d'autres en pensaient. Mais ça n'avait pas été pour me faire une opinion qu'autrement je n'avais pas: j'aimais mon texte, et à défaut de le trouver grandiose ou même digne de publication immédiate, je savais qu'il était en plein ce que j'avais voulu faire. Comme je savais enfin, sans l'ombre d'un doute, que c'était avec Maxime que je voulais être, que c'était avec lui que je voulais échanger pour les années à venir.

Maxime. Comment avait-il pu, lui, tomber amoureux de moi? Je me revoyais dans les mois précédents, une loque à forme plus ou moins humaine, entièrement centrée sur elle-même, préoccupée par son petit nombril et ce qui se passait derrière lui – en quoi cela avait-il pu séduire qui que ce soit, à commencer par un homme brillant et sensible comme Maxime ? Le cœur avait ses raisons, je ne le savais que trop bien, mais je m'étais trouvée si peu aimable depuis le départ de Florian (et, me rendais-je enfin compte, depuis longtemps avant) que j'avais encore de la difficulté à concevoir que quelqu'un ait pu voir au travers de mon égocentrisme de petit animal blessé quelque chose qui ressemblait à une femme digne d'être aimée.

Je n'avais même pas sérieusement considéré Maxime comme un amoureux potentiel parce qu'il me semblait impossible, tout simplement, qu'il m'aime. Je comprenais que je pouvais lui plaire, mais susciter chez lui de l'amour ? C'était presque incongru. Alors que Florian, qui me voyait avec les yeux de l'habitude, qui, croyais-je encore, me connaissait *vraiment* pouvait, lui, m'aimer. J'avais donc cru en son amour parce qu'il était plus facile pour moi de concevoir qu'un vieil amant veuille de moi que d'accepter le fait qu'un homme neuf tombe amoureux de ce que j'étais.

Je me suis frappé le front avec le texte annoté : mon aveuglement m'épatait, vraiment, il me *sidérait*, et j'ai eu envie d'appeler Catherine, non pas pour lui demander conseil cette fois mais parce qu'il me fallait partager avec quelqu'un l'ampleur de ma bêtise. Je me suis retenue, surtout par principe, mais j'avais déjà hâte de voir ses grands yeux et d'entendre son rire qu'elle retenait plus ou moins habilement depuis des semaines. J'avais, ai-je réalisé, terriblement hâte d'écouter ses prévisibles : « Je le savais ! Je le savais *tout ce temps-là* ! » Cette phrase, presque toujours insupportable, m'enchantait maintenant d'avance.

J'ai repensé à notre conversation de la veille, alors que mes deux plus proches amis essayaient de me faire comprendre ce que je ne voulais pas voir et que je les avais remerciés en les fuyant, et en leur faisant sentir qu'ils étaient ingrats envers moi. Je savais qu'ils n'allaient pas m'en vouloir mais je m'en voulais, moi. Je m'en voulais pour mille raisons, je m'en voulais parce que je n'avais pas su lire en moi, parce que j'avais traité Maxime avec une impardonnable mesquinerie, parce que j'avais rouvert mes bras, et ma vie, à Florian.

« Oh mon Dieu, ai-je dit en m'affalant sur le secrétaire. Florian. » J'allais devoir parler à Florian. J'allais devoir faire ce que je n'avais jamais fait de ma vie : expliquer à quelqu'un que j'aimais profondément que je ne l'aimais plus. Et j'allais devoir le faire avant de parler à Maxime, une perspective qui, étrangement, me terrorisait encore plus. Une partie de moi, cette partie un peu lâche et mesquine avec laquelle il me faudrait apprendre à vivre, a poussé un petit soupir de soulagement à l'idée de ne pas avoir à faire de grande déclaration d'amour tout de suite.

Parce que j'avais beau jubiler depuis une demi-heure en me répétant que j'étais illuminée, je me doutais bien qu'il allait falloir un peu plus que cette conviction ésotérique de ma part pour faire voir à Maxime, que j'avais tant malmené, que j'étais enfin sincère et que mon amour était inébranlable. Il y avait aussi la très décevante mais très vraisemblable possibilité que Maxime ait jugé, après notre dernière rencontre, que j'avais été une erreur de parcours, une perte de temps et d'énergie monumentale et qu'il voie mon retour non pas comme celui de l'élue de son cœur, mais comme celui d'une petite emmerdeuse égocentrique et nombriliste dont il avait eu la chance d'être enfin débarrassé. C'était un scénario à considérer, et à considérer sérieusement.

Mais il fallait d'abord et avant tout que je parle à Florian. Que je dise à Florian ces mots impossibles, et surtout que je le confronte à cette illumination qui, de son point de vue que je devinais déjà, allait être d'un ridicule consommé et n'aurait, selon lui, aucune validité. Florian ne croyait pas aux illuminations. Il n'y avait aucune chance que cet être rationnel et prudent m'écoute et m'entende et décide de spontanément accepter cette explication. Je ne voyais d'ailleurs pas trop comment j'aurais pu lui reprocher cela : j'avais moi-même de la difficulté à croire à un changement de cap aussi soudain et radical, et je me faisais un peu penser, ce qui n'était jamais de bon augure, à Catherine.

Et si je rechangeais d'idée ? Si cette surréaliste illumination n'était causée que par mes trop grandes tergiversations et une accumulation de fatigue ? Je ne pouvais faire abstraction de cette éventualité. Irritée au plus haut point par ces questions qui en engendraient d'autres et par mon spinnage tout à fait typique, je me suis levée d'un bond et me suis mise à marcher dans l'appartement. J'ai pensé, l'espace d'un bref instant, me rasseoir devant l'ordinateur pour faire une liste, ou une sorte de diagramme qui m'aurait permis de voir plus clairement en moi-même. J'étais convaincue que d'autres personnes (surtout des femmes) faisaient cela, mais je n'étais pas prête encore à devenir l'une d'entre elles et à avoir, cachée quelque part parmi mes dossiers informatiques, une chemise « décisions » ou un texte intitulé « maxouflorian.doc » qui aurait cherché à mettre de l'ordre dans mes pensées chaotiques.

J'ai donc décidé de réfléchir à tout cela « naturellement » – un processus, ai-je découvert, qui se pratiquait très bien debout et beaucoup mieux avec un drink. Je me suis dirigée vers la cuisine et c'est avec un screwdriver d'une grosseur carrément indécente que j'ai entamé ma réflexion. Il me fallait, d'abord, faire un petit ménage intérieur. Trier les sentiments réels de ceux qui me venaient en réaction à d'autres impressions de désorientation ou de panique – un exemple assez flagrant était : ai-je vraiment peur d'avoir changé d'idée demain ou me suis-je convaincue que cela pouvait arriver pour ne pas avoir à agir tout de suite ? J'ai pris une gorgée de mon cocktail, fière de ma clairvoyance et de mon progrès.

Les questions se bousculaient, ne respectant aucune logique et m'assaillant les unes à la suite des autres : cette illumination était-elle réelle ou faisait-elle mon affaire ? Allais-je me servir de Maxime parce que je voulais, au fond, échapper à Florian ? J'allais de pièce en pièce, brandissant mon drink et marmonnant par moments à voix basse, et je cherchais des réponses. Certaines m'échappaient, mais, à ma plus grande joie, la clarté qui s'était abattue sur moi à la lecture des notes de Maxime ne s'estompait pas. Malgré mes inquiétudes, malgré mes errances, cela restait clair : je voulais partager quelque chose, et même beaucoup, avec cette personne. Je voulais le revoir pour le voir enfin vraiment, je voulais que ce soient sa voix et ses idées qui m'accompagnent, je voulais, comme il me l'avait dit, faire un boutte avec lui. Un long boutte.

Au bout d'une heure, j'ai posé mon verre vide sur le comptoir. Il aurait été extrêmement mal avisé d'en prendre un autre, et j'ai dû me faire violence afin de ne pas céder à la tentation. Il était près de 14 heures et Florian allait être de retour dans quelques heures. J'avais décidé de lui parler à ce moment-là. De lui expliquer le plus candidement possible que je m'étais réengagée beaucoup trop vite, que je n'avais pas pris le temps de bien comprendre que j'avais changé, que toute cette peine par lui causée m'avait irrémédiablement transformée et que je ne pouvais plus être la femme qu'il voulait que je sois, celle qui aurait été heureuse dans une relation avec lui.

Je ne voulais pas mentionner Maxime, ou alors le moins possible – je voulais que Florian comprenne, comme je l'avais compris durant mon heure de déambulation dans l'appartement, que je partais parce que je ne pouvais plus être avec lui. C'était en partie grâce à la présence de Maxime dans ma vie que j'avais fait ce « cheminement », comme aurait dit Julie Veilleux. Mais j'étais maintenant convaincue que même si Maxime, que je comptais aller voir le lendemain, me rejetait sans aucun ménagement, je n'allais pas revenir vers Florian. Cette certitude me réconfortait, et m'encourageait à attendre, dans un état de fébrilité avancé, le retour de ce dernier.

Que m'auraient dit Catherine et Nicolas ? À défaut de leur parler et de les harceler avec mes angoisses, je pouvais imaginer leurs paroles et leurs gestes. Ils m'auraient, j'en étais certaine, encouragée. Mais je doutais de leur impartialité. Je les interrogeais mentalement – un exercice d'une futilité ahurissante – et je me repassais certains de nos échanges dans l'espoir d'y trouver quelques perles de sagesse, lorsque je me suis souvenue d'un détail que m'avait révélé Nicolas lors de notre conversation de la veille, dans l'escalier : Maxime partait pour Londres. Aujourd'hui. Je suis restée plantée en plein milieu du corridor devant la salle de bains et j'ai dit : « Oh fuck non », avant de me précipiter vers mon bureau.

Je voulais faire trois choses en même temps : appeler à l'aéroport pour connaître les heures des départs pour Londres, sauter dans un taxi pour aller tout de suite régler mes choses avec Florian parce qu'il m'était absolument inconcevable de dire quoi que ce soit à Maxime, fût-il en train de passer les douanes, sans avoir d'abord parlé à Florian, et appeler Nicolas.

J'ai ouvert l'ordinateur pour faire une recherche avec le nom de l'aéroport, mais c'était complètement inutile : non seulement il devait y avoir plusieurs départs, mais Maxime pouvait très bien transiter par New York, ou Paris ou Toronto ou je ne savais quelle autre ville sur cette planète qui me semblait soudain immense et hostile. J'ai pensé appeler Maxime mais que lui aurais-je dit ? « Salut… à quelle heure tu pars ? Dix-neuf heures ? Parfait, grouille pas trop d'ici là j'ai besoin de passer te dire quelque chose qui me semble vital avant ton départ. » C'était trop absurde.

J'ai donc couru – littéralement couru – jusqu'à l'avant de l'appartement, attrapant au passage mon sac et enfilant une paire de gougounes qui traînaient dans le vestibule. Je portais des vieux leggings noirs et une longue camisole blanche par-dessus un soutien-gorge vert émeraude mais je n'avais pas le temps pour les considérations de mode : les deux déclarations les plus importantes de ma vie allaient donc devoir avoir lieu alors que j'avais l'air de Britney Spears dans les clichés peu flatteurs que les paparazzis croquent d'elle à sa sortie d'un Dunkin Donut ou d'un Taco Bell.

J'étais déjà au milieu de la rue, prête à me lancer dans le premier taxi de passage pour me diriger vers Florian, quand j'ai réalisé que je ne pouvais tout de même pas aller lui parler sans savoir à quelle heure Maxime s'en allait : et s'il était sur le point de partir à l'instant même ? Tant pis pour l'intégrité, ai-je pensé, c'est à lui que je vais parler d'abord. J'ai commencé à courir en direction de chez lui, pour constater qu'il est très ardu de courir élégamment en gougounes, surtout quand elles sont dépareillées : j'avais, dans mon énervement, enfilé deux gougounes provenant de paires différentes, une en cuir argenté orné de petits cristaux, l'autre en bon vieux plastique d'un rose éclatant. J'ai lâché un long « Fuuuuuuck » en boitillant jusque chez Maxime.

J'ai sonné un coup, deux coups, trois coups, puis à plusieurs reprises, comme s'il était possible que Maxime finisse par se laisser convaincre à force de son-neries. J'étais tellement surexcitée, tellement pressée que j'en oubliais d'avoir peur, ce qui était une très bonne chose. Mais Maxime n'était pas là, c'était évi-dent, et j'allais tourner les talons et me mettre à pleurer de dépit quand je me suis souvenue de l'escalier de secours qui menait jusqu'à sa chambre. Qu'avais-je à perdre ? Ma dignité ? Rendue là, me suis-je dit, elle ne doit plus valoir grand-chose anyway. J'ai donc escaladé l'escalier de fer forgé jusqu'au troisième étage, et je me suis approchée comme une voleuse de la porte vitrée qui donnait sur la chambre de Maxime.

L'idée m'est venue, extrêmement désagréable, que j'allais peut-être l'apercevoir en train de faire l'amour avec une autre femme, moins folle et plus stable que moi, et j'ai hésité. Mais il était trop tard, beaucoup trop tard, et j'ai penché la tête, le cœur battant et un sourire sur les lèvres : une femme, en gougounes dépareillées, qui espionne un homme par sa sortie de secours ? Je ne connaissais qu'une expression pour décrire cela, et c'était « crisse de folle », ce qui me donnait envie de rire malgré ma nervosité. J'ai eu une pensée pour la pauvre Marianne, qui avait elle aussi agi comme une crisse de folle en ce même lieu, et j'ai regardé par la vitre.

La chambre était vide – enfin, elle était bordélique, comme toujours, mais il n'y avait pas de Maxime à l'intérieur. J'ai détaillé le chevalet, les guitares et le lit où j'avais connu tant de plaisir puis j'ai aperçu, dans un coin, une grande valise à moitié faite. Il n'est pas encore parti, me suis-je dit, en me traitant de Sherlock. Il fallait qu'il revienne et qu'il finisse sa valise, ce qui était une bonne nouvelle mais ne m'avançait guère : combien de temps fallait-il à un homme comme Maxime pour faire une valise ? Probablement quelque chose comme trois minutes. Une valise non terminée chez quelqu'un comme moi aurait auguré un délai d'au moins plusieurs heures, mais je soupçonnais Maxime d'être tout à fait capable de réunir un vieux jeans, un pantalon de corduroy brun et une dizaine de t-shirts en moins de temps qu'il n'en fallait à un taxi pour arriver.

J'allais m'asseoir dans les marches de fer pour planifier mon prochain move quand j'ai reçu, sur la tête et les épaules, une pluie chaude et substantielle. J'ai levé la tête – il faisait gris, mais il ne pleuvait pas – pour apercevoir, à l'étage d'en haut, une grosse femme qui arrosait des bacs de géraniums. « Eille ! » ai-je crié en reculant d'un pas.

La femme s'est penchée, m'a vue et s'est mise à rire. « Désolée ma belle… Tu es la copine du beau

Maxime ? » Elle avait un fort accent portugais et semblait trouver tout à fait normal qu'une femme se tienne dans l'escalier de secours devant les fenêtres de la chambre de Maxime. Pas rassurant, ai-je pensé. « Il part aujourd'hui en voyage, a poursuivi la femme. Tu sais à quelle heure il part ?

— Non... » Je réalisais bien qu'en admettant que j'ignorais l'horaire de Maxime je confirmais indirectement ne pas être sa copine et donc ne pouvoir être autre chose qu'une crisse de folle tentant probablement d'entrer chez lui par effraction. Encore une fois, la femme n'a pas eu l'air étonnée, et j'ai pensé que c'était peut-être à elle que s'était adressée la pauvre Marianne, des mois plus tôt, lorsqu'elle avait voulu savoir quand Maxime était rentré d'Europe. « Non, ai-je tout de même répété... Vous savez pas, vous ? » Tant qu'à y être.

« No... mais attends une minute, ma belle. » Elle est rentrée chez elle, me laissant le temps de constater que ma camisole blanche était maintenant à moitié transparente – le look n'allait pas en s'améliorant, c'était le moins que l'on puisse dire. La grosse femme est ressortie et elle a entrepris de descendre vers moi, faisant trembler l'escalier de fer sous son poids. « Tiens, m'a-t-elle dit en me tendant un cylindre de papier brun. Tu donneras à Maxime pour dans l'avion. » J'ai attrapé le cylindre, qui dégageait une puissante odeur d'ail. « C'est le saucisson que je fais, a-t-elle expliqué. Maxime il aime beaucoup et comme ça il aura pas faim dans l'avion. »

J'ai dévisagé la femme – son geste était d'une telle incongruité que je ne savais trop quoi dire. Mais elle semblait toute contente et m'a fait un grand sourire, avant de me tapoter une joue et de remonter vers chez elle. Je suis restée debout un instant sur le palier, les cheveux mouillés et un saucisson dans une main, jusqu'à ce que je me rende compte que Maxime pouvait se pointer d'une minute à l'autre et me trouver dans cette position absolument inexplicable. J'ai fourré le saucisson dans mon sac et je suis descendue pour aller m'asseoir un peu plus loin, sur un banc, et réfléchir à mon plan.

La conclusion s'est imposée au bout d'environ six secondes : je n'avais pas de plan. Je ne pouvais tout simplement pas attendre Maxime devant chez lui pendant je ne savais trop combien d'heures. Et tant que je ne savais pas à quelle heure il partait et où il se trouvait d'ici là, je ne pouvais pas établir quoi que ce soit qui ressemble, de près ou de loin, à un plan. C'est donc dans la joie que je me suis « résignée » à appeler chez Catherine et Nicolas – j'avais enfin une excuse fantastique pour demander aide et assistance à mes patients amis.

« Mmmmallô… » a répondu Catherine. Sa voix devait avoir perdu au moins trois ou quatre octaves, et je me suis retenue pour ne pas rire.

« Ça va ? ai-je demandé, pour la forme – quand Catherine avait le timbre de voix de Pierre Lebeau un lendemain de soirée, on pouvait déduire assez facilement que non, ça n'allait pas.

— Je veux mourir, a dit Pierre Lebeau.

— Oui, j'imagine…

— Je me souviens même pas de la fin de la soirée…

— C'est peut-être une bonne affaire, ai-je dit en me souvenant de ses "Je l'aiiiiiiime" semi-cohérents.

— Ouin. C'est ça que me répète Nico depuis une couple d'heures. J'ai manqué le départ d'Emilio, en plus… Ça a l'air qu'ils sont allés voir le lever de soleil sur le toit avec Susan puis Noé avant qu'il parte… Toi ça va ?

— Ben… Oui et non ?

— Pas assez en forme pour les devinettes, minoune, faque shoote avant que je me rendorme.

— Mettons que je te dis que j'ai eu une illumination ce matin… » J'ai entendu Catherine soupirer patiemment au bout du fil. Elle ne devait vraiment, mais vraiment pas être disposée à entendre qui que ce soit parler d'illumination. « Mettons que j'ai compris que c'était peut-être Maxime the one ? » Un silence. « Cath ?

— T'es où ? J'arrive. »

Je n'avais pas eu le temps de dire « Non » que j'entendais un gémissement, puis un boum, puis un autre gémissement encore plus plaintif. « Nope, a dit Catherine. Je peux pas arriver. Trop poquée.

— C'est correct, c'est correct, je vais m'en venir. Faut que je voie Nico. Maxime part pour Londres aujourd'hui, remember ?

— Oh fuck.

— Mes propos exacts depuis onze heures à matin.

— Enweye icitte. NICO !

— OK, à tout de suite. »

J'allais raccrocher, mais Catherine m'est revenue : « Gen ! Gen !

— Oui, quoi ?

— Si jamais tu passes devant une pharmacie… »

Vingt minutes plus tard, j'arrivais devant la porte de l'appartement de mes amis avec mon kit de survie aux lendemains de veille : Gatorade, Tylenol, anti-acide et, parce que je me sentais particulièrement généreuse, vodka et Clamato. J'ai jeté un coup d'œil nostalgique vers l'appartement d'Emilio, dans lequel les nouveaux locataires s'agitaient déjà pour s'approprier l'espace, puis j'ai cogné.

Les petits pas de Noé se sont rapidement fait entendre, et il est venu m'ouvrir, un grand sourire sur son adorable visage.

« Papa dit que t'es comme la plus niaiseuse du monde ! » a-t-il crié en guise de bienvenue. J'ai pensé répondre quelque chose, ou du moins faire semblant de m'insurger, mais qu'aurais-je pu dire ? J'étais, oui, la plus niaiseuse du monde. Aussi me suis-je contentée de hocher la tête. « Faque c'est vrai ? a demandé Noé.

« — Yup.

— Comme… *du monde entier* ? » Il était visiblement très excité à l'idée de connaître personnellement LA personne la plus niaiseuse du monde entier.

« Oui, ai-je répondu, provoquant du coup un sourire radieux et, triste constatation, le premier regard admiratif de Noé à mon égard. Peut-être même de l'univers.

— Wow.

— Mets-en, wow, a dit Nicolas en sortant de la cuisine. Catherine m'a raconté. »

Un bras appartenant à celle-ci s'est agité derrière le dossier du divan du salon pour me souhaiter la bienvenue. « J'ai ton kit de survie », ai-je dit à son intention. Un douloureux gémissement m'a remerciée.

« Est-ce qu'il pleut dehors ? » a demandé Nicolas en s'approchant de moi. Je me suis souvenue de mes cheveux trempés et de ma camisole transparente.

« Non… non. C'est une grosse Portugaise qui m'a arrosée…

— Quoi ? » Nicolas a fait quelques pas puis s'est arrêté. « Man, tu sens vraiment l'ail !

— Oui, ça aussi c'est la grosse Portugaise… »

Catherine, dans un effort probablement surhumain si j'en jugeais par la quantité de lamentations que cela lui coûtait, s'est assise dans le divan pour voir de quoi son cousin parlait.

« C'est compliqué, ai-je dit. Je suis comme un peu allée stalker Maxime tantôt ?

— OK, t'as *beaucoup* de choses à nous raconter, a dit Nicolas.

— Oui je sais, mais est-ce qu'on peut vérifier avant ? Pour Maxime ? C'est pas vrai que je vais être en train de vous raconter comment je me suis fait arroser par une grosse Portugaise pendant que l'homme de ma vie part pour l'Angleterre.

— L'homme de ta vie, hein ? a fait Nicolas avec un fin sourire.

— Peux-tu ? S'il te plaît ? » ai-je supplié en indiquant le téléphone. Nicolas a gentiment obtempéré pendant que, depuis le divan, Catherine émettait de petits couinements en tendant les mains vers le sac que je ramenais de la pharmacie. Je le lui ai tendu et elle s'est mise à fouiller à l'intérieur comme un homme affamé qui découvre enfin un sac de victuailles. J'ai jeté un regard autour de moi – l'appartement était étonnamment propre et ne portait plus aucune trace du furieux party de la veille, à part une série de bouteilles vides rangées près d'une fenêtre.

« C'est donc ben clean », ai-je dit à Catherine. Du coin de l'œil, je pouvais voir Nicolas qui était parti parler au téléphone dans la cuisine.

« Ils ont tout ramassé hier soir avant d'aller se coucher, a soupiré Catherine. Ici et chez Emilio. Susan a même pas dormi, elle est partie direct à la boulangerie un peu avant six heures.

— Calvaire… les femmes d'âge mûr sont plus en forme que nous…

— J'en reviens pas d'avoir manqué le départ d'Émile.

— On va aller le voir aux États-Unis ! » a crié Noé, ravi de cette idée. Ainsi donc Emilio s'en était tiré en transformant de tristes adieux en un au revoir plein de promesses. J'ai pris Noé contre moi pour lui donner un bisou.

« Bon, a dit Nicolas en revenant vers nous. Je l'ai rejoint. » Il souriait, fier du pouvoir qu'il avait et content de me faire languir. « Son vol est pas avant vingt et une heures.

— Oh my God merci mon Dieu. » Je me suis assise sur une des chaises de la salle à manger – je respirais enfin. « OK, alors…

— … *et*, a poursuivi Nicolas, j'ai pris sur moi de lui proposer d'aller prendre un verre avant son départ. On se retrouve au bar dans un peu moins d'une heure, il dit que ça lui laisse le temps pour un drink ET pour finir sa valise avant de partir. DONC. » Il parlait comme un professeur donnant un cours magistral. « DONC, si tu veux le voir, il va être au bar jusqu'à genre cinq heures et demie et ensuite chez eux le temps de faire sa valise, ce qui doit prendre…

— … dans son cas à peu près trois minutes. Nico t'es génial ! » J'ai couru vers lui et je lui ai sauté au cou.

« Argh ! T'es toute mouillée ! » Il riait.

« Je suis… *tellement, tellement* désolée pour hier, ai-je dit. Pour les dernières semaines. Vous essayiez de me dire que…

— On le savait ! a crié Catherine depuis son lit de douleur. On le savait ! »

J'ai souri, ravie d'entendre ses paroles. « Je sais, minoune. Je sais que vous le saviez.

— Faque peux-tu nous donner des détails, maintenant ? a demandé Nicolas. Parce que dans la série "faire un 180" c'est assez pas pire, ça.

— Une illumination, ai-je dit. J'ai vu la lumière.

— T'as vu la lumière. Je pense qu'on va avoir besoin d'un peu plus de détails. »

J'ai regardé l'heure. Bientôt 16 heures. « J'ai pas le temps, ai-je dit. Faut que j'aille parler à Florian avant de voir Maxime.

— Oh boy… t'es sûre ?

— Oui, oui… faut que je fasse ça comme du monde. C'est pas vrai que je vais d'abord parler à Maxime puis décider de rester avec Florian si jamais l'autre me rejette. » J'ai hésité quelques secondes avant de poser la question qui me brûlait les lèvres. J'avais jusque-là réussi à réfléchir et à prendre mes décisions seule et je voulais continuer sur ma belle lancée, mais c'était plus fort que moi. « Pensez-vous qu'il va me rejeter ?

— Il a trouvé votre dernière rencontre assez ordinaire, a reconnu Nicolas.

— Il t'a dit ça ?

— Ouin. »

Je me suis cogné le front sur la table.

« Mais Maxime… c'est Maxime, a dit Nicolas. Y est orgueilleux, mais c'est pas de l'orgueil mal placé. S'il a encore le cœur à la même place, il t'enverra pas chier juste pour le plaisir de te faire mal.

— Oui mais ça c'est SI y a encore le cœur… » Je me suis arrêtée. J'allais recommencer à spinner stérilement. « On verra. Hein ? On verra. Qui ne risque rien n'a rien. Faut que j'y aille.

— Ben là attends ! a crié Catherine. Faut qu'on débriefe !

— Pas le temps ! Puis je pense qu'il faut que j'apprenne à débriefer toute seule. »

Nicolas m'a regardée avec un sourire fier. Je l'ai embrassé, je suis allée donner un bisou sur la tête de Catherine et j'ai attrapé mon sac pour partir.

« Tu devrais peut-être laisser ce que t'as dans ton sac qui sent l'ail de même, a suggéré Nicolas. Pas super pour accompagner une déclaration d'amour.

— Oh oui, merci. » J'ai posé le saucisson sur la table. « Home made par une madame portugaise. Ça devrait être *malade* avec un bloody ceasar.

— Tes gougounes sont pas pareilles ! a dit Noé.

— Pas grave. Tu me souhaites-tu bonne chance, mon amour ?

— Pourquoi ?

— Fais juste me souhaiter bonne chance.

— Bonne chance, grande folle, a gémi Catherine.

— Bonne chance, plus niaiseuse du monde ! » m'a dit Noé en m'embrassant.

Nicolas m'a mis une main sur l'épaule. « Godspeed, championne. Godspeed. » Je lui ai souri, et j'ai dévalé les marches pour, cette fois, me précipiter dans le premier taxi de passage.

Florian m'attendait dans le lobby de son bureau lorsque je suis arrivée. Je lui avais téléphoné depuis le taxi et lui avais dit qu'il fallait que je lui parle, que c'était urgent. « Est-ce que c'est grave ? m'avait-il demandé.

— Oui, c'est un peu grave, avais-je répondu. J'arrive dans cinq minutes. »

Il m'a regardée avancer vers lui, ses beaux yeux bleus remplis d'inquiétude puis d'incrédulité en se posant sur mes gougounes dépareillées et mes vêtements qui étaient plus appropriés à une matinée sous la couette qu'au lobby d'un chic bureau d'architectes.

« Ça va ? » m'a-t-il demandé en mettant sur mon bras une main chaude et douce. Il était encore temps de reculer, de tout oublier, de renoncer à cette illumination improbable et de sombrer dans le doux confort de cet amour que je connaissais déjà.

Je m'étais demandé en allant vers lui ce que j'allais ressentir devant ce visage tant aimé et si familier. Allais-je faillir ? Réaliser mon erreur ? Mais j'étais étrangement calme et presque étonnée de voir que ma certitude était intacte. Je scrutais le beau visage de Florian en y cherchant quelque trace de mon amour, mais toute l'affection que j'éprouvais se conjuguait au passé. J'avais tant souhaité être aveugle que j'y étais parvenue et je m'étais, durant des semaines, nourrie des échos d'une passion qui n'était plus. L'idée m'est venue que j'avais peut-être cessé d'aimer Florian avant même que lui ne se lasse de moi, et j'ai ressenti une vive et profonde tristesse. Pour lui, pour moi, pour nous.

« Geneviève, a dit Florian. Qu'est-ce qui se passe ?

— Je suis venue te dire que je m'en vais, Florian. » Pourquoi avait-il fallu que je cite Gainsbourg ? J'ai toussoté, mais je n'ai rien ajouté : j'étais, après tout, venue pour dire que je m'en allais.

Devant moi, Florian ne comprenait visiblement rien. « Quoi ?

— J'aurais pas dû revenir.

— Mais… Geneviève, de quoi tu parles ?

— T'es revenu dans ma vie et… et je t'avais tellement attendu, j'avais tellement eu de peine quand t'es parti que j'étais sûre que c'était tout ce que je voulais mais… je me suis trompée. Ça m'a changée ce qui est arrivé, j'ai… *j'ai* changé puis… je suis plus là.

— Où ça, là?

— Ici.

— Quoi?» Il m'a regardée de la tête aux pieds, s'arrêtant sur mon soutien-gorge beaucoup trop voyant et mes chaussures dépareillées. «Geneviève, qu'est-ce qui se passe?» Il devait être en train de se dire que j'étais devenue folle, et je me suis demandé, l'espace d'une seconde, s'il n'avait pas raison.

«Je sais que c'est un peu soudain…

— *Un peu?*

— OK, *très* soudain mais…» Je ne pouvais pas, devant lui, évoquer l'illumination. Il m'aurait probablement fait interner et aurait, surtout, été incapable de croire en ma détermination. «J'ai réfléchi, Flo, puis… quand on était juste tous les deux, je pouvais encore me faire accroire que…

— Oh c'est tes amis, c'est ça? C'est tes amis qui t'ont convaincue que…» Il a lâché quelques sacres en allemand et poursuivi avec un commentaire que je n'ai pas compris au complet, mais qui était extrêmement désobligeant à l'égard de mes amis.

«C'est *pas* mes amis, ai-je dit. Je suis capable de prendre des décisions toute seule, tu sauras.»

Il a penché la tête sur le côté en me fixant toujours, et j'ai vu, dans son œil bleu, *qu'il ne me croyait pas.*

«Tu penses pas que je suis capable de prendre des décisions toute seule, hein?

— J'ai pas dit ça.

— Tu penses que j'ai pas de colonne puis que j'ai fini par décider que je t'aimais plus parce que mes amis m'ont convaincue de ça.

— J'ai *pas* dit ça. Mais tu me feras pas croire que tes amis me portent dans leur cœur.

— Non, mes amis te portent pas dans leur cœur. Mais c'est moi qui pars. C'est moi qui ai réalisé que j'avais fait une gaffe en revenant. Puis c'est moi qui suis devant toi pour te demander pardon. J'aurais pas dû revenir. »

Florian s'est pris la tête à deux mains et a fait quelques pas dans le lobby en murmurant en allemand ce qui voulait dire, me semblait-il, « C'est pas possible, je peux pas croire que ça arrive ».

« OK, qu'est-ce que tu veux ? m'a-t-il dit en se rapprochant de moi. Tu veux que je m'excuse ? Je me suis pas assez excusé, c'est ça ? Tu veux que je me mette à genoux ?

— Non ! Non, pas du tout ! » J'ai jugé bon de ne pas lui avouer que j'avais, par contre, beaucoup souhaité cela. « C'est pas toi, Florian. C'est moi. » Je n'ai pu m'empêcher de lever les yeux au ciel et de pousser un petit soupir de découragement envers moi-même. Après Gainsbourg, « c'est pas toi c'est moi » ? La *pire* réplique de l'histoire des ruptures ? J'ai voulu ajouter quelque chose, mais là encore, j'ai réalisé que c'était vrai. Ce n'était pas Florian. Ce n'était pas cette personne complexe et exigeante que j'avais aimée profondément et que j'aimais toujours, mais d'une tout autre manière. C'était moi. Moi qui avais changé, qui avais été transformée par le chagrin, l'introspection et le regard d'un autre.

« J'aurais dû m'excuser, a dit Florian en me prenant le visage. Geneviève… j'aurais dû… pas juste pour la peine que je t'ai faite, mais si je t'ai fait douter de toi, si…

— Non non non ! » J'ai pris ses mains et je les ai enlevées de mes joues. « Non, Florian je veux pas que tu t'excuses, c'est… » Je ne voulais pas lui dire qu'il était trop tard – cela m'aurait semblé cruel et inutile. Mais il était trop tard, des mois trop tard, peut-être même des années. Et je n'avais plus besoin d'entendre ses excuses, elles ne m'importaient plus.

« Est-ce qu'il y a quelqu'un d'autre ? » a demandé Florian.

Ah. La grande question. Je l'ai regardé un moment, évaluant si je ferais mieux, pour lui comme pour moi, de lui mentir. «Oui, ai-je finalement dit. Ou peut-être. Je sais pas. Mais je partirais quand même, Florian.

— C'est quoi, tu veux te venger?

— Oh, come on…

— Mais…» Il a fait un geste nerveux pour manifester son irritation qui m'a presque donné envie de rire. «Mais *qu'est-ce qui s'est passé?* Entre hier soir et cet après-midi? Qu'est-ce que…

— *Ich sah das Licht*, ai-je dit. J'ai vu la lumière.»

Devant moi, Florian me dévisageait comme si j'étais devenue complètement folle. Il a ouvert la bouche pour parler, puis s'est ravisé et a tendu une main vers moi. «Je t'aime.»

J'ai regardé ses grands yeux clairs, son visage, ses épaules – je l'ai regardé et j'ai revu tout ce que moi aussi j'avais aimé chez lui, tout ce que nous avions vécu ensemble. Je l'avais tant aimé! J'ai failli me mettre à pleurer, parce que cet amour n'était plus et qu'il me semblait qu'il n'y avait rien de plus triste au monde que la fin d'un amour.

«Je t'aime, a répété Florian.

— Pas moi», ai-je répondu, et j'ai entendu ma voix se briser légèrement. J'ai reculé d'un pas. «Je vais y aller.

— Quoi, juste comme ça? Tu me dis ça et tu t'en vas?

— Y a plus rien à dire, Florian.» Non, vraiment, il n'y avait plus rien à dire après «Je ne t'aime plus». J'ai fait un signe de la main, j'ai essayé de sourire, et j'ai tourné mes deux talons dépareillés. J'avais l'impression d'être infiniment cruelle, d'avoir battu à mort un chiot et de le laisser là, mais que pouvais-je faire? Même lui dire de prendre soin de lui n'aurait qu'ajouté au pathétique de la scène. Je l'ai entendu, derrière moi, dire mon nom, et je suis sortie dans la moiteur de l'été. Par bonheur, il y avait devant le bureau de Florian un espace réservé aux taxis et je me suis engouffrée dans une voiture. J'ai donné l'adresse de Maxime au chauffeur, et j'ai jeté un dernier regard vers le lobby, où je ne voyais déjà plus Florian.

« Ça va madame ? m'a demandé le chauffeur en voyant mes larmes.

— Ça va. Merci. Ça va. » Et c'était vrai, ça allait. J'étais triste, mais j'étais libérée et je n'avais plus peur d'aller voir Maxime. Il était passé 17 heures et il allait bientôt rentrer chez lui pour faire sa valise. J'allais lui parler. Être sincère avec lui. Et parce que je l'avais été avec Florian je me sentais presque calme. Sereine même, s'il avait été dans ma nature d'être sereine. J'ai pensé appeler chez Catherine et Nicolas mais j'ai laissé le téléphone dans mon sac et j'ai plutôt regardé par la fenêtre. Les nuages s'étaient dissipés, et une lumière dorée tombait sur les grands arbres d'un parc que nous longions.

Maxime n'était toujours pas rentré. J'ai pensé aller à sa rencontre au bar à Nico, mais un lieu public me semblait très peu approprié à une maladroite déclaration d'amour durant laquelle le mot « illumination » risquait de revenir à quelques reprises. Je me suis donc assise près de la porte et, évidemment, la grosse dame portugaise est arrivée, traînant derrière elle un cabas d'épicerie. « Ah ! Allô ma belle ! » a-t-elle dit sur un ton guilleret.

Ça vous tenterait pas d'avoir l'air *un peu* surprise de voir que la crisse de folle qui stalke votre voisin est encore là ? ai-je eu envie de lui demander, mais je me suis contentée de lui sourire poliment.

« Tu veux monter ? Je sais pas si Maxime est rentré…

— Non non ça va…

— Comme tu veux, ma belle, comme tu veux. » J'ai eu peur qu'elle veuille savoir où était passé son saucisson mais elle a ouvert la porte, non sans m'avoir tapoté une joue avec un plaisir évident. Son cabas avait l'air de peser une tonne et j'allais lui proposer mon aide quand j'ai entendu, depuis le trottoir, une voix que je connaissais bien : « Madame Perreira ! Attendez ! Je vais vous monter ça… »

Je me suis retournée et Maxime s'avançait, Maxime que je n'avais pas vu depuis des semaines et dont la présence m'a donné un violent et délicieux coup au cœur. C'est l'homme que j'aime ! avais-je envie de crier. Et je me sentais comme Audréanne devant son beau joueur de foot. Maxime a fait quelques pas vers madame Perreira, tout nimbé de l'irrésistible aura de mon amour enfin assumé, puis il m'a aperçue et s'est arrêté, visiblement très surpris.

« Geneviève ?

— Oui, la belle elle t'attend ça fait des heures, a dit madame Perreira.

— Non, ça fait pas des heures ! » Je me sentais maintenant *totalement* comme Audréanne.

« Si si, elle était en haut devant la porte de la chambre ! » Madame Perreira s'est mise à rire. « Je l'ai arrosée comme une fleur. »

Je levais tellement les yeux au ciel que j'ai eu peur de me causer une embolie cérébrale. Maxime n'avait pas cessé de me regarder – il était décontenancé et très étonné, mais n'avait pas l'air content. « Qu'est-ce que tu fais ici ? a-t-il finalement demandé.

— Je voulais te parler… avant que tu partes. »

Il a hoché la tête, comprenant enfin quelque chose. « Ah… d'où l'appel de Nico…

— Peut-être ? » J'ai pris conscience que je me tortillais comme une ado et j'ai vu le regard de Maxime s'attarder sur ma gougoune rose, qui décrivait des ronds sur le sol. « Écoute… »

La porte s'est refermée près de nous, madame Perreira s'étant sans doute lassée de notre non-conversation. Maxime a désigné sa voisine, que je pouvais voir à travers la vitre peiner en essayant de hisser son cabas en haut des marches. « Faut que j'aille aider…

— Je voudrais juste…

— C'est parce que j'ai ma valise à faire… »

J'ai baissé les yeux. J'avais prévu un éventuel rejet mais pas un désintérêt total.

Maxime a soupiré. « Ben… monte avec moi, a-t-il dit. J'ai un taxi qui arrive dans vingt minutes mais on peut jaser pendant que je fais ma valise.

— OK… » Je m'en suis instantanément voulu pour mon ton piteux, mais je l'ai suivi dans le grand escalier art déco. Il a attrapé le cabas de madame Perreira et, tant qu'à être là, j'ai pris le gros sac qu'elle tenait aussi et nous avons commencé notre ascension. Au moins la corpulence de madame Perreira jouait en ma faveur : elle était tellement essoufflée au bout de cinq marches à peine qu'elle a cessé de donner à Maxime les détails de ma ridicule attente. Maxime et moi l'avons rapidement devancée.

« Je t'attends pas depuis des heures, ai-je dit alors que nous étions rendus au deuxième étage.

— C'est correct, a soufflé Maxime.

— Je suis passée plus tôt mais je suis repartie puis… » Je me suis arrêtée – la situation était déjà d'une telle absurdité qu'il ne servait pas à grand-chose de chercher à mettre un peu d'ordre et de dignité là-dedans. Nous avons déposé le cabas et le sac devant la porte de madame Perreira puis nous sommes redescendus à l'étage de Maxime. La voisine, qui soufflait comme une locomotive, n'en était qu'au deuxième étage.

« On a mis vos sacs près de votre porte ! lui a crié Maxime.

— Merci… mon… chéri !… Ta… copine… elle a… petit cadeau pour toi… »

Maxime m'a regardée et j'ai fait signe que je lui expliquerais.

« OK ben… au revoir, d'abord ! Prenez soin de vous ! On se revoit dans trois semaines », a crié Maxime en se penchant par-dessus la balustrade.

Madame Perreira, qui s'était carrément arrêtée entre les deux étages et en était rendue à hyperventiler, s'est contentée de lever une main grassouillette vers nous. Je lui ai fait un tata et j'ai suivi Maxime dans l'appartement. J'avais le cœur qui battait à tout rompre et une seule envie : me jeter à son cou et lui dire mille « Je t'aime » et dix fois plus de « Pardonne-moi ». Mais je le suivais bêtement, alors qu'il lançait ses clefs sur une petite table encombrée de papiers et me faisait signe qu'il devait se rendre dans la chambre. Il s'est finalement tourné vers moi une fois arrivé dans la grande pièce bordélique, que le soleil réapparu inondait de lumière.

« OK, a-t-il dit. Qu'est-ce qui se passe ? » Il n'était pas hostile, mais pas loin. J'avais dû le blesser beaucoup plus que je ne l'avais cru, ce qui, maintenant que j'y pensais, était assez évident. Je n'avais pas voulu voir, durant les dernières semaines, à quel point j'avais été méchante.

Je prenais de grandes inspirations – j'étais essoufflée à cause de notre ascension avec les sacs de madame Perreira, mais encore plus à cause de mon trouble. Il faut que ça cesse, me suis-je dit. Et je me suis lancée. « Bon, d'abord je... j'ai pas été cool la dernière fois qu'on s'est vus.

— Non. » Il a commencé à faire sa valise, lançant littéralement, comme je l'avais imaginé, des t-shirts et des pantalons dedans.

« En fait j'ai été vraiment... cheap.

— Oui.

— Et immature.

— Oui.

— Et... je suis désolée. »

Il n'a rien dit.

« J'ai été lâche aussi. Ça m'arrive souvent d'être lâche. »

Maxime a levé les yeux vers moi, comme si j'avais enfin capté son attention.

« J'ai peur de mille affaires dans la vie, et j'ai pas encore… j'ai pas encore fini d'apprendre comment dealer avec ces peurs-là sans être cheap et veule. Puis quand tu m'as dit que c'était pas ça que je voulais, que c'était pas vrai que je voulais juste qu'on prenne soin de moi puis qu'on me laisse tranquille ça m'a fait vraiment très très peur parce que c'était vrai puis qu'une fois que j'admets ça ben j'ai plus d'excuse pour m'asseoir sur mon derrière puis attendre que les choses m'arrivent. »

Maxime me regardait toujours, et a légèrement haussé les sourcils. « OK, a-t-il dit. Fair enough. T'es venue pour me dire ça ?

— Non. Ça c'était moi qui te demandais pardon. En parlant encore trop de moi. » J'ai vu, sur son visage, l'ombre d'un sourire se dessiner. « Non, je suis venue, ai-je repris, parce que… » J'ai fait un soupir presque caricatural. « Parce que j'ai compris que j'avais fait une erreur.

— Quoi ?

— Une erreur. »

Maxime s'est arrêté. Il tenait deux paires de chaussettes dans une de ses mains. « Attends, qu'est-ce que t'es en train de me dire ?

— J'ai fait une erreur. Mon ex est revenu, puis… je l'avais tellement attendu que je me suis dit que c'était sûr que c'était tout ce que je voulais dans la vie mais c'était pas ça. » J'allais continuer en m'autoflagellant allègrement, en précisant que cela faisait de moi une conne et une sotte et une personne minable, mais je me suis souvenue de l'irritation tout à fait justifiée de Maxime quand, des semaines plus tôt, j'avais pitoyablement tenté de prendre un blâme que je n'avais pas à porter parce qu'il m'était plus facile de m'en vouloir que d'agir. Maxime, qui tenait toujours ses deux paires de chaussettes, m'observait sans rien dire. Il aurait très bien pu me demander, rendu là, en quoi cette prise de conscience le concernait – c'était *exactement* ce que moi j'aurais fait – mais même dans de telles circonstances, il avait trop de classe.

« Et je sais que c'est… beaucoup demander, ai-je poursuivi, mais… j'aimerais ça si… si tu voulais… si tu pouvais… me donner une autre chance. » J'ai levé les yeux au ciel pour ne pas pleurer et j'ai agité mes jambes, que je ne sentais plus, pour m'assurer qu'elles me soutenaient encore.

« J'en reviens pas, a finalement dit Maxime.

— Je comprends.

— Je sais pas si tu comprends, Geneviève. Au cas où tu te souviendrais pas, pendant tout le temps qu'on se voyait, je t'ai rien demandé. À part peut-être un peu de respect. Puis ton ex est revenu dans le décor et t'es retournée avec puis c'est ben correct. Je peux pas te blâmer pour ça mais là Geneviève je sais pas trop ce qui se passe dans ta tête mais…

— Il se passe que j'ai réalisé que j'ai jamais été bien comme j'ai été avec toi. Et que je te trouve brillant puis fin puis humain puis… Je savais pas, ai-je dit, que ça pouvait être simple. »

Maxime a penché la tête sur le côté, dans un geste d'incrédulité.

« Je savais pas que ça pouvait être simple, ai-je répété. À tel point que j'ai rien vu. Anyway je me trouvais tellement haïssable moi-même que ça m'a même pas traversé l'esprit que quelqu'un puisse…

— Wow… a soupiré Maxime en lançant ses deux paires de chaussettes dans la valise. Je sais pas quoi te dire, Gen.

— T'as le droit de me dire que tu veux rien savoir. Je voulais juste… je voulais juste te dire ça avant que tu partes. Je sais que c'est un peu soudain…

— *Un peu?* »

J'ai fait un petit sourire. « Mon ex a dit la même chose tout à l'heure.

— Quoi?

— Je reviens d'aller voir Florian. Je lui ai dit à lui aussi que j'avais fait une erreur.

— Calvaire. » Il avait l'air, cette fois, sincèrement étonné. Une série de coups de klaxon nous est parvenue depuis la fenêtre ouverte. Maxime s'est approché. « C'est mon taxi, a-t-il dit.

— OK… » Je suis restée plantée là, sans rien ajouter.

« Geneviève c'est… tu sais que moi je suis tombé en amour avec toi… » Il a levé une main pour m'arrêter, voyant que j'allais l'interrompre. « *Malgré* ce que tu peux penser. Oui t'étais une peste, oui t'étais toute fuckée parce que ton ex venait de partir, oui tu parlais beauuuucoup de toi… » Il a fait, en disant cela, un sourire, léger mais sincère. « Mais tu l'as dit, c'est simple ces affaires-là, puis ça s'explique pas autrement. Mais là… je peux pas… Tu débarques ici avec tes gougounes pas pareilles puis tu me shootes ça puis… peux-tu comprendre que j'aie de la misère à prendre ça pour du cash ?

— Absolument. » Et c'était vrai : avoir été à sa place, j'aurais probablement fui par la sortie de secours. « Mais je suis sûre, ai-je ajouté. Je vois clairement. Vraiment. » Maxime a fait une petite moue dans laquelle il y avait de l'espoir, mais encore plus de doute. D'autres coups de klaxon nous sont parvenus, plus impatients cette fois.

« Faut que j'y aille », a-t-il dit en fermant sa valise. Il s'est redressé et m'a fixée un long moment, avec ce regard intense qui était maintenant tout ce que je désirais. Toi qui as si bien su lire en moi, me disais-je, lis encore ! C'était ce qu'il cherchait à faire, je le savais, mais ce regard me chavirait et me donnait envie de me jeter sur lui et de lui faire l'amour au son des klaxons impatients. « On verra, OK ? a dit Maxime. On verra. »

J'ai hoché la tête. Il m'avait écoutée, au moins, avec une patience et une générosité qu'il aurait très bien pu me refuser. Et j'avais dit ce que je voulais dire, j'avais parlé avec candeur, je m'étais, comme on dit, vidé le cœur. J'ai fait quelques pas de côté pour laisser Maxime passer avec sa valise et je l'ai suivi dans le corridor, avec mon cœur vide et ma tête trop pleine. C'était encore une fois d'un ridicule consommé : j'ai attendu sur le palier alors qu'il barrait la porte. Il s'est finalement retourné vers moi, a hésité puis m'a pris un poignet qu'il a serré doucement. Dehors, le klaxon du taxi s'égosillait – il allait partir d'une seconde à l'autre. « Je reviens dans trois semaines, a dit Maxime. On verra où on en est rendus là, OK ? » J'ai eu le temps de faire oui de la tête et de le voir hésiter encore quelques secondes, et il était parti, dévalant du mieux qu'il le pouvait les escaliers avec sa grosse valise.

Je suis restée sur le palier une ou deux minutes – je ne pouvais tout de même pas le suivre de près, histoire de prolonger le malaise et la stridente absurdité de la situation – puis je suis descendue à mon tour. J'avais une ampoule au pied gauche, probablement causée par ma course en gougounes, et j'ai boité piteusement jusqu'au rez-de-chaussée en m'étonnant de ne pas croiser de nouveau madame Perreira.

Je me repassais mentalement notre conversation qui aurait pu, me disais-je dans l'espoir un peu futile de me requinquer, se dérouler encore plus mal. Il ne m'avait pas dit non, non ? Enfin, pas catégoriquement ? Il allait peut-être revenir de Londres en m'annonçant qu'il avait réfléchi et qu'il voulait bien me donner cette chance que j'avais quémandée ? J'ai eu une pensée pour les jolies Londoniennes branchées et j'ai pesté à voix basse. Il était officiellement hors de question que je continue à analyser cela toute seule, et j'ai poussé la lourde porte avec la ferme intention de me rendre directement chez Catherine et Nicolas.

J'ai fait quelques pas mais mon ampoule me faisait trop mal et je me suis arrêtée sur le trottoir. J'étais en train d'enlever ma gougoune rose quand j'ai entendu, derrière moi : « Geneviève. »

Je me suis retournée. Maxime était là, sa valise à côté de lui, dans une flaque de lumière dorée. Je suis restée immobile, une jambe toujours levée, ma main sur ma chaussure. «Le taxi t'a pas attendu? ai-je demandé.

— Non… Le taxi m'attendait.» Il a souri et a fait un petit geste résigné.

Je l'ai observé un moment, posant lentement mon pied par terre – je souriais moi aussi. «Vraiment?» ai-je dit d'une voix chevrotante.

Maxime hochait la tête. «Oui. Vraiment.» Et j'ai sautillé vers lui, ma gougoune dans une main, pour aller me fondre dans ses bras et l'embrasser dans la lumière.

ÉPILOGUE

« My God, s'est exclamé Nicolas. On dirait que Ricardo a explosé ici d'dans ! » Il était debout devant le grand comptoir de cuisine, sur lequel s'entassaient des planches et des assiettes regorgeant de petites bouchées impeccables et colorées.

« Ça fait une semaine que je fais à manger ! a fièrement déclaré Josiane en lui tendant un grand plat de faïence dans lequel des tartelettes au fromage formaient un rond parfait. Ben enweye ! lui a-t-elle dit en le voyant planté là. Va faire le tour des invités ! » Nicolas s'est mis au garde-à-vous comme un soldat pris en défaut et est parti avec ses tartelettes vers la grande terrasse, où une dizaine de personnes prenaient l'apéro en regardant le soleil se coucher sur le lac. « Bill est tellement content », m'a expliqué Josiane en me mettant dans les mains une lourde planche de bois sur laquelle étaient disposées quatre rangées parallèles de canapés. « Il adore les petites bouchées. » J'ai fait un sourire que j'espérais naturel, et je suis partie rejoindre Nicolas avec ma planche.

Je n'avais pas fait trois pas que Bill surgissait de derrière une poutre de bois sur laquelle des panaches de petits cervidés évoquaient un passé de grand chasseur qui n'était pas le sien. « J'haïs les p'tites bouchées… a-t-il gémi. Pourquoi qu'elle a pas juste fait des t-bones puis des saucisses sur le charcoal… c'est *ma* fête, non?

— Ça lui fait plaisir, p'pa…

— Je sais, je sais… mais promets-moi une chose, ma belle fille… quand t'organiseras des partys pour ton homme… vas-y avec le charcoal.

— Oui, papa… » J'ai poursuivi mon chemin, de peur d'échapper la planche qui devait peser près de quinze kilos.

« Charcoal, Geneviève! Tout est dans le charcoal! » a crié mon père derrière moi, alors que je mettais les pieds sur la terrasse. Audréanne, qui s'accrochait à un des bras de Félix-Antoine sous un parasol, a levé la tête en entendant son cri et m'a adressé un « Rapport? » bien senti. Je lui ai fait signe de laisser tomber et j'ai placé la planche sur la table de verre, en espérant que celle-ci n'éclate pas sous son poids.

« À quelle heure arrive Catherine? » a demandé la voix de Noé derrière moi. Je me suis retournée – il portait son maillot de Spiderman, une palme et un masque de plongée. « Elle m'a promis qu'elle se baignerait avec moi!

— Elle s'en vient bientôt, a répondu Susan en lui mettant une main sur l'épaule. Tout de suite après son audition. Tu veux que je vienne me baigner avec toi? »

Noé lui a jeté un regard suspicieux au travers de son masque et a fini par faire oui de la tête. Susan a enlevé la tunique qu'elle portait, révélant un maillot vert et, surtout, un corps à faire pâlir d'envie n'importe quelle trentenaire, et elle est partie avec Noé. « Il y a beaucoup de poissons dans le lac, a dit la petite voix rendue nasillarde par le port du masque. Mais je vais te protéger. » Nicolas, qui était encore debout comme un grand dadais avec son assiette de tartelettes devant deux collègues de mon père, les regardait avec un sourire attendri. Je lui ai fait un clin d'œil et je suis allée rejoindre ma mère, qui buvait son demi-verre en compagnie de Maxime.

« Geneviève ! m'a-t-elle dit en m'apercevant. Est-ce que tu savais que Maxime était déjà allé faire du trekking au Népal et au Tibet ?

— J'étais au courant, oui », ai-je répondu en me lovant dans les bras de mon amoureux. J'avais découvert, durant les six dernières semaines, le plaisir simple, inouï et sans cesse renouvelé de me coller. Florian n'avait jamais été un colleux, mais Maxime était un hybride étrange et pour moi idéal, croisement expérimental entre un matou un peu trop affectueux et un koala. Que nous soyons debout, couchés, assis ou en train de marcher, nous nous tenions enlacés, avec une aisance qui ne cessait de m'étonner et faisait dire à Maxime que nous étions bel et bien faits l'un pour l'autre. « C'est physiologique, m'expliquait-il en m'embrassant dans le cou sans manquer un pas. Nos corps sont faits pour s'imbriquer. » Et cette explication me satisfaisait, parce qu'elle était simple et que j'étais ravie d'avoir une raison de plus pour aimer cet homme.

« C'est juste un peu insupportable, avait fait remarquer Catherine un soir, alors que nous nous tenions devant elle comme deux siamois contents de l'être.

— Je peux revirer de bord une autre fois puis retourner avec Florian », avais-je dit, ce qui avait provoqué chez Catherine une série de mimiques faussement paniquées et chez Maxime un léger « Hon » de reproche. « C'est pas fin, ça », m'avait-il dit. « Florian va être correct, mon amour. La dernière chose qu'il voudrait ça serait d'être traité comme un animal blessé. » Je savais qu'il avait eu une peine immense, mais sa résilience était grande et j'avais, je l'aurais parié, versé plus de larmes sur la fin de notre amour que lui.

J'avais pleuré pendant des heures en lisant une lettre qu'il m'avait fait parvenir peu après notre rupture définitive, une lettre vibrante et sincère dans laquelle il me disait qu'il m'aimait mieux que jamais et me demandait pardon avec une candeur bouleversante

521

– mais je n'étais pas triste « pour » lui. Je ne savais pas si c'était parce qu'une partie de moi lui en voulait encore, ou parce que j'étais bien consciente, au fond, qu'une personne telle que lui n'avait que faire de la pitié des autres.

Nous nous étions reparlé à quelques reprises et il m'avait avoué, lors de notre dernière rencontre, qu'il avait fini par comprendre certaines choses – qu'il était trop exigeant, entre autres, et pas assez tolérant. Mais je ne voulais pas l'entendre se diminuer : je l'avais aimé tel qu'il était, après tout, et j'aurais peut-être continué à l'aimer si je n'avais pas tant changé. « Tu vas rendre une fabuleuse hipster très heureuse, lui avais-je dit.

— Mais c'est toi que j'aurais voulu rendre heureuse.

— Non, avais-je répliqué. C'était pas vraiment moi. »

Florian avait fait un triste sourire et il était parti. J'avais regardé sa longue silhouette se perdre dans la foule du Vieux-Montréal et je m'étais dit que je n'étais pas inquiète pour lui, bien loin de là.

« C'est parce que tu vois tout en rose », m'avait fait remarquer Nicolas. Et je m'étais objectée, pour la forme surtout, mais c'était vrai : je voyais tout en rose. J'étais éblouie par cet amour qui, maintenant que je l'assumais, me semblait d'une telle simplicité et d'une telle évidence que j'avais de la difficulté à croire qu'il y avait eu un temps où il n'était pas. Je me sentais par moments comme quelqu'un qui aurait traversé un pont juste avant que celui-ci ne s'écroule – j'avais, par ma très grande faute, fait presque tout pour passer à côté de cette relation et de cet homme, mais il était là, dans mes bras à moi, il avait renoncé à un voyage à Londres (qu'il avait en fait joyeusement reporté à l'automne et durant lequel je devais encore plus joyeusement l'accompagner) et su passer outre mes tergiversations et mon aveuglement des mois précédents pour m'accepter telle que j'étais et s'ouvrir à moi tel qu'il était, lui.

Nous ne cessions de nous répéter dans des paroxysmes d'amour, qui aux yeux de tout autre être humain devaient être insupportables, que « nous nous étions trouvés ». Et je restais ébahie et comme humble devant cette chance inouïe que nous avions eue : nous aurions pu nous croiser sans nous voir mais voilà, nous nous étions trouvés. Nous étions là où nous devions l'être, exactement à la bonne place tous les deux, dans les bras l'un de l'autre, devant un soleil qui se couchait lentement sur un lac des Cantons-de-l'Est.

« Katmandou, a répété rêveusement ma mère en mettant sa petite main potelée sur un des avant-bras de Maxime.

— J'ai plein de photos, a dit Maxime, le nez dans mon cou. Je vous en montrerai, si vous voulez.

— Dis-moi tu », a demandé ma mère. Je l'ai regardée en plissant les yeux : était-elle en train de *draguer* mon chum ? S'il lui dit qu'il a lu *Le Prophète*, ai-je pensé, elle lui saute dessus ici même, sur la terrasse de son ex-mari, qui se dirigeait maintenant vers nous avec une bouteille de whiskey dans une main et un ridicule cromesquis dans l'autre, là où aurait dû se trouver, effectivement, un t-bone.

« Tiens », a-t-il dit, en versant dans le verre de Maxime environ un demi-litre de whiskey. Il a périlleusement pivoté sur lui-même, cherchant du regard Nicolas, qu'il a aperçu au bout du quai et à qui il a crié quelque chose de plus ou moins cohérent en brandissant la bouteille vers le ciel. Nicolas, content, s'est adressé brièvement à son fils et à sa blonde, qui pataugeaient dans les eaux claires du lac, et a couru vers nous, tendant son verre comme un calice vers mon père.

Au même moment, un formidable crissement de pneus se faisait entendre derrière le chalet. Nous avons tous un peu rentré la tête dans les épaules, persuadés qu'un « Boum » énorme allait suivre, mais nous n'avons perçu que le claquement d'une portière de voiture qui se referme, puis des cris stridents nous informant hors de tout doute que Catherine venait de faire son arrivée.

Un crescendo de«ohmygodohmygodohmygodoh-mygodohmygodohmygod» est monté jusqu'à nous, porté par Catherine qui courait du mieux qu'elle le pouvait malgré sa grande jupe faite d'un étrange patchwork de velours. «OH MY GOD! a-t-elle finalement crié en arrivant à notre hauteur. J'ai eu le rôle! NICO! J'AI EU LE RÔLE!» Et elle s'est jetée au cou de son cousin. Le rôle en question, celui d'une ancienne star de la télé québécoise qui, dans les années 1970, avait connu le succès, l'alcool, la drogue, la déchéance et enfin la rédemption, était un premier rôle. Un gros rôle. Avec de la texture. Je le savais – j'avais, très ironiquement, écrit l'autobiographie de l'actrice en question. On allait maintenant faire un film avec sa vie et Catherine allait en être la star.

«As-tu conduit depuis Montréal dans cet état-là? lui ai-je demandé.

— Oui! Oui! J'ai failli faire douze accidents», a répondu mon amie en riant et en se lançant dans mes bras. Je ne l'avais jamais vue aussi heureuse et je l'ai serrée très fort contre moi. «On commence à tourner dans six mois, a-t-elle dit. Ça va être un gros tournage! Un méga tournage! Six mois… c'est assez pour me préparer, hein?

— C'est sûr.

— C'est malade. C'est malade!» Elle a aperçu mon père, qui tenait toujours sa bouteille de whiskey. «Oh Bill! Bonne fête Bill.» Elle s'est approchée, et mon père, croyant qu'elle allait l'embrasser, lui a tendu une joue, mais elle s'est plutôt emparée de la bouteille, dont elle a pris une grande gorgée avant de hurler, en direction du lac, un long «Whou hou» victorieux, auquel Noé a répondu sans savoir pourquoi. «Peux-tu croire? a-t-elle demandé à Maxime.

— C'est malade.

— Je sais ! » Elle s'est jetée à son cou et j'ai eu l'impression qu'il allait y avoir beaucoup de jetages autour de beaucoup de cous durant la soirée.

« Mais euh… qu'est-ce que tu vas faire pour le bébé ? a demandé Maxime, qui avait suivi de près l'évolution de ce dossier rocambolesque.

— Va falloir que je remette ça à l'an prochain, a-t-elle dit. Puis dis-moi pas que c'est mieux de même, Maxime Blackburn, puis que si je fais passer ma job avant mon flo ça veut dire que je suis pas une bonne mère, OK ? »

Le menton toujours sur l'épaule de Catherine, qui ne desserrait pas son étreinte, Maxime a fait de vifs « Non non non » de protestation. Nicolas et moi avons échangé un regard, puis un discret high five : nous ne l'aurions jamais dit à Catherine, mais nous étions plutôt soulagés que l'immaculée conception soit reportée d'un an.

« Faites-vous pas de high five dans mon dos ! » a dit Catherine en lâchant enfin Maxime. Elle s'est mis les mains sur les hanches et a ri devant nos mines déconfites. « Vous voyez ? J'ai un instinct de *feu*. De FEU ! » Et elle est partie en courant, ne s'arrêtant qu'au bout du quai pour plonger tout habillée dans l'eau.

Il ne restait qu'un minuscule lumignon de soleil à l'horizon quand Audréanne, qui avait miraculeusement réussi à se détacher de Félix-Antoine, s'est approchée de moi.

« C'est vraiment cool pour toi puis Max », m'a-t-elle dit.

Je l'ai observée, surprise et ravie : elle avait terminé sa phrase avec un point. « Moi aussi je trouve ça cool pour toi et FA.

— Je lui ai dit mon vrai âge, tu sais.

— Puis ?

— Puis il m'aime encore. » Elle souriait, radieuse. « Tu vois ? lui ai-je dit.

— Je vois. »

Nous sommes restées silencieuses un moment, jusqu'à ce que le soleil disparaisse derrière l'horizon, puis nous nous sommes regardées et, d'un seul mouvement, nous sommes parties en courant jusqu'au troisième étage. Audréanne, plus légère et plus rapide que moi, m'a devancée de quelques pas devant la grande fenêtre. Derrière l'horizon déjà noir, un dernier rayon de soleil scintillait encore.

« Puis ? a fait Audréanne après avoir repris son souffle.

— Puis quoi ? » J'étais, moi, encore terriblement essoufflée.

« Tu vas faire quoi, maintenant ?

— Avec Max ?

— Non, dans ta job. P'pa m'a dit que t'écrirais plus des bios. »

J'avais effectivement annoncé à mon éditeur que je ne voulais plus être nègre. Fantômette had left the building.

« Je vais continuer à écrire, ai-je répondu.

— Écrire quoi ?

— Je sais pas. Je voulais plus écrire les histoires des autres. Je vais écrire les miennes.

— Tu vas écrire ta bio ? a demandé Audréanne, sur un ton qui insinuait clairement qu'elle trouvait l'idée on ne peut plus RPR.

— Non… pas ma bio, nounoune. Mais mes histoires. Des histoires qui viennent de moi. »

J'ai entendu des bruits de pas derrière nous. C'était Maxime, qui est venu doucement m'enlacer par-derrière. Je lui avais parlé du fameux truc du soleil qui pouvait, pour qui possédait une tour de dix mille étages, ne jamais se coucher. Il a mis le menton sur mon épaule.

« Puis ça va raconter quoi, tes histoires ? a demandé Audréanne.

— Je sais pas, ai-je dit, en frissonnant sous les baisers légers que Maxime déposait dans mon cou. Tout est possible. »

Suivez les Éditions Libre Expression
sur le Web :
www.edlibreexpression.com

Cet ouvrage a été composé en Minion 12/14
et achevé d'imprimer en mai 2012 sur les presses
de Marquis imprimeur, Québec, Canada

certifié   procédé   100% post-   archives   énergie
            sans chlore consommation permanentes   biogaz

Imprimé sur du papier 100 % postconsommation, traité sans chlore,
accrédité Éco-Logo et fait à partir de biogaz.